ACCESO GRATIS ***a la Lectura en la Nube***

Para visualizar el libro electrónico en la nube de lectura envíe junto a su nombre y apellidos una fotografía del código de barras situado en la contraportada del libro y otra del ticket de compra a la dirección:

ebooktirant@tirant.com

En un máximo de 72 horas laborales le enviaremos el código de acceso con sus instrucciones.

La visualización del libro en **NUBE DE LECTURA** excluye los usos bibliotecarios y públicos que puedan poner el archivo electrónico a disposición de una comunidad de lectores. Se permite tan solo un uso individual y privado

JUSTICIA RACIAL, DERECHOS Y MINORÍAS

JUSTICIA RACIAL, DERECHOS Y MINORÍAS

CRISTINA HERMIDA DEL LLANO

tirant lo blanch
Valencia, 2023

EDITA: TIRANT LO BLANCH
C/ Artes Gráficas, 14 - 46010 - Valencia
TELFS.: 96/361 00 48 - 50
FAX: 96/369 41 51
Email:tlb@tirant.com
www.tirant.com
Librería virtual: www.tirant.es
DEPÓSITO LEGAL: V-3721-2022
ISBN: 978-84-1147-524-2
MAQUETA: Disset Ediciones

A mis abuelos Justo, Concha, Juan y Oliva, a los que llevo siempre conmigo, por sus enseñanzas en la vida a través de su ejemplo

"Lo querían matar los iguales,
porque era distinto"

"Distinto"
Una Colina Meridiana (1942-1950)
Juan Ramón Jiménez

ÍNDICE

INTRODUCCIÓN 15

CAPÍTULO PRIMERO

DERECHOS DE LAS MINORÍAS EN EUROPA 27

1. Intentos de clarificación conceptual en torno al término "minoría" **27**

2. Evolución de las minorías en Europa **42**

2.1. Primera etapa: desde el Tratado de Westfalia (1648) hasta el Congreso de Viena (1815) *44*

2.2. Segunda etapa: desde el Congreso de Viena (1815) hasta la terminación de la Segunda Guerra Mundial *45*

2.3. Tercera etapa: desde la finalización de la Segunda Guerra Mundial (1945) a la caída del Muro de Berlín (1989) *50*

2.4. Cuarta etapa: desde la caída del muro de Berlín (1989) hasta la crisis económica de 2008 .... *57*

2.5. Quinta etapa: desde la crisis económica de 2008 hasta la actualidad *65*

3. Las minorías en el ámbito de la Unión Europea **78**

3.1. La Directiva 2000/43/CE del Consejo, de 29 de junio de 2000, relativa a la aplicación del principio de igualdad de trato de las personas independientemente de su origen racial o étnico *90*

3.2. La Directiva 2000/78/CE del Consejo, de 27 de noviembre de 2000, relativa al establecimiento de un marco general para la igualdad de trato en el empleo y la ocupación *95*

3.3. Un examen valorativo de la transposición de las directivas 2000/43 y 2000/78 .... *99*

3.4. Acciones y medidas adoptadas desde las instituciones de la Unión Europea *102*

4. Las minorías en el ámbito del Consejo de Europa **109**

4.1. El Convenio Europeo para la Protección de los Derechos Humanos y de las Libertades Fundamentales (1950) *112*

4.2. La Carta Social Europea (1961) *116*

4.3. La Carta Europea de las Lenguas Regionales o Minoritarias (1992) *130*

4.4. El Convenio Marco para la protección de las minorías nacionales (1995) *135*

5. Las minorías en la Organización para la Seguridad y Cooperación en Europa ... 142
6. Algunas conclusiones provisionales ... 157

CAPÍTULO SEGUNDO

LA POBLACIÓN GITANA COMO MINORÍA VULNERABLE EN EUROPA ... 161

1. Antigitanismo en el ámbito europeo ... 161
2. La lucha contra la discriminación racial de los gitanos en el ámbito de la Unión Europea ... 168
3. La discriminación interseccional y la importancia de los medios de comunicación para erradicar prejuicios ... 175
4. Un caso paradigmático: la prohibición de segregación de los niños gitanos en las escuelas ... 181
5. Litigios estratégicos del TEDH en defensa de los derechos de los gitanos ... 188

CAPÍTULO TERCERO

LA INCLUSIÓN DE LA POBLACIÓN GITANA EN ESPAÑA ... 223

1. La protección de las minorías en España ... 223
2. La sensibilidad de España hacia el antigitanismo ... 237
3. La Estrategia Nacional para la Inclusión Social de la Población Gitana en España (2012-2020) ... 251
4. Pedagogía a través del análisis de los litigios estratégicos en España ... 265

CAPÍTULO CUARTO

RECONFIGURACIÓN DE LOS VALORES MORALES ESENCIALES PARA LA PROTECCIÓN DE LAS MINORÍAS ... 287

1. Principio de no discriminación e igualdad de oportunidades ... 287
   1.1. El principio de las reglas del juego iguales para todos ... 305
2. La legitimidad a debate en el ámbito de la protección de las minorías. 307
3. Diferentes perspectivas del concepto de igualdad: las acciones afirmativas ... 315
   3.1. La necesidad de las acciones afirmativas ... 315
   3.2. Medidas de acción afirmativa en el contexto internacional ... 329
   3.3. El caso de España ... 335

4. La tolerancia positiva y la solidaridad como virtudes democráticas...... 340
5. La apuesta por la generosidad cosmopolita. Un cambio de paradigma frente a la <<globalización de la indiferencia>>.................................. 352
BIBLIOGRAFÍA 363

INTRODUCCIÓN

Esta obra responde al deseo de luchar por la defensa de los derechos humanos, habiendo tenido como objetivo principal desde el primer momento contribuir a la búsqueda de la justicia racial y más concretamente animar a la necesidad de proteger los derechos de las minorías porque, desgraciadamente, en pleno siglo XXI, ello sigue siendo una tarea pendiente. Mis primeras palabras quiero que sean por ello de agradecimiento no solo a la editorial Tirant lo Blanch, que ha hecho posible que este texto vea la luz, sino también a la Comisión Europea -Education, Audiovisual and Culture Executive Agency- y a la Universidad Rey Juan Carlos porque ambas entidades han posibilitado que disfrutara de una cátedra Jean Monnet desde 2017-2020[1], lo que me permitió realizar tareas docentes e investigadoras en este apasionante ámbito de estudio. Sin duda alguna, el desarrollo de esta acción de la Unión Europea me animó a crear el grupo de investigación de alto rendimiento en Inmigración y Gestión de la Diversidad Cultural de la Universidad Rey Juan Carlos (INGESDICUL), que además fue beneficiario del Proyecto Puente V907 (2020-2022), uno de cuyos resultados puede considerarse la presente obra.

Los derechos humanos nos transportan al mundo de una ética que es común a todos los seres humanos, en nuestra calidad de agentes morales. Como ha resaltado Cortina, nuestra identidad moral consiste en "nuestra capacidad de autoobligarnos con razones, y eso nos constituye como seres humanos, por eso es una identidad necesaria, y no contingente"[2]. De ahí que todos seamos sujetos titulares de los derechos humanos en nuestra condición de hombres, sin necesidad de que se nos reconozcan por ser ciudadanos adscritos a un determinado ordenamiento jurídico. Esto indica que el reconocimiento de los derechos humanos no va a depender de que el legislador los cree, decida sobre su contenido o los reconozca jurídicamente, plasmándolos en un texto legal. Digamos que los derechos humanos son universales y,

---

1 The Prohibition of Racial Discrimination in the European Union (587051-EPP-1-2017-1-ES-EPPJMO-CHAIR).

2 CORTINA, ADELA: *Ética de la razón cordial Educar en la ciudadanía en el siglo XXI*, Ediciones Nobel, Oviedo, 2ª edición, 1ª reimpresión junio de 2009, p. 113.

por lo tanto, no pueden quedar reducidos a pura “fuerza convencionalmente organizada”[3], funcionando como “el marco dentro del cual es posible la crítica de las leyes o instituciones del Derecho positivo”[4].

Estas primeras reflexiones, que he defendido anteriormente en diversas contribuciones[5], creo que son decisivas como punto de partida de esta obra, a la hora de entender que los derechos humanos son las instancias desde las que podemos salvaguardar los derechos de las minorías, estén donde estén. De ahí que el contenido de los derechos que ostentan los sujetos que forman parte de una determinada comunidad étnica o cultural dependa directamente de su condición de agentes morales dotados de dignidad humana. A mi modo de ver, si los derechos humanos funcionan como criterios de legitimidad y justicia, o como la plataforma de la moral crítica, en palabras de Hart, entonces no deberían convertirse aquellos en herramientas que modele a su antojo la moral social mayoritaria, aun cuando esta sea respaldada por el poder fáctico de un determinado país o región. Es más, los derechos humanos deberían ser defendidos, todavía con mucho más ahínco, allí donde la moral social dominante los vulnera, apoyándose en meros criterios de legitimación social. Dicho de otro modo: la idea de que la legitimación social puede llegar a conformar criterios de le-

---

3 OLLERO, ANDRÉS: *¿Tiene razón el derecho?*, Publicaciones del Congreso de los Diputados, Madrid, 1996, p. 390. Es importante distinguir conceptualmente entre la categoría de derechos humanos y la de derechos fundamentales. Los derechos humanos o derechos morales constituyen “la razón” de que se pongan en funcionamiento y se activen mecanismos de protección normativa, en aras de que un derecho humano se convierta en derecho fundamental tras reconocerse en un determinado ordenamiento jurídico. Vid. LAPORTA, FRANCISCO: <<Sobre el concepto de derechos humanos>>, *Revista Doxa. Cuadernos de Filosofía del Derecho*, nº 4, Centro de Estudios Constitucionales y Seminario de Filosofía del Derecho de la Universidad de Alicante, Alicante, 1987, pp. 26-28.

4 BULYGIN, EUGENIO: <<Sobre el status ontológico de los derechos humanos>>, *Revista Doxa. Cuadernos de Filosofía del Derecho*, nº4, ibídem, p.79.

5 HERMIDA DEL LLANO, CRISTINA: *Los derechos fundamentales en la Unión Europea*, Anthropos, Barcelona, 2005; <<La universalidad racional de los derechos>>, *Revista de Filosofía. Bajo Palabra*, Vol. Filosofía, Derechos Humanos y Democracia. Época II. Nº 8, Universidad Autónoma de Madrid, Madrid, 2013, pp. 33-45.

gitimidad resulta a todas luces peligrosa, si pensamos en los riesgos a los que puede conducir la tiranía de la mayoría en términos morales[6].

Conviene resaltar la importancia que tiene esta cuestión para ahondar en el tema que nos ocupa, si tenemos en cuenta que lo que en este volumen se pretende es defender los derechos de las minorías, aunque se ponga especial atención en la principal minoría europea (gitanos/romaníes/pueblo gitano), a la vista de los agraves atropellos que este concreto colectivo ha sufrido y sufre en nuestro continente. De hecho, no por casualidad la Resolución del Parlamento Europeo sobre las normas mínimas para las minorías en la Unión Europea (2018/20136 (INI), aprobada el 13 de noviembre de 2018, se refiere al pueblo gitano como una de las víctimas que más padece la discriminación, aunque también manifiesta su preocupación por el alarmante número de casos de delitos de odio y de incitación al odio motivados por el racismo, la xenofobia o la intolerancia religiosa dirigidos contra las minorías en general en Europa[7]. Pensemos, por poner solo un ejemplo, en que 2021 se ha convertido en el año con más ataques antisemitas de la última década[8].

Por si esto fuera poco, la grave crisis económica y sanitaria que hemos padecido y de la que estamos paulatinamente saliendo, a raíz de la pandemia del COVID-19, ha provocado un auge a nivel mundial de racismo y xenofobia, que ha agravado todavía más la situación para las minorías, y más concretamente para la comunidad gitana en Europa, que aquí concebimos como minoría nacional[9] y que equiparamos a las denominadas "minorías no nacionales"[10]. La Fundación Secreta-

---

6 Sobre esta cuestión ya me ocupé en una anterior monografía. Vid. HERMIDA DEL LLANO, CRISTINA: *La Mutilación Genital Femenina. El declive de los mitos de legitimación*, Tirant lo blanch, Valencia, 2017.

7 Vid. HERMIDA DEL LLANO, CRISTINA (Coord.): *Discriminación racial, intolerancia y fanatismo en la Unión Europea*, Dykinson, Madrid, 2020.

8 Vid. https://israelnoticias.com/antisemitismo/2021-fue-la-peor-temporada-de-la-decada-en-materia-de-antisemitismo-en-todo-el-mundo/ https://www.infobae.com/america/mundo/2022/01/25/los-incidentes-antisemitas-llegaron-a-su-punto-mas-alto-de-la-decada-en-2021/

9 ARP, BJÖRN: *Las minorías nacionales y su protección en Europa*, con prólogo de Carlos Jiménez Piernas, Colección Cuadernos y Debates, Centro de Estudios Políticos y Constitucionales, Madrid, 2008, pp. 161 y ss.

10 De hecho, algunos autores se refieren a ellas como las minorías étnicas o raciales, que se encuentran asentadas en numerosas sociedades europeas y por

riado Gitano en España en su informe de 2021 precisaba, en relación con la pandemia desatada en 2019: "Esta crisis afectó a todos los países del mundo, pero las comunidades más pobres y marginadas la sufrieron con mucha mayor virulencia. En el caso de las comunidades gitanas de Europa, encontramos muchos casos en los que esta crisis sanitaria sirvió de excusa para actitudes discriminatorias, discursos de odio y graves casos de antigitanismo"[11].

El propio secretario general de la ONU, António Guterres, en un discurso pronunciado en marzo de 2021, con motivo del Día Internacional para la Eliminación de la Discriminación Racial[12], denunció que el racismo sigue siendo una "feroz pandemia global", abundante en todas las sociedades y con multitud de grupos como víctimas. No hay más que pensar en el asesinato de George Floyd en Estados Unidos a manos de la policía, el 18 de septiembre de 2020, que propició además del movimiento global de derechos humanos "Black Lives Matter" que la Comisión Europea adoptase un plan ambicioso de la UE contra el racismo para los siguientes cinco años.

Interesa por ello retener desde el comienzo la idea de que por derechos humanos no hay que entender conceptos más o menos abiertos o

---

ello consideran a la minoría gitana como una minoría no nacional. Otro tanto cabría decir de las numerosas minorías religiosas, como los musulmanes, judíos y protestantes en España o Francia y los judíos, musulmanes y católicos en Rusia, por citar solo algunos ejemplos. Naturalmente existen también minorías lingüísticas que, a pesar de la generalizada tendencia a confundirlas con las minorías nacionales, no forman parte de auténticas naciones. El caso del empleo del bable por sectores sociales de la colectividad asturiana nos muestra un caso claro en España. Vid. CALDUCH CERVERA, RAFAEL: <<Nacionalismos y minorías en Europa>>, Conferencia pronunciada en el Curso de Verano titulado: *La Nueva Europa en los albores del siglo XXI. Conflictos, cooperación, retos y desafíos*, celebrado en Palencia, julio de 1998.

11 Vid. Informe anual FSG 2021: <<Discriminación y Comunidad Gitana>>, Fundación Secretariado Gitano, Madrid, 2021. Serie Cuadernos Técnicos nº 134, p. 162.

12 El Día Internacional de la Eliminación de la Discriminación Racial se celebra el 21 de marzo de cada año. Ese día, en 1960, la policía asesinó a 69 personas en una manifestación pacífica contra la ley de pases del apartheid que se practicaba en Sharpeville, Sudáfrica. Vid. https://www.un.org/es/observances/end-racism-day António Guterres, secretario general de Naciones Unidas, destacó en marzo de 2021 que actualmente ese racismo continúa contra las personas de origen africano, contra indígenas y otras minorías, contra judíos, musulmanes y comunidades cristianas minoritarias.

modelables, que pueden ponerse al servicio de los intereses de grupos sociales más o menos mayoritarios, los cuales erróneamente se sienten legitimados para transformar el contenido de esas categorías morales que son los derechos humanos hasta llegar a desnaturalizarlos. Es por ello por lo que aquí se apela a que se evite la relativización de los derechos morales porque, en realidad, son estos los que deberían servir de fundamento a una posible redefinición de los derechos fundamentales, sin duda, necesaria para conseguir adaptar estos últimos al contexto histórico-social correspondiente.

En las primeras páginas de este volumen se comienza delimitando claramente el régimen jurídico de protección de las minorías en Europa, a sabiendas de que, como se ha señalado en el ámbito del Consejo de Europa: "el respeto por las minorías es un indicador fundamental del <<progreso moral>> de un país"[13]. Aun cuando es cierto que la cuestión de las minorías en Europa ha sido profundamente estudiada por la doctrina española desde la óptica del Derecho Internacional[14], aquí me acercaré al tema desde la perspectiva de la Filosofía del Derecho[15],

---

13 BURGESS, ADAM: <<Critical reflections on the return of national minority rights to East/West European affairs>>, en Karl Cordell. ed. *Ethnicity and Democratisation in the New Europe*, Routledge, Londres, 1999, pp. 49-60. KYMLICKA, WILL: <<La evolución de las normas europeas sobre los derechos de las minorías: los derechos a la cultura, la participación y la autonomía>>, *Revista Española de Ciencia Política*, nº 17, octubre 2007, pp. 11-50. Disponible en:
https://www.researchgate.net/publication/237359441_La_evolucion_de_las_normas_europeas_sobre_los_derechos_de_las_minorias_los_derechos_a_la_cultura_la_participacion_y_la_autonomia [accessed Mar 22 2020].

14 Entre otros autores, podrían citarse los siguientes: Bautista, Conde Pérez, Deop, Díaz Barrado, Fernández Sola, González Vega, Petschen, Ramón Chornet, Fernández Liesa, Contreras, Sanmartí, Díaz Pérez de Madrid.

15 Como, con acierto, ha indicado Martínez Morán: "La misión del filósofo del Derecho no es la de dictar leyes o analizar la estructura de las normas vigentes, cuya tarea corresponde al legislador y al científico del Derecho. La misión de la Filosofía del Derecho es fundamentar la legitimidad, la coherencia y la oportunidad de las leyes y, en todo caso, criticar y denunciar los sistemas jurídicos y políticos que no contribuyen al progreso de la comunidad ni al bienestar social. Cabe aún al filósofo del Derecho iluminar la tarea del legislador, aportando las bases filosóficas de la justicia y los principios universales en los que se asienta la legitimidad de las leyes y del quehacer de los gobernantes". Vid. MARTÍNEZ MORÁN, NARCISO: <<Aportaciones de la Escuela de Salamanca al reconoci-

disciplina desde la que considero se pueden analizar en profundidad problemas que pasan desapercibidos para otras disciplinas, así como cabe estudiar mecanismos útiles e indispensables para reforzar la protección de las minorías y, en especial, como ya dije, del colectivo gitano, teniendo en cuenta que el antigitanismo sigue estando muy extendido y profundamente arraigado no solo en las actitudes sociales y culturales sino también en las prácticas institucionales[16].

Como con acierto ha apuntado Calduch[17], son varios los factores que convergen a la hora de determinar si las relaciones entre los grupos mayoritarios y minoritarios que coexisten en el seno de un mismo Estado y participan en la dinámica de una misma sociedad se desarrollan bajo el signo del conflicto o de la cooperación, la marginación o la participación[18], lo que, a su vez, nos remite al estudio del funcionamiento y desarrollo de las relaciones de poder en el entramado societario. De hecho, creo que podría ser útil profundizar en el estudio, desde la dogmática weberiana, sobre cómo se producen las *relaciones de dominación* en la sociedad[19] y las *relaciones de defini-*

---

miento de los Derechos Humanos>>, *Cuadernos Salmantinos de Filosofía*, Volumen 30, 2003, p. 516.

16 Vid. Informe del Relator Especial sobre cuestiones de las minorías en España. Naciones Unidas. A/HRC/43/47/Add.1. Consejo de Derechos Humanos. 43er período de sesiones, 24 de febrero a 20 de marzo de 2020, Tema 3 de la agenda Promoción y protección de todos los derechos humanos, civiles, políticos, económicos, sociales y culturales, incluido el derecho al desarrollo.

17 CALDUCH CERVERA, RAFAEL: <<Nacionalismos y minorías en Europa>>, Conferencia pronunciada en el Curso de Verano titulado: *La Nueva Europa en los albores del siglo XXI. Conflictos, cooperación, retos y desafíos*, op. cit.

18 Esto es importante si tenemos en cuenta que “las relaciones entre los distintos grupos culturales están marcadas por relaciones de poder, es decir, de dominación y subordinación, por lo que no todos los grupos están en posición de decidir si las relaciones entre ellos van a ser de asimilación, integración, multiculturalidad o interculturalidad, solamente los grupos dominantes gozarán de esa capacidad de decisión y/o elección. Esto es patente respecto de las políticas de integración de los inmigrantes, en la que los propios inmigrantes, como grupo minoritario, poco o nada tienen que decir”. Vid. PICHARDO GALÁN, JOSÉ IGNACIO: *Reflexiones en torno a la cultura: una apuesta por el interculturalismo*, Dykinson, Madrid, 2003, pp. 59-60.

19 WEBER, MAX: *Economía y Sociedad. Esbozo de sociedad comprensiva* (trad. J.M. Echavarría y otros), Fondo de Cultura Económica, México, 1922, cit. ed. 1993, pp. 43-45.

ción, en particular[20]. A mi modo de ver, no resulta exagerado afirmar que las minorías, al igual que ocurre con las mujeres[21], no suelen pertenecer al grupo dominante y con mayor poder dentro de la sociedad. Es por ello por lo que, siguiendo a Capella, creo que hay ciertos ámbitos en los que los juristas y, en especial, añado yo *los filósofos del derecho*, "tanto como profesionales cuanto como portadores de una consciencia jurídica ilustrada que no ha encontrado consumación en el terreno social", podemos luchar por la transformación de las instituciones, por poner límites a los poderes establecidos, "eliminando zonas anómicas y construyendo normas en las que pueda convivir una humanidad más autoconsciente y menos autocomplacida que la de nuestro tiempo"[22].

Lo que es incuestionable es que los derechos fundamentales de todos los individuos que integran el cuerpo social deberían ser garantizados de forma real y efectiva, de tal modo que el desafío que genera el perfeccionamiento y adaptación del libre desarrollo de la personalidad, al final, concentra en la gestión normativa de la diversidad uno de sus retos más importantes en el siglo XXI. Como precisa Sayago: "La función del Derecho será imponer un efecto nivelador que realice la igualdad real en sociedades caracterizadas por una realidad que se ha denominado como una paulatina "pluralización democrática""[23].

Tal y como se tratará de demostrar en esta monografía, a lo largo de la historia se ha podido constatar que las medidas de carácter legal no han bastado para erradicar la discriminación que sufren determinados grupos sociales como minorías. Por eso, aquí se defenderá

---

20 SERRANO MAÍLLO, ALFONSO: <<Prefacio>> a la obra de VÁZQUEZ GONZÁLEZ, CARLOS *Inmigración, diversidad y conflicto cultural. Los delitos culturalmente motivados cometidos por inmigrantes (especial referencia a la mutilación genital femenina)*, Dykinson, Madrid, 2010, p. 20.

21 Sobre esta cuestión, vid. HERMIDA DEL LLANO, CRISTINA: *La Mutilación Genital Femenina. El declive de los mitos de legitimación*, op. cit.

22 CAPELLA, JUAN RAMÓN: <<Las transformaciones de la función del jurista en nuestro tiempo>>, *Revista de Crítica Jurídica*, nº 17, agosto 2000, p. 68.

23 SAYAGO ARMAS, DIANA: <<La protección de las minorías: un desafío clave de constitucionalismo multinivel>>, UNED. *Revista de Derecho Político*, nº 106, septiembre-diciembre 2019, p. 213; RUIZ VIEYTEZ, EDUARDO J.: <<España y el Convenio Marco para la protección de las minorías nacionales: una reflexión crítica>>, *Revista Española de Derecho Internacional*, Vol. LXVI/1 Madrid, enero/junio 2014, p. 57.

que, junto a las medidas normativas, como vía complementaria, se deberían adoptar políticas diferenciadoras que consigan abrir espacios en el campo educativo, laboral, económico y de participación política[24]. Ello quiere decir que resulta imprescindible trabajar desde el Estado (por ende, desde las políticas públicas, marcos jurídicos y legales) pero también desde la sociedad civil, esto es, de abajo a arriba, en la configuración de espacios lo suficientemente inclusivos en aras de que los ciudadanos que forman parte de minorías puedan ver garantizados sus derechos y además puedan gozar tanto del bienestar individual como social.

El capítulo primero, titulado "Derechos de las minorías en Europa", se adentra en la tarea de delimitación del concepto de minoría, por considerarse una cuestión tan importante como compleja. De hecho, como se podrá comprobar, han sido numerosos los arduos esfuerzos realizados por tratar de elaborar el concepto de minoría como término omnicomprensivo que trata de agrupar la diversidad existente a nivel individual y grupal. Aquí asumiremos que bajo el paraguas del término minoría se encuentran aquellos grupos sociales o colectivos con características identitarias propias, especialmente vulnerables, y no tanto por razones cuantitativas sino cualitativas, esto es, porque no gozan de una situación dominante dentro del cuerpo social, lo que les hace merecedores de una protección reforzada por parte del ordenamiento jurídico nacional e internacional en aras de que pueda quedar preservada su identidad y su capacidad de desarrollo siempre y cuando, eso sí, respeten los derechos humanos básicos. Ello indica que no se apuesta aquí por una perspectiva multiculturalista sino claramente intercultural.

En este capítulo primero además se trata de demostrar cómo llevamos más de veinte años insistiendo en la importancia del respeto a las minorías a través de la consagración del importante principio de prohibición de discriminación en el ámbito de la Unión Europea. Aquí no pasan desapercibidos los esfuerzos desarrollados por el Consejo de Europa y la Organización para la Seguridad y la Cooperación en Europa a la hora de proteger los derechos de las minorías. Si los retos

---

24 ANDERSON, TERRY: *The Pursuit of fairness: A History of Affirmative* Action, Oxford University Press, Oxford, 2004.

siguen siendo muchos en el momento actual, creo que ello en buena parte se debe a que los derechos humanos todavía no han conseguido ser el centro del desarrollo sostenible. De ahí que el secretario general de la ONU, António Guterres, promoviera un plan en 2020 para revitalizar los derechos humanos que incluía a la propia Organización, a los Estados miembros, a los parlamentarios, a la comunidad empresarial, a la sociedad civil y, finalmente, a todos los seres humanos[25].

El capítulo segundo, titulado "La población gitana como minoría vulnerable en Europa", se centra en la población gitana por entender que constituye una minoría vulnerable en Europa que requiere especial atención no solo por ser cuantitativamente la más numerosa sino porque además constituye uno de los grupos étnicos que sufre más duramente la pobreza, la exclusión social y la discriminación. De hecho, el propio Consejo de Europa ha llegado a hablar de "antigitanismo", definiéndolo como "una forma específica de racismo, una ideología basada en la superioridad racial, una forma de deshumanización y de racismo institucional". Aunque con el cambio de siglo comenzaron a materializarse avances en la lucha contra la discriminación racial de los gitanos en el ámbito europeo gracias al trabajo llevado a cabo por sus instituciones, tribunales, ONGs[26] y sociedad civil, como se tratará de demostrar aquí, todavía tenemos ante nosotros grandes retos para conseguir arribar a una sociedad inclusiva, en la que la diversidad sea gestionada de forma adecuada, conforme a los casos de la jurisprudencia europea que son aquí debidamente examinados. Como ha resaltado, con agudeza, Anzalone: "La igualdad de las personas (...) constituye un llamamiento a la aplicación de un principio en virtud del cual deben respetarse las diferencias sabiendo colmar la disparidad; para tratar a todas las personas en modo igual, será necesario tratar a cada una de ellas como un todo incomparable, respetando la

---

25 Vid. https://news.un.org/es/story/2020/02/1470021

26 Vid. HERMIDA DEL LLANO, CRISTINA: <<The importance of non-governmental organizations of achieving the sustainable development goals: The fight against racial discrimination of Roma in Europe>>, en *Public-Private Partnerships and sustainable development goals: proposals for the implementation of the 2030 Agenda*, op. cit., pp. 17-32.

igualdad en la diversidad; se trata, por tanto, de preguntarse cómo tratar a "esa" persona y no solamente a "la" persona"[27].

El capítulo tercero, bajo el título de "La inclusión de la población gitana en España", puede considerarse continuación del anterior ya que en él se focaliza en la inclusión de la población gitana en España. Se comienza con un examen sobre la protección de las minorías en el ámbito español, en donde queda en evidencia que, a pesar de que no se cuenta con un marco jurídico interno general, ello no implica que el ordenamiento español no disponga de herramientas jurídicas para la protección de estos colectivos. Se somete a examen la sensibilidad que ha tenido España hacia el antigitanismo, al entender que este fenómeno se manifiesta a través de la violencia, el discurso del miedo, la explotación y la discriminación. Además, en este capítulo se hace balance de la Estrategia Nacional para la Inclusión Social de la Población Gitana en España (2012-2020) hasta la aprobación de la Estrategia para la Igualdad, Inclusión y Participación de la Población Gitana (2021-2030), y se trata de hacer pedagogía a través del análisis de algunos litigios estratégicos que han tenido lugar en España en los últimos tiempos.

El capítulo cuarto, titulado "Repensando valores morales esenciales para la protección de las minorías", puede considerarse la parte más centrada en cuestiones iusfilosóficas, en la que se aporta una visión más teórica, de necesaria fundamentación para lograr entender cómo podemos alumbrar un cambio de paradigma frente a la denominada <<globalización de la indiferencia>>[28]. En este último capítulo se someten a examen el principio de no discriminación e igualdad de oportunidades y, más concretamente, el principio de las reglas del juego iguales para todos. Además, se incide en la importancia que adquiere el criterio de la legitimidad en el ámbito de protección de las minorías. Junto a todo ello, se analizan también las diferentes perspectivas del concepto de igualdad -las acciones afirmativas en el contexto internacional y en España-, apostando sin reservas por la tolerancia

---

27 ANZALONE, ANGELO: *Lo humano de los derechos humanos*, Dykinson, Madrid, 2021, p. 26.

28 Vid. <<El Papa Francisco condena la "globalización de la indiferencia">>, 9 de julio de 2013. Disponible en: https://www.ciudadredonda.org/articulo/el-papa-francisco-condena-la-globalizacion-de-la-indiferencia

positiva y la solidaridad como virtudes democráticas, a sabiendas de que el Estado de Derecho no es una estructura legal inmutable y, en consecuencia, más bien depende para su desarrollo de la continua acción ciudadana.

Me gustaría terminar esta introducción refiriéndome a los 17 objetivos mundiales de la Agenda 2030 para el Desarrollo Sostenible que, aunque se adoptaron por la Asamblea General de Naciones Unidas en septiembre de 2015, entraron en vigor el 1 de enero de 2016. Como sabemos, en 2030 se podrán ver los resultados logrados por esta ambiciosa agenda internacional, centrada en la erradicación de la pobreza, la reducción de las desigualdades y el desarrollo sostenible como un todo indivisible, en el que los derechos humanos constituyen un pilar básico. No podemos olvidar que los pasos para aplicar de forma universal los 17 Objetivos de Desarrollo Sostenible (ODS) pasan, necesariamente, por la "localización", esto es, cada país, región o municipio debe adaptar los objetivos de la agenda a su propia realidad, a su propio desarrollo[29]. La calidad de vida de la ciudadanía cumple un rol primordial en la definición del desarrollo que cada país, región o municipio quiere seguir, incluyendo dentro de ella, por supuesto, a aquellas personas que están en una situación más desfavorecida y que no hay que dejar en ningún caso atrás. Sobra decir que los sujetos que pertenecen a las minorías en Europa se encuentran dentro de este grupo y por eso creo que merecen especial atención para que los resultados conseguidos demuestren que somos un continente empático, responsable y solidario, que hace un buen uso de la razón y la imaginación a la hora de introducirse en otras culturas, grupos o ideas[30]. Como afirmara, con agudeza, el filósofo español Julián Marías: "La diversidad en el mundo existe, creo que por fortuna, pero no es un obstáculo para la convivencia, para relaciones mutuas que podrían

---

29 En palabras del antiguo secretario general de Naciones Unidas, Ban Ki-moon: <<La prueba de fuego para el compromiso con la Agenda 2030 será la implementación>>. Vid. Palabras del secretario general en la Cumbre para la aprobación de la agenda para el desarrollo después de 2015, Nueva York, 25 de septiembre de 2015. Disponible en: https://www.un.org/es/sg/messages/2015/sdg_summit_2015.shtml

30 NUSSBAUM, MARTHA C.: *Cultivating Humanity. A Classical Defense of Reform in Liberal Education*, Harvard University Press, Cambridge (Massachusetts) London, 1997, p. 297.

ser fraternas, estimulantes, impulsos a la creación. La diversidad es preciosa, la más grande riqueza, con tal de que no sea sentida e interpretada como hostilidad"[31]. Vaya por delante que la pervivencia de las minorías -en calidad de grupos que son socialmente vulnerables- así como la lucha por la promoción y protección de su identidad, sin discriminación alguna, depende solamente de nosotros.

CRISTINA HERMIDA DEL LLANO
Múnich, junio de 2022

31 MARÍAS, JULIÁN: <<Mayorías y minorías>>, *ABC*, 28 de febrero de 2002.

CAPÍTULO PRIMERO

DERECHOS DE LAS MINORÍAS EN EUROPA

1. INTENTOS DE CLARIFICACIÓN CONCEPTUAL EN TORNO AL TÉRMINO "MINORÍA"

Cuando uno se adentra en la tarea de delimitación del concepto de minoría, inmediatamente se da cuenta de que se trata de una cuestión tan importante como compleja[1]. Ello se debe a que no existe un concepto unívoco ni una regla claramente definida y aceptada sobre los elementos que configuran esta acepción utilizada no solo coloquialmente sino en numerosos textos jurídicos. Sirvan de ejemplo la Declaración sobre los derechos de las personas pertenecientes a minorías nacionales o étnicas, religiosas y lingüísticas, que fue aprobada por la Asamblea General en su Resolución 47/135 del 18 de diciembre de 1992[2], y los numerosos intentos desde el Consejo de Europa realizados para tratar de aclarar el significado de este término[3].

---

[1] Es por ello por lo que, con razón, ha señalado SAYAGO ARMAS, DIANA en <<La protección de las minorías: un desafío clave de constitucionalismo multinivel>>, UNED. *Revista de Derecho Político,* nº 106, op. cit.: "La definición del término "minorías" no es pacífica. La complejidad que entraña la elaboración jurídica del concepto ha supuesto un escollo aún no resuelto que choca insistentemente con una realidad que insiste en demandar una mayor concreción jurídica", p. 201.

[2] La Declaración recoge normas fundamentales en aras de garantizar los derechos de las personas pertenecientes a minorías y, como tal, se considera una referencia importante para la labor de las Naciones Unidas, al ofrecer pautas y orientación a los Estados que buscan gestionar la diversidad y garantizar la no discriminación, y para las propias minorías, en su lucha por alcanzar la igualdad y la participación. Vid. https://www.ohchr.org/Documents/Issues/Minorities/Booklet_Minorities_Spanish.pdf

[3] Han sido numerosos los esfuerzos realizados en el seno del Consejo de Europa para la formulación de una definición de minoría con aceptación general. En este sentido, es menester citar que la primera definición elaborada por este organismo fue a través de su Comisión Jurídica en 1961, según la cual, minorías son <<grupos separados o distintos, bien definidos y establecidos desde hace mucho

Hay incluso quien ha considerado innecesaria tal definición dada la naturaleza heterogénea que muestran las minorías. Este es el caso, entre otros, de Max van der Stoel[4], Alto Comisionado para las Minorías Nacionales de la OSCE desde 1992 hasta 2001, quien en uno de sus discursos declaró que bastaba con conocer la existencia de grupos de personas con características distintas a las de la mayoría de la población y con una identidad propia para poder identificar fácilmente

tiempo en el territorio de un Estado>>. De la definición anterior puede observarse que hace alusión al elemento de la presencia de características comunes (lengua, religión, cultura, etc.) y además establece el criterio de la permanencia en el territorio dentro del Estado durante un tiempo que no queda del todo precisado. Por si esto fuera poco, en la década de los noventa del siglo XX se formularon otras definiciones. Así, por ejemplo, en la Recomendación 1134, de 1 de octubre de 1990, establecida por la Asamblea Parlamentaria del Consejo de Europa, se expresa que las minorías son <<grupos separados o distintos, bien definidos y establecidos en el territorio de un Estado, cuyos miembros son nacionales de ese Estado y presentan ciertas características religiosas, lingüísticas, culturales u otras que los distinguen de la mayoría de la población>>. Otra definición la encontramos en el artículo 2.1. de la Propuesta de Convención sobre la Protección de las Minorías, elaborada en 1991 por la Comisión Europea para la Democracia por el Derecho, al afirmar que <<[...] el término minoría designa un grupo numéricamente inferior al resto de la población de un Estado, cuyos miembros, que tienen la nacionalidad de ese Estado, poseen características étnicas, religiosas o lingüísticas diferentes de las del resto de la población y están animadas por una voluntad de preservar su cultura, sus tradiciones, su religión o su lengua>>. También puede considerarse una definición de interés la formulada por la Asamblea Parlamentaria, a través de la Recomendación 1201, de 1 de febrero de 1993 sobre un Protocolo Adicional al Convenio Europeo de Derechos Humanos, siendo confirmada el 31 de enero de 1995, por la Recomendación 1255 sobre la Protección de los Derechos de las Minorías Nacionales, a la que más adelante me referiré.

4 Max van der Stoel (1924–2011) fue político y diplomático holandés del Partido Laborista y además jurista. Se le otorgó el título honorario de Ministro de Estado el 17 de mayo de 1991. Además fue nombrado como el primer Alto Comisionado para las Minorías Nacionales en la OSCE (High Commissioner on National Minorities -HCNM-) en 1992. Sirvió durante ocho años y medio en este puesto. Destaca su libro *Peace and Stability through Human and Minority Rights: Speeches by the OSCE High Commissioner on National Minorities*, 2ª edición enriquecida, que contiene una colección de discursos mantenidos entre 1992-2000 como el primer Alto Comisionado para Minorías Nacionales de la OSCE, editado por Wolfgang Zellner and Falk Lange y publicado por Nomos, 2001.

donde existía una minoría nacional[5]. Con palabras suyas: "(...) No quiero dar mi propia definición. Desearía, no obstante, señalar que la existencia de una minoría es una cuestión de hecho y no de definición. En relación con ello desearía mencionar el Documento de Copenhague que establece que <<el pertenecer a una minoría nacional constituye un asunto de opción personal>>. (...) Debería arriesgarme a decir que conozco una minoría cuando la veo. Ante todo, una minoría es un grupo con características lingüísticas, étnicas o culturales que le distinguen de la mayoría. En segundo lugar, una minoría es un grupo que normalmente no sólo intenta mantener su identidad sino que también intenta expresar fuertemente esa identidad"[6]. Creo que esta última acepción merecería una reflexión, al apuntarse cómo la minoría expresa su identidad no solo *ad intra*, sino también *ad extra*. Por otra parte, posiblemente esta concepción de van der Stoel haya obedecido no solo a la falta de consenso sobre los elementos que vendrían a conformar el término minoría, como veremos enseguida, sino también a la enorme cantidad de grupos minoritarios diferenciados, carentes del reconocimiento y protección de sus derechos, cuyas características son muy particulares y distintas[7].

Lo que sí parece incuestionable es que han sido numerosos los arduos esfuerzos realizados por tratar de construir el concepto de minoría como término omnicomprensivo que aglutina dentro de sí el fenómeno de la diversidad reinante a nivel individual y grupal[8]. Tiene así razón Rojo Sanz cuando sostiene que "el individuo ha dejado de ser el sujeto exclusivo de aquéllos (derechos humanos) para exigir su reco-

---

5 VAN DER STOEL, MAX: <<Minorities, Human Rights and the International Community>>, 7 de julio de 1995. Disponible en: https://www.osce.org/hcnm/36591

6 High Commissioner on National Minorities–OSCE, ref. HCNM/FS-ENG/001 (Febrero, 1997). Este documento resulta asequible a través de Internet en la siguiente dirección: http://www.osce.org

7 CORONA FERREYRA, ROMÁN RUBÉN: <<Minorías y grupos diferenciados: Claves para una aproximación conceptual desde la perspectiva internacional>>, *IUS. Revista Jurídica Universidad Latina de América*. Disponible en: http://www.unla.mx/iusunla22/reflexion/minorias%20y%20grupos%20difernciados.htm

8 SAYAGO ARMAS, DIANA: <<La protección de las minorías: un desafío clave de constitucionalismo multinivel>>, UNED. *Revista de Derecho Político*, nº 106, op. cit., p. 202.

nocimiento como tal, no solo los grupos sociales sino incluso pueblos enteros"[9]. Ello de algún modo obedece a la defensa de los derechos de las minorías como derechos de tercera generación que implican una titularidad colectiva, "en la medida en que su fuente de inspiración es el valor de la solidaridad frente al exclusivismo individualista"[10].

A mi modo de ver, entre otros autores, Bjorn Arp ha tenido el acierto de identificar un doble criterio a la hora de delimitar el término minoría, sugiriendo que, por un lado, se alcance una definición que permita identificar a las minorías, mientras que, por otro lado, se consiga una definición adaptable a los textos jurídicos[11]. Tengamos en cuenta que los textos internacionales sitúan la regulación normativa de las minorías dentro del ámbito de la protección internacional de los derechos humanos[12], pero diferenciando y haciendo uso de voces diversas como "pueblo indígena"[13], "minorías nacionales" o "mino-

---

[9] ROJO SANZ, JOSÉ MARÍA: <<Los derechos humanos de las futuras generaciones>>, en BALLESTEROS, J. (ed.), *Derechos Humanos: Concepto, fundamento, sujetos*, Tecnos, Madrid, 1992, p. 193.

[10] MEGÍAS QUIRÓS, JOSÉ JUSTO: <<Elementos constitutivos de los Derechos Humanos>>, *Manual de Derechos Humanos*, Aranzadi –Thomson Reuters, The Global Law Collection, Pamplona, 2006, p. 148.

[11] ARP, BJÖRN: *Las minorías nacionales y su protección en Europa*, con prólogo de Carlos Jiménez Piernas, op. cit., p. 60.

[12] Ello ocurre, por ejemplo, en el art. 1 del Convenio Marco sobre Protección de las Minorías Nacionales, que proclama: <<La protección de las minorías nacionales y de los derechos y libertades de las personas pertenecientes a esas minorías forma parte integral de la protección de los derechos humanos, y como tal entra dentro del ámbito de la cooperación internacional>>.

[13] Desde el punto de vista individual, por "indígena" se entiende toda persona que pertenece a esas poblaciones por autoidentificación como tal (conciencia de grupo), y es reconocida y aceptada por esas poblaciones como uno de sus miembros (aceptación por el grupo). Dicha definición ha sido señalada por el relator especial José R. Martínez Cobo en el Informe que la Subcomisión para la Prevención de la Discriminación y la Protección de las Minorías de las Naciones Unidas le encargó. Vid. APARICIO WILHELMI, MARCO: *Los Pueblos Indígenas y el Estado. El Reconocimiento Constitucional de los Derechos Indígenas en América Latina*, Cedecs, Barcelona, 2002, p. 19. También de interés es la opinión que sobre poblaciones indígenas expresa el Consejo Mundial de Pueblos Indígenas, al indicar: <<pueblos indígenas son los grupos de poblaciones como los nuestros que, desde tiempo inmemorial, habitamos las tierras en que vivimos, conscientes de poseer una personalidad propia, con tradiciones sociales y medios de expresión vinculados al país heredero de nuestros antepasados, con un

rías étnicas, lingüísticas y religiosas"[14], lo que dificulta la aproximación terminológica.

Interesa advertir que hay algo que diferencia claramente a las minorías étnicas de los "pueblos indígenas"[15] -término que, por cierto, reclaman estos frente a la voz de "minorías indígenas"[16]-, y ello es el elemento temporal, debido a que los pueblos indígenas se caracterizarían por habitar un territorio en un momento históricamente anterior al grupo dominante o mayoritario dentro de la sociedad.

Al contrastar los documentos de Naciones Unidas, rápidamente uno observa que se usan de forma indistinta las expresiones "minoría nacional" y "minoría étnica"[17], lo que de entrada revela cierta im-

---

idioma propio y con características esenciales y únicas que nos dotan de la firme convicción de pertenecer a un pueblo, con nuestra propia identidad, y que así nos deben considerar los demás>>. Cabría decir que lo único que diferencia a ambas figuras es la existencia precolonial del grupo en el caso de las minorías indígenas. Sobre esta interesante cuestión, vid. CORONA FERREYRA, ROMÁN RUBÉN: <<Minorías y grupos diferenciados: Claves para una aproximación conceptual desde la perspectiva internacional>>, *IUS. Revista Jurídica Universidad Latina de América*. Disponible en:
http://www.unla.mx/iusunla22/reflexion/minorias%20y%20grupos%20difernciados.htm
Asimismo vid. SAYAGO ARMAS, DIANA: <<La protección de las minorías: un desafío clave de constitucionalismo multinivel>>, UNED. *Revista de Derecho Político*, N° 106, op. cit., pp. 204-207.

14 GONZÁLEZ HIDALGO, ELOÍSA–RUIZ VIEYTEZ, EDUARDO J.: <<La definición implícita del concepto de minoría nacional en el Derecho Internacional>>, *Revista Derechos y Libertades. Revista del Instituto Bartolomé de las Casas*, n° 27, Época II, junio 2012, p. 21.

15 Declaraciones de Victoria Tauli-Corpuz, Relatora Especial de Naciones Unidas sobre los Derechos de Pueblos Indígenas, el 11 de mayo de 2015, disponible en: http://unsr.vtaulicorpuz.org/site/index.php/es/entrevistas-y-prensa/67-opinion-sdg: <<Luchamos por el reconocimiento mundial de nuestros derechos en la Declaración de la ONU sobre los Derechos de los Pueblos Indígenas. Tuvimos que luchar para ser llamados "Pueblos Indígenas", un término que nos reconoce como pueblos con identidades distintas y culturas que tienen el derecho a la libre determinación>>.

16 SAYAGO ARMAS, DIANA: <<La protección de las minorías: un desafío clave de constitucionalismo multinivel>>, UNED. *Revista de Derecho Político*, n° 106, op. cit., p. 212.

17 MARIÑO MENÉNDEZ, FERNANDO M.: <<Desarrollos recientes en la protección internacional de los derechos de las minorías y de sus miembros>>, en PRIETO SANCHÍS, L. (Coord.), *Tolerancia y minorías. Problemas jurídicos y*

precisión o vaguedad terminológica o cuando menos una perspectiva generalista[18]. En realidad, el concepto de etnia engloba dos elementos distintivos: uno de carácter subjetivo y otro de índole objetiva; por una parte, se encuentra la existencia de una conciencia étnica, esto es, la creencia en un origen común (real o mitológico) y, por otro, un conjunto de elementos socioculturales, entre los que se encuentra, por ejemplo, la lengua, la religión, el territorio, las tradiciones, los recuerdos históricos o costumbres populares que vinculan a un grupo con su pasado, las instituciones sociales, políticas y jurídicas de raíz cultural propia, los modos de vida o valores, un sentimiento de solidaridad o de identidad entre sus miembros[19].

Si se toman en consideración los elementos del término minoría y los elementos constitutivos del concepto de etnia, se puede llegar a una adecuada configuración terminológica del término minorías. En esta línea, Contreras Mazarío ofrece una razonable definición de minoría étnica, al entenderla del siguiente modo: grupo de personas que reside con carácter permanente en el territorio de un Estado, numéricamente inferior y no dominante en relación con el resto de la población, cuyas características étnicas, culturales, religiosas o lingüísticas, diferentes a las de la mayoría o a las del resto de la población, se pretenden mantener, conservar y promocionar para el futuro, aunque sea implícitamente, de manera colectiva y solidaria[20].

En este mismo orden de ideas, se sitúa la definición consagrada en la propuesta de un protocolo adicional al *Convenio Europeo de Derechos Humanos*, presentada por el gobierno austriaco al Comité

---

políticos de las minorías en Europa, Servicio de Publicaciones de la Universidad de Castilla- La Mancha, Cuenca, 1996, p. 77.

[18] SAYAGO ARMAS, DIANA: <<La protección de las minorías: un desafío clave de constitucionalismo multinivel>>, UNED. *Revista de Derecho Político,* N° 106, op. cit., p. 208.

[19] MADINABEITIA, XABIER DEOP: *La Protección de las Minorías Nacionales en el Consejo de Europa,* Instituto Vasco de Administración Pública, Bilbao, 2000, p. 40.

[20] CONTRERAS MAZARÍO, JOSÉ MARÍA: <<Minorías y Naciones Unidas, Especial Referencia al Concepto de Minoría Religiosa>>, en *Derecho Constitucional para el siglo XXI,* actas del VIII Congreso Iberoamericano de Derecho Constitucional, coord. Por Manuel Carrasco Durán, Francisco Javier Pérez Royo, Joaquín Urías Martínez, Manuel José Terol Becerra, Vol. 2, Thomson Reuters Aranzadi, 2006, pp. 5007-5043.

de Ministros del Consejo de Europa[21] el 20 de diciembre de 1991, que en su artículo 1 define el término "grupo étnico" como un colectivo de ciudadanos de un Estado que residen tradicionalmente sobre el territorio de ese Estado, son menos numerosos que el resto de la población de ese Estado o de una región del mismo, presentan características étnicas o lingüísticas diferentes de las del resto de la población, y tienen su propia identidad cultural[22].

Pues bien, la utilización del término "comunidad", por parte de algunos órganos jurisdiccionales internacionales, todavía ha alimentado más la confusión conceptual en torno al significado de minoría. Sirva de ejemplo la opinión emitida el 31 de julio de 1930 por la Corte Permanente de Justicia Internacional, sobre la interpretación del término "comunidad", recogido en el Convenio de 27 de noviembre de 1919 entre Grecia y Bulgaria, relativo a la emigración voluntaria de las poblaciones greco-búlgaras. Ha sido en esta opinión en la que la Corte defendió que por "comunidad" debía entenderse "un grupo de personas en determinado país o localidad, que poseen una raza, religión, lengua y tradiciones propias y unidos por esta identidad de raza, religión, lengua y tradiciones en un sentimiento de solidaridad, con vistas a preservar sus tradiciones, manteniendo su forma de culto, asegurando la instrucción y educación de sus hijos de acuerdo con el espíritu y tradiciones de su raza y prestándose mutua asistencia"[23].

---

[21] Dicho órgano está integrado por 46 ministros de Asuntos Exteriores o sus delegados, provenientes de los Estados miembros. Su sede se encuentra en Estrasburgo. Este órgano se caracteriza por defender los derechos humanos y la democracia parlamentaria y asegurar la preeminencia del Estado de derecho, concluir acuerdos a escala europea para armonizar las prácticas sociales y jurídicas de los Estados miembros, y favorecer la concienciación del concepto de identidad europea basada en los valores comunes más allá de las diferencias culturales.

[22] MADINABEITIA, XABIER DEOP: *La Protección de las Minorías Nacionales en el Consejo de Europa*, op. cit., p. 53.

[23] *Interpretation of the Convention Between Greece and Bulgaria Respecting Reciprocal Emigration (1930)*, Permanent Court of International Justice, Series B, No. 17. Asimismo, vid. CORONA FERREYRA, ROMÁN RUBÉN: <<Minorías y grupos diferenciados: Claves para una aproximación conceptual desde la perspectiva internacional>>, *IUS. Revista Jurídica Universidad Latina de América.* Disponible en:
http://www.unla.mx/iusunla22/reflexion/minorias%20y%20grupos%20diferenciados.htm

De hecho, creo que este dictamen de la Corte Permanente Internacional de Justicia, órgano antecesor de la actual Corte de Justicia Internacional, se puede considerar uno de los precedentes más relevantes a la hora de consolidar, en sede judicial, una definición general del término minoría, a pesar de no servirse de forma explícita de este término. Efectivamente, aunque no hace mención directa y explícita a las minorías, sí que el dictamen alude a algunos de los elementos que pueden servir para la formulación del concepto, siguiendo la estela de la doctrina internacionalista, entre los que encontramos tanto la presencia de rasgos característicos comunes (lengua, religión y tradiciones) como la voluntad del grupo de desear mantener su identidad común.

Otro esfuerzo de definición interesante, desde el punto de vista legal, ha derivado de la interpretación del término "minorías étnicas, religiosas o lingüísticas" que fue realizada por el Comité de Derechos Humanos de Naciones Unidas en la Observación General No. 23 sobre el artículo 27 del Pacto Internacional de Derechos Civiles y Políticos (1966) que señala: <<En los Estados en que existan minorías étnicas, religiosas o lingüísticas, no se negará a las personas que pertenezcan a dichas minorías el derecho que les corresponde, en común con los demás miembros de su grupo, a tener su propia vida cultural, a profesar y practicar su propia religión y a emplear su propio idioma>>[24]. Según dicha observación, por minoría debería entenderse "aquel grupo de personas que comparten en común una cultura, una religión o un idioma"[25]. Si uno observa con detenimiento esta acepción del término minoría, en realidad, sólo se incluye un elemento, que viene referido a la presencia de caracteres comunes como son la lengua, la religión o las tradiciones culturales, dejando a un lado el elemento de la ciudadanía[26]. Dicho de otra manera, aquí

---

24 Art. 27 del Pacto internacional de derechos civiles y políticos, hecho en Nueva York el 19 de diciembre de 1966 (instrumento de ratificación de España publicado en el BOE 30 de abril de 1977).

25 Vid. párrafo 5.1. de la *Observación General 23 del Comité de Derechos Humanos. Derechos de las Minorías* (Artículo 27), de 8 de abril de 1994.

26 Un asunto que origina ciertas controversias es el del criterio de residencia o nacionalidad de un país si tenemos en cuenta que los criterios que sirven para determinar la residencia o nacionalidad varían de unos Estados a otros, estando influidos por la situación político-económica. Vid. ZAPATA-BARRERO,

lo que parece resaltarse es el factor objetivo de carácter sociológico, el cual conforma a los grupos en función de ciertos rasgos comunes objetivos que unen a los individuos (la lengua, las creencias religiosas o su origen étnico). Tesis que, por cierto, ha sido defendida doctrinalmente, entre otros autores, por Calduch, quien, sin embargo, sí que se decanta por añadir el criterio de la ciudadanía, al señalar que minorías "son aquellas colectividades formadas por los ciudadanos de un Estado pero demográficamente minoritarias en su seno, que han generado y mantienen una identidad colectiva diferenciada de la del resto de la población de dicho Estado, a partir de la singularidad de su raza, etnia, lengua, religión, historia o cultura"[27].

Aun cuando sean dignos de valorar los intentos de definición normativa realizados tanto por el Comité de Derechos Humanos de Naciones Unidas como por la doctrina, llama la atención que en ambos casos se hayan ignorado o, en el mejor de los casos, no se hayan destacado adecuadamente elementos decisivos para configurar el término minoría, a los que me referiré más adelante, como son la vulnerabilidad del grupo ante el resto de la población y su deseo como colectivo de querer preservar su identidad propia, cuestiones que, a mi modo de ver, consiguen estrechar los lazos personales de su miembros y que no se pueden pasar por alto.

Es cierto que organizaciones internacionales como el Consejo de Europa sí que han adoptado una visión más omnicomprensiva del término minorías en la que el deseo de preservar la identidad común se contempla y la vulnerabilidad como grupo se deja entrever, aunque, por desgracia, asociándola a un criterio meramente cuantitativo. Observemos, por ejemplo, la Recomendación 1255, de 31 de enero de 1995, en la que esta organización internacional definió a las minorías nacionales, en su artículo 1, como: <<Un grupo de personas en un Estado que: I) Residen sobre el territorio de ese Estado y son ciuda-

---

RICARD: <<La ciudadanía en contextos de multiculturalidad: procesos de cambios de paradigmas>>, *Anales de la Cátedra Francisco Suárez*, nº 37, Universitat Pompeu Fabra, Barcelona, 2003, pp. 185-187

27 CALDUCH CERVERA, RAFAEL: <<Soluciones Regionales para la Protección Internacional de las Minorías en Europa>>, en GARCÍA RODRÍGUEZ, ISABEL, *Las minorías en una sociedad democrática y pluricultural*, Universidad de Alcalá. Servicio de Publicaciones, Madrid, 2001, p. 98.

danos suyos; II) Mantienen con ese Estado vínculos antiguos, firmes y estrechos; III) Muestran caracteres diferenciales étnicos, culturales, religiosos o lingüísticos; IV) Son suficientemente representativas, aunque en menor número que el resto de la población de ese Estado o de una región de ese Estado; y, V) Están motivadas por la preocupación de preservar conjuntamente lo que constituye su identidad común, incluyendo su cultura, sus tradiciones, su religión o su lenguaje>>.

Conforme a esta definición del Consejo de Europa, a la hora de plantearse una aproximación al término de minoría nacional, resultarían necesarios elementos de índole objetiva y subjetiva para conformarse como grupo minoritario, los cuales combinados entre sí de diferente manera dan lugar a multitud de definiciones de contenido y alcance muy variado. Comenzando por los elementos objetivos, cabría destacar los siguientes: no formar parte de la posición dominante, inferioridad numérica, la condición de residente o nacional, el factor sociológico, el geográfico y el histórico, aunque, como veremos, no se pueden ignorar los elementos de carácter subjetivo, por ser también relevantes.

A pesar de que es cierto que Naciones Unidas no ha conseguido abordar toda la complejidad que entraña el examen del concepto de minoría nacional[28], lo que sí es de justicia reconocer es que la ONU fue la organización internacional que en 1971 encargó a un Relator Especial un estudio en torno a la definición y clasificación de las minorías, el cual fue finalmente publicado en 1979 y se conoce como "informe Capotorti". El Relator Especial, después de analizar un amplio número de definiciones y tras someter a consideración de los gobiernos y de los miembros de la Sub-Comisión de Naciones Unidas para la Prevención de la Discriminación de las Minorías sus conclusiones, proporcionó en su informe una definición que pone el foco en el criterio de la posición dominante o no dominante del grupo minoritario[29]. De hecho, Capotorti entiende que una minoría se podría entender

---

28 SAN JUAN VELASCO, CRISTINA – DELGADO BURGOS, MARÍA ÁNGELES – APARICIO CERVÁS, JESÚS MARÍA: <<El concepto de "minoría" como controversia político-jurídica en su aplicación a la comunidad gitana española>>, TRIM: *Revista de investigación multidisciplinar*, nº 11, 2016, p. 20.

29 CAPOTORTI, FRANCESCO: <<Study on the rights of persons belonging to ethnic, religious, and linguistic minorities>>, ONU. Centre for Human Rights, New York, 1979, p. 568.

como "un grupo numéricamente inferior al resto de la población de un Estado, en situación no dominante, cuyos miembros, súbditos del Estado, poseen desde el punto de vista étnico, religioso o lingüístico unas características que difieren de las del resto de la población y manifiestan incluso de modo implícito un sentimiento de solidaridad al objeto de conservar su cultura, sus tradiciones, su religión o su idioma"[30]. Ello indica, lo que me parece importante resaltar aquí, que puede haber casos de minorías nacionales dominantes, esto es, colectivos que, aun siendo menores en términos numéricos respecto al resto de la población, ejercen el control de las instituciones[31], lo que parece ignorar la Recomendación de 1995 del Consejo de Europa.

Si esto es así, a mi modo de ver, no cabría concebir como minoría a aquella que lo sea solo en términos meramente cuantitativos al tiempo que goce de una posición claramente dominante dentro de la sociedad[32]. De tal modo que, desde mi punto de vista, uno de los criterios que debería primar es el de "la vulnerabilidad del grupo social" puesto que, precisamente, por no gozar de una posición dominante dentro de la sociedad, corre el riesgo de que sus derechos puedan verse desprotegidos. Lo ha resaltado Sayago cuando afirma: "La vulnerabilidad implica una situación de desprotección tal que apareja una desigualdad en la que el individuo ve disminuida su capacidad efectiva para ejercer sus derechos básicos y propios y, en paralelo, ve

---

30 Aproximación conceptual elaborada en 1977 por Francesco Capotorti, relator especial de Naciones Unidas, en *Estudio sobre los Derechos de las Personas Pertenecientes a Minorías Étnicas, Religiosas o Lingüísticas*, citado en MARIÑO MENÉNDEZ, FERNANDO M. – FERNÁNDEZ LIESA, CARLOS R. – DÍAZ BARRADO, CÁSTOR M.: *La Protección Internacional de las Minorías*, Ministerio de Trabajo y Asuntos Sociales. Subdirección General de Publicaciones, Madrid, 2001, p. 16.

31 Tal es la situación de Siria, donde la religión mayoritaria es la sunnita pese a que gobierna la rama chiita.

32 Por el contrario, otros autores como González Hidalgo y Ruiz Vieytez opinan que no es una característica definitoria de la "minoría nacional". Vid. GONZÁLEZ HIDALGO, ELOÍSA–RUIZ VIEYTEZ, EDUARDO J.: <<La definición implícita del concepto de minoría nacional en el Derecho Internacional>>, *Revista Derechos y Libertades. Revista del Instituto Bartolomé de las Casas*, nº 27, op. cit., p. 27.

gravemente obstaculizadas sus capacidades y posibilidades para hacer frente a la lesión de estos derechos"[33].

En consecuencia, debería quedar claro que, aunque uno de los elementos objetivos que suele considerarse a la hora de acotar el término minoría es el de la inferioridad numérica[34], no parece razonable que

---

[33] SAYAGO ARMAS, DIANA: <<La protección de las minorías: un desafío clave de constitucionalismo multinivel>>, UNED. *Revista de Derecho Político,* nº 106, op. cit., p. 210.

[34] De hecho, son numerosos los autores que en su aproximación conceptual se atienen a esta cuestión. Tal es el caso de algunos autores como los que, a continuación, indico: Deschenes señala que minoría es "un grupo de ciudadanos de un Estado, dotados de características étnicas, religiosas o lingüísticas diferentes a las de la mayoría de la población, solidarios los unos de los otros, animados, aunque sea implícitamente, de una voluntad colectiva de supervivencia y que tienden a la igualdad de hecho y de derecho con la mayoría". Vid. *Propuesta Relativa a una Definición del Término Minoría*, UN Doc. E/CN.4/Sub.2/1985/31, pár. 181, sometida por el relator especial de Naciones Unidas, Jules Deschenes, en 1985 a la Subcomisión de Prevención de las Discriminaciones y Protección de las Minorías. Citado en MARIÑO MENÉNDEZ, FERNANDO M. – FERNÁNDEZ LIESA, CARLOS R. – DÍAZ BARRADO, CÁSTOR M.: *La Protección Internacional de las Minorías*, op. cit., p. 16.

Soriano Díaz concibe la minoría como aquel "colectivo, frecuentemente de escasas dimensiones, definido por rasgos culturales innegociables –raza, lengua, religión, tradiciones, etc.– que se encuentra en una situación grave de dependencia respecto a una estructura de poder, estatal o supraestatal". SORIANO DÍAZ, RAMÓN LUIS: *Los Derechos de las Minorías*, Editorial MAD, S.L., Colección Universitaria. Textos Jurídicos, Madrid, 2000, p. 18.

Chernichenko, al mismo tiempo, sugiere esta definición de minoría: "Se entiende por minoría un grupo de personas que, en principio, residen de modo permanente en el territorio de un Estado y son en número inferior al resto de la población de ese Estado, es decir, representan menos de la mitad de la población nacional, que poseen características nacionales o étnicas, religiosas y lingüísticas, así como otras particularidades conexas (cultura, tradiciones, etc.), diferentes de las características correspondientes del resto de la población y que manifiestan la voluntad de preservar la existencia y la identidad del grupo (...)". Esta aproximación la realizó en calidad de integrante del Grupo de Trabajo sobre Minorías que funciona dentro de la Subcomisión de Prevención de Discriminaciones y Protección a las Minorías de la Comisión de Derechos Humanos de Naciones Unidas, creado por la resolución 1995/31, de 25 de julio de 1995, del Consejo Económico y Social (ECOSOC). Citado en MARIÑO MENÉNDEZ, FERNANDO M. – FERNÁNDEZ LIESA, CARLOS R. – DÍAZ BARRADO, CÁSTOR M.: *La Protección Internacional de las Minorías*, op. cit., p. 17.

Por su parte, para Eide, minoría es "[...] todo grupo de personas residentes en un Estado soberano, que representan menos de la mitad de la población de la

ello deba convertirse en un criterio determinante, a pesar de que sea habitual que el número de miembros que componen una minoría sea inferior al de otros grupos dentro de la sociedad.

En cuanto al criterio geográfico, esto es, el ámbito territorial en el que habitan los grupos sociales también ha sido resaltado como elemento objetivo importante por la doctrina a la hora de configurar el término minoría, provocando diferentes escenarios. Uno de ellos es aquel en el que el grupo social o minoría habita en un solo Estado, que puede estar disperso a lo largo del mismo o puede encontrarse localizado en una zona concreta del territorio; otro es aquel en el que el grupo en cuestión compone la minoría en un Estado, pero que en otro Estado ocupa la posición mayoritaria, es lo que se conoce como "minoría de madre patria"[35]; un último escenario podría venir dado cuando el grupo social en cuestión es minoría en todos los Estados en los que se encuentra, lo que precisamente ocurre, por ejemplo, con la minoría gitana.

---

sociedad nacional y cuyos miembros tienen en común características de naturaleza étnica, religiosa o lingüística que les distinguen del resto de la población". Definición realizada en calidad de Presidente-Relator del Grupo de Trabajo sobre Minorías que funciona dentro de la Subcomisión de Prevención de Discriminaciones y Protección a las Minorías de la Comisión de Derechos Humanos de Naciones Unidas, creado por la Resolución 1995/31, de 25 de julio de 1995, del Consejo Económico y Social (ECOSOC). Dicha definición de minoría se propuso en el contexto de las tareas para dar eficacia a la Declaración 47/135. Citado en MARIÑO MENÉNDEZ, FERNANDO M. – FERNÁNDEZ LIESA, CARLOS R. – DÍAZ BARRADO, CÁSTOR M.: *La Protección Internacional de las Minorías*, op. cit., p. 18.

En la misma línea, Hernández-Vela Salgado, entiende que las minorías son "Grupos nacionales, étnicos, religiosos o lingüísticos (menos numerosos y) diferentes de otros grupos dentro de un Estado soberano". Vid. HERNÁNDEZ-VELA SALGADO, Edmundo, *Diccionario de Política Internacional*, Quinta Edición, Editorial Porrúa, México, 1999, p. 492.

Por último, entre otros, Ruiz-Vieytez concluye que minoría es "un grupo con características comunes que son diferentes de las de la mayoría de la población del Estado". Vid. RUIZ VIEYTEZ, EDUARDO J.: <<Minorías Europeas y Estado de Derecho>>, en GARCÍA RODRÍGUEZ, ISABEL, *Las Minorías en una sociedad democrática y pluricultural*, op. cit., p. 59.

35 DE LUCAS, JAVIER: <<Algunos problemas del estatuto jurídico de las minorías. Especial atención a la situación en Europa>>, *Revista del Centro de Estudios Constitucionales*, nº 15, Madrid, 1993, pp. 104-106.

Otro de los elementos en sentido objetivo que se tiene en cuenta a la hora de delimitar el concepto de minoría es el histórico, siguiendo los criterios del Consejo de Europa. En este sentido, el secretario general de las Naciones Unidas dividió a las minorías nacionales, en su Memorándum titulado "Definición y clasificación de las minorías", de 27 de diciembre de 1949, en tres tipos: las que se encontraban en el país con anterioridad a la aparición del Estado, las que pertenecían a un Estado, pero han pasado a otro tras una anexión y las que son formadas por personas con rasgos comunes y han terminado siendo nacionales de un Estado. En definitiva, a partir de este criterio, se trataba de identificar las minorías con las minorías nacionales[36], en aras de diferenciar esta figura de otras como pueden ser los inmigrantes o los refugiados[37].

Como ya se ha apuntado, no parece sensato que la presencia de los elementos objetivos pueda bastar para delimitar el concepto de minoría, y por ello se anima aquí a contemplar la importancia de algunos elementos subjetivos en aras de lograr una visión más adecuada

---

36 Naciones Unidas, doc. E./CN.4/sub.2/85, p. 10.

37 Precisamente, Tomás López ha ahondado en esta cuestión cuando realiza esta clasificación tripartita relativa a las minorías: 1) las "minorías históricas", que originalmente estaban asentadas en un Estado con independencia de si fue anterior o posterior a la creación de este; 2) las "nuevas minorías", que se han ido formando por los flujos migratorios recientes; 3) las "minorías de historicidad relativa", que se sitúan en un punto intermedio entre las otras dos anteriores. Vid. TOMÁS LÓPEZ, ANA: *La Protección de las Minorías Étnicas y Nacionales en el Marco del Derecho Constitucional Público y Comparado*, Tirant lo blanch, Valencia, 2018, p. 63. También Calduch reflexiona sobre esta cuestión, señalando que existen dos elementos distintivos que nos ayudan a diferenciar la figura de las minorías de la de los inmigrantes o refugiados. Un elemento importante radica, a su juicio, en la atribución o no de la ciudadanía o nacionalidad, en el sentido jurídico y político de estos términos. En el caso de los inmigrantes legales o de los refugiados carecen de la ciudadanía, aunque gocen del derecho de residencia. Otra diferencia tiene que ver con las circunstancias de la incorporación de inmigrantes o refugiados en el seno de un Estado. En efecto, en ambos casos existe una presunción de temporalidad en cuanto a la estancia en el Estado receptor que, si bien resulta más clara en la figura del refugiado que en la del inmigrante, jurídica y políticamente se aplica en ambos casos. Vid. CALDUCH CERVERA, RAFAEL <<Nacionalismos y minorías en Europa>>, Conferencia pronunciada en el Curso de Verano titulado: *La Nueva Europa en los albores del siglo XXI. Conflictos, cooperación, retos y desafíos*, op. cit.

y omnicomprensiva del término. Concretamente, creo que habría que destacar de un modo especial dos: la conciencia de tener una identidad propia y el deseo de supervivencia del grupo, partiendo precisamente de la situación de vulnerabilidad que padecen. No cabe duda de que es importante que los individuos se sientan identificados con el grupo puesto que "la identidad es una construcción sobre la base de un conjunto de valores, símbolos y aspectos de la herencia e historia que marcan separaciones entre individuos o grupos [...] estableciendo límites con respecto a otras entidades"[38]. Del mismo modo, la identidad no puede preservarse si no existe la voluntad de supervivencia del grupo[39]. En este sentido, una buena aproximación al concepto de minoría, a mi modo de ver, podría considerarse la de Mariño Menéndez, quien más que establecer precisamente un concepto del término minoría, lo que hace es mencionar diversos elementos a partir de los cuales se puede formular una definición: "grupos vulnerables, *necesitados de protección jurídica*, que poseen determinados caracteres o rasgos que los diferencian de modo específico del resto de los súbditos del Estado, y que muestran una indudable voluntad colectiva de autoafirmación dirigida a la pervivencia del grupo humano en cuanto tal y a la defensa de su identidad"[40]. Junto a esta aproximación, otra delimitación también, a mi juicio, acertada que consigue aunar todos los elementos relevantes para configurar el término minoría puede ser, entre otras[41], la de Tomás López, cuando define a estos grupos co-

---

38 GONZÁLEZ HIDALGO, ELOÍSA–RUIZ VIEYTEZ, EDUARDO J.: <<La definición implícita del concepto de minoría nacional en el Derecho Internacional>>, *Revista Derechos y Libertades. Revista del Instituto Bartolomé de las Casas*, op. cit., p. 45.

39 Ibídem, p. 45.

40 MARIÑO MENÉNDEZ, FERNANDO M. – FERNÁNDEZ LIESA, CARLOS R. – DÍAZ BARRADO, CÁSTOR M.: *La Protección Internacional de las Minorías*, op. cit., p. 20. La cursiva es mía.

41 Asimismo, otros autores como González Hidalgo y Ruiz Vieytez insisten oportunamente en este criterio de la voluntad de pervivencia de la identidad en su definición de minoría: "un grupo de personas que reúne características étnicas, religiosas y lingüísticas diferentes a las del resto de la población del Estado en el que reside, que es numéricamente inferior que dicho resto de la población estatal, cuyos miembros disponen de la nacionalidad jurídica de ese Estado, y que ha habitado en el territorio del mismo durante un periodo de tiempo considerable. Asimismo, los miembros de este grupo se autodefinen habitualmente como parte de ese grupo minoritario y exhiben, siquiera de modo implícito, cierta voluntad

mo "colectivo de personas, numéricamente inferior y en posición no dominante respecto del resto de la población del Estado en el que se encuentra y con el que mantiene lazos antiguos, sólidos y duraderos; con características diferenciadoras, nacionales, étnicas, culturales, religiosas o lingüísticas, y que manifiestan una voluntad de preservar su identidad común –incluyendo su cultura, sus tradiciones, su religión o su lengua- de manera conjunta dentro de la sociedad en la que conviven"[42].

Tras el examen de los numerosos intentos de aproximación conceptual al término minoría, a mi modo de ver, puede apreciarse la dificultad que entraña hallar una definición omnicomprensiva que responda a todos los supuestos que encajan dentro de este compleja y poliédrica voz. En todo caso, a mi modo de ver, cabría asumir como premisa inicial que bajo el término minoría se encuentran aquellos grupos sociales o colectivos con características identitarias propias, especialmente vulnerables, y no tanto por razones cuantitativas sino cualitativas, esto es, porque como grupo no gozan de una situación dominante, en términos de poder, dentro del cuerpo social, lo que les hace merecedores de una protección reforzada por parte del ordenamiento jurídico nacional e internacional en aras de que pueda quedar preservada su voluntad de preservar su identidad y su capacidad de desarrollo, siempre y cuando respeten los derechos humanos básicos.

2. EVOLUCIÓN DE LAS MINORÍAS EN EUROPA

A las minorías, en términos generales, les ha perjudicado el sistema westfaliano de <<Estado-nación>> soberano. Esta afirmación ha sido refrendada por numerosos autores como Kymlicka, quien argumenta en favor de esta apreciación así: "Las minorías han sido objeto de numerosas políticas de asimilación y exclusión en pos de la construc-

---

colectiva de mantenimiento y desarrollo de su propia identidad". Vid. GONZÁLEZ HIDALGO, ELOÍSA–RUIZ VIEYTEZ, EDUARDO J.: <<La definición implícita del concepto de minoría nacional en el Derecho Internacional>>, *Revista Derechos y Libertades. Revista del Instituto Bartolomé de las Casas*, op. cit., p. 51.

42 TOMÁS LÓPEZ, ANA: *La Protección de las Minorías Étnicas y Nacionales en el Marco del Derecho Constitucional Público y Comparado*, op. cit., p. 89.

ción de Estados-nación homogéneos, al tiempo que, históricamente, la comunidad internacional ha hecho caso omiso a estas injusticias"[43]. Coincidiría con este autor no solo en esta consideración, sino también en que el interés creciente por regular jurídicamente mediante normas internacionales los derechos de las minorías, aun cuando pudiera parecer una postura deseable y progresista -tal y como la propia realidad ha demostrado- no ha resultado suficiente. Como precisa Kymlicka en otro lugar: "Estas normas emergentes adolecen de una cobertura desigual, en parte porque han sido condicionadas por razones geopolíticas más generales, y en parte porque, simplemente, carecemos del vocabulario conceptual necesario para definir estas normas de una forma coherente y fundamentada"[44]. Debido a ello se ha considerado aquí una tarea prioritaria comenzar abordando el espinoso tema del análisis conceptual del término minoría.

Al adentrarnos en la evolución que han seguido los derechos de las minorías a lo largo de la historia europea, lo primero que llama la atención es que su recorrido atraviesa diferentes etapas a lo largo del tiempo que se vislumbran en virtud del contexto histórico-social. Sin ánimo de exhaustividad, ni de crear cortes en la historia que pudieran simplificar o reducir la complejidad sobre esta profunda cuestión, creo que, conforme señala la doctrina, se podrían destacar las siguientes etapas o periodos, que recorren varios siglos de historia, concretamente, desde la Paz de Westfalia en 1648 hasta nuestros días[45]:

---

[43] KYMLICKA, WILL: <<La evolución de las normas europeas sobre los derechos de las minorías: los derechos a la cultura, la participación y la autonomía>>, *Revista Española de Ciencia Política*, nº 17, op. cit., pp. 11-50. Disponible en: https://www.researchgate.net/publication/237359441_La_evolucion_de_las_normas_europeas_sobre_los_derechos_de_las_minorias_los_derechos_a_la_cultura_la_participacion_y_la_autonomia [accessed Mar 22 2020].

[44] Vid. Ibídem.

[45] Sobre esta evolución, recomiendo el estudio de RUIZ VIEYTEZ, EDUARDO J.: *La protección jurídica de las minorías en la Historia Europea*, *Cuadernos Deusto de Derechos Humanos*, nº 3, Universidad de Deusto. Instituto de Derechos Humanos, Bilbao, 1998.

2.1. *Primera etapa: desde el Tratado de Westfalia (1648) hasta el Congreso de Viena (1815)*

La Guerra de los Treinta años, cuyo origen tiene un carácter político, religioso y de orden internacional[46], termina con el Tratado de Westfalia (1648), el cual constituye uno de los tratados más importante de la Edad Moderna, con notables consecuencias que se han dejado sentir hasta la actualidad. Tengamos en cuenta que este relevante Tratado trató de restablecer el equilibrio europeo mediante la asunción de nuevas condiciones: 1) el Emperador de Alemania reconoce que los príncipes de su país son soberanos en cada uno de sus respectivos Estados; 2) se establece una completa libertad religiosa en Alemania; 3) Alemania devuelve a Francia las provincias de Alsacia y Lorena[47]. Es el momento en el que emerge la teoría estatalista del Derecho en la que aquí no nos podemos detener.

Ello provocó que los Estados empezasen a tolerar y respetar, por motivos estratégicos, fundamentalmente, ciertas creencias y cultos de algunos grupos minoritarios, comprometiéndose muchas de las potencias europeas a protegerlas. De hecho, hasta la firma del Congreso de Viena de 1815 se observa cómo proliferan los tratados que protegen las diversas corrientes religiosas[48]. Siendo esto así, se puede mantener que los primeros pasos dados en el camino hacia la defensa

---

46 Respecto de las causas de orden religioso: el afán del Emperador Fernando II de Alemania por unificar sus Estados, imponiendo el catolicismo y las luchas religiosas en Bohemia. De carácter político: el deseo del mismo Emperador de transformar el Imperio Alemán que era electivo, en Imperio hereditario, para dejarle la corona a su hijo junto a la rivalidad entre el emperador y los varios Príncipes que gobernaban sus Estados. Por último, de orden internacional: el plan de Francia para arruinar a la Casa de Austria, restableciendo el equilibrio europeo y la rivalidad comercial de Alemania con Dinamarca y Suecia en el Mar Báltico. https://mihistoriauniversal.com/edad-moderna/guerra-de-los-30-anos/

47 https://mihistoriauniversal.com/edad-moderna/guerra-de-los-30-anos/

48 Por ejemplo, Suecia se comprometió a respetar al catolicismo con el Tratado de Oliva que fue firmado el 23 de abril de 1660. Tengamos en cuenta que con la Paz de Westfalia (1648), tras concluir la guerra de los Treinta Años, el Imperio sueco emergió como una nueva potencia europea. El Tratado de Oliva, junto con el Tratado de Copenhague de ese mismo año, marcaron el cénit del poderío sueco. Del mismo modo, otro ejemplo lo encontramos en 1774, con el Tratado de Kütschük-Kainardschi (1774), que marca el fin entre Rusia y Turquía (1768-1774), y que fue firmado por Rusia y el Imperio Otomano, garantizando Rusia

de los derechos de las minorías nacionales partieron del respeto a las minorías religiosas. Dicho de otra manera, es la diversidad de creencias religiosas lo que obliga a pensar en que los derechos están en contra del igualitarismo o de la imposición de una religión que veta la libertad de creencias. Es así cómo va paulatinamente gestándose en Europa el concepto de tolerancia, valor fundamental para preservar los derechos de todas las personas que viven dentro de un mismo territorio.

2.2. Segunda etapa: desde el Congreso de Viena (1815) hasta la terminación de la Segunda Guerra Mundial

Tras el Congreso de Viena de 1815 fueron fortaleciéndose los Estados-nación en la Europa occidental con la influencia ideológica de la Revolución Francesa, al tiempo que en la Europa oriental coexistían el Imperio Otomano, el Imperio Ruso y el Austrohúngaro. En este contexto, comienza a emerger el sentimiento nacionalista[49]. El nacionalismo trataba de buscar la configuración de Estados compuestos por una ciudadanía que gozara de características comunes. Asimismo, se produjo una tendencia generalizada a la autodeterminación de Estados[50] y las minorías comenzaron poco a poco a concienciarse de su propia existencia[51]. Como ha precisado Calduch: "El constante cambio de fronteras estatales y los movimientos de población que se realizaron durante todo el siglo XIX, no sólo complicó el futuro político del continente europeo sino que potenció el desarrollo de movimientos nacionalistas radicales y suscitó ya el problema de las minorías"[52].

---

la preservación del cristianismo ortodoxo del imperio otomano. CLOGG, RICHARD: *Historia de Grecia*, Cambridge University Press, 1992, p. 232.

49 RUIZ VIEYTEZ, EDUARDO J.: *La protección jurídica de las minorías en la Historia Europea*, *Cuadernos Deusto de Derechos Humanos*, nº 3, op. cit., p. 28.

50 MARIÑO MENÉNDEZ, FERNANDO: <<Protección de las minorías y Derecho internacional>>, VV.AA.: *Derechos de las minorías y de los grupos diferenciados*, Escuela libre editorial, Fundación ONCE, Colección Solidaridad, Madrid, 1994, p. 168.

51 RUIZ VIEYTEZ, EDUARDO J.: *La protección jurídica de las minorías en la Historia Europea*, *Cuadernos Deusto de Derechos Humanos*, nº 3, op. cit., p. 30.

52 CALDUCH, RAFAEL: <<Movimientos migratorios y protección de minorías en Europa>>, Instituto Complutense de Estudios Internacionales (UCM).

Durante este periodo, se establecieron cláusulas en algunos tratados con el objetivo de proteger a las minorías nacionales que iban más allá de las creencias religiosas. Así, por ejemplo, el artículo 1 del Acta del Congreso de Viena de 9 de junio de 1815 otorgaba a los polacos una representación en las instituciones de Austria, Rusia y Prusia[53], o el Tratado de París de 1856, que puso fin a la Guerra de Crimea (1853-1856)[54], concedió a Moldavia y Valaquia, posesiones de los otomanos, una <<administración independiente [...] libertad de cultos, legislación, comercio y navegación>>[55], quedando protegidas las minorías cristianas existentes dentro del Imperio turco.

Poco a poco fueron aumentando las tensiones por el control de las minorías, hasta llegar a la Primera Guerra Mundial en 1914, momento tras el cual los grandes imperios terminaron por disolverse, dando así lugar al nacimiento de nuevos Estados[56]. Cabe sostener, siguiendo a Calduch, que la auténtica y verdadera revisión del principio de las

---

Disponible en: https://www.ucm.es/data/cont/docs/835-2018-03-01-Migraciones%20y%20minorias%20Mediterraneo.pdf

[53] Artículo I. El ducado de Varsovia, con excepción de las provincias y distritos de que se dispone en otra forma en los artículos siguientes, se une al Imperio de Rusia. Quedará irrevocablemente ligado a él por su Constitución, para ser poseído por Su Majestad el Emperador de Todas las Rusias, sus herederos y sucesores perpetuamente. Su Majestad Imperial se reserva el dar a este Estado, que tendrá una administración distinta, la organización interior que juzgue conveniente. Añadirá a los demás títulos el de Zar, rey de Polonia, conforme al protocolo usado y consagrado para los títulos anejos a las demás posesiones de su imperio. Los polacos, súbditos respectivos de Rusia, de Austria y de Prusia obtendrán una Representación e Instituciones Nacionales conforme a la clase de existencia política que cada uno de los gobiernos a quien pertenezcan juzgue útil y conveniente concederles. Vid. https://www.dipublico.org/10557/acta-principal-del-congreso-de-viena-9-de-junio-de-1815/

[54] El Tratado de París de 1856, dio por finalizada la guerra de Crimea (1853-1856), en la que Rusia luchó contra el Imperio otomano, Francia, Reino Unido y el Reino de Cerdeña. El tratado, que fue firmado el 30 de marzo, transformó al mar Negro en territorio neutral, prohibiendo el paso a los buques de guerra y la presencia de fortificaciones y armamento en sus orillas. El tratado supuso un duro revés para la influencia rusa en la región.

[55] MARTÍNEZ LILLO, PEDRO y PEREIRA CASTAÑARES, JUAN CARLOS: *Documentos básicos sobre historia de las relaciones internacionales*, Universidad Complutense, Madrid, 1995, p. 41.

[56] TOMÁS LÓPEZ, ANA: *La Protección de las Minorías Étnicas y Nacionales en el Marco del Derecho Constitucional Público y Comparado*, op. cit., p. 98.

nacionalidades tuvo lugar al terminar la Primera Guerra Mundial[57] en 1918, momento en el que surgen nuevos Estados a raíz de la disolución de los grandes imperios que ocupaban Europa oriental, disminuyendo así el número de minorías ya que muchas de ellas lograron su propia independencia con la Paz de Versalles de 1919[58], tras la reformulación del "principio de las nacionalidades", que derivó en el concepto de autodeterminación[59].

Ello se revela en la declaración que realizó el presidente norteamericano Woodrow Wilson, en su Mensaje a la Nación de 8 de enero de 1918[60], que inspiró el Tratado de Paz de Versalles, cuando formulaba en el décimo de los Catorce Puntos[61] un expreso reconocimiento del derecho a la autonomía política de los "pueblos" pertenecientes al Imperio austro-húngaro[62]. Todavía más contundente fue la Propuesta

---

57 CALDUCH, RAFAEL: <<Movimientos migratorios y protección de minorías en Europa>>, op. cit.

58 Es entonces cuando surgen nuevos Estados como Checoslovaquia, Rumanía, Yugoslavia, Hungría o Austria.

59 DE BLAS GUERRERO, ANDRÉS: *Nacionalismos y naciones en Europa*, Alianza, Madrid, 1994, p. 144.

60 Los Catorce Puntos fueron una serie de propuestas realizadas el 8 de enero de 1918 por el presidente estadounidense Thomas Woodrow Wilson (1856-1924) para crear unos nuevos objetivos bélicos defendibles moralmente para la Triple Entente, que pudiesen servir de base para negociaciones de paz con los Imperios Centrales.

61 En ellos defendía que todas las naciones deberían tener su propio Estado. Según algunos autores, Wilson no tuvo en cuenta la heterogeneidad de las naciones. Vid. TOMÁS LÓPEZ, ANA: *La Protección de las Minorías Étnicas y Nacionales en el Marco del Derecho Constitucional Público y Comparado*, op. cit., p. 99.

62 Los Catorce Puntos son:
1. Convenios abiertos y no diplomacia secreta en el futuro.
2. Libertad de navegación en la paz y en la guerra fuera de las aguas jurisdiccionales, excepto cuando los mares quedasen cerrados por un acuerdo internacional.
3. Desaparición, tanto como sea posible, de las barreras económicas.
4. Garantías adecuadas para la reducción de los armamentos nacionales.
5. Reajuste de las reclamaciones coloniales, de tal manera que los intereses de los pueblos merezcan igual consideración que las aspiraciones de los gobiernos, cuyo fundamento habrá de ser determinado.
6. Evacuación de todo el territorio ruso, dándose a Rusia plena oportunidad para su propio desarrollo con la ayuda de las potencias.
7. Plena restauración de Bélgica en su completa y libre soberanía.

Complementaria a sus Catorce Puntos en su discurso de 12 de febrero de ese mismo año. En efecto, la 4ª propuesta complementaria afirmaba: <<Todas las aspiraciones nacionales bien definidas deberán recibir la más completa satisfacción que pueda concedérseles sin introducir nuevos o perpetuar antiguos elementos de discordia o antagonismo, susceptibles, con el tiempo, de romper la paz de Europa y, por consiguiente, del mundo>>.

El último gran periodo de desintegración de los imperios después de la Primera Guerra Mundial condujo a la puesta en marcha de un <<plan de protección de las minorías>> que lideró la Sociedad de Naciones[63]. Ahora bien, como apunta Kymlicka: "Sin embargo, el plan de protección de las minorías de la Sociedad de Naciones era particularista, no generalizado. Comprendía tratados multilaterales que garantizaban determinados derechos a determinadas minorías en determinados países (que habían sido derrotados), mientras que dejaba a muchas otras minorías privadas de protección. No trataba

---

8. Liberación de todo el territorio francés y reparación de los perjuicios causados por Prusia en 1871.
9. Reajuste de las fronteras italianas de acuerdo con el principio de la nacionalidad.
10. Oportunidad para un desarrollo autónomo de los pueblos del Imperio austrohúngaro.
11. Evacuación de Rumanía, Serbia y Montenegro, concesión de un acceso al mar a Serbia y arreglo de las relaciones entre los Estados balcánicos de acuerdo con sus sentimientos y el principio de nacionalidad.
12. Seguridad de desarrollo autónomo de las nacionalidades no turcas del Imperio otomano, y el Estrecho de los Dardanelos libres para toda clase de barcos.
13. Declarar a Polonia como un estado independiente, que además tenga acceso al mar.
14. La creación de una asociación general de naciones, a constituir mediante pactos específicos con el propósito de garantizar mutuamente la independencia política y la integridad territorial, tanto de los Estados grandes como de los pequeños.

De aquí sale la iniciativa para la conformación de una Sociedad de Naciones, precedente de las Naciones Unidas.

[63] KYMLICKA, WILL: <<La evolución de las normas europeas sobre los derechos de las minorías: los derechos a la cultura, la participación y la autonomía>>, *Revista Española de Ciencia Política*, nº 17, op. cit., pp. 11-50. Recogido en: https://www.researchgate.net/publication/237359441_La_evolucion_de_las_normas_europeas_sobre_los_derechos_de_las_minorias_los_derechos_a_la_cultura_la_participacion_y_la_autonomia [accessed Mar 22 2020].

de articular estándares generales o normas internacionales a las que todas las minorías nacionales pudieran acogerse. De hecho, esta fue una de las razones por las que la idea de derechos de las minorías cayó en desgracia y prácticamente desapareció del contexto jurídico internacional de posguerra, sustituida por un renovado interés en los derechos humanos"[64].

Comenzaron a proliferar tratados, tanto multilaterales como bilaterales, con cláusulas encaminadas al respeto de los derechos de las minorías nacionales como los Tratados de Paz firmados con Bulgaria, Turquía y Hungría. También fueron suscritos tratados cuya principal motivación era la de la protección de las minorías, como el referido a la isla finlandesa de Aland, e incluso se llevaron a cabo declaraciones unilaterales, como los casos de Albania o Irak para incorporarse a la Sociedad de Naciones. De hecho, esta última fue la primera nación árabe en ingresar en la Sociedad de Naciones el 3 de octubre de 1932 mientras que Albania ingresó el 17 de diciembre de 1920.

Los tratados reconocían la propia identidad de las minorías y además establecían el principio de no discriminación. Los tratados suponían una rígida y contundente garantía debido a que eran integrados en los ordenamientos jurídicos de los Estados como normas constitucionales[65]. Por otra parte, la Sociedad de Naciones fomentó acuerdos con los Estados de nueva creación que recogían una serie de derechos para las minorías, tales como el derecho a la ciudadanía, a la vida y libertades individuales, igualdad ante la ley, derecho a usar su propio dialecto y participación en los fondos públicos[66]. Adicionalmente a esto, en el artículo 14 del Pacto de la Sociedad de Naciones se estableció un sistema mediante el cual un Estado miembro tenía potestad de denunciar casos de violación de dichos derechos ante la Corte Permanente de Justicia, así como la posibilidad de que un individuo perteneciente a una minoría o un representante enviase reclamaciones al Consejo por violación de los Estados.

---

64 Vid. Ibídem.

65 TOMÁS LÓPEZ, ANA: *La Protección de las Minorías Étnicas y Nacionales en el Marco del Derecho Constitucional Público y Comparado*, op. cit., p. 100.

66 Ibídem, p. 101.

Con la llegada al poder de Hitler, la salida de la Sociedad de Naciones de Alemania, Italia y Japón y el estallido de la Segunda Guerra Mundial, el sistema creado por la organización se fue debilitando. La nueva ideología nazi interpretaba que las minorías debían de estar sometidas o ser aniquiladas, lo que supuso un grave retroceso en el camino hasta entonces construido.

2.3. Tercera etapa: desde la finalización de la Segunda Guerra Mundial (1945) a la caída del Muro de Berlín (1989)

Tras terminar la cruenta y terrible Segunda Guerra Mundial, la humanidad se encontraba conmocionada por las atrocidades vividas durante el holocausto. La respuesta a tales hechos se tradujo en una lucha feroz por garantizar y proteger los derechos fundamentales de la persona en general (lo que provocaría, por otra parte, el resurgimiento o renacimiento del Derecho Natural) sin ponerse un especial énfasis en las minorías.

La situación política del momento dividía a Europa en un bloque occidental y un bloque comunista liderado por la URSS; pero adicionalmente se estableció una división entre países con regímenes dictatoriales (España, Grecia o Portugal), y regímenes democráticos. Como era de esperar, los Estados con dictaduras instauradas no solo pusieron en peligro a los grupos minoritarios, sino que tomaron medidas represivas hacia estos. Los alemanes del área soviética fueron presionados a decidir entre renunciar a su identidad o regresar a su país de origen, medida que dio lugar a múltiples conflictos[67].

Después de la fundación de la Organización de las Naciones Unidas (ONU) en 1945 se redactó la Declaración Universal de los Derechos Humanos el 10 de diciembre de 1948[68]. El texto perseguía evitar un

---

67 FERNÁNDEZ PUYANA, DAVID: <<El régimen jurídico para la protección de las minorías nacionales en los países de la Europa oriental conforme al Derecho previsto en Naciones unidas>>, *Cuadernos constitucionales de la Cátedra Fadrique Furió Ceriol*, núms. 43, 44, Valencia, 2003, pp. 126-127.

68 La Declaración Universal de los Derechos Humanos es un documento adoptado por la Asamblea General de las Naciones Unidas en su Resolución 217 A (III), el 10 de diciembre de 1948 en París, que recoge en sus 30 artículos los derechos humanos considerados básicos. Debido a que en ese momento no había suficiente

nuevo conflicto como el que acababa de vivirse con las dos sangrientas guerras mundiales, consagrándose la categoría de los derechos humanos. El reconocimiento de la dignidad humana y los derechos iguales e inalienables de todos los individuos pasarían a constituir la base en la que se asientan la libertad, la justicia y la paz en el mundo, según establece el Preámbulo de la Declaración Universal de Derechos Humanos de 1948[69]. De ahí que no sorprendiera que justamente al comienzo de su articulado, en su artículo primero, el texto proclamase que <<todos los seres humanos nacen libres e iguales en dignidad y derechos...>>. Ello era sumamente relevante porque, como ha precisado Fernández, ello iba más allá del significado de la igualdad puramente formal (tratar igual lo que es igual y desigualmente lo que es desigual) puesto que "confiere al principio de igualdad un contenido material, sustantivo", basado en "la creencia en la igual dignidad de todos los seres humanos que constituye el origen y fundamento de la idea de derechos humanos como derechos universales"[70]. Según explica la autora, esta idea ha venido siendo formulada de diferente manera a lo largo de la historia: "el concepto de *humanitas* de raíces estoicas, la noción judeo-cristiana de *imago Dei*, el postulado de la igualdad por naturaleza de los seres humanos propio del iusnaturalismo racionalista, la consideración de que todos somos <<miembros de la familia humana>> como proclama el primer párrafo del Preámbulo de la Declaración Universal de Derechos Humanos"[71].

En su artículo segundo se recoge el principio de igualdad entre todas las personas a la hora de ejercer los derechos y libertades descritos en el documento, y lo hace mencionando explícitamente que habrá de ser sin distinción de color, raza, sexo, idioma, opinión política, religión, origen social o nacional, nacimiento, posición económica o cualquier otra condición. Esta disposición gira en torno a la evidencia de

---

consenso internacional sobre la obligatoriedad proteger y respetar los derechos humanos, el documento no consiguió ser formalizado como un tratado internacional, obligatorio para los Estados firmantes, y se limitó a una declaración, que fuera tomada como un ideal orientativo para la humanidad.

69 HERMIDA DEL LLANO, CRISTINA: *Los derechos fundamentales en la Unión Europea*, op. cit.

70 FERNÁNDEZ RUIZ-GÁLVEZ, ENCARNACIÓN: *Igualdad y Derechos Humanos*, Tecnos, Madrid, 2003, pp. 17-18.

71 Vid. Ibídem, p. 19.

que los derechos humanos no son ajenos a cultura alguna, sino que, todo lo contrario, se dan en todas las naciones y son inherentes a la persona humana. Su carácter universal, que constatan la Declaración Universal de los Derechos Humanos y posteriores instrumentos conexos como el Convenio de Viena[72] y el Programa de Acción, se hace así incuestionable. Del mismo modo, las diferencias culturales entre distintos pueblos y regiones que conviven en un mismo ámbito territorial no impiden la existencia de rasgos intrínsecamente arraigados en nuestro género humano, que deberían formar parte indisoluble del mismo: el respeto de la dignidad humana y de una existencia segura que ve satisfecha las necesidades básicas[73].

A partir de ese momento, se firman en cadena una serie de tratados internacionales, todavía vigentes en la actualidad, con los que se combate la discriminación, en defensa de las minorías. En el ámbito europeo, el Convenio Europeo para la protección de los Derechos Humanos y de las Libertades Fundamentales, que fue adoptado por el Consejo de Europa el 4 de noviembre de 1950 y que entró en vigor en 1953, instaura la prohibición de la discriminación sin ninguna distinción en su artículo 14[74], haciendo mención expresamente al hecho de pertenecer a una minoría nacional. En el ámbito de Naciones Unidas, el primero de ellos fue el Convenio para la prevención y la sanción del delito de Genocidio, aprobado por la Asamblea General de Naciones

---

72 El 10 de diciembre de 1998 la UE emitió en Viena una Declaración con motivo del cincuentenario de la Declaración Universal de Derechos Humanos. Esta Declaración ratifica que la Unión está basada en los principios de libertad, democracia, respeto de los derechos humanos y de las libertades fundamentales, y del Estado de Derecho. La Declaración pone de manifiesto las inquietudes de la Unión relacionadas con los derechos humanos, brinda orientaciones y propone medidas concretas para seguir potenciando el papel capital que aquellos desempeñan en su labor: dentro de sus territorios, en sus relaciones con terceros países, y en foros internacionales, para apoyar activamente el fomento y la protección de los derechos humanos.

73 A propósito de ello, vid. *El informe anual de la UE sobre derechos humanos 1998/1999*, adoptado por el Consejo el 11 de octubre de 1999, Oficina de Publicaciones Oficiales de las Comunidades Europeas, 2000, p. 8.

74 El artículo 14 precisa: <<El goce de los derechos y libertades reconocidos en el presente Convenio ha de ser asegurado sin distinción alguna, especialmente por razones de sexo, raza, color, lengua, religión, opiniones políticas u otras, origen nacional o social, pertenencia a una minoría nacional, fortuna, nacimiento o cualquier otra situación>>.

Unidas el 9 de diciembre de 1948[75]; posteriormente se aprobó la Convención relativa a la Lucha contra las Discriminaciones en la Esfera de la Enseñanza, de 14 de diciembre de 1960[76], otorgando el derecho a las minorías nacionales a ejercer actividades docentes; cinco años más tarde, en 1965 se aprobó el Convenio Internacional sobre la Eliminación de todas las formas de Discriminación Racial[77].

Como vemos, fue precisamente en el marco del proceso de generalización e internacionalización de los derechos humanos[78] donde se retomó el tema de las minorías, insistiendo en la importancia de regular jurídicamente sus derechos. Pensemos en la aprobación del Pacto Internacional de Derechos Civiles y Políticos (1966) de la ONU[79], cuyo artículo 2.1 prohíbe la discriminación en el goce de los derechos en él reconocidos, y consagra en su artículo 26 la igualdad ante la ley, la igual protección de la ley, la prohibición de toda discriminación bajo la ley y la garantía de efectiva protección contra cualquier discriminación. Ambos artículos proclaman derechos reconocidos con carácter universal de manera que pueden también ser invocados por las minorías. Ahora bien, ha de quedar claro que estos dos artículos

---

75 Publicado en «BOE» núm. 34, de 8 de febrero de 1969, páginas 1944 a 1945 (2 págs.). Sección: I. Disposiciones generales. Departamento: Ministerio de Asuntos Exteriores. Referencia: BOE-A-1969-170.

76 Texto disponible en: http://portal.unesco.org/es/ev.php-URL_ID=12949&URL_DO=DO_TOPIC&URL_SECTION=201.html

"La Convención relativa a la Lucha contra las Discriminaciones en la Esfera de la Enseñanza ocupa un lugar preeminente entre los instrumentos normativos de la UNESCO en el ámbito de la educación. Es el primer instrumento internacional que abarca ampliamente el derecho a la educación y tiene una fuerza vinculante con las leyes internacionales".

Vid. https://es.unesco.org/themes/derecho-a-educacion/convencion-contra-discriminacion

77 Adoptado y abierto a la firma y ratificación por la Asamblea General en su resolución 2106 A (XX), de 21 de diciembre de 1965.

78 PECES-BARBA, GREGORIO: *Curso de derechos fundamentales. Teoría General.* Colaboradores: Rafael de Asís Roig, Carlos Fernández Liesa, Ángel Lamas Cascón, Boletín Oficial del Estado (BOE), Madrid, 1995 (3ª Reimpresión en 2014).

79 Este Pacto fue adoptado por la Asamblea General de las Naciones Unidas el 16 de diciembre de 1966 y entró en vigor el 23 de marzo de 1976.

no contienen una mera repetición mecánica del mismo derecho[80]: el artículo 2.1 consagra un principio general de no discriminación en los derechos del Pacto, de modo que complementan los artículos que establecen derechos sustantivos, mientras que el artículo 26, por su parte, consagra un derecho autónomo a la igualdad ante la ley y la igual protección de la ley sin discriminación, así como la garantía de la protección efectiva frente a cualquier discriminación *de iure o de facto* en cualquier ámbito regido por una autoridad estatal[81].

Por otra parte, el artículo 27 del Pacto Internacional de Derechos Civiles y Políticos de la ONU establece que <<En los Estados en que existan minorías étnicas, religiosas o lingüísticas, no se negará a las personas que pertenezcan a dichas minorías el derecho que les corresponde, en común con los demás miembros de su grupo, a tener su propia vida cultural, a profesar y practicar su propia religión y a emplear su propio idioma>>[82]. Sin embargo, no han sido pocas las voces que se han alzado señalando las limitaciones y deficiencias de este artículo. Así, por ejemplo, Kymlicka con claridad meridiana ofrece las siguientes razones para entender que esta disposición ha de

---

80 MORAWA, ALEXANDER: <<The United Nations treaty monitoring bodies and minority Rights with particular emphasis on the Human Rights Committee>>, *Mechanisms for the Implementation of Minority Rights*, ed. Marc Weller and H.E. Morawa Alexander, Council of Europe Publishing, Strasbourg, 2004, p. 39; SAYAGO ARMAS, DIANA: <<La protección de las minorías: un desafío clave de constitucionalismo multinivel>>, UNED. *Revista de Derecho Político,* nº 106, op. cit., p. 216.

81 ARLETTAZ, FERNANDO: <<Derechos de las Minorías en el Pacto Internacional de Derechos Civiles y Políticos: Consideraciones Conceptuales>>, en https://www.mruni.eu/upload/iblock/e0b/JUR-13-20-3-04.pdf Vid. también SAYAGO ARMAS, DIANA: <<La protección de las minorías: un desafío clave de constitucionalismo multinivel>>, UNED. *Revista de Derecho Político,* Nº 106, op. cit., p. 216.

82 En relación con esta disposición y sobre el rechazo del objetivo de la supervivencia de culturas como tales como principio político, vid. FERNÁNDEZ RUIZ-GÁLVEZ, ENCARNACIÓN: *Igualdad y Derechos Humanos*, op. cit., pp. 186-187. Con palabas de la autora: "Desde un punto de vista político y jurídico no tiene sentido esforzarse por mantener vivas culturas que ya no son relevantes, ni significativas para nadie. Habermas sostiene que en las sociedades multiculturales se debe reconocer y proteger jurídicamente las diversas formas de vida culturales, siempre y cuando los miembros del grupo *quieran* conservar y desarrollar esa identidad. La protección de las tradiciones y de las formas de vida colectivas debe servir, en último término, al reconocimiento de sus miembros", p. 187.

considerarse insuficiente: "Mientras que el Artículo 27 proporcionaba un punto de partida, era comúnmente considerado insuficiente por dos razones. En primer lugar, el derecho a <<disfrutar de su cultura propia>>, tal como se formuló originalmente, incluía solamente derechos negativos de no-interferencia, en lugar de derechos positivos de asistencia, financiación, autonomía o la oficialidad de la lengua. Efectivamente, se limita a reafirmar que los miembros de las minorías deben ser libres para ejercer sus derechos convencionales de libertad de expresión, asociación, reunión y conciencia (...)

El artículo 27 se ve afectado por una segunda limitación. Se aplica a todo tipo de minorías etnoculturales, sean grandes o pequeñas, recientes o históricas, territorialmente dispersas o concentradas. De hecho, ¡el Comité de Derechos Humanos de la ONU ha declarado que dicho artículo se aplica incluso a los que visitan un país! En otras palabras, el Artículo 27 puede ser considerado un derecho cultural *universal*. Un derecho que cualquier individuo puede reclamar y que le acompaña dondequiera que vaya.

Este compromiso con la definición de los derechos culturales en clave universal limita los tipos de derechos de las minorías que pueden ser reconocidos. En especial, excluye las demandas basadas en la evidencia de un asentamiento o una concentración territorial históricos. Dado que el Artículo 27 articula un derecho cultural universal, que se aplica a todos los individuos (incluidos inmigrantes y turistas) y que estos pueden invocar en cualquier país, no articula derechos que emanen del hecho de que un grupo viva en (lo que considera como) su territorio histórico"[83]. También, por otra parte, Sayago ha puesto de relieve una clara carencia en esta disposición, al señalar: "el uso de la expresión "*personas que pertenezcan a dichas minorías*" indica que se opta por la protección de los derechos individuales de los miembros

---

[83] KYMLICKA, WILL: <<La evolución de las normas europeas sobre los derechos de las minorías: los derechos a la cultura, la participación y la autonomía>>, *Revista Española de Ciencia Política*, Núm. 17, op. cit., pp. 11-50. Recogido en: https://www.researchgate.net/publication/237359441_La_evolucion_de_las_normas_europeas_sobre_los_derechos_de_las_minorias_los_derechos_a_la_cultura_la_participacion_y_la_autonomia [accessed Mar 22 2020].

del grupo, de manera que no puede interpretarse que alude al grupo considerado como tal”[84].

Me gustaría recordar que el Informe realizado por el relator especial Francesco Capotorti en 1979 para dar precisión al art. 27 de los Pactos de 1966 fue entregado a la Comisión de Derechos Humanos, la cual tampoco se mostró satisfecha por su contenido en torno al concepto de minoría, habiendo manifestado también su disconformidad la Sub-Comisión. En 1985 se encargaría otro trabajo de definición, en este caso, al canadiense Deschenes, quien apostó por definir el término como “un grupo de ciudadanos de un Estado, dotados de características étnicas, religiosas o lingüísticas diferentes a las de la mayoría de la población, solidarios los unos de los otros, animados, aunque sea implícitamente, de una voluntad colectiva de supervivencia y que tienden a la igualdad de hecho y de derecho con la mayoría”[85].

Posteriormente, la Declaración sobre los Derechos de las personas pertenecientes a minorías nacionales o étnicas, religiosas o lingüísticas, que fue aprobada el 18 de diciembre de 1992 (Resolución de la Asamblea General 47/135), desarrolló las previsiones contenidas en el Pacto de 1966, poniendo el acento en el reconocimiento de los derechos de las minorías, pero ahora, lo que es importante, desde una perspectiva no meramente individual. En el artículo 1 se establecería la obligación de que los Estados protejan <<la existencia y

---

84 SAYAGO ARMAS, DIANA: <<La protección de las minorías: un desafío clave de constitucionalismo multinivel>>, UNED. *Revista de Derecho Político*, nº 106, op. cit., p. 216. Como hace notar la propia autora, algunos autores no comparten esta opinión. Ermacora afirma que el artículo 27 “puede ser interpretado también como un instrumento de protección del grupo”, conteniendo “elementos de protección del grupo”, Vid ERMACORA, F.: <<The Protección of Minorities before the United Nations>>, 182 *Recueil des Cours* (1983, IV), p. 274. Para Distein, la finalidad que busca el artículo 27 es el reconocimiento de los derechos humanos colectivos de los miembros de una minoría, en concreto, de la minoría religiosa. Vid. DINSTEIN, YORAM: <<Freedom of Religion and the Promotion of Religious Minorities>>, 20 IYHR, (1990), pp. 155-179.

85 Propuesta relativa a una definición del término minoría, UN Doc. E/CN.4/ Sub.2/1985/31, pár. 181, sometida por el relator especial de Naciones Unidas, Jules Deschenes, en 1985 a la Subcomisión de Prevención de las Discriminaciones y Protección de las Minorías. Citado en MARIÑO MENÉNDEZ, FERNANDO M. – FERNÁNDEZ LIESA, CARLOS R. – DÍAZ BARRADO, CÁSTOR M.: *La Protección Internacional de las Minorías*, op. cit., p. 16.

la identidad nacional o étnica, cultural, religiosa y lingüística de las minorías dentro de sus territorios respectivos>> así como se obligaría al fomento de <<las condiciones para la promoción de esa identidad>>. Para ello, los Estados deberían adoptar las medidas necesarias conducentes, entre otras, a garantizar que las personas pertenecientes a minorías puedan ejercer plena y eficazmente todos sus derechos humanos y libertades fundamentales sin discriminación alguna y en plena igualdad ante la ley (art.4.1 de la Declaración).

2.4. *Cuarta etapa: desde la caída del muro de Berlín (1989) hasta la crisis económica de 2008*

A raíz de la caída del muro de Berlín en 1989 y el hundimiento del Telón de Acero y de la URSS volvió a ponerse el foco sobre la cuestión de las minorías nacionales debido al surgimiento de varios conflictos étnicos violentos[86]. Es el momento en el que comienzan a emerger nuevos Estados que hasta entonces habían sido territorios sometidos al control soviético, como Ucrania, Estonia, Bielorrusia o Rusia. Del mismo modo es la época en la que vuelven a proliferar otra vez los nacionalismos al tiempo que las minorías nacionales que habían pertenecido al bloque comunista anhelan proclamar su independencia, pero sin respetar las fronteras soviéticas. En consecuencia, estallan numerosos conflictos étnicos que derivan en enfrentamientos arma-

86 Como explica Kymlicka: "Si miramos atrás, veremos que gran parte de estos conflictos quedaban confinados al Cáucaso y los Balcanes. Sin embargo, esto no estaba tan claro en ese momento. A principios de los años noventa, muchos analistas temían que las tensiones étnicas entrarían en una peligrosa escalada a lo largo y ancho de los territorios de la Europa postcomunista. No eran raros los pronósticos de guerra civil entre la mayoría eslovaca y la minoría húngara en Eslovaquia o entre la mayoría estonia y la minoría rusa en Estonia, por ejemplo. Las predicciones abiertamente optimistas sobre el paso del comunismo a la democracia liberal fueron reemplazadas por predicciones abiertamente pesimistas sobre el paso del comunismo a la guerra interétnica. Vid. KYMLICKA, WILL: <<La evolución de las normas europeas sobre los derechos de las minorías: los derechos a la cultura, la participación y la autonomía>>, *Revista Española de Ciencia Política*, Núm. 17, op. cit., pp. 11-50. Recogido en: https://www.researchgate.net/publication/237359441_La_evolucion_de_las_normas_europeas_sobre_los_derechos_de_las_minorias_los_derechos_a_la_cultura_la_participacion_y_la_autonomia [accessed Mar 22 2020].

dos como los de Croacia, Eslovenia, Ucrania o Kosovo. Concretamente, la guerra en Yugoslavia, conocida como la Guerra de los Balcanes, impactó a la sociedad europea por su terrible brutalidad, provocando que el problema de las minorías nacionales se convirtiera en centro de enorme atención[87].

Este panorama desolador despertó el deseo de proporcionar nuevas herramientas para equilibrar los derechos de las minorías étnicas y nacionales con los derechos humanos individuales[88], poniéndose de relieve la necesidad de activar el proceso de especificación referido a las minorías[89]. Es así como el 18 de diciembre de 1992 fue adoptada por la Asamblea General de Naciones Unidas la Declaración sobre los derechos de las personas pertenecientes a minorías nacionales o

87 Desafortunadamente, también fuera del continente europeo se produjeron tragedias semejantes. Pensemos en África donde tuvo lugar el genocidio de Ruanda entre el 7 de abril y el 15 de julio de 1994, en el cual los hutus se hicieron con el poder y desataron una ola de asesinatos para exterminar a la minoría tutsi.

88 FERNÁNDEZ PUYANA, DAVID: <<El régimen jurídico para la protección de las minorías nacionales en los países de la Europa oriental conforme al Derecho previsto en Naciones unidas>>, *Cuadernos constitucionales de la Cátedra Fadrique Furió Ceriol*, nº 43- 44, op. cit., p. 77.

89 Como precisa Kymlicka: "Para que los estándares europeos fueran útiles para la resolución de conflictos en la Europa postcomunista, deberían trascender los derechos universales de las minorías y articular derechos de las minorías *específicos*, centrados en determinados tipos de grupo etnonacional implicados en dichos conflictos. Por consiguiente, todas las nuevas normas europeas aparecidas desde 1990 se dirigen a las llamadas «minorías nacionales». Mientras que el Artículo 27 agrupa en la misma categoría a minorías «nacionales, étnicas, religiosas y lingüísticas», la Convención Marco del Consejo de Europa solamente se refiere a «minorías nacionales» y el Alto Comisionado de la OSCE se centra también en estas últimas. Aunque no existe una definición universalmente aceptada de «minorías nacionales», el término suele referirse a minorías con raíces históricas que viven en lo que consideran su territorio histórico o cerca de este. La demanda de normas europeas se vio impulsada, en primer lugar, por los violentos y desestabilizantes conflictos étnicos que protagonizaron grupos étnicos de este tipo". Vid. KYMLICKA, WILL: <<La evolución de las normas europeas sobre los derechos de las minorías: los derechos a la cultura, la participación y la autonomía>>, *Revista Española de Ciencia Política*, Núm. 17, op. cit., pp. 11-50. Recogido en: https://www.researchgate.net/publication/237359441_La_evolucion_de_las_normas_europeas_sobre_los_derechos_de_las_minorias_los_derechos_a_la_cultura_la_participacion_y_la_autonomia [accessed Mar 22 2020].

étnicas, religiosas y lingüísticas[90]. En el artículo 3 se otorga el derecho a cada individuo que pertenezca a una minoría y al grupo en general a ejercer los derechos que se desarrollan en la declaración. El artículo 4 impone a los Estados de manera imperativa el deber de adoptar las medidas que sean necesarias para garantizarles sus derechos, para que puedan expresar y desarrollar su propia cultura, religión, idioma, costumbres y tradiciones; para que tengan la posibilidad de aprender su idioma materno y para que puedan ser parte del desarrollo y progreso de su Estado. Además, los Estados están obligados a impulsar el conocimiento de la cultura e historia de las minorías de su territorio.

Asimismo, en Europa se aprueba la Carta Europea de las Lenguas Regionales o Minoritarias el 5 de noviembre de 1992[91] y, el Convenio Marco para la Protección de las Minorías Nacionales el 20 de julio de 1995[92], al tiempo que aumenta progresivamente la tendencia a firmar tratados bilaterales, principalmente en los Estados de Europa oriental y central, dirigidos a reconocer las fronteras y proteger a las minorías nacionales[93]. Hay que reconocer que organizaciones inter-

---

90 Disponible en: https://www.ohchr.org/Documents/Issues/Minorities/Booklet_Minorities_Spanish.pdf

91 "La Carta está diseñada, por un lado, para proteger y fomentar las lenguas regionales y minoritarias como un aspecto amenazado del patrimonio cultural europeo y, por otro lado, para permitir que los hablantes de una lengua regional o minoritaria puedan utilizarlo en la vida pública y privada. Abarca las lenguas regionales y minoritarias, no territoriales y las lenguas oficiales menos difundidas". https://www.coe.int/es/web/compass/european-charter-for-regional-or-minority-languages

92 Convenio-marco para la protección de las minorías nacionales (número 157 del Consejo de Europa), hecho en Estrasburgo el 1 de febrero de 1995. Instrumento de Ratificación de 20 de julio de 1995.

93 Algunos de los ejemplos son los de Ucrania y Hungría y Alemania y Polonia en 1991 o el de Eslovaquia y Rumanía en 1993. RUIZ VIEYTEZ, EDUARDO J.: *La protección jurídica de las minorías en la Historia Europea*, *Cuadernos Deusto de Derechos Humanos*, núm. 3, op. cit., p. 60.

nacionales como el Consejo de Europa[94], la OSCE[95] o la UE[96] presionaron con fuerza a multitud de Estados para garantizar la protección de las minorías nacionales tanto en el ámbito europeo como en el internacional, lo que dio lugar a que en las Constituciones nacionales se añadiesen cláusulas con tal finalidad[97]. Sin embargo, en algunas ocasiones se establecieron medidas demasiado vagas y generalistas a conflictos específicos cuando en realidad estos exigían un procedimiento de solución concreto y determinado[98]. En todo caso, podemos decir que fueron una mezcla de razones humanitarias, interesadas e ideológicas, las que motivaron la internacionalización de los derechos de las minorías en Europa[99].

Uno de los hitos de la construcción europea ha sido el proyecto de Tratado por el que se instituye una Constitución para Europa, cuya

---

94 El Consejo de Europa puso en marcha en 1995 varios organismos asesores y mecanismos de denuncia, como parte de su Convenio Marco para la Protección de las Minorías Nacionales (CMPMN).

95 De hecho, un paso decisivo en esta etapa consistió en la formación de la Oficina del Alto Comisionado para las Minorías Nacionales de la OSCE (OACMN-OSCE) en 1993, vinculado a las oficinas de las misiones de la OSCE en varios países postcomunistas. KYMLICKA, WILL: <<La evolución de las normas europeas sobre los derechos de las minorías: los derechos a la cultura, la participación y la autonomía>>, *Revista Española de Ciencia Política*, nº 17, op. cit., pp. 11-50. Disponible en:
https://www.researchgate.net/publication/237359441_La_evolucion_de_las_normas_europeas_sobre_los_derechos_de_las_minorias_los_derechos_a_la_cultura_la_participacion_y_la_autonomia [accessed Mar 22 2020].

96 La Unión Europea y la OTAN no crearon nuevos organismos de supervisión especializados en los derechos de las minorías, pero dejaron patente que apoyaban la labor del OACMN-OSCE y el Consejo de Europa y esperaban que los países postcomunistas cooperasen con estos, hasta el punto de convertirlo en un requisito para optar a la integración. Ibídem.

97 TOMÁS LÓPEZ, ANA: *La Protección de las Minorías Étnicas y Nacionales en el Marco del Derecho Constitucional Público y Comparado*, op. cit., p. 108.

98 Ibídem, p. 109.

99 KYMLICKA, WILL: <<La evolución de las normas europeas sobre los derechos de las minorías: los derechos a la cultura, la participación y la autonomía>>, *Revista Española de Ciencia Política*, nº 17, op. cit., pp. 11-50.
Disponible en:
https://www.researchgate.net/publication/237359441_La_evolucion_de_las_normas_europeas_sobre_los_derechos_de_las_minorias_los_derechos_a_la_cultura_la_participacion_y_la_autonomia [accessed Mar 22 2020].

versión definitiva fue entregada al Presidente del Consejo Europeo en Roma el 18 de julio de 2003, tras diecisiete meses de trabajo de la Convención, y que tras largos debates y retoques sustanciales terminaría desembocando en la denominada de forma ilusa e ingenua "Constitución Europea", formalmente aprobada el 18 de junio de 2004[100] en la Cumbre de Bruselas, que se celebró los días 17 y 18 de junio de 2004. Este texto constitucional se convertiría en la culminación de un proceso iniciado en febrero de 2002 con la Convención sobre el futuro de Europa[101].

Las negociaciones por parte de los Gobiernos en torno al proyecto constitucional habían tenido su inicio en octubre de 2003[102], con la apertura de la Conferencia Intergubernamental (CIG) en Roma para

---

[100] En su reunión del 18 de junio de 2004, los Jefes de Estado o de Gobierno dieron su aprobación a los textos que figuran en el documento CIG 81/04, modificados y completados por los textos adjuntos al documento 85/04. Estos documentos contienen las modificaciones del texto básico del proyecto de Constitución recogido en el documento CIG 50/03, junto con sus adendas y corrigendas. Constituyen así el resultado de la Conferencia Intergubernamental. Vid. Nota de la Presidencia, con fecha de 18 de junio de 2004, a las Delegaciones. Asunto: CIG 2003 –Reunión de los Jefes de Estado o de Gobierno, Bruselas, 17 y 18 de junio de 2004. PRESID 27. CIG 85/04. Bruselas, 18 de junio de 2004.

[101] Esta cuestión ha sido ampliamente desarrollada en HERMIDA DEL LLANO, CRISTINA: *Los derechos fundamentales en la Unión Europea*, op. cit.

[102] Vid. COX, PAT: <<Intervención ante la Cumbre extraordinaria de Jefes de Estado o de Gobierno de la UE para la apertura de la Conferencia Intergubernamental>>, Roma, 4 de octubre de 2003. En esta intervención se dice <<sí>> a la mejora de la Convención, pero <<no>> a una Niza bis. También tiene interés la <<Intervención del Presidente del Consejo de Ministros, Silvio Berlusconi, para la apertura de la Conferencia Intergubernamental>>, Roma, 4 de octubre de 2003, ya que en ella se resalta que la verdadera identidad de Europa se debe a su "cultura". De otro lado, en la Declaración de Roma de 4 de octubre de 2003, los Jefes de Estado y de Gobierno de los Estados miembros, así como de los países adherentes y candidatos a la adhesión a la UE, el Presidente del Parlamento Europeo y el Presidente de la Comisión Europea, con ocasión de la inauguración de la Conferencia Intergubernamental (CIG) para la revisión de los Tratados <<confirman la importancia del compromiso de dotar a la UE de un texto constitucional basado en la igualdad de sus Estados, pueblos y ciudadanos que garantice eficacia, coherencia y eficiencia al papel de la Unión en el mundo, y asumen el Proyecto de Tratado de la Convención como una buena base para iniciar los trabajos de la Conferencia Intergubernamental>>.

pactar la Constitución. La CIG[103] de aquel momento asumiría la tarea de configurar el texto definitivo del Tratado Constitucional que debía regir tras la ampliación de la UE[104]. España insistiría en una reunión especial de la CIG en Nápoles en noviembre de 2003 en su desacuerdo con el sistema de doble mayoría. El 13 de diciembre de 2003 la Cumbre Europea para pactar la Constitución concluiría en un estrepitoso fracaso, debido en buena parte a las tesis defendidas por España y Polonia en lo que al reparto de votos en el Consejo se refería. El 26 de marzo de 2004, en la última Cumbre de Aznar, los

---

103 Los diez Estados de Europa central y oriental que se incorporaron como nuevos socios a la UE el 1 de mayo de 2004 participaron plenamente en la CIG de octubre de 2003 en pie de igualdad con los otros quince Estados miembros.

104 Chipre, la República Checa, Estonia, Hungría, Letonia, Lituania, Malta, Polonia, la República Eslovaca y Eslovenia son las diez naciones adheridas a la UE desde el 1 de mayo de 2004, al haber cumplido con los criterios políticos y económicos que se fijaron en el Consejo Europeo de Copenhague en 1993. Como reconoció Romano Prodi en <<Ampliación y Constitución>>, *Anuario de El Mundo. Constitución y Convención*, Madrid, 2003: "En esos países se han aprobado miles de leyes y reglamentos para dar vida a nuevas formas de democracia, para ir trasladando el acervo comunitario a las legislaciones nacionales", p. 12. En cuanto a Bulgaria y Rumanía, en la Cumbre de Bruselas de junio de 2004, los Veinticinco manifestaron su deseo de que las dos naciones balcánicas pudiesen acceder a la UE en 2007, debido a que Sofía había cerrado ya todos los capítulos de las negociaciones y Bucarest pensaba hacerlo a finales de 2004. La firma de adhesión sería en principio en 2005 aunque el proceso de ratificación concluiría en 2007. No obstante, la UE previó en aquel momento imponer a Rumanía y Bulgaria en el Tratado de adhesión a la UE una cláusula de salvaguardia que permitiera retrasar un año la entrada de ambos países en la Unión, hasta 2008, si incumplían sus compromisos y existía un claro peligro para la Unión. Esta cláusula suponía un endurecimiento de las condiciones de entrada de esos dos países en la UE. Respecto a Croacia, pese a no haber comenzado todavía las negociaciones, se hallaba en una situación mejor que sus vecinos balcánicos. Los líderes en la Cumbre de junio de 2004 afirmaron que las negociaciones podrían empezar ya en 2005. Sin embargo, Zagreb debía hacer más esfuerzos en la colaboración con el Tribunal Penal Internacional para la antigua Yugoslavia y facilitar la captura y entrega a la Haya del general Ante Gotovina, inculpado del asesinato de al menos un centenar y medio de serbocroatas al final de la guerra en 1995. Sobre la ampliación de la UE a Bulgaria, Rumanía, Croacia y Turquía, vid. <<Address by Pat Cox to the European Council>>, Bruselas, 17 y 18 de junio de 2004, así como la Nota de transmisión de la Presidencia a las Delegaciones. Asunto: Conclusiones de la Presidencia del Consejo Europeo de Bruselas (CONCL 2), celebrado los días 17 y 18 de junio de 2004. 10679/04, D/04/2, Bruselas, 18 de junio de 2004, pp. 4-8.

líderes europeos acordaron en Bruselas reabrir las negociaciones de la Constitución Europea. A pesar del deseo de algunos de que la firma de la Constitución por parte de la UE se efectuara en Roma el 9 de mayo de 2004, en vísperas de las elecciones europeas del mes de junio, que le imprimirían el sello de un refrendo popular[105], el texto constitucional no se aprobaría –insisto- hasta el 18 de junio de 2004. En esta fecha, los diez nuevos Estados miembros eran ya miembros de pleno derecho de la Unión. De este modo, los líderes de los Veinticinco Estados soberanos se enfrentaron el 17 y 18 de junio de 2004 al reto histórico de pactar una Constitución para Europa, sabiendo que para ello debían conseguir superar tres litigios que sus ministros de Exteriores no habían resuelto en los casi veintiocho meses de negociaciones, desde que iniciara la elaboración del proyecto[106]: el reparto de

---

105 Vid. Declaración de Roma. GISCARD D'ESTAING, VALÉRY. Presidente de la Convención Europea, Roma, 18 de julio de 2003, pp. 3 y 5.

106 No está de más subrayar que los países grandes resultaron los más beneficiados en el proyecto constitucional al haber ganado peso frente a los pequeños. De ahí que los representantes de quince Gobiernos europeos en la Convención, ninguno de ellos los cuatro grandes (Alemania, Francia, Reino Unido e Italia), suscribieran el 12 de junio de 2003 una declaración en la que incluyeron una relación de puntos importantes del proyecto de Constitución Europea que deseaban modificar: el sistema de votos en el Consejo, la presidencia del Consejo Europeo, la composición de la Comisión, el número de escaños en el Parlamento Europeo. Hay que saber que Alemania había logrado por vez primera mucho más poder que los demás, rompiendo así radicalmente el equilibrio de fuerzas con Francia. España, por su parte, no consiguió su objetivo de que el reparto de poder pactado en Niza en 2000 se perpetuase porque sólo se preveía su vigencia hasta 2009 o 2012. A partir de entonces, de acuerdo con el proyecto constitucional, la UE tomaría sus decisiones siempre que estuviesen respaldadas por mayoría cualificada, esto es, por países que representasen al menos el 60% de la población europea (cuestión que, por cierto, se modifica en el texto definitivo de la Constitución Europea). Porcentaje que claramente debilitaba la cuota de poder de España en el "club comunitario". Respecto a este punto, remito al trabajo de MARTÍN Y PÉREZ DE NANCLARES, JOSÉ: <<El proyecto de Constitución Europea: reflexiones sobre los trabajos de la Convención>>, *Revista de Derecho Comunitario Europeo*, n°15, año 7, mayo-agosto 2003, p. 529. Es conocido de todos, en la apertura de la CIG de 2003, el anuncio de Aznar de que haría una defensa cerrada de los intereses de España, reiterando el apoyo de España al sistema de ponderación de voto en el Consejo de la UE pactado en la Cumbre de Niza en diciembre de 2000. En el sistema pactado en Niza, España contaba con un peso cercano al de los cuatro grandes países en la toma de decisiones en el Consejo de la UE. En Niza España había pasado de tener ocho miembros

poder, el límite a la utilización del derecho de veto y la inclusión o no de una referencia al cristianismo[107].

Hay que reconocer que el proyecto del tratado por el que se establecía una Constitución para Europa que había sido aprobado el 18 de junio de 2003, siendo firmado en Roma por los jefes de gobierno de los países que formaban la Unión Europea a 29 de octubre de 2004, incluía, por primera vez en la historia de Europa, en su artículo 1-2 el respeto de los derechos de las personas pertenecientes a las minorías como uno de los valores de la Unión.

El 12 de enero de 2005, el Parlamento Europeo aprobó una resolución con 500 votos a favor, en la que recomendaba a los Estados miembros que ratificaran la "Constitución Europea". Aunque en España, el tratado sí que había sido ratificado tras vencer el sí en un referéndum, en Francia y en los Países Bajos ganó el no, lo que provocó que el texto no llegase nunca a entrar en vigor, desencadenándose con ello una grave crisis institucional en el ámbito de la Unión Europea, a lo que se añadiría posteriormente una profunda crisis económica.

---

en el Consejo a tener veintisiete. A cambio se había visto obligada a perder catorce escaños de los sesenta y cuatro que tenía en el Parlamento Europeo. La Convención europea claramente había alterado el sistema de ponderación de voto en el Consejo de la UE en perjuicio de España y también de países como Polonia. En cuanto a Reino Unido, con el texto del proyecto constitucional, sí que lograba frenar a los europeístas y federalistas. Y ello, a pesar de voces como Mario Soares, ex Presidente de la República Portuguesa, que clamó para que se consiguiera una Europa Federal que favoreciera una auténtica unión política –y no meramente económica- entre los Estados miembros. Vid. SOARES, MARIO: <<Europa federal o unión de Estados>>, *Anuario El Mundo 2003. Constitución y Convención*, Madrid, 2003, p. 28. Por último, los Gobiernos ganaban poder frente a la Comisión Europea.

107 A estos tres litigios habría de sumarse, finalmente, la fuerte discrepancia entre Alemania y Holanda a costa del Pacto de Estabilidad. Cuestión, esta última, que daría lugar a que en la Cumbre de Bruselas de junio de 2004 los Jefes de Estado o de Gobierno aprobaran una Declaración relativa al Pacto de Estabilidad y Crecimiento, esto es, relativa al art. III-76 del texto constitucional, la cual debería constar en el Acta Final. Vid. Nota de la Presidencia, con fecha de 18 de junio de 2004, a las Delegaciones. Asunto: CIG 2003 –Reunión de los Jefes de Estado o de Gobierno, Bruselas, 17 y 18 de junio de 2004. PRESID 27. CIG 85/04. Bruselas, 18 de junio de 2004, p. 14.

2.5. *Quinta etapa: desde la crisis económica de 2008 hasta la actualidad*

Tras el estallido de la crisis económica en 2008, que tuvo un impacto a nivel mundial, el aumento de la crispación y el descontento de algunos grupos sociales provocó el resurgimiento de los sentimientos racistas y xenófobos. Como Hannah Arendt ha resaltado, a lo largo de la historia, cuando se ha producido un problema financiero grave como en la primera mitad del siglo XX en Alemania o Italia, los movimientos racistas en general y los partidos políticos xenófobos en particular se han aprovechado de las circunstancias de la situación para ganar seguidores con un discurso que propaga el miedo respecto a un grupo minoritario de la población; grupo al que etiquetan como el culpable de todos los males de la sociedad[108]. Una vez finalizados los problemas y recuperado el bienestar, la influencia de estos movimientos termina por pasar desapercibida de nuevo[109].

De hecho, basta mirar a nuestro alrededor para constatar cómo actualmente se culpabiliza a grupos minoritarios de la falta de empleo y del incremento de la violencia callejera. Al mismo tiempo, lamentablemente, se observa cómo los partidos políticos xenófobos han ido adquiriendo una fuerza cada vez más importante hasta el punto de llegar a tener representación en las instituciones; pensemos en la Agrupación Nacional en Francia–*Rassemblement national, RN*, denominado hasta 2018 como Frente Nacional, *Front national,* FN -; en la Liga en Italia -*La Lega*; anteriormente *Lega Nord*, *Liga Norte* -; o en Alternativa para Alemania -*Alternative für Deutschland*, AfD -. Incluso algunos partidos políticos han llegado a los gobiernos nacionales como el *FIDESZ–Unión Cívica Húngara, FIDESZ–Magyar Polgári Szövetség*- o el partido Ley y Justicia en Polonia -*Prawo i Sprawiedliwość*-conocido por sus siglas como PiS[110].

---

108 ARENDT, HANNAH: *Los orígenes del totalitarismo*, Taurus, Madrid, 1998, pp. 28-33.

109 Ibídem, p. 56.

110 Recomiendo la lectura del siguiente artículo de prensa digital sobre las últimas elecciones en Polonia. Vid. HERMIDA DEL LLANO CRISTINA: <<Polonia en la encrucijada>>, *El Imparcial*, 13 de julio de 2020. Disponible en: https://www.elimparcial.es/noticia/215004/opinion/polonia-en-la-encrucijada.html

La crisis sanitaria producida como consecuencia de la expansión del Coronavirus desde 2020 ha puesto de nuevo sobre la mesa la vulnerabilidad de las minorías, que se han visto especialmente afectadas por esta epidemia. Como ya señalé en otro lugar: "Creo que es fácil de entender que cualquier población sensiblemente vulnerable se puede ver desproporcionalmente afectada por el covid-19, como de hecho está ocurriendo. La pandemia no conoce del juego de las mayorías y las minorías, no conoce de clases sociales, no conoce de relaciones de poder y por ello no distorsiona, sino que retrata en una imagen monumental y gigantesca las desigualdades sociales en el ámbito de los bienes y servicios, salud, educación y empleo"[111]. Tan solo queda confiar en que las autoridades actúen con responsabilidad y sepan proteger a las minorías como merecen, por ser grupos sociales especialmente vulnerables.

Cuando se analiza el tratamiento que se ha dado a las minorías en las Constituciones europeas, se descubre que no es homogéneo ya que se utilizan diversas expresiones en los textos constitucionales que parecen asumir la diferenciación elaborada por Naciones Unidas:

---

111 HERMIDA DEL LLANO, CRISTINA: <<Si hubiera nacido mujer y además gitana>>, *El Imparcial*, 11 de abril de 2020. Disponible en: https://www.elimparcial.es/noticia/211987/opinion/si-hubiera-nacido-mujer-y-ademas-gitana.html

1) La expresión de *minorías lingüísticas* se recoge en las Constituciones de Italia (artículo 6)[112], Suecia (capítulo 1, artículo 2 in fine)[113] y Austria (artículo 8)[114].
2) El término *minorías religiosas* aparece expresamente mencionado en las Constituciones de Suecia (artículo 2 in fine)[115], Chipre (artículo 2)[116], Croacia (artículo 41)[117], Serbia (artículo 27 de

---

112 El artículo 6 de la Constitución de la República italiana, promulgada el 27 de diciembre de 1947 y en vigor desde el 1 de enero de 1948, establece: <<La República protegerá mediante normas adecuadas a las minorías lingüísticas>>. COLUZZI, PAOLO: <<Problemas y dificultades en el proceso de planificación lingüística para las lenguas minoritarias italianas>>. Disponible en: https://www.linguapax.org/wp-content/uploads/2015/03/4_coluzzi.pdf

113 La más importante de las Leyes Fundamentales en Suecia es el Instrumento de Gobierno de 1974. En él se exponen los principios básicos para la vida política en el país y se definen los derechos y libertades. En el art. 2 in fine se establece lo siguiente: <<Se promoverán las oportunidades del pueblo sami y de las minorías étnicas, lingüísticas y religiosas de preservar y desarrollar su vida cultural y social>>. Vid. RODELL OLGAÇ, CHRISTINA: <<Minorías nacionales, conciencia nacional y proceso de aprendizaje intercultural entre docentes en formación en Suecia>>, traducido por Silvia Branda y Claudia Cosentino, *Revista de Educación*, Año 6, nº 8, 2015, pp. 101-116.

114 La Constitución Federal austriaca (*Osterreichische Bundesverfassung*, 1920) establece en su artículo 8: <<El idioma alemán será, sin perjuicio de los derechos que se concedan por ley federal a las minorías lingüísticas, el idioma oficial (*die Staatssprache*) de la República>>.

115 En la versión inglesa del Instrumento de Gobierno, que de las leyes fundamentales en Suecia es la más importante, se establece en el artículo 2 in fine: <<The opportunities of the Sami people and ethnic, linguistic and religious minorities to preserve and develop a cultural and social life of their own shall be promoted>>.

116 La Constitución de la República de Chipre de 1960 se refiere en diversos apartados de su artículo 2 a los grupos religiosos. Así, por ejemplo, el artículo 2.6 precisa: <<Todo individuo o grupo religioso considerado como perteneciente a una de las dos comunidades griega o turca con arreglo a lo dispuesto en el apartado 3 del presente artículo, podrá dejar de pertenecer a dicha comunidad y se entenderá que pasa a pertenecer a la otra, a condición de que: (a) dicho individuo o grupo religioso dirija al funcionario competente de la República y a los Presidentes de las Cámaras Comunitarias griega y turca una declaración escrita y firmada en este sentido, y de que (b) así lo apruebe la Cámara Comunitaria de la segunda comunidad>>.

117 El artículo 41 de la Constitución de la República de Croacia (en su versión consolidada de 2010, en inglés) establece lo siguiente: <<All religious communities shall be equal before the law and clearly separate from the state.

la Carta de Derechos)[118], Albania (artículo 10)[119], Macedonia (artículo 19) y Bulgaria (artículo 13)[120].

3) La expresión *minorías étnicas* se recoge en las Constituciones de Estonia (artículo 50)[121], Letonia (artículo 114)[122], Polonia

---

Religious communities shall be free, in compliance with law, to publicly conduct religious services, open schools, academies or other institutions, and welfare and charitable organizations and to manage them, and they shall enjoy the protection and assistance of the state in their activities>>.

118 La Constitución de la República de Serbia entró en vigor el 8 de noviembre de 2006 tras ser adoptado el texto el 30 de septiembre de ese año, sustituyendo a la Constitución de 2003. El texto constitucional define a Serbia como un estado independiente con garantías para los derechos humanos incluidos los de las minorías.

119 La actual Constitución de Albania fue adoptada por el Parlamento el 28 de noviembre de 1998. El documento pasó a sustituir a la Constitución de 1976 que había sido enmendada el 5 de septiembre de 1991.
La actual Constitución considera que Albania es una república parlamentaria constitucional unitaria y recoge en su articulado los derechos fundamentales de los ciudadanos.

120 El artículo 13.4 de la Constitución de la República de Bulgaria precisa: <<Las instituciones y comunidades religiosas y las creencias religiosas no serán utilizadas con fines políticos>>.

121 Conforme señala la Constitución de Estonia (1992), con enmiendas hasta 2015, hay varios artículos que se refieren a las minorías, aunque aquí destacamos el artículo 50. Se trata de los siguientes: el artículo 49 dispone: <<Toda persona tiene derecho a preservar su identidad nacional>>; el artículo 50 señala: <<Las minorías nacionales tienen derecho a establecer órganos de autogobierno en el interés de su cultura nacional, en las condiciones y conforme al procedimiento previsto en la Ley de Autonomía Cultural de las Minorías Nacionales>>; el artículo 51, referido a la protección del uso del idioma, establece: <<Toda persona tiene derecho a dirigirse a los órganos estatales, a los gobiernos locales y a sus funcionarios en estonio y a recibir respuestas en estonio. En las localidades donde al menos la mitad de los residentes permanentes pertenezcan a una minoría nacional, todos tendrán también derecho a recibir respuestas de los órganos estatales, gobiernos locales y sus funcionarios en el idioma de esa minoría>>. Vid. https://www.constituteproject.org/constitution/Estonia_2015.pdf?lang=es

122 El artículo 114 de la Constitución de Letonia de 15 de febrero de 1922 (a la cual se añadió un capítulo sobre derechos humanos mediante una enmienda del año 1998) precisa: <<Las personas que pertenecen a minorías étnicas tienen el derecho de preservar y desarrollar su lengua y su identidad étnica y cultural>>. Vid. http://dpicuantico.com/constituciones/Letonia_espanol.pdf

(artículo 35)[123], República Checa (artículo 25)[124], Hungría (artículo 68)[125] y Suecia (artículo 2 in fine)[126]. Expresiones que hacen referencia a este tipo de minorías como "grupos étnicos" o "comunidades étnicas" aparecen en las Constituciones de Lituania

123 El artículo 35 de la Constitución de Polonia (1997, con enmiendas hasta 2009) declara: <<1. La República de Polonia garantizará a los ciudadanos polacos que pertenezcan a una minoría nacional o étnica la libertad de mantener y desarrollar su propia lengua, de mantener sus costumbres y tradiciones, y de desarrollar su propia cultura. 2. Las minorías nacionales y étnicas tendrán derecho a establecer instituciones educativas y culturales, instituciones diseñadas para proteger la identidad religiosa, así como para participar en la resolución de los asuntos relativos a su identidad cultural>>.
Vid. https://www.constituteproject.org/constitution/Poland_2009.pdf?lang=es

124 La Carta recoge una relación de derechos de las minorías, entre los que se encuentra el de utilizar y recibir educación en su propia lengua (arts. 24 y 25). DE MONTALVO JÄÄSKELÄINEN, FEDERICO: <<Constitución de la República Checa>>, *Revista de las Cortes Generales*, doi 10.33426/rcg/2006/67/546, 1 de abril de 2006. Disponible en:
https://research.amanote.com/publication/gaJo4nMBKQvf0BhiplAM/constitucin-de-la-repblica-checa
Conviene aclarar que el texto constitucional fue adoptado por el Consejo Nacional Checo el 16 de diciembre de 1992 por la ley constitucional n.º 1/1993, entrando en vigor el 1 de enero de 1993, reemplazando la Constitución de Checoslovaquia de 1960 y la ley constitucional n.º 143/1968 cuando Checoslovaquia se dividió de forma pacífica en la República de Eslovaquia y la República Checa.

125 El artículo 68 de la Constitución de la República de Hungría (Ley número XX de 20 de agosto de 1949) establece: <<1. Las minorías nacionales y étnicas que viven en la República de Hungría participan de la soberanía popular como parte constituyente del Estado que son. 2. La República de Hungría garantizará protección a las minorías nacionales y étnicas y asegurará su participación colectiva en los asuntos públicos, la promoción de sus culturas, el empleo de su lengua nativa, la educación en sus respectivas lenguas y el uso de los nombres en sus lenguajes nativos. 3. Las leyes de la República Hungría garantizarán la representación de las minorías nacionales y étnicas que viven en el territorio del país. 4. Las minorías nacionales y étnicas podrán crear corporaciones locales y de ámbito nacional con capacidad de autogobierno. 5. Para legislar en materia de derechos de las minorías nacionales y étnicas será necesario el voto de dos tercios de los miembros del Parlamento presentes>>.
Disponible en: http://www.dpicuantico.com/constituciones/Hungria_espanol.pdf

126 Como se ha señalado anteriormente, en la versión inglesa del Instrumento de Gobierno, que de las leyes fundamentales en Suecia es la más importante, se establece en el artículo 2 in fine: <<The opportunities of the Sami people and ethnic, linguistic and religious minorities to preserve and develop a cultural and social life of their own shall be promoted>>.

(artículo 37)[127], Eslovenia (artículos 61, 64 y 65)[128], Eslovaquia

127 El artículo 37 de la Constitución de Lituania de 1992, con enmiendas hasta 2019, precisa: <<Los ciudadanos que pertenezcan a comunidades étnicas tienen el derecho a fomentar su lengua, cultura y costumbres>>. Vid. https://www.constituteproject.org/constitution/Lithuania_2019.pdf?lang=es

128 La Constitución de Eslovenia, aprobada en 1991 y reformada en 2006, se refiere en el artículo 61 a la expresión de la afiliación nacional. <<Todas las personas tienen derecho de expresar libremente la afiliación con su nación o comunidad nacional, fomentar y expresar su cultura y utilizar su lengua y escritura>>. El artículo 64 contempla de forma detallada los derechos especiales de las comunidades nacionales autóctonas italiana y húngara en Eslovenia, indicando: <<Las comunidades nacionales autóctonas italiana y húngara y sus miembros tienen garantizados el derecho a utilizar libremente sus símbolos nacionales y, en orden a preservar su identidad nacional, el derecho de establecer organizaciones y desarrollar actividades económicas, culturales, científicas e investigadoras, así como actividades de los medios de comunicación públicos y publicaciones. De acuerdo con las leyes, estas dos comunidades nacionales y sus miembros tienen derecho a la educación y a la enseñanza en su propia lengua, así como el derecho a establecer y desarrollar tal educación y enseñanza. Las áreas geográficas en las que las escuelas bilingües sean obligatorias estarán establecidas en la ley. Estas comunidades nacionales y sus miembros tienen garantizados el derecho a fomentar relaciones con sus naciones de origen y sus países respectivos. El Estado proporcionará apoyo material y moral para el ejercicio de estos derechos.

Para ejercitar sus derechos, los miembros de estas comunidades establecerán sus propias comunidades autónomas en las áreas geográficas donde residan. A propuesta de estas comunidades nacionales autónomas, el Estado les puede autorizar a realizar ciertas funciones bajo la jurisdicción nacional, y proporcionará los fondos necesarios para la ejecución de tales funciones.

Las dos comunidades nacionales estarán directamente representadas en los órganos representativos del gobierno autónomo local y en la Asamblea Nacional.

El estatus de las comunidades nacionales italiana y húngara y la forma en la que ejercitarán sus derechos en las áreas geográficas en que residan, las obligaciones de las comunidades locales autónomas para el ejercicio de estos derechos, y aquellos derechos que los miembros de estas comunidades nacionales ejerciten también fuera de estas áreas, estarán regulados por ley. Los derechos de ambas comunidades nacionales y de sus miembros estarán garantizados con independencia del número de miembros de estas comunidades.

Las normas y otros actos generales que se refieran exclusivamente al ejercicio de los derechos constitucionalmente establecidos y a la posición de las comunidades nacionales, no pueden ser adoptadas sin el consentimiento de los representantes de estas comunidades nacionales>>.

Por último, el artículo 65 recoge lo siguiente, al referirse al estatus y derechos especiales de la comunidad rumana en Eslovenia: <<El estatus y los derechos especiales de la comunidad rumana que reside en Eslovenia estarán regulados por

(sección 4, artículos 33 y 34)[129] y Bielorrusia (artículo 14)[130].

ley>>. Disponible en: https://www.teinteresa.es/mundo/Constitucion-Eslovenia-aprobo-reformada_0_1040297164.html

129 La Constitución de Eslovaquia, aprobada en 1992 y reformada en 2006 dedica la sección 4 a regular los derechos de las minorías nacionales y de grupos étnicos en sus artículos 33 y 34. El artículo 33 dispone: <<La pertenencia de una persona a una minoría nacional o un grupo étnico no puede ir en su perjuicio>>.
El artículo 34 precisa, por su parte: << (1) Los ciudadanos que pertenezcan a una minoría nacional o grupo étnico en la República Eslovaca tienen garantizado su desarrollo completo, particularmente, el derecho a desarrollar, junto con otros miembros de su minoría o grupo, su propia cultura, a difundir y recibir la información en su lengua materna, a asociarse en asociaciones nacionales de minorías, a establecer y mantener instituciones educativas y culturales. Disposiciones más detalladas estarán previstas en la ley.
(2) Además del derecho a aprender la lengua oficial, los ciudadanos que pertenezcan a las minorías nacionales o los grupos étnicos tienen también garantizado, en las condiciones establecidas en la ley:
a) el derecho de ser educado en su lengua,
b) el derecho de utilizar su lengua en las comunicaciones oficiales,
c) el derecho de participar en la toma de decisiones en las materias que afecten a las minorías nacionales y los grupos étnicos.
(3) El ejercicio de los derechos de los ciudadanos que pertenezcan a las minorías nacionales y los grupos étnicos que están garantizados por esta Constitución no puede conducir a una amenaza a la soberanía y la integridad territorial de la República Eslovaca ni a la discriminación de otra población>>. Vid. https://www.teinteresa.es/mundo/eslovaquia-constitucion-reforma_0_1040297200.html

130 La Constitución de la República de Bielorrusia de 1994 ha sido enmendada en varias ocasiones (1996 y 2004). Se espera que lo vuelva a ser en 2022, siguiendo la línea de aumentar el poder de la presidencia sobre el gobierno y eliminando los límites a los mandatos presidenciales, lo que permitirá al presidente Alexander Lukashenko permanecer en el cargo hasta 2035. Al igual que en el caso de Rusia, la reforma constitucional de Bielorrusia prevé que no podrán ser candidatos a la presidencia los ciudadanos "que tengan o hayan tenido ciudadanía extranjera o un permiso de residencia de un Estado foráneo que conceda derecho a recibir otras prestaciones". Vid. CUESTA, JAVIER G.: << Lukashenko planea blindarse con la nueva Constitución de Bielorrusia>>, *El País*, 28 de diciembre de 2021. Disponible en: https://elpais.com/internacional/2021-12-28/lukashenko-planea-blindarse-con-la-nueva-constitucion-de-bielorrusia.html

4) La expresión *minorías nacionales* aparece en las Constituciones europeas de Albania (art. 20)[131], Armenia (art. 41)[132], Croacia (art. 15)[133], Eslovaquia (arts. 33 y 34)[134], Hungría (arts. 32 y 68),

---

[131] Según el artículo 20 de la Constitución de Albania, aprobada por el parlamento albano el 21 de octubre de 1998, en versión inglesa, señala: <<1. Persons who belong to national minorities exercise in full equality before the law the human rights and freedoms.
2. They have the right to freely express, without prohibition or compulsion, their ethnic, cultural, religious and linguistic belonging. They have the right to preserve and develop it, to study and to be taught in their mother tongue, as well as unite in organizations and societies for the protection of their interests and identity>>.

[132] Según el artículo 41 de la Constitución de Armenia, en versión inglesa, señala: <<Everyone shall have the right to preserve his or her national and ethnic identity. Persons belonging to national minorities shall have the right to preservation and development of their traditions, religion, language and culture>>.

[133] El artículo 15 de la Constitución de Croacia precisa: <<Los miembros de todas las minorías nacionales tendrán los mismos derechos en la República de Croacia. La igualdad y la protección de los derechos de las minorías nacionales se regirán por la Ley Constitucional que se adoptará en el procedimiento previsto en la ley orgánica>>.

[134] La Constitución de la República de Eslovaquia de 1992, reformada en 2006, señala en el artículo 33: <<La pertenencia de una persona a una minoría nacional o un grupo étnico no puede ir en su perjuicio>>.
El artículo 34, por su parte, precisa: <<1. Los ciudadanos que pertenezcan a una minoría nacional o grupo étnico en la República Eslovaca tienen garantizado su desarrollo completo, particularmente, el derecho a desarrollar, junto con otros miembros de su minoría o grupo, su propia cultura, a difundir y recibir la información en su lengua materna, a asociarse en asociaciones nacionales de minorías, a establecer y mantener instituciones educativas y culturales. Disposiciones más detalladas estarán previstas en la ley.
2. Además del derecho a aprender la lengua oficial, los ciudadanos que pertenezcan a las minorías nacionales o los grupos étnicos tienen también garantizado, en las condiciones establecidas en la ley:
a) el derecho de ser educado en su lengua,
b) el derecho de utilizar su lengua en las comunicaciones oficiales,
c) el derecho de participar en la toma de decisiones en las materias que afecten a las minorías nacionales y los grupos étnicos.
3. El ejercicio de los derechos de los ciudadanos que pertenezcan a las minorías nacionales y los grupos étnicos que están garantizados por esta Constitución no puede conducir a una amenaza a la soberanía y la integridad territorial de la República Eslovaca ni a la discriminación de otra población>>.

Montenegro (art. 79)[135], Polonia (art. 35)[136], República Checa (art. 25 de la Carta de Derechos)[137], Rumania (arts. 6 y 32)[138], Serbia (arts. 47 a 57 de la Carta de Derechos)[139] y Ucrania (arts.

---

[135] El artículo 79 de la Constitución de Montenegro está dedicado a la protección de la identidad de las minorías nacionales.

[136] La Constitución de la República de Polonia de 1997 en su artículo 35 precisa: <<1. La República de Polonia garantizará a los ciudadanos polacos que pertenezcan a una minoría nacional o étnica la libertad de mantener y desarrollar su propia lengua, de mantener sus costumbres y tradiciones, y de desarrollar su propia cultura. (
2. Las minorías nacionales y étnicas tendrán derecho a establecer instituciones educativas y culturales, instituciones diseñadas para proteger la identidad religiosa, así como para participar en la resolución de los asuntos relativos a su identidad cultural>>.

[137] El artículo 25 de la Carta de Derechos de Serbia (Charter of Fundamental Rights and Freedoms) precisa en su versión en inglés: <<1) Citizens who constitute national or ethnic minorities are guaranteed all-round development, in particular the right to develop, together with other members of the minority, their own culture, the right to disseminate and receive information in their native language, and the right to associate in national associations. Detailed provisions shall be set down by law.
2. Citizens belonging to national and ethnic minority groups are also guaranteed, under the conditions set down by law:
a) the right to education in their own language,
b) the right to use their own language in their relations with officials,
c) the right to participate in the resolution of affairs that concern national and ethnic minorities>>. Vid. Resolution of the Presidium of the Czech National Council of 16 December 1992 on the declaration of the Charter of Fundamental Rights and Freedoms as a part of the constitutional order of the Czech Republic. No. 2/1993 Coll. as amended by constitutional act No. 162/1998 Coll.

[138] La Constitución de Rumanía de 1991 en su artículo 6 precisa: <<1. El Estado reconoce y garantiza a las personas pertenecientes a minorías nacionales el derecho a preservar, desarrollar y expresar su identidad étnica, cultural, lingüística y religiosa.
2. Las medidas de protección adoptadas por el Estado para la preservación, el desarrollo y la expresión de la identidad de las personas pertenecientes a minorías nacionales se ajustarán a los principios de igualdad y no discriminación en relación con otros ciudadanos rumanos>>.
El artículo 32.3 resalta lo siguiente: <<3) Se garantizará el derecho de las personas pertenecientes a minorías nacionales a aprender su lengua materna y el derecho a poder formarse en esta lengua; las modalidades de ejercicio de estos derechos se establecerán por ley>>.

[139] Todos estos artículos se dedican a las minorías nacionales que, por su extensión, no se reproducen.

10, 11 y 53)[140]. Por otra parte, el concepto *grupos nacionales* es mencionado por la Constitución de Eslovenia (art. 61)[141], mientras que la palabra *nacionalidades* aparece en las Consti-

140 La Constitución de Ucrania de 1996 en su artículo 10 establece: <<El idioma oficial en Ucrania es el ucraniano. El Estado garantiza el desarrollo comprensivo y uso del idioma ucraniano en todas las esferas de la sociedad por todo el territorio de Ucrania. Se garantiza el correcto desarrollo, uso y protección del ruso y otros idiomas de las minorías nacionales de Ucrania. El Estado facilita el aprendizaje de idiomas de comunicación internacional. El uso de idiomas en Ucrania es garantizado por la Constitución de Ucrania y es prescrito por ley>>.
El artículo 11 precisa: <<El Estado facilitará la consolidación y desarrollo de la nación Ucraniana, su conciencia histórica, tradiciones y cultiva también el desarrollo de los atributos étnicos, culturales, lingüísticos y religiosos de todas las personas nativas y minorías nacionales de Ucrania>>.
Por último, el artículo 53 observa: <<Toda persona tendrá el derecho a la educación. La educación secundaria general es obligatoria. El Estado garantiza el acceso libre a la educación primaria y secundaria, educación superior, a los establecimientos educativos municipales; el desarrollo general de la secundaria, educación vocacional y post grados, y varias formas de instrucción; la provisión de estipendios estatales y privilegios a los alumnos y estudiantes. Los ciudadanos tienen el derecho para recibir libremente educación superior en las instituciones educativas municipales con una base competitiva. Se garantiza a los ciudadanos que son minorías nacionales según la ley, el derecho a la instrucción en su idioma nativo en instituciones o sociedades nacionales culturales>>.

141 El artículo 61 de la Constitución de la República de Eslovenia se dedica a la expresión de la afiliación nacional. En su versión inglesa, precisa: <<Everyone has the right to freely express affiliation with his nation or national community, to foster and give expression to his culture, and to use his language and script>>. Disponible en: https://www.us-rs.si/legal-basis/constitution/?lang=en

tuciones de España (art. 2)[142], Macedonia (art. 48)[143] y Ucrania (Preámbulo)[144].

5) La Constitución de Bélgica se refiere en su artículo 11 a las "*minorías filosóficas o ideológicas*"[145], siendo la única Constitución europea que incluye un tipo de minorías diferente a las cuatro citadas[146].

---

[142] El artículo 2 de la Constitución española de 1978 precisa: <<La Constitución se fundamenta en la indisoluble unidad de la Nación española, patria común e indivisible de todos los españoles, y reconoce y garantiza el derecho a la autonomía de las nacionalidades y regiones que la integran y la solidaridad entre todas ellas>>.

[143] El artículo 48 de la Constitución de la República de Macedonia del Norte precisa en su versión inglesa: <<Members of nationalities have a right freely to express, foster and develop their identity and national attributes. The Republic guarantees the protection of the ethnic, cultural, linguistic and religious identity of the nationalities. Members of the nationalities have the right to establish institutions for culture and art, as well as scholarly and other associations for the expression, fostering and development of their identity. Members of the nationalities have the right to instruction in their language in primary and secondary education, as determined by law. In schools where education is carried out in the language of a nationality, the Macedonian language is also studied>>.

[144] El Preámbulo de la Constitución de Ucrania de 1996 señala lo siguiente: <<El Rada Supremo de Ucrania en nombre de la nación Ucraniana y los ciudadanos Ucranianos de todas las nacionalidades, expresando el fortalecimiento del estado soberano de la nación basándose en la historia antigua y al desarrollo de un estado Ucraniano, a la correcta determinación comprendida por la nación Ucraniana, todas las personas de Ucrania considerando afianzar los derechos humanos, las libertades y dignificando las condiciones de la vida humana que mantienen el fortalecimiento de la armonía civil en tierra Ucraniana esforzándose por desarrollar y fortalecer un estado democrático basado en la ley, reconociendo nuestra responsabilidad ante Dios, nuestra propia conciencia, pasado, presente y generaciones futuras, gobernados por el acto de declaración de Independencia del 24 de Agosto de 1991 es aprobado por un voto nacional el 1ro de Diciembre de 1991, adoptamos esta constitución como la ley fundamental de Ucrania>>.

[145] Según el artículo 11 de la Constitución de Bélgica: <<El disfrute de los derechos y libertades reconocidos a los belgas deberá ser asegurado sin discriminación. Con este fin las leyes y decretos garantizarán especialmente los derechos y libertades de las minorías ideológicas y filosóficas>>.

[146] Sobre ello, vid. SAYAGO ARMAS, DIANA: <<La protección de las minorías: un desafío clave de constitucionalismo multinivel>>, UNED. *Revista de Derecho Político*, nº 106, op. cit., pp. 202-203.

Por su parte, otros Estados europeos han aprobado legislaciones específicas que aluden a las minorías nacionales (Polonia, Croacia, Lituania, Hungría, Moldavia, República Checa, Serbia, Ucrania o la Federación Rusa), a las minorías lingüísticas (Italia y Albania), o a minorías o grupos étnicos o raciales (Polonia, Austria, Alemania, Reino Unido, Hungría). En cuanto al término "nacionalidad", es usado habitualmente por los gobiernos de Macedonia, Ucrania, mientras que países como Letonia, Suecia, Rusia, Noruega, Dinamarca o Finlandia han adoptado en sus legislaciones conceptos como "pueblo" o "pueblos indígenas"[147].

Asimismo, atendiendo a las leyes fundamentales de los Estados miembros de la UE, en cuanto a su defensa de las minorías nacionales, cabría diferenciar tres grupos:

El primer grupo lo formarían los Estados, que son la mayoría, que en sus textos constitucionales no hacen alusión a las minorías nacionales.

Un segundo grupo vendría formado por un grupo de Estados como Polonia, Croacia, Eslovaquia, Estonia, Hungría o Rumanía que sí que poseen preceptos dirigidos de forma directa a las minorías nacionales. En el caso de Eslovaquia incluso se reserva la sección 4 del Título I exclusivamente para estos grupos, y están presentes también en la toma de posesión del presidente de la Corte Constitucional quien, según el artículo 104, deberá prestar juramento al servicio de su bienestar. En el preámbulo de la Constitución de Croacia, se reconocen algunas minorías nacionales; en su caso se menciona, por ejemplo, a los checos, austriacos, romaníes, rumanos, albaneses, judíos, italianos o montenegrinos. Todos estos países coinciden en garantizar la práctica libre y desarrollo de sus culturas y de su propia identidad.

Un tercer grupo lo forman aquellos Estados que, sin hacer uso del término "nacionales", sí que dan importancia a diversos subgrupos de minorías nacionales. Tales son los casos de Austria con las minorías lingüísticas o Letonia con las étnicas.

Se constata que los Estados en los que se asentaron regímenes fascistas en el pasado condenan firmemente los crímenes padecidos por

---

147 Ibídem, p. 203.

distintos grupos o minorías y han querido blindarse para evitar que la historia pudiera volver a repetirse. Así, por ejemplo, Alemania considera, en el artículo 116 de su Ley Fundamental de Bonn de 1949, como alemanes a todos aquellos que, habiendo sido expulsados de su territorio o refugiados por motivos religiosos y étnicos, soliciten la nacionalidad[148].

En algunas naciones, las minorías nacionales tienen el derecho de organizar su propio autogobierno con el objetivo de defender y mantener sus propios intereses. Es el caso de Hungría, a través de la Ley 5190 sobre protección de minorías de 2011, o de Estonia donde también cabe que se constituyan autogobiernos para promover y preservar su cultura con la Ley de Autonomía Cultural de las Minorías Nacionales. Ahora bien, países como Croacia han ido incluso más lejos, otorgándoles el derecho a elegir a sus propios representantes en el Parlamento (art. 15 de la Constitución), pudiendo alcanzar hasta un máximo de ocho escaños. Del mismo modo se observa la existencia de países con representación de sus minorías lingüísticas en sus cámaras.

El resto de los Estados se limitan a proteger los derechos mínimos para conservar su identidad: hacer uso y educarse en su idioma, vivir conforme a su cultura, practicar su religión o participar en la vida pública, económica, social y cultural; con más o menos limitaciones según el caso.

Aunque como se puede observar, verdaderamente, la protección de las minorías llevada a cabo por los Estados ha sido muy variada y heterogénea, no cabe duda de que el hecho de haberse adherido a diferentes convenios u organizaciones les ha obligado como países

---

148 El artículo 116 de la Ley Fundamental de la República Federal de Alemania de 23 de mayo de 1949 precisa: <<(1) A los efectos de la presente Ley Fundamental y salvo disposición legal en contrario, es alemán quien posea la nacionalidad alemana o haya sido acogido en el territorio del Reich tal como existía al 31 de diciembre de 1937, en calidad de refugiado o de expulsado perteneciente al pueblo alemán o de cónyuge o descendiente de aquél. (2) Las personas que poseían nacionalidad alemana y que fueron privadas de ella entre el 30 de enero de 1933 y el 8 de mayo de 1945 por razones políticas, raciales o religiosas, al igual que sus descendientes, recobrarán la nacionalidad alemana si así lo solicitaran. Se considerará que no han perdido su nacionalidad si estas personas hubieran fijado su domicilio en Alemania con posterioridad al 8 de mayo de 1945 y no hubiesen expresado voluntad en contrario>>.

signatarios de algún modo a tener que asumir mayores compromisos en este ámbito lo que, sin duda alguna, ha ayudado a que queden reforzados los derechos de las minorías.

3. LAS MINORÍAS EN EL ÁMBITO DE LA UNIÓN EUROPEA

La construcción comunitaria europea tuvo en su inicio un carácter especialmente económico, al haber estado fundamentalmente dirigida a la integración económica[149] y a la consecución de la paz[150], creyéndose que ello no podría suponer un grave riesgo para los derechos fundamentales[151]. De tal manera que la protección de los derechos fundamentales en general, y de los derechos de las minorías en

149 Hay que tener en cuenta que Adenauer, Schuman y de Gasperi se enfrentan con una situación en la que el desarrollo tecnológico se escapa ya al Estado-nación. El comercio, las comunicaciones y el capital rebasan las fronteras y se plantea la necesidad de búsqueda de otras instancias ordenadoras que suplieran o complementaran al Estado-nación como última instancia. Según explica BRUNNER, GUIDO en <<¿Europa, sin embargo, se mueve?>>, recogido en *El reto europeo: Identidades culturales en el cambio de siglo*, Coordinador José Luis Abellán, Trotta-Asociación de Hispanismo Filosófico, Madrid, 1994: "Y así llegaron a la conclusión de que tomando sector por sector y empezando por el carbón y el acero, que entonces consideraban muy importantes (ahora son sectores en crisis), se decidiría una solución original, supranacional, de cooperación y de creación de intereses. Lo que decía Benavente: <<no crees afectos, crea intereses>>", p. 38. No está de más recordar que el eje de la declaración de Robert Schuman, hecha pública el 9 de mayo de 1950, se cifraba en conseguir mantener la paz, por lo que "el Gobierno francés propone que se someta el conjunto de la producción franco-alemana de carbón y de acero a una alta autoridad común, en una organización abierta a los demás países de Europa". El padre de la Unión Europea advertía en su célebre documento que Europa se construiría poco a poco, mediante realizaciones concretas y limitadas. Y para que ello fuera posible, establecería que las decisiones de la alta autoridad fueran vinculantes, independientes y tuvieran carácter ejecutorio. Vid. <<El proyecto de construcción europea celebra su cincuenta aniversario>>, *Expansión*, 9 de mayo de 2000, p. 60.

150 Sobre la consecución de la paz como objetivo primordial tras la segunda guerra mundial, vid. OREJA AGUIRRE, MARCELINO: <<Un gobierno para la Unión Europea>>, prólogo al libro colectivo *El Gobierno de Europa. Diseño institucional de la Unión Europea*, Dykinson, Madrid, 2003, concretamente, pp. XI-XII.

151 Sobre esta cuestión, vid. HERMIDA DEL LLANO, CRISTINA: *Los derechos fundamentales en la Unión Europea*, op. cit.; POYAL COSTA, ANA: *Los Dere-*

particular, no fue un tema que previeran los autores de los Tratados constitutivos de las Comunidades Europeas, tratados que han sido considerados por algunos como la <<Constitución>> de la Comunidad Europea-[152]. En cierto modo, ello era lógico si pensamos que, en primer lugar, todos los Estados miembros formaban parte del Consejo de Europa, en cuyo Estatuto sí se manifestaba una clara preocupación por los derechos fundamentales[153]; en segundo lugar, habían ratificado en su mayoría el Convenio Europeo para la Protección de los Derechos Humanos y de las Libertades Fundamentales cinco meses y medio antes de que fuese firmado en París el TCECA; y, por último, sus Constituciones internas contenían garantías sobre tales derechos al proclamarlos como valores fundamentales de tales ordenamientos. Posiblemente, fueran estas las causas por las que los redactores del Tratado de París, firmado el 18 de abril de 1951, del Tratado constituti-

---

chos Fundamentales en la Unión Europea, Universidad Nacional de Educación a Distancia, Madrid, 1997, p. 69.

152 Los Tratados en virtud de los cuales se establecieron la Comunidad Europea del Carbón y del Acero (TCECA o Tratado de París de 18 de abril de 1951), la Comunidad Económica Europea -hoy Comunidad Europea- (TCEE, firmado en Roma el 25 de marzo de 1957) y la Comunidad Europea de Energía Atómica (TCEEA, firmado también en Roma el 25 de marzo de 1957) no recogían sección o capítulo alguno dedicado a los derechos fundamentales de los individuos. De su lectura cabía deducir que la protección de estos no se encargaba a ninguno de los órganos creados por ellos. Por otro lado, la razón por la que el conjunto de los tres Tratados se ha venido denominando con frecuencia <<Constitución>> de la Comunidad Europea, la explica del siguiente modo con claridad ROBLES, GREGORIO en *Los Derechos Fundamentales en la Comunidad Europea*, op. cit.: "mediante ellos se ha creado un nuevo ente jurídico que posee poderes supremos en las materias acotadas y que está dotado de órganos legislativos, administrativos y judiciales propios, no sometidos en sus competencias a ningún ordenamiento jurídico", p. 23.

153 En el Estatuto del Consejo de Europa se precisa que una de las finalidades de esta organización es conseguir <<la salvaguardia y la mayor efectividad de los derechos humanos y las libertades fundamentales>> (art. 1 b)); para ello cada uno de los Estados miembros del Consejo de Europa <<reconoce el principio del imperio del Derecho y el principio en virtud del cual cualquier persona que se halle bajo su jurisdicción ha de gozar de los derechos humanos y de las libertades fundamentales>> (art. 3). Vid. MORENILLA RODRÍGUEZ, JOSÉ MARÍA: *El Convenio Europeo de Derechos Humanos: Textos Internacionales de Aplicación*, Ministerio de Justicia. Secretaría General Técnica. Centro de Publicaciones, Madrid, 1985, p. 242.

tutivo de la Comunidad Europea del Carbón y del Acero (CECA)[154], y del Tratado de Roma, constitutivo de la Comunidad Económica Europea (CEE), firmado el 25 de marzo de 1957, pensaran que los derechos ya estaban garantizados en el ámbito europeo y no se hiciera la más mínima mención explícita a los textos internacionales sobre derechos fundamentales ni mucho menos se recogiera un catálogo o declaración de derechos[155]; a pesar de que algunos autores quisieran ver en

---

154 La firma del TCECA tuvo lugar en un momento histórico preciso. Como explica SALINAS DE FRÍAS, ANA en su libro *La protección de los Derechos Fundamentales en la Unión Europea*, Comares, Granada, 2000: "Se acababa de salir de un conflicto bélico que había concienciado a Europa de la necesidad de evitar situaciones cualesquiera vejatorias para el individuo o atentatorias contra los derechos considerados como fundamentales de la persona humana. La propia creación de la CECA cubre, entre otros propósitos, el de sentar las bases definitivas de colaboración y alianza permanentes entre las dos grandes potencias productoras de las materias primas de la industria bélica, y hasta unos años antes irreconciliables enemigos. Por encima de todo se encontraba el deseo de paz de las naciones europeas, rotundamente afirmado por la declaración Schuman. (...) El TCECA era un Tratado altamente técnico, confinado a parámetros económicos limitados, a pesar de que su creación fuese <<el resultado de un impulso básicamente político>>; no parecía que consideraciones de este tipo pudieran alcanzar eco en la negociación. Los poderes conferidos a la Alta Autoridad iban dirigidos a los Estados miembros y las empresas del sector del carbón y del acero, por lo que, instalados en una perspectiva individualista y liberal de los derechos fundamentales, los redactores no previeron los riesgos de este vacío", p. 5. En relación con la declaración Schuman, vid. <<El proyecto de construcción europea celebra su cincuenta aniversario>>, *Expansión*, 9 de mayo de 2000, p. 60; <<Cincuenta años después: ¿Europa sin Europa?>>, *El País*, 9 de mayo de 2000, p. 11. Disponible en: https://elpais.com/diario/2000/05/09/internacional/957823224_850215.html

155 No obstante, estos textos constitutivos sí que reconocían y protegían una serie de derechos y libertades especiales, de carácter especialmente económico, dados los fines que se pretendían conseguir. Claro que estas libertades que recogen los Tratados fundacionales no se interpretan como derechos sino tan solo como principios necesarios para los objetivos económicos que se buscan. Sobre ello han insistido M.A. APARICIO PÉREZ, MIGUEL ÁNGEL Y GONZÁLEZ RUIZ, FRANCISCO: *Acta Única y Derechos Fundamentales*, Signo, Madrid, 1992.

Pensemos en los cuatro bloques de principios reconocidos en los Tratados:

1) La libertad de circulación de los trabajadores (arts. 48 a 51 del TCEE).

2) El derecho de establecimiento y la libre prestación de servicios (arts. 52 a 58 y 59 a 63 del TCEE).

3) El derecho a la libre competencia (arts. 85 a 94 del TCEE).

el Preámbulo de aquellos Tratados, o en algunas de sus disposiciones, implícitas referencias a esta materia[156]. Por consiguiente, coincidiría con Poyal Costa en que: "La razón de la ausencia en los Tratados de referencia a los Derechos Humanos se puede buscar, en el clima político (el fracaso de la Comunidad Europea para la Defensa[157]) y en el mismo origen de la Comunidad, que como ya se ha mencionado,

---

4) La igualdad de tratamiento laboral entre hombre y mujer (art. 119 del TCEE). Este artículo es especialmente importante puesto que recoge de forma expresa el principio de no discriminación por razón de sexo, al precisar: <<Cada Estado miembro garantizará ... la aplicación del principio de igualdad de retribución a igual trabajo para hombres y mujeres>>. Este precepto se inspiró en el anterior Convenio de la OIT nº 100, de 1951, sobre <<igualdad de remuneración entre trabajadores de ambos sexos>>. Por consiguiente, se trataba de un principio de igualdad reducido a las retribuciones y no extensible al acceso al empleo y a las restantes condiciones de trabajo. Para más detalles sobre el art. 119 TCEE, remito a las páginas del libro de POYAL COSTA, ANA: *Los Derechos Fundamentales en la Unión Europea*, op. cit., pp. 71-77.

156 MANGAS MARTÍN, ARACELI Y LIÑÁN NOGUERAS, DIEGO J.: *Instituciones y Derecho de la Unión Europea*, op. cit., Mc Graw Hill, Madrid, 1999, p. 293. ROBLES, GREGORIO en su obra *Los Derechos Fundamentales en la Comunidad Europea*, Ceura, Madrid, 1988, dedica las páginas 31-39 a los preceptos de los Tratados que el autor considera relativos a posibles derechos fundamentales. Concretamente, se refiere a las ideas programáticas de los Preámbulos de los Tratados, a la prohibición de discriminación, al derecho de propiedad privada, al principio de legalidad y al respeto al Derecho, y, por último, a las <<libertades del mercado>>.

157 El Tratado por el que se establecía la Comunidad Europea de Defensa, firmado el 27 de mayo de 1952 y nunca entrado en vigor, al rechazar la Asamblea Nacional francesa su ratificación el 30 de agosto de 1954, recogía en su artículo 3 la obligación de la nonata Comunidad a respetar <<las libertades públicas y los derechos fundamentales de los individuos>>. En realidad, el rechazo de Francia se puede explicar teniendo en cuenta las tensiones producidas durante la IV República, ya que la misma Francia había sido la pionera en llevar a cabo esta idea, animada por el éxito de la CECA, pero fundamentalmente preocupada por la presión norteamericana a favor del rearme alemán y el temor de los demás miembros comunitarios al mismo. Por otra parte, también durante las negociaciones para la redacción del Proyecto de Tratado que incluía el Estatuto de la Comunidad Política Europea se planteó el tema de la protección de los derechos individuales. Sobre el fracaso de ambas iniciativas, vid. CHUECA SANCHO, ÁNGEL G.: *Los derechos fundamentales en la Unión Europea*, Bosch, Barcelona, 2ª ed. 1999, pp. 25-27; SALINAS DE FRÍAS, ANA: *La protección de los Derechos Fundamentales en la Unión Europea*, op. cit., pp. 5-6.

estaba primordialmente dirigida a la integración económica"[158]. Tras el fracaso de la Comunidad Europea de Defensa y de la Comunidad Política, llegaría la conferencia de Messina y la adopción en Roma el 25 de marzo de 1957 de los Tratados de la Comunidad Económica Europea (hoy Comunidad Europea) y de la Comunidad Europea de Energía Atómica. Pues bien, a pesar de que en ellos se recogieran algunas normas que servirán de base para que el Tribunal de Justicia proteja los derechos fundamentales, a mi modo de ver, no se puede mantener que con ellos se produjese una <<constitucionalización>> de tales derechos en la Comunidad[159].

La ambición primera de los Tratados fue, pues, regir las relaciones entre los agentes económicos comunitarios y no tanto instaurar una nueva forma de sociedad. De tal modo que los individuos tenían los derechos que les eran reconocidos en sus ordenamientos constitucionales[160]. Tengamos en cuenta que los seis Estados fundadores (Francia; Alemania; Italia; Bélgica, los Países Bajos y Luxemburgo) eran países con sistemas democráticos y con una rigurosa legislación constitucional en la que los derechos humanos y las libertades fundamentales estaban garantizados, incluso para las minorías. De ahí que, como ha expresado Calduch, los Tratados fundacionales no sólo no se ocuparon de abordar el tema de las minorías, sino que ni tan siquiera formularon la protección de los derechos humanos, siendo dicha

---

158 POYAL COSTA, ANA: *Los derechos fundamentales en la Unión Europea*, op. cit., p. 71.

159 Como ha precisado CHUECA SANCHO, ÁNGEL G. en *Los derechos fundamentales en la Unión Europea*, op. cit.: "Ello sucederá bastante después, en el Tratado de la Unión Europea adoptado en 1992; hasta que se alcance la <<constitucionalización>>, todavía presenciaremos una nueva ocasión perdida.
El 14 de febrero de 1984 aprobaba el Parlamento Europeo el Proyecto de Tratado por el que se pretendía establecer la Unión Europea; pero hablo ya en pretérito porque el Proyecto fallecía pocos meses antes de que lo hiciera su principal impulsor, Altiero Spinelli. El Proyecto –que pretendía una profunda reestructuración de la Comunidad- habría de quedar reducido a sus más modestos límites con la adopción en enero de 1986 del Acta Única Europea, por los representantes de los gobiernos de los Estados miembros, reunidos en el seno del Consejo", p. 27.

160 Cfr. LLOPIS CARRASCO, RICARDO: *Constitución Europea: Un concepto prematuro. Análisis de la jurisprudencia del Tribunal de Justicia de las Comunidades Europeas sobre el concepto de carta constitucional básica*, Tirant lo blanch, Valencia, 2000, p. 223.

omisión una consecuencia directa de los propios orígenes del proceso de integración europea[161].

Ahora bien, como ha puesto de relieve Ochoa Jiménez[162], aunque en el marco de la Unión Europea las medidas relacionadas con el reconocimiento y la protección de las minorías hayan sido escasas, algunas sí que han cobrado especial importancia. Dentro de estas acciones cabría diferenciar dos grupos:

En primer lugar, estarían las medidas de carácter político y funcional, principalmente relevantes para la configuración de la Unión hacia adentro, que se originan para garantizar su estabilidad y en aras de promocionar e impulsar la diversidad cultural como uno de los elementos esenciales del proceso europeo. Dentro de este primer grupo de medidas se situaría la aprobación de los denominados "Criterios de Copenhague", un conjunto de parámetros que fueron adoptados por el Consejo de Europa en 1993[163] para el acceso de los países de la Europa del Este a la Unión Europea. Junto a ello, también habría que mencionar la Declaración de los Doce sobre las directrices referidas al reconocimiento de nuevos Estados en Europa del Este y Unión Soviética, al igual que la Declaración de los Doce sobre Yugoslavia, ambas adoptadas en Bruselas el 16 de diciembre de 1991, puesto que se refieren las dos a la necesidad de garantizar los derechos de las minorías. La declaración sobre la URSS afirma que <<la Comunidad y sus Estados miembros [...] adoptan una posición común sobre el proceso de reconocimiento de estos nuevos Estados, que implica [...] la garantía de los derechos de los grupos étnicos y nacionales, así como de las

---

161 La primera referencia expresa a que los derechos humanos y las libertades fundamentales formaban parte de los requisitos esenciales exigibles a los miembros de la CE, lo encontramos en el *Informe Birkelbach*, elaborado en 1962. Sin embargo, hubo que esperar al *Acta Única Europea*, firmada en 1987, para que esa referencia expresa a los derechos humanos apareciese en un texto jurídico fundacional.

162 OCHOA JIMÉNEZ, MARÍA JULIA: <<Protección jurídica de las minorías en Europa>>, *Papel Político*, Vol. 19, Nº 1, Bogotá (Colombia), enero-junio 2014, pp. 211-236. Disponible en: https://revistas.javeriana.edu.co/index.php/papelpol/issue/view/780

163 Estos criterios se fueron consolidando en otras reuniones del Consejo Europeo como en Madrid, 1995.

minorías...>>[164]; mientras que en la declaración sobre las repúblicas yugoslavas se reconoce su independencia cuando cumplieran ciertas condiciones, entre las cuales se encontraba la referida a "Derechos Humanos y derechos de minorías nacionales o grupos étnicos"[165].

En segundo lugar, se encontrarían como segundo grupo de medidas las que no están relacionadas directamente con el reconocimiento y la protección de las minorías por parte de la Unión Europea, sino que son fruto de políticas que la Unión Europea ha desarrollado para atender otras áreas, tales como las relativas a los Derechos Humanos en general, las políticas de lucha contra el racismo o protección de los refugiados[166].

Es por ello por lo que, coincidiría con Calduch, en que a pesar de las carencias que hubo en los inicios de la construcción europea, las soluciones que ha ido adoptando la Unión Europea han sido verdaderamente innovadoras (aunque para algunos hayan sido "oportunistas"[167]) a la hora de abordar la protección de las minorías.

Hay un hecho incuestionable al que no podemos escapar: el fenómeno de la globalización de los problemas en el siglo XXI. Ello, a

---

164 CASANOVAS, ORIOL Y RODRIGO, ÁNGEL: *Casos y Textos de Derecho Internacional Público*, Tecnos, Madrid, 2010, p. 181.

165 Ibídem, p. 182.

166 BENEDIKTER, THOMAS: *Legal Instruments of Minority Protection in Europe. An Overview.* Society for Threatened Peoples, Bolzano/Bozen, 30 November 2006.
Disponible en: http://www.gfbv.it/3dossier/eu-min/autonomy-eu.html

167 De hecho, Kymlicka sostiene que la preocupación humanitaria de impulsar a poner fin al sufrimiento de aquellos que son víctimas de persecución, disturbios y pogromos o de la limpieza étnica, en sí misma, no suele ser suficiente para movilizar a los gobiernos occidentales. A su juicio, existía una razón más interesada que consistía "en la expectativa de que una escalada de violencia generaría desplazamientos a gran escala de refugiados hacia Europa Occidental como, de hecho, ocurrió en el caso de Bosnia y Kosovo. Asimismo, las guerras civiles étnicas a menudo crean zonas sin ley que acaban siendo el refugio del tráfico de armas y drogas o de otras formas de delincuencia y extremismo". Vid. KYMLICKA, WILL: <<La evolución de las normas europeas sobre los derechos de las minorías: los derechos a la cultura, la participación y la autonomía>>, *Revista Española de Ciencia Política*, nº 17, op. cit., pp. 11.50. Disponible en: https://www.researchgate.net/publication/237359441_La_evolucion_de_las_normas_europeas_sobre_los_derechos_de_las_minorias_los_derechos_a_la_cultura_la_participacion_y_la_autonomia [accessed Mar 22 2020].

mi modo de ver, nos obliga a tratar de resolver dichos problemas de un modo eficaz mediante la articulación de órganos y procedimientos internacionales que, al final, ponen en entredicho el principio de soberanía nacional y, en consecuencia, el principio ideológico y político fundamental de los nacionalismos. Con palabras de Calduch: "Al demostrar que la mejor forma de resolver muchas de las necesidades existenciales de las naciones, consiste en la integración supranacional y no en la independencia estatal y que, además, ello es perfectamente compatible con el *pleno respeto a la diversidad cultural, lingüística y religiosa* de cada uno de los países miembros, la CE/UE ha creado un marco internacional nuevo para abordar las reivindicaciones nacionales sin ampararse en las ideologías nacionalistas decimonónicas"[168]. Por otra parte, la progresiva desaparición de las barreras administrativas y las fronteras estatales que impedían la libre circulación de trabajadores entre los países miembros, "la CE/UE ha provocado un aumento progresivo de la comunicación entre minorías nacionales de los distintos Estados, contribuyendo a que la *solidaridad, tolerancia* y la *transculturación* pasen a formar parte sustancial del proceso de integración europea"[169].

Interesaría averiguar si realmente esta situación de progresiva movilidad social y cultural en el ámbito de la CE/UE se fue consolidando a partir de la aprobación del Tratado de Maastricht, al instaurarse entonces la figura de la *ciudadanía europea* junto a los órganos del *defensor del Pueblo Europeo* y del *Comité de las Regiones*, como órgano consultivo. Lo interesante es conocer en profundidad si los avances en el seno de la CE/UE pudieron facilitar que los ciudadanos de cada uno de los Estados miembros, incluyendo aquellos que formaban parte de las minorías, lograsen compatibilizar sus singularidades culturales, lingüísticas, étnicas o religiosas con una serie de

---

168 CALDUCH CERVERA, RAFAEL: <<Nacionalismos y minorías en Europa>>, Conferencia pronunciada en el Curso de Verano titulado: *La Nueva Europa en los albores del siglo XXI. Conflictos, cooperación, retos y desafíos*, op. cit., p. 14. Se ha suprimido la negrita de las palabras en cursiva que aparece en el texto original.

169 Sobre el concepto de *transculturación*, Vid. CALDUCH CERVERA, RAFAEL: *Dinámica de la Sociedad Internacional*, Centro de Estudios Ramón Areces, Madrid, 1993, pp. 180 y ss. Se ha suprimido la negrita de las palabras en cursiva que aparece en el texto original.

derechos políticos comunes que los igualaban ante las instituciones comunitarias, a lo que contestaría afirmativamente, coincidiendo, entre otros autores, con Calduch.

En todo caso, creo que habría que reconocer que llevamos más de veinte años insistiendo en la importancia del respeto a las minorías a través de la consagración del principio de prohibición de discriminación. Como explica Esteve, desde 1999, tras la entrada en vigor del Tratado de Ámsterdam, la Unión Europea emprendió una estrategia ambiciosa y constante de lucha contra otras discriminaciones, yendo más allá de su tradicional combate contra las discriminaciones por razón de género y contra las discriminaciones por razón de nacionalidad entre los ciudadanos de la Unión, aprovechando la experiencia lograda en estos ámbitos[170].

De hecho, en 1999 con la firma del Tratado de Ámsterdam, con la nueva redacción del artículo 13 del Tratado Constitutivo de la Comunidad Europea (actual artículo 19 del Tratado de Funcionamiento de la Unión Europea desde 2009), se le otorgó al Consejo el poder de actuar contra la discriminación por razón de sexo, religión, origen racial o étnico, discapacidad, convicciones, orientación sexual o edad; y desde entonces se ha venido ejerciendo un papel muy activo en este ámbito que resulta imprescindible para reforzar los derechos de las minorías. Asimismo, fue sumamente importante la decisión de declarar el año 1997 como "Año europeo contra el racismo" para con posterioridad, dos lustros después, proclamar el año 2007 como "Año europeo de la igualdad de oportunidades para todos", con el objetivo de informar a los ciudadanos de sus derechos, así como el año 2008 "Año europeo del diálogo intercultural"[171], en aras de poner en valor la diversidad cultural europea.

---

170 ESTEVE GARCÍA, FRANCINA: <<Las directivas europeas contra la discriminación racial y la creación de organismos especializados para promover la igualdad. Análisis comparativo de su transposición en España y en Francia>>. Disponible en: https://www.ugr.es/~redce/REDCE10/articulos/05FrancinaEsteve Garcia.htm

171 Decisión 1983/2006/CE del Parlamento Europeo y del Consejo de 18 de diciembre 2006 relativa al Año Europeo del Diálogo Cultural (2008), *Diario Oficial de la Unión Europea* L 412/44 de 30 de diciembre de 2006.

En el Tratado de la Unión Europea, con la modificación realizada en Lisboa el 13 de diciembre de 2007, que entró en vigor el 1 de diciembre de 2009, la nueva redacción del artículo 2 del Tratado de la Unión Europea puede considerarse un triunfo en la protección de los derechos de las minorías nacionales, ya que no solamente se aboga por su respeto sino que por primera vez en la historia de la Unión Europea el respeto a los derechos de las personas pertenecientes a minorías se considera uno de los valores fundamentales de la Unión. Literalmente, allí se precisa: <<La Unión se fundamenta en los valores de respeto de la dignidad humana, libertad, democracia, igualdad, Estado de Derecho y respeto de los derechos humanos, incluidos los derechos de las personas pertenecientes a minorías. Estos valores son comunes a los Estados miembros en una sociedad caracterizada por el pluralismo, la no discriminación, la tolerancia, la justicia, la solidaridad y la igualdad entre mujeres y hombres>>[172]. El incumplimiento de los valores consagrados en el artículo 2 por parte de los Estados miembros de la UE puede llevar a activar los mecanismos previstos en el art. 7 TUE, llegando incluso a provocar la suspensión de ese Estado en la Unión Europea.

Aunque el artículo 2 no define a las minorías, bien es verdad que el artículo 3 establece que la Unión Europea respetará la riqueza de su diversidad cultural y lingüística y velará por la conservación y el desarrollo del patrimonio cultural europeo, así como contribuirá y fomentará la protección de sus ciudadanos y el respeto mutuo entre los pueblos. Como precisa Sayago: "La disposición encuentra apoyo tanto en el artículo 55 (2) del TUE, que estipula que el Tratado de la UE se traducirá a las lenguas que gozan de estatus oficial en todos o partes de los territorios de los Estados miembros, como en la Declaración 16 del Tratado de Lisboa, que confirma el propósito de art. 55 (2) como contribución al cumplimiento de la diversidad defendida en art. 3"[173].

---

172 *Tratado de Lisboa*, Boletín de Información, Gobierno de España. Ministerio de Justicia, Edición a cargo de Ángela Matía Sacristán, Año LXII, Suplemento al nº 2058, 1 de abril de 2008, pp. 14-15.

173 SAYAGO ARMAS, DIANA: <<La protección de las minorías: un desafío clave de constitucionalismo multinivel>>, UNED. *Revista de Derecho Político*, nº 106, op. cit., p. 232.

Ahora bien, a pesar de los avances normativos producidos que llegan hasta la consagración del Tratado de Lisboa, como dijimos, firmado el 13 de diciembre de 2007 y que entró en vigor el 1 de diciembre de 2009, puede entenderse que los logros tienen un alcance limitado por varios aspectos, siguiendo en ello a Sayago: "a) los Tratados de la UE aún no tienen una competencia legal general sobre los derechos de las minorías y no definen los términos relevantes; b) en la práctica, la Unión Europea en sus desarrollos legales, atiende las peticiones de participación en la protección de las minorías europeas al tiempo que atiende diligentemente las preocupaciones sobre el mantenimiento de la soberanía sobre el terreno, dos demandas que a menudo siguen siendo contradictorias en Europa. En otras palabras, estos desarrollos legales, a pesar de abogar por el respeto a la diversidad, buscan preservar el status quo dentro de los Estados, impidiendo así que la Unión Europea trabaje hacia una mejor protección de las minorías que el Estado ha excluido dentro de la legislación nacional; y c) la ausencia de una cooperación continuada, real y efectiva entre los Estados"[174].

Dicho esto, hay que poner en valor la prohibición de discriminación recogida en el artículo 21 de la Carta de los Derechos Fundamentales de la Unión Europea, de 7 de diciembre de 2000, con valor jurídico vinculante tras su reconocimiento en el Tratado de Lisboa en 2007, que complementariamente procede a prohibir toda discriminación incluyendo una referencia expresa a la prohibición de discriminación por razón de color, origen social, características genéticas, lengua, opiniones políticas o de cualquier otro tipo, pertenencia a una minoría nacional, patrimonio o nacimiento, lo que tiene un impacto claro en la protección de los derechos de las personas pertenecientes a minorías[175].

---

174 Ibídem, p. 234. Como además añade la propia autora: "Con las enmiendas del Tratado de Lisboa, también cobra mayor importancia la dimensión institucional para la igualdad de trato. El artículo 4 (2) del TUE exige que la Unión Europea respete las estructuras de autogobierno regional y local de los Estados miembros, yendo más allá que la ley anterior a Lisboa que únicamente reconocía la importancia de las identidades nacionales de los Estados miembros", ibídem, p. 234.

175 Se prohíbe: <<toda discriminación, y en particular la ejercida por razón de sexo, raza, color, orígenes étnicos o sociales, características genéticas, lengua, religión

De hecho, aun reconociendo que los Tratados de la UE no otorgaron competencias de un modo explícito a la Unión en lo que se refiere a la cuestión de las minorías nacionales[176], sin embargo, gracias a las competencias otorgadas por el artículo 13 del Tratado Constitutivo de la Comunidad Europea (actual artículo 19 del Tratado de Funcionamiento de la Unión Europea desde 2009), la regulación normativa desarrollada en el ámbito de la lucha contra la discriminación ha influido de forma decisiva en la protección de las minorías nacionales.

En virtud del artículo 13 TCE, su mayor desarrollo vino dado por la exigencia del principio de igualdad de trato, a través de dos directivas publicadas en el año 2000: la Directiva 2000/43/CE del Consejo, de 29 de junio, y la Directiva 2000/78/CE del Consejo, de 27 de noviembre, consideradas ambas directivas gemelas, no sólo por perseguir el mismo fin en términos generales, sino porque tanto en su estructura como en su contenido son bastante parecidas. Por si esto fuera poco, el antiguo artículo 13 TCE además de ser la base legal para adoptar estas dos directivas marco en el año 2000, posibilitaría un programa de acción comunitario para luchar contra las discriminaciones (2001-2006)[177], que ha venido

o convicciones, opiniones políticas o de cualquier otro tipo, pertenencia a una minoría nacional, patrimonio, nacimiento, discapacidad, edad u orientación sexual>> (art. 21).

176 Así, por ejemplo, DE WITTE entiende que la referencia del artículo 2 del TUE puede parecer simplemente un gesto de reconocimiento y apoyo hacia las medidas adoptadas por los Estados Miembros en su derecho interno sobre la protección de las minorías nacionales. Vid. DE WITTE, BRUNO: <<Los Derechos Europeos de las minorías>>, *Revista Española de Derecho Europeo*, nº 28, 2008, pp. 411-412.

177 Decisión del Consejo 2000/750/CE de 27 de noviembre de 2000, por la que se establece un programa de acción comunitario para luchar contra la discriminación (2001-2006), *Diario Oficial de las Comunidades Europeas* L 303 de 2.12.2000.

siendo complementado mediante iniciativas comunitarias relevantes, como el programa EQUAL[178] y PROGRESS[179].

3.1. *La Directiva 2000/43/CE del Consejo, de 29 de junio de 2000, relativa a la aplicación del principio de igualdad de trato de las personas independientemente de su origen racial o étnico*[180]

El motivo de esta Directiva es alcanzar la igualdad de trato entre todas las personas residentes en países de la Unión con total independencia de su origen étnico o racial. La Unión Europea rechaza toda idea que predique la existencia de razas y lo deja claro en los primeros párrafos de la Directiva. Asimismo, el objeto de la Directiva queda patente en el artículo 1: <<La presente Directiva tiene por objeto establecer un marco para luchar contra la discriminación por motivos de origen racial o étnico, con el fin de que se aplique en los Estados miembros el principio de igualdad de trato>>.

Además, el Consejo Europeo aborda la necesaria labor de aclarar el significado de algunos términos. En su artículo 2.1 se precisa que

---

178 EQUAL ha sido una Iniciativa Comunitaria dirigida a promover, en un contexto de cooperación transnacional, nuevos métodos de lucha contra las discriminaciones y desigualdades de toda clase en relación con el mercado de trabajo. Esta Iniciativa partió de las experiencias obtenidas en las anteriores Iniciativas Comunitarias de Recursos Humanos, ADAPT y EMPLEO, y se enmarcó en la Estrategia Europea por el Empleo (EEE), puesta en marcha en el Consejo Europeo de Luxemburgo de noviembre de 1997. Información disponible en: http://empleoyformacion.jccm.es/otras-secciones/fondo-social-europeo/iniciativa-equal/

179 El eje PROGRESS de EaSI (Empleo, Asuntos Sociales e Inclusión) ayuda a la UE y a sus países a mejorar sus políticas en tres secciones temáticas: empleo, en particular para combatir el desempleo juvenil; protección social, integración social y reducción y prevención de la pobreza; condiciones de trabajo. Entre sus objetivos, destacan: realizar y difundir análisis comparativos de alta calidad; facilitar el intercambio de información, el aprendizaje mutuo y el diálogo de forma eficaz e inclusiva; proporcionar ayuda financiera para poner a prueba innovaciones en políticas sociales y de mercado laboral; proporcionar ayuda financiera a organizaciones para aumentar su capacidad de desarrollar, promover y apoyar la aplicación de instrumentos y políticas de la UE. Disponible en: https://ec.europa.eu/social/main.jsp?catId=1082&langId=es

180 *Diario Oficial de las Comunidades Europeas*, L 180/24, 19.7.2000.

por <<principio de igualdad de trato>> se entenderá la ausencia de toda discriminación, tanto directa como indirecta, basada en el origen racial o étnico. Al mismo tiempo, se establece de manera taxativa la diferencia entre los dos tipos de discriminación. El artículo 2.2 a) de la Directiva de la UE sobre la igualdad racial establece que <<existirá discriminación directa cuando, por motivos de origen racial o étnico, una persona sea tratada de manera menos favorable de lo que sea, haya sido o vaya a ser tratada otra en situación comparable>>. Ahora bien, tanto la normativa de la UE como el CEDH en el marco del Consejo de Europa reconocen que la discriminación puede existir no sólo cuando se trata de modo diferente a personas en situaciones similares, sino también cuando se trata de forma idéntica a personas en situaciones diferentes. Esta última forma de discriminación se denomina <<indirecta>> porque no es el trato lo que difiere, sino sus efectos, que afectan de distinto modo a personas con características diferentes. El artículo 2.2 b) de la Directiva relativa a la igualdad racial establece que <<existirá discriminación indirecta cuando una disposición, criterio o práctica aparentemente neutros sitúe a personas de un origen racial o étnico concreto en desventaja particular con respecto a otras personas, salvo que dicha disposición, criterio o práctica pueda justificarse objetivamente con una finalidad legítima y salvo que los medios para la consecución de esta finalidad sean adecuados y necesarios>>. De esta manera en la discriminación indirecta, se produce un trato igual que al resto de sujetos a pesar de que por las características particulares de la persona en cuestión se requeriría de un trato diferenciado, salvo los casos en los que sea justificable.

El acoso también es considerado como un tipo de discriminación en la Directiva por el hecho de tener el objetivo último de menoscabar la integridad física y/o moral de las personas. El artículo 2.3 establece: <<El acoso constituirá discriminación a efectos de lo dispuesto en el apartado 1 cuando se produzca un comportamiento no deseado relacionado con el origen racial o étnico que tenga como objetivo o consecuencia atentar contra la dignidad de la persona y crear un entorno intimidatorio, hostil, degradante, humillante, u ofensivo. A este respecto, podrá definirse el concepto de acoso de conformidad con las normativas y prácticas nacionales de cada Estado miembro>>.

Por último, el artículo 2.4 señala: <<Toda orden de discriminar a personas por motivos de su origen racial o étnico se considerará discriminación con arreglo a lo dispuesto en el apartado 1>>.

En la Decisión marco 2008/913 del Consejo, se combaten precisamente estas situaciones declarando como ilícitos ciertos actos de incitación al odio racista y xenófobo.

El artículo 3 se refiere al ámbito de aplicación, estableciendo lo siguiente: <<1. Dentro de los límites de las competencias atribuidas a la Comunidad la presente Directiva se aplicará a todas las personas, por lo que respecta tanto al sector público como al privado, incluidos los organismos públicos, en relación con:

a) las condiciones de acceso al empleo, a la actividad por cuenta propia y al ejercicio profesional, incluidos los criterios de selección y las condiciones de contratación y promoción, independientemente de la rama de actividad y en todos los niveles de la clasificación profesional;

b) el acceso a todos los tipos y niveles de orientación profesional, formación profesional, formación profesional superior y reciclaje, incluida la experiencia laboral práctica;

c) las condiciones de empleo y trabajo, incluidas las de despido y remuneración;

d) la afiliación y participación en una organización de trabajadores o de empresarios, o en cualquier organización cuyos miembros desempeñen una profesión concreta, incluidas las prestaciones concedidas por las mismas;

e) la protección social, incluida la seguridad social y la asistencia sanitaria;

f) las ventajas sociales;

g) la educación;

h) el acceso a bienes y servicios disponibles para el público y la oferta de los mismos, incluida la vivienda.

2. La presente Directiva no afecta a la diferencia de trato por motivos de nacionalidad y se entiende sin perjuicio de las disposiciones y condiciones por las que se regulan la entrada y residencia de nacio-

nales de terceros países y de apátridas en el territorio de los Estados miembros y de cualquier tratamiento derivado de la situación jurídica de los nacionales de terceros países y de los apátridas>>.

Como se puede observar, la Directiva no se refiere a la prevención del victimismo y las denuncias falsas, sino que pone especial atención en la protección de las personas discriminadas.

Resultan de especial importancia las medidas de acción positiva, que se contemplan en el artículo 5, y que por su importancia para las minorías abordaremos en otro lugar más adelante: <<Con el fin de garantizar la plena igualdad en la práctica, el principio de igualdad de trato no impedirá que un Estado miembro mantenga o adopte medidas específicas para prevenir o compensar las desventajas que afecten a personas de un origen racial o étnico concreto>>.

De esta manera el texto es cauto a la hora de respetar el principio de soberanía nacional y la información sobre las minorías de la que dispone cada Estado miembro que les ayuda a poder aplicar medidas específicas para cada caso particular siempre que se tomen en aras de conseguir el principio de igualdad de trato. Esto quiere decir que la Directiva establece, en realidad, una serie de normas mínimas que han de servir de punto de partida para los ordenamientos jurídicos internos. Es por ello por lo que no puede servir de justificación para que los Estados eliminen o disminuyan las medidas encaminadas a cumplir con el principio de igualdad de trato que resulten más beneficiosas que las propias de la Directiva (artículo 6).

También de interés es la decisión de otorgar una serie de derechos procesales como la regulación de procedimientos que garanticen la igualdad de trato (artículo 9) aunque quizás el aspecto más relevante sea el hecho de que se invierte la carga de la prueba (artículo 8) quedando obligada la parte demandada a demostrar la ausencia de discriminación. Concretamente dispone: <<1. Los Estados miembros adoptarán, con arreglo a su ordenamiento jurídico nacional, las medidas necesarias para garantizar que corresponda a la parte demandada demostrar que no ha habido vulneración del principio de igualdad de trato cuando una persona que se considere perjudicada por la no aplicación, en lo que a ella se refiere, de dicho principio alegue, ante un tribunal u otro órgano competente, hechos que permitan presumir la existencia de discriminación directa o indirecta.

1) Lo dispuesto en el apartado 1 se entenderá sin perjuicio de que los Estados miembros adopten normas sobre la prueba más favorables a la parte demandante.
2) Lo dispuesto en el apartado 1 no se aplicará a los procedimientos penales.
3) Lo dispuesto en los apartados 1, 2 y 3 se aplicará asimismo a todo procedimiento tramitado de conformidad con el apartado 2 del artículo.
4) Los Estados miembros no estarán obligados a aplicar lo dispuesto en el apartado 1 a los procedimientos en los que la instrucción de los hechos relativos al caso corresponda a los órganos jurisdiccionales o a otro órgano competente>>.

La Directiva establece la necesidad de que los Estados divulguen la información de estas medidas entre posibles interesados para que puedan defender sus derechos, en su artículo 10, refiriéndose los artículos 11 y 12 a la importancia que adquiere no sólo el diálogo social sino también el diálogo con las organizaciones no gubernamentales.

El capítulo III se dedica a una cuestión central que es la de los organismos de promoción de la igualdad de trato, cuestión a la que se dedica el artículo 13, estableciendo lo siguiente: <<1. Cada Estado miembro designará uno o más organismos responsables de la promoción de la igualdad de trato entre todas las personas sin discriminación por motivo de su origen racial o étnico. Dichos organismos podrán formar parte de los servicios responsables a nivel nacional de la defensa de los derechos humanos o de la salvaguardia de los derechos individuales.

2. Los Estados miembros velarán por que entre las competencias de estos organismos figuren las siguientes:

— sin perjuicio del derecho de víctimas y asociaciones, organizaciones u otras personas jurídicas contempladas en el apartado 2 del artículo 7, prestar asistencia independiente a las víctimas de discriminación a la hora de tramitar sus reclamaciones por discriminación,

— realizar estudios independientes sobre la discriminación,

— publicar informes independientes y formular recomendaciones sobre cualquier cuestión relacionada con dicha discriminación>>.

Las últimas disposiciones de las Directiva van dirigidas a lograr la efectividad de la regulación normativa, al establecer obligaciones a los Estados miembros para su cumplimiento y posibilitarles la creación de un régimen sancionatorio que preserve el principio de igualdad de trato (artículos 14,15 y 16 del Capítulo IV). Por último, interesa resalta que el artículo 17 establece que: <<1. Los Estados miembros comunicarán a la Comisión, a más tardar el 19 de julio de 2005 y, a continuación, cada cinco años, toda la información necesaria para que la Comisión elabore un informe sobre su aplicación dirigido al Parlamento Europeo y al Consejo.

2. El informe de la Comisión tendrá en cuenta, cuando proceda, la opinión del Observatorio Europeo del Racismo y la Xenofobia, así como los puntos de vista de los interlocutores sociales y de las organizaciones no gubernamentales correspondientes. Con arreglo al principio de la integración de la igualdad entre los sexos, dicho informe facilitará, entre otras cosas, una evaluación de la incidencia de las medidas tomadas sobre las mujeres y los hombres. A la vista de la información recibida, el informe incluirá, en caso necesario, propuestas de revisión y actualización de la presente Directiva>>.

3.2. La Directiva 2000/78/CE del Consejo, de 27 de noviembre de 2000, relativa al establecimiento de un marco general para la igualdad de trato en el empleo y la ocupación[181]

Esta Directiva tiene por objeto establecer un marco general para luchar contra la discriminación por motivos de religión o convicciones, de discapacidad, de edad o de orientación sexual en el ámbito del empleo y la ocupación, con el fin de que en los Estados miembros se aplique el principio de igualdad de trato, conforme al artículo 1. De tal manera que, a diferencia de la anterior Directiva, esta va dirigida a preservar el principio de igualdad de trato en el ámbito laboral, sin limitarse a la lucha contra la discriminación étnica y racial, sino que tiene en cuenta los motivos protegidos de convicciones, religión, edad, discapacidad e incluso orientación sexual (artículo 1), además de transmitir preocupación en los considerandos por la desigualdad

---

[181] *Diario Oficial de las Comunidades Europeas*, L 303/16 ES, 2.12.2000.

de trato entre mujeres y hombres. Podemos decir que se establecen una serie de normas mínimas que los Estados tienen la obligación de cubrir, teniendo libertad para establecer disposiciones que sean más favorables, conforme al artículo 8.

A efectos de la presente Directiva, se entiende por principio de igualdad de trato la ausencia de toda discriminación directa o indirecta basada en cualquiera de los motivos mencionados en el artículo 1, según dispone el artículo 2. Por otra parte, se recoge igualmente que en la Directiva anterior los supuestos de discriminación directa e indirecta, acoso y orden de discriminar.

Conforme dispone el artículo 3: <<1. Dentro del límite de las competencias conferidas a la Comunidad, la presente Directiva se aplicará a todas las personas, por lo que respecta tanto al sector público como al privado, incluidos los organismos públicos, en relación con:

a) las condiciones de acceso al empleo, a la actividad por cuenta propia y al ejercicio profesional, incluidos los criterios de selección y las condiciones de contratación y promoción, independientemente de la rama de actividad y en todos los niveles de la clasificación profesional, con inclusión de lo relativo a la promoción;
b) el acceso a todos los tipos y niveles de orientación profesional, formación profesional, formación profesional superior y reciclaje, incluida la experiencia laboral práctica;
c) las condiciones de empleo y trabajo, incluidas las de despido y remuneración;
d) la afiliación y participación en una organización de trabajadores o de empresarios, o en cualquier organización cuyos miembros desempeñen una profesión concreta, incluidas las prestaciones concedidas por las mismas.

2. La presente Directiva no afectará a la diferencia de trato por motivos de nacionalidad y se entenderá sin perjuicio de las disposiciones y condiciones por las que se regulan la entrada y residencia de nacionales de terceros países y de apátridas en el territorio de los Estados miembros y del trato que se derive de la situación jurídica de los nacionales de terceros países y de los apátridas.

3. La presente Directiva no se aplicará a los pagos de cualquier tipo efectuados por los regímenes públicos o asimilados, incluidos los regímenes públicos de seguridad social o de protección social.4. Los Estados miembros podrán prever la posibilidad de que la presente Directiva no se aplique a las fuerzas armadas por lo que respecta a la discriminación basada en la discapacidad y en la edad>>.

No obstante, conforme al artículo 4, no tendrá carácter discriminatorio cuando, debido a la naturaleza de la actividad profesional concreta de que se trate o al contexto en que se lleve a cabo, dicha característica constituya un requisito profesional esencial y determinante, siempre y cuando el objetivo sea legítimo y el requisito, proporcionado. Pensemos en los casos de personal de iglesias u otras organizaciones religiosas, donde tener determinadas convicciones religiosas es característica fundamental para el desempeño de la actividad, constituyendo un requisito profesional esencial, legítimo y justificado respecto de la ética de la organización. Eso sí, esta diferencia de trato se ejercerá respetando las disposiciones y principios constitucionales de los Estados miembros, así como los principios generales del Derecho comunitario, y no podrá justificar una discriminación basada en otro motivo conforme al artículo 4.2.

La Directiva establece en su artículo 5 que <<a fin de garantizar la observancia del principio de igualdad de trato en relación con las personas con discapacidades, se realizarán ajustes razonables. Esto significa que los empresarios tomarán las medidas adecuadas, en función de las necesidades de cada situación concreta, para permitir a las personas con discapacidades acceder al empleo, tomar parte en el mismo o progresar profesionalmente, o para que se les ofrezca formación, salvo que esas medidas supongan una carga excesiva para el empresario>>. Una disposición similar se contempla en el artículo 6 referida a la justificación de las diferencias de trato por motivos de edad. También esta Directiva tiene un carácter progresista en la medida en que contempla medidas específicas y de acción positiva en el artículo 7.

Nuevamente se busca reforzar los derechos de las personas discriminadas con garantías de procedimientos administrativos y judiciales que resarzan los derechos vulnerados (artículo 9). En esta ocasión, la carga de la prueba también queda invertida hacia la parte demandada (artículo10.1). Ahora bien, ello no se aplica cuando los órganos jurisdiccionales u otro órgano competente deban investigar las alegaciones de la parte demandada (artículo10.5) y tampoco se aplicará en el caso de procedimientos penales (artículo10.3).

Al igual que ya hiciera la Directiva anterior, se recoge una disposición sobre protección contra las represalias que sirvan para proteger a los trabajadores. Concretamente, el artículo 11 dispone: <<Los Estados miembros adoptarán en sus ordenamientos jurídicos las medidas que resulten necesarias para proteger a los trabajadores contra el despido o cualquier otro trato desfavorable adoptado por parte del empresario como reacción ante una reclamación efectuada en la empresa o ante una acción judicial destinada a exigir el cumplimiento del principio de igualdad de trato>>.

Del mismo modo que en la Directiva 2000/43, se dispone la necesidad de divulgar esta información recogida en la Directiva (artículo 12), apostando por el fomento del diálogo entre los interlocutores sociales (artículo 13) y con las organizaciones no gubernamentales (artículo 14). Al mismo tiempo se incluye una disposición particular dirigida a la contratación de personal docente y policial en Irlanda del Norte para alcanzar la cohesión entre sus comunidades religiosas (artículo15)[182].

Como mecanismos de control, los Estados miembros comunicarán a la Comisión cada cinco años, toda la información necesaria para que la Comisión elabore un informe dirigido al Parlamento Europeo y al Consejo sobre la aplicación de la presente Directiva. La Comisión (artículo19) y los Estados miembros establecerán el régimen de

---

182 La razón de esta regulación se encuentra en la Sentencia del Tribunal de Justicia de 13 de mayo de 1986 *Bilka-Kaufhaus GmbH contra Karin Weber von Hartz*. Petición de decisión prejudicial: Bundesarbeitsgericht–Alemania. Igualdad de trato entre hombres y mujeres–Trabajadores a tiempo parcial–Exclusión del régimen de pensiones de empresa. Asunto 170/84. En este caso la demandante alega un trato desfavorable en comparación a los hombres empleados de la compañía demandada por la concesión de una pensión de empresa. En la sentencia, el TSJ considera que para que un trato desfavorable esté justificado han de cumplirse los requisitos de necesidad objetiva y de idoneidad. ARAMBURU ZABALA, LUIS A.: <<La Directiva Antidiscriminatoria (2000/78/EC): implicaciones en selección de personal>>, *Revista de Psicología del Trabajo y de las Organizaciones*, vol. 20, nº 2, 2004, pp. 206-207.

sanciones aplicables en caso de incumplimiento de las disposiciones nacionales adoptadas en aplicación de la presente Directiva y adoptarán todas las medidas necesarias para garantizar su cumplimiento, conforme al artículo 17.

3.3. Un examen valorativo de la transposición de las directivas 2000/43 y 2000/78

Cierto es que en ambas directivas se echa en falta un mecanismo regional con potestad sancionadora que presione a los Estados a esforzarse por alcanzar realmente el objetivo de una igualdad de trato, al tiempo que la Comisión debería haber adoptado otras directivas más adaptadas a los tiempos actuales y cada vez más favorables a las personas pertenecientes a minorías nacionales. Tengamos en cuenta que han pasado dos décadas desde que estas directivas fueron aprobadas, gozando de carácter jurídico vinculante en el ámbito de las minorías nacionales en la Unión Europea. Es por ello por lo que resulta no solo llamativo, sino preocupante la falta de actualización de la normativa puesto que el resurgimiento de la discriminación racial, la intolerancia y la xenofobia en los tiempos actuales nos obliga a pensar en la necesidad de instaurar nuevos mecanismos de solución más potentes y efectivos a nivel internacional.

Resulta de interés preguntarse cómo se han transpuesto estas directivas que garantizan la igualdad de trato desde su aprobación hasta la actualidad. Los Estados miembros las han incorporado en sus ordenamientos jurídicos internos a través de uno o varios textos legislativos. La Comisión Europea publicó en 2014 uno de sus informes periódicos sobre la evaluación de la aplicación de las directivas en el que identificaba una serie de problemas que, por desgracia, hasta el día de hoy los Estados miembros no han conseguido resolver de forma eficaz:

En primer lugar, las minorías nacionales no conocen, en muchas ocasiones, sus derechos debido a una falta o a una incorrecta información. Algunos Estados han optado por realizar campañas informativas orientadas hacia los colectivos vulnerables y hacia los que ocupan una posición que les predispone para poder llevar a cabo actos discriminatorios. Otros además han impartido cursos de concienciación social. En todo caso, las tareas realizadas no han resultado suficientes.

La Comisión ha instado a que los Estados organicen encuestas para conocer la situación en la que se encuentra el principio de igualdad de trato. También recomienda reforzar las facilidades en el acceso a los procesos judiciales ante la escasez de denuncias. Asimismo, se alerta de la excesiva duración de los procedimientos.

En segundo lugar, con la información que ha recabado la Comisión, considera que las sanciones impuestas a los infractores son demasiado leves, lo que la Directiva 2000/43 no permite.

En tercer lugar, en muchos Estados miembros se presentan problemas a la hora de interpretar el significado de "discriminación indirecta" y algunos tribunales nacionales han denunciado cierta ambigüedad. Por otra parte, la regulación de la discriminación por sí sola es insuficiente y es necesario complementarla con medidas fiscales y políticas. Como ha señalado la Fundación Secretariado Gitano en su informe 2019, habría que animar a las instituciones de la Unión Europea a la mejora en la monitorización y el seguimiento, en cuanto a la implementación efectiva de la Directiva 2000/43 de Consejo de 29 de junio de 2000, relativa a la aplicación del principio de igualdad de trato de las personas independientemente de su origen racial o étnico en todos los Estados miembros. Es por ello por lo que urge instar a la revisión de dicha Directiva con el fin de ampliar los ámbitos de discriminación prohibida e incorporar expresamente los términos de antigitanismo y de discriminación interseccional[183].

La Directiva de igualdad racial y étnica hacía referencia a la creación de organismos que amparasen a las personas discriminadas y, de hecho, estos fueron creados en todos los Estados miembros. En algunos de ellos, estos organismos acompañan a los interesados en los procesos judiciales mientras que en muchos otros se limitan al asesoramiento. En todo caso, todos los Estados miembros debían otorgar competencias a estos organismos para auxiliar a las minorías también durante los litigios en aras de impedir que se puedan generar situaciones de indefensión.

---

183 Informe Anual FSG 2019: *Discriminación y Comunidad Gitana*, <<Conclusiones y propuestas para mejorar la respuesta frente a la discriminación>>, Fundación Secretariado Gitano, Madrid, 2019, p. 11.

Interesa resaltar que la Resolución del Parlamento Europeo, de 7 de febrero de 2018, sobre la protección y no discriminación de minorías en los Estados miembros de la Unión (2017/2937 (RSP) solicitó la revisión de la Directiva sobre la igualdad racial y la Directiva sobre la igualdad de trato en el empleo, lamentando además los escasos avances realizados en la adopción de la propuesta de Directiva sobre la igualdad de trato y pidió a la Comisión y al Consejo que se reanudasen las negociaciones correspondientes con el fin de concluirlas antes del final de la legislatura[184]. Como ha precisado Esteve: "Ciertamente, a pesar de su importancia, los instrumentos europeos son limitados y su eficacia depende de la cooperación y el compromiso de los diferentes Estados miembros y de sus respectivas administraciones para combatir otros tipos de discriminaciones, como las discriminaciones por razón de raza o por origen étnico y una forma de medir el grado de compromiso de cada Estado para combatir tales discriminaciones es analizando las funciones y medios asignados al órgano especializado de promoción de la igualdad, que se debe poner en funcionamiento en desarrollo de las directivas europeas"[185]. En esta misma línea se ha pronunciado el informe sobre la aplicación de las directivas de igualdad racial y de igualdad en el empleo publicado en marzo de 2021 que destacó el papel tan importante que juegan los organismos nacionales de igualdad de los Estados miembros a la hora de hacer un seguimiento más estrecho de la aplicación de las Directivas, concretamente, en lo que se refiere a la necesidad de concienciar sobre los derechos de las personas especialmente expuestas a sufrir discriminación, la protección contra la victimización y la aplicación de sanciones disuasorias, efectivas y proporcionadas[186]. Se han detec-

---

184 Ibídem, p. 191.

185 ESTEVE GARCÍA, FRANCINA: <<Las directivas europeas contra la discriminación racial y la creación de organismos especializados para promover la igualdad. Análisis comparativo de su transposición en España y en Francia>>. Disponible en: https://www.ugr.es/~redce/REDCE10/articulos/05FrancinaEsteve Garcia.htm

186 MOUA, MICHAELA–KABUTA, VANESSA–BANU, LAVINIA: <<Un año del Plan de Acción de la UE contra el racismo: la crisis de la COVID-19 y la importancia de la interseccionalidad en las políticas contra el racismo>>, recogido en el Informe anual FSG 2021: <<Discriminación y Comunidad Gitana>>, op. cit., p. 199.

tado grandes diferencias entre los organismos nacionales de igualdad ya que difieren entre ellos en lo que a niveles de independencia, recursos y competencia se refiere. De hecho, la Comisión se comprometió a preparar una reforma legislativa en 2022 para fortalecer los organismos de igualdad nacionales a través de una legislación vinculante sobre estándares para los organismos de igualdad de los diferentes Estados miembros. Con este fin, la Comisión ha creado el subgrupo sobre la implementación nacional del Plan de acción de la UE contra el racismo 2020-2025 que, actualmente, se encarga de definir los principios rectores comunes sobre los planes acción nacionales contra el racismo. Ello se hace partiendo de que se considera esencial el intercambio de buenas prácticas, el aprendizaje mutuo y una permanente evaluación de los progresos no solo a nivel nacional sino a nivel de la UE. Tengamos en cuenta que los datos fiables y comparables a nivel europeo y nacional se pueden convertir en una herramienta muy poderosa en la lucha contra la discriminación que sufren los grupos minoritarios marginados[187].

3.4. *Acciones y medidas adoptadas desde las instituciones de la Unión Europea*

El 17 de junio de 2010, el Consejo Europeo aprueba la denominada "Europa 2020: la estrategia de la Unión Europea para el crecimiento y la ocupación", con el principal fin de construir una UE "inteligente, sostenible e integradora". Se trata de un proyecto muy ambicioso que abarca materias como las de empleo, investigación y desarrollo, protección del medioambiente, educación e integración social. La estrategia Europa 2020 se focaliza en garantizar que la recuperación económica de la Unión Europea (UE), después de la fuerte crisis económica y financiera, pudiera recibir el apoyo de una serie de reformas para construir unas bases sólidas para el crecimiento y la creación de ocupación en la UE hasta 2020[188]. Al mismo tiempo que se enfrentaba a las debilidades estructurales de la economía y los

---

187 Vid. Ibídem, pp. 199-200.

188 Disponible en: Europa 2020: la estrategia de la Unión Europea para el crecimiento y la ocupación, esto es, https://eur-lex.europa.eu/legal-content/ES/TXT/HTML/?uri=LEGISSUM:em0028#:~:text=La%20estrategia%20Euro-

asuntos económicos y sociales de la UE, la estrategia también asumía los desafíos a más largo plazo que vienen representados por la globalización, la presión sobre los recursos y el envejecimiento[189].

Dentro de las claves de la estrategia Europa 2020 se encuentran directrices encaminadas a garantizar la igualdad y promover la inclusión social de las minorías. Concretamente, se aboga por suprimir los obstáculos en el acceso al empleo de "las personas discapacitadas, los inmigrantes en situación regular y otros grupos vulnerables"[190]. Del mismo modo se persiguen extender las enseñanzas superiores a los estudiantes "no tradicionales", lo que parece dar a entender que grupos que generalmente no acceden a este tipo de estudios, como por ejemplo los gitanos, pongan interés en formarse más allá de la enseñanza básica. Igualmente se centra en lograr la inclusión de los grupos minoritarios en la sociedad y, en especial, en el ámbito laboral, así como en la igualdad de oportunidades, teniendo presente que resultan además imprescindibles las actuaciones encaminadas a terminar con la discriminación para lograr la deseada inclusión. De este modo apuesta por aportar prestaciones a las minorías para disminuir la pobreza.

Los objetivos de la Estrategia Europa 2020 reciben el apoyo de siete iniciativas emblemáticas a escala europea y en los países de la UE[191]:

---

pa%202020%20tiene%20por%20objeto%20garantizar,creaci%C3%B3n%20de%20ocupaci%C3%B3n%20en%20la%20UE%20hasta%202020.

189 Comunicación de la Comisión denominada <<Europa 2020: Una estrategia para un crecimiento inteligente, sostenible e integrador>> [COM (2010) 2020 final de 3.3.2010]. Vid. también EUR-Lex–52010DC2020–ES (europa.eu).

190 Literalmente se precisa: <<A escala de la UE, la Comisión trabajará con el fin de: Transformar el método abierto de coordinación sobre exclusión social y protección social en una plataforma de cooperación, evaluación entre homólogos e intercambio de buenas prácticas y en un instrumento para estimular el compromiso de las partes públicas y privadas en pro de reducir la exclusión social, y tomar medidas concretas, también mediante un apoyo específico de los fondos estructurales, especialmente el FSE. Concebir y aplicar programas de promoción de la innovación social para los más vulnerables, en particular facilitando una educación innovadora, formación y oportunidades de empleo para las comunidades más desasistidas, luchar contra la discriminación (por ejemplo, de los discapacitados) y desarrollar una nueva agenda para la integración de los inmigrantes con el fin de que puedan explotar plenamente su potencial>>. Disponible en: EUR-Lex–52010DC2020–ES (europa.eu).

191 Disponible en: https://eur-lex.europa.eu/legal-content/ES/TXT/?uri=LEGISSUM%3Aem0028

la Unión por la innovación; Juventud en movimiento; una agenda digital para Europa, una Europa que utilice eficazmente los recursos; una política industrial para la era de la mundialización; una agenda para nuevas cualificaciones y empleos y la Plataforma europea contra la pobreza. Pues bien, dentro de esta última, uno de los puntos clave se refiere a lo siguiente: <<la lucha contra las discriminaciones, sobre todo respecto a las minorías, las personas con discapacidad y las personas sin hogar, pero también la mejora de la independencia económica y de la igualdad entre hombres y mujeres>>. En suma, la estrategia Europa 2020 constituye una muestra de cómo la UE no ha cesado en su lucha por los derechos de las minorías, puesto que se aprecia un gran interés a la hora de incluirlos dentro de los grandes objetivos europeos a cumplir a largo plazo.

Además de las medidas adoptadas por el Consejo en favor de los derechos de las minorías, habría que destacar la importancia de las resoluciones emitidas por el Parlamento Europeo que, aunque no son jurídicamente vinculantes, marcan el carácter perseverante de la Unión en esta cuestión.

Los documentos sobre minorías étnicas y lingüísticas aprobados por el Parlamento Europeo incluyen, entre los más alejados en el tiempo, por ejemplo, la Resolución sobre una Carta comunitaria de lenguas y culturas regionales y una Carta de los derechos de las minorías étnicas (1981); la Resolución sobre las medidas a favor de las minorías lingüísticas y culturales (1983); la Resolución sobre lenguas y culturas de los grupos regionales y étnicos en la Comunidad Europea (1987) y la Resolución sobre minorías lingüísticas en la Comunidad Europea (1994)[192].

---

192 A propósito de ello, precisa OCHOA JIMÉNEZ, MARÍA JULIA: "Pero la efectividad de estos documentos es cuestionable desde distintos puntos de vista. Los instrumentos desarrollados en el seno de la Unión no impiden que los Estados vuelvan a reglas que han demostrado ser insuficientes. Estos instrumentos son, al igual que los nacidos en el seno de la OSCE o de la Asamblea Parlamentaria del Consejo de Europa, normas no convencionales (lo que algunos llaman *soft law*) y esto puede explicar su relativa generosidad en la concesión de derechos a las minorías. Es así como se ha sugerido que debe existir un mayor desarrollo legislativo de la Unión Europea en esta materia que apunte hacia la implementación del principio de discriminación positiva como un pilar fundamental de la

Habría que resaltar que en 2005 el Parlamento Europeo[193] resaltó otra vez la necesidad de que se asumiera un estándar de derechos de las minorías en el ámbito de la Unión Europea, partiendo de la falta de claridad respecto al significado de la expresión "un miembro de una minoría". El Parlamento consideró como una solución posible adoptar la definición recogida en la Resolución 1201 de 1993[194] del Consejo de Europa, según la cual una "minoría nacional" es un grupo de personas en un Estado que:

— reside en el territorio de ese Estado,

— mantiene desde antiguo lazos firmes y duraderos con ese Estado,

— ostenta características distintivas de carácter étnico, cultural, religioso o lingüístico,

— es suficientemente representativo a pesar de estar formado por un número reducido en relación con el resto de la población del Estado o de una región del mismo,

— está motivado por el interés de preservar conjuntamente aquello que constituye su identidad común, incluida su cultura, sus tradiciones, su religión o su idioma.

El Parlamento ha reconocido la imposibilidad de alcanzar una solución única para mejorar la situación de todas las minorías en todos los Estados miembros, por lo que ha abogado por el desarrollo de unos objetivos mínimos comunes para las autoridades públicas de la

---

protección de las minorías". <<Protección jurídica de las minorías en Europa>>, *Papel Político*, Vol. 19, nº 1, op. cit., p. 218. Disponible en: https://revistas.javeriana.edu.co/index.php/papelpol/issue/view/780

193 Resolución del Parlamento Europeo sobre la protección de las minorías y las políticas de lucha contra la discriminación en la Unión Europea ampliada (2005/2008(INI)).

194 Párrafo 7, Resolución de 8 de junio de 2005, DO núm. C 124E, 25 de mayo de 2006, p. 405. En el anterior "Informe Moraes" de 24 de febrero de 2005, se afirmó que "el concepto dista mucho de estar armonizado, ni siquiera en el ámbito de las Naciones Unidas o el Consejo de Europa", mencionando como ejemplo las contradicciones de la práctica relacionada con el Convenio Marco sobre la Protección de las Minorías Nacionales (Cfr. Parlamento Europeo, Provisional, 2005/2008(INI), 24 de febrero de 2005, Proyecto de Informe sobre la protección de las minorías y las políticas de lucha contra la discriminación en la Unión Europea ampliada (2005/2008(INI)), Comisión de Libertades Civiles, Justicia y Asuntos de Interior. Ponente: Claude Moraes, p. 4).

UE, basados en la experiencia, <<en particular en las mejores prácticas y el diálogo social emprendido en muchos Estados miembros y en la aplicación del Pacto Internacional de Derechos Civiles y Políticos de las Naciones Unidas, de la Convención Internacional sobre la Eliminación de todas las Formas de Discriminación Racial de las Naciones Unidas y de los Convenios del Consejo de Europa tales como el Convenio marco sobre la Protección de las Minorías Nacionales y la Carta Europea de las Lenguas Regionales o Minoritarias y el Protocolo nº12 del Convenio europeo de derechos humanos y libertades fundamentales>>.

La más significativa de sus medidas es la Resolución del PE 2018/2036, de 13 de noviembre de 2018, sobre las normas mínimas para las minorías en la UE, donde se anima a la Comisión a desarrollar una Directiva de normas marco ante la amenaza de que los Estados Miembros sufran un retroceso en la lucha por los derechos de las minorías nacionales como consecuencia de la inexistencia de mecanismos que controlen la aplicación de los criterios de Copenhague[195]. Asimismo, advierte también de la falta de compromiso de algunos Estados donde todavía se producen demasiados casos de discriminación e incluso no se aplican los derechos otorgados, y su preocupación por la creciente ola de ideas y violencia racista y xenófoba, pidiendo el compromiso de los Estados en la lucha contra los delitos de odio y que generen conciencia en los ciudadanos sobre la igualdad de trato mediante actividades o campañas o unidades policiales constituidas exclusivamente para combatirlos. Hay que reconocer que se mencio-

---

195 Como ya se apuntó más arriba, los criterios de Copenhague o criterios de adhesión son las condiciones previas que debe respetar todo país que desee convertirse en un Estado miembro de la UE. Estos criterios de adhesión fueron establecidos en junio de 1993 en el Consejo Europeo celebrado en la ciudad de Copenhague (Dinamarca), de la que toman su nombre. Luego fueron completados en el Consejo Europeo de Madrid de 1995 que los reforzó. <<Estos son: la existencia de instituciones estables que garanticen la democracia, el Estado de derecho, el respeto de los derechos humanos y el respeto y la protección de las minorías; la existencia de una economía de mercado en funcionamiento y la capacidad de hacer frente a la presión competitiva y las fuerzas del mercado dentro de la UE; la capacidad para asumir las obligaciones que se derivan de la adhesión, incluida la capacidad para poner en práctica de manera eficaz las normas, estándares y políticas que forman el «acervo comunitario», y aceptar los objetivos de la unión política, económica y monetaria>>. Vid. https://eur-lex.europa.eu/summary/glossary/accession_criteria_copenhague.html?locale=es

na repetidamente en la Resolución al pueblo gitano como una de las víctimas más frecuentes de discriminación[196].

La lengua es uno de los grandes factores que conforman una identidad grupal lo que justifica que el Parlamento Europeo también haya animado a su preservación. Aboga por el derecho a la educación impartida en lenguas minoritarias en centros privados y públicos promoviendo la financiación en docentes que la impartan. Del mismo modo promueve que las lenguas minoritarias sean utilizadas también en las instituciones y en los medios de comunicación. Además de la lengua, para lograr la armonía y la comprensión entre grupos, recalca la necesidad de que todos los grupos, ya sean mayoritarios o minoritarios, estudien la historia y cultura de cada uno[197], así como que tengan la posibilidad de aprender otras lenguas. En definitiva, la cultura también debe ser protegida y fomentada. La diversidad en la cultura y en los estilos de vida implica que cada grupo tiene unas necesidades concretas que se diferencian del resto; estas necesidades deben ser tenidas en cuenta para que las medidas puedan llegar a ser realmente eficaces.

Otras de las medidas que propone es la de garantizar la representación de las minorías en las instituciones públicas, facilitándoles el acceso a la vida política, la creación de un órgano regional para la protección de las minorías y el acceso de estas a los servicios sanitarios en igualdad de condiciones.

En la Resolución de 7 de febrero de 2018, sobre la protección y no discriminación de minorías en los Estados miembros de la Unión (2017/2937(RSP)), el Parlamento Europeo insiste en el objetivo de impulsar medidas contra la discriminación a las minorías, entre ellas

[196] Vid. <<Resolución del Parlamento Europeo sobre las normas mínimas para las minorías en la Unión Europea (2018/2036(INI))>> en el Informe Anual FSG 2019: *Discriminación y Comunidad Gitana*, <<Conclusiones y propuestas para mejorar la respuesta frente a la discriminación>>, op. cit., pp. 192-193.

[197] Esta premisa encaja con la sentencia del Tribunal Supremo español de finales de noviembre de 2021 sobre la inmersión lingüística en Cataluña, que estableció la obligatoriedad para los colegios catalanes de impartir al menos un 25% de sus asignaturas en español. El Tribunal Supremo inadmitió el recurso de casación de la Generalitat contra la sentencia del Tribunal Superior de Justicia de Cataluña que rechazaba la inmersión lingüística monolingüe obligatoria en catalán.

el pueblo gitano, como una responsabilidad nacional y de la Unión[198]. En esta importante Resolución se resalta, conforme ha destacado la Fundación Secretariado Gitano en España, que "no se ha dado la suficiente importancia a los problemas de las minorías en la agenda de la Unión y apoya un enfoque integrado con respecto a la igualdad y a la no discriminación, con el fin de garantizar que los Estados miembros traten adecuadamente la diversidad de la población en sus respectivas sociedades"[199]. Además, considera que la Unión Europea es responsable de la protección y la promoción de los derechos de las minorías, entendiendo que es necesario que se perfeccione el marco legislativo de la UE para proteger de forma exhaustiva los derechos de las personas pertenecientes a minorías. Asimismo pone el acento en el papel de las instituciones de la UE "a la hora de sensibilizar sobre las cuestiones relacionadas con la protección de las minorías y animar y apoyar a los Estados miembros en la promoción de la diversidad cultural y la tolerancia, especialmente a través de la educación; señala que la Unión carece de instrumentos eficaces para supervisar el respeto de los derechos de las minorías; pide un seguimiento eficaz a escala de la Unión de la situación de las minorías autóctonas y lingüísticas; considera que la Agencia de los Derechos Fundamentales de la Unión Europea debe realizar un mejor seguimiento de la discriminación contra las minorías nacionales en los Estados miembros"[200].

A ello se suma que en esta Resolución se reconoce el relevante papel que desempeñan los Estados miembros en la protección de las minorías, autóctonas, nacionales o lingüísticas, recordando que la protección de las minorías nacionales y la prohibición de la discriminación por motivos de lengua o pertenencia a una minoría nacional están consagrados en numerosos textos normativos, entre otros, la Carta de los Derechos Fundamentales de la Unión Europea.

Finalmente, la Resolución 2018/2899, que está centrada en los descendientes de personas africanas en Europa, pide que se reconozca

---

198 Vid. <<Resolución del Parlamento Europeo sobre las normas mínimas para las minorías en la Unión Europea (2018/2036(INI))>> en el Informe Anual FSG 2019: *Discriminación y Comunidad Gitana*, <<Conclusiones y propuestas para mejorar la respuesta frente a la discriminación>>, op. cit., p. 191.

199 Vid. Ibídem, p. 191.

200 Vid. Ibídem, p. 191.

y se conmemore de forma oficial su historia manchada por la esclavitud, la violencia, la injusticia y demás acciones degradantes que se hubieran realizado sobre ellos a lo largo de la historia. Es más, llega a animar a los Estados a disculparse y a devolver el patrimonio robado.

Aunque el Parlamento Europeo se ha mostrado muy insistente en la garantía de los derechos de las minorías nacionales, sobre todo, a lo largo de los últimos diez años, hay que reconocer que, lamentablemente, las medidas no han sido tan efectivas como se hubiera deseado, al haberse quedado en el ámbito relajado del llamado *soft Law*.

En el ámbito de la Unión Europea, me gustaría terminar refiriéndome a la labor que ha realizado la Comisión Europea al adoptar un ambicioso plan de acción de la UE contra el racismo en septiembre de 2020[201], a raíz de las protestas por la justicia racial que se desataron en el verano de 2020 en toda la UE y que dejaban patente que la legislación y las políticas de la UE contra la discriminación racial debían ser revisadas. El Plan de acción de la UE 2020-2025 se nutre de medidas integrales, horizontales e interseccionales para reforzar el combate contra el racismo y la discriminación en la UE.

4. LAS MINORÍAS EN EL ÁMBITO DEL CONSEJO DE EUROPA

El Consejo de Europa, creado en 1948, constituyó el primer organismo regional que abordó la cuestión de las minorías nacionales en el marco jurídico de la protección de los derechos humanos[202]. De hecho, han sido notables los intentos realizados a la hora de determinar el concepto de minoría, tal y como hemos señalado anteriormente. Son numerosas las aportaciones realizadas en materia de minorías nacionales, desde la redacción del Convenio Europeo para la Protección de los Derechos Humanos y de las Libertades Fundamentales de 1950, conocido como Convenio del Roma, en el

201 Disponible en: https://ec.europa.eu/info/sites/default/files/stepping_up_action_for_a_union_of_equality_-_factsheet_es_0.pdf

202 CALDUCH CERVERA, RAFAEL: <<Nacionalismos y minorías en Europa>>, Conferencia pronunciada en el Curso de Verano titulado: *La Nueva Europa en los albores del siglo XXI. Conflictos, cooperación, retos y desafíos*, op. cit.

que queda prohibida la discriminación, además de por razones de raza, sexo, lengua, opinión y color, a las personas pertenecientes a una minoría nacional en su artículo 14 y en el protocolo nº12, hasta la jurisprudencia del Tribunal Europeo de Derechos Humanos en sentencias como *Sejdić y Finci contra Bosnia y Herzegovina* (2009)[203]

---

[203] Sentencia del Tribunal Europeo de Derechos Humanos *Sejdić y Finci contra Bosnia y Herzegovina* de 22 de diciembre de 2009, (27996/06 y 34836/06). El caso se originó en virtud de dos demandas (nos. 27996/06 y 34836/06) contra Bosnia y Herzegovina presentadas ante la Corte Europea de Derechos Humanos, alegando el artículo 34 de la Convención para la Protección de los Derechos Humanos y las Libertades Fundamentales ("la Convención") por dos ciudadanos de Bosnia y Herzegovina, Sr. Dervo Sejdić y Sr. Jakob Finci ("los demandantes"), el 3 de julio y el 18 de agosto de 2006, respectivamente.

Los demandantes denunciaron su inelegibilidad para presentarse a las elecciones a la Cámara de los Pueblos y la Presidencia de Bosnia y Herzegovina debido a su origen romaní y judío. Se basaron en el artículo 14 del Convenio, el artículo 3 del Protocolo núm. 1 y el artículo 1 del Protocolo núm. 12. Los solicitantes se reconocieron, por tanto, como de origen romaní y judío, respectivamente. Al no declarar afiliación con ninguno de los "pueblos constituyentes", no se consideraron elegibles para presentarse a la elección de la Cámara de los Pueblos (la segunda cámara del Parlamento del Estado) y la Presidencia (el Jefe de Estado colectivo). El Tribunal declaró admisible los principales motivos de las demandas de estos demandantes.

A pesar de ser ciudadanos de Bosnia y Herzegovina, la Constitución les niega a los demandantes el derecho a presentarse a la elección de la Cámara de los Pueblos y la Presidencia por motivos de raza / etnia Los demandantes alegaron que la diferencia de trato expresamente basada en la raza o el origen étnico no podía justificarse y constituía una discriminación directa. A este respecto, se refirieron a la jurisprudencia del Tribunal y a la legislación de la Unión Europea (como la Directiva 2000/43/CE del Consejo de 29 de junio de 2000).

El Tribunal aplicó el artículo 41 de la Convención, el cual establece que: <<Si el Tribunal considera que ha habido una violación del Convenio o de sus Protocolos, y si el derecho interno de la Alta Parte Contratante en cuestión permite que solo se realice una reparación parcial, el Tribunal deberá, si es necesario, proporcionar la satisfacción justa a la parte lesionada>>.

Los demandantes presentaron reclamaciones por daño inmaterial, el primer demandante reclamó 20.000 euros y el segundo 12.000 euros. El Gobierno sostuvo que las reclamaciones no estaban justificadas. Pero, el Tribunal consideró que la constatación de una violación constituía en sí misma suficiente satisfacción justa por cualquier daño inmaterial sufrido por los demandantes.

Por todo lo expuesto, el Tribunal declaró que había habido una violación del Artículo 14 de la Convención en relación con el Artículo 3 del Protocolo No. 1 en cuanto a la no elegibilidad de los solicitantes para presentarse a las elecciones a la Cámara de los Pueblos de Bosnia y Herzegovina. Consideró además que había habido una

o *Chapman contra Reino Unido* (2001)[204], tal y como ha resaltado

---

violación del artículo 1 del Protocolo núm. 12 en lo que respecta a la no elegibilidad de los solicitantes para presentarse a las elecciones a la Presidencia de Bosnia y Herzegovina; y condenó al Estado a pagar las indemnizaciones por daños inmateriales. Fallo disponible en: https://hudoc.echr.coe.int/eng#{%22dmdocnumber%22:[%22860268%22],%22itemid%22:[%22001-96491%22]} En definitiva, el TEDH consideró que el hecho de no permitir a las minorías nacionales el acceso a los cargos públicos resultaba ser un caso de discriminación. La Sentencia *Sejdic-Finci* del TEDH (2009) contra Bosnia y Herzegovina se plantea como histórica porque observa en la Constitución elementos claros de discriminación relativos a la elección del presidente y la representación en el Parlamento. Sobre ello, vid. KUCUKALIC IBRAHIMOVIC, ESMA: <<El lugar de «los Otros» en la Constitución de Bosnia y Herzegovina. La representación constitucional de las minorías y sus consecuencias sobre los derechos individuales>>, *Cuadernos Constitucionales de la Cátedra Fadrique Furió Ceriol*, nº 67/68, pp. 135-152.

204 Sentencias del Tribunal Europeo de Derechos Humanos de 18 de enero de 2001, 27238/95 – 25154/94 – 24882/94 – 25289/94 – 24876/94. *Casos Chapman, Coster, Beard, Lee y Jane Smith contra Reino Unido*. Artículos 6.1 (Acceso a la justicia), 8 (Derecho al respeto a la vida privada y familiar) y 14 (Prohibición de la discriminación) del Convenio, y artículos 1 (Derecho al respeto a los bienes) y 2 (Derecho a la educación) del Protocolo número 1. Vid. SESSAREGO, SANDRO: <<La discriminación racial en Europa y en España: una perspectiva multidimensional>>, *Revista Internacional de Derechos Humanos*, Vol. 10, No. 2, 2020, pp. 145-180. Disponible en: https://international.vlex.com/vid/discriminacion-racial-europa-espana-847027383 Como resalta el autor, con sumo acierto: "La idea de que los grupos minoritarios deben verse como elementos de riqueza democrática ha ido adquiriendo relevancia en la doctrina del TEDH. Unas sentencias emblemáticas en este sentido son las de *Chapman c. Reino Unido* (2001), *Coster c. Reino Unido* (2001), *Beard c. Reino Unido* (2001), *Lee c. Reino Unido* (2001) y *Smith c. Reino Unido* (2001). En todas ellas los demandantes eran familias gitanas que reclamaban, entre otros asuntos, la violación del principio de igualdad (art. 14 CEDH) por razones raciales, y el derecho al respeto a la vida privada y familiar (art. 8 CEDH11), visto que nunca les fue concedido el permiso de vivir en caravanas en terrenos de su propiedad donde, por motivos urbanos y paisajísticos, no era posible instalar acampamientos nómadas. En estos casos específicos, el TEDH no reconoció ninguna de las violaciones invocadas por las familias gitanas, pero puso en evidencia que los Estados tienen el deber de reconocer las necesidades y estilos de vida de las minorías étnicas, no sólo para proteger la identidad de estas, sino además porque la presencia de diversidad cultural beneficia a toda la sociedad.

La Corte observa que puede decirse que existe un consenso internacional emergente entre los Estados Contratantes del Consejo de Europa que reconoce las necesidades especiales de las minorías y la obligación de proteger su seguridad, identidad y estilo de vida [...], no sólo con el fin de salvaguardar los intereses de las propias minorías sino también de preservar una diversidad cultural de valor

Fromage[205].

Sin embargo, como ya hemos tenido oportunidad de señalar, fue tras la desaparición del bloque soviético, en 1989, cuando el Consejo de Europa emprende un ambicioso programa de medidas legales, institucionales, políticas y culturales en aras de activar el proceso de especificación de los derechos en favor de las minorías.

A continuación, nos detendremos en los textos más importantes elaborados en el seno del Consejo de Europa para entender el desarrollo normativo a lo largo del tiempo. Concretamente, en el ámbito de la igualdad, habría que destacar el Convenio Europeo para la Protección de los Derechos Humanos y de las Libertades Fundamentales (1950), la Carta Social Europea (1961), la Carta Europea de Lenguas Regionales o Minoritarias (1992) y el Convenio Marco para la Protección de las Minorías Nacionales (1995), puesto que todos ellos constituyen los instrumentos que desarrollan ampliamente el marco jurídico de las minorías.

4.1. El Convenio Europeo para la Protección de los Derechos Humanos y de las Libertades Fundamentales (1950)

El Convenio Europeo para la Protección de los Derechos Humanos y de las Libertades Fundamentales, más conocido como la Convención Europea de Derechos Humanos o Convención de Roma, aprobado por el Consejo de Europa el 4 de noviembre de 1950, prohíbe expresamente la discriminación de las "minorías nacionales". Concretamente, el artículo 14 incluye una cláusula general[206] en la

---

para toda la comunidad", pp. 156-157. En definitiva, el Tribunal dictaminó que, a pesar de no reconocer las alegaciones invocadas por las familias gitanas, el uso de caravanas como vivienda por parte de las personas pertenecientes a la etnia gitana formaba parte de su propia identidad y, en consecuencia, debía respetarse.

205 FROMAGE, DIANA: <<La evolución de la protección de los derechos en la Unión Europea. El ejemplo de la protección de las minorías>>, *Revista de la Facultad de Derecho de México*, Volumen 62, nº 275, UNAM, Ciudad de México, 2012, p. 24.

206 Art. 14: <<El goce de los derechos y libertades reconocidos en el presente Convenio ha de ser asegurado sin distinción alguna, especialmente por razones de sexo, raza, color, lengua, religión, opiniones políticas u otras, origen nacional o social, pertenencia a una minoría nacional, fortuna, nacimiento o cualquier otra situación>>.

que se denomina a las minorías nacionales como el colectivo al que hay que asegurar de forma efectiva el goce de los derechos y libertades reconocidos en el Convenio. De tal manera que las minorías nacionales se contemplan como sujetos beneficiarios de la prohibición de discriminación.

Además, el Convenio establece en su artículo 1, en conexión con el artículo 14, el compromiso de los Estados miembros con la protección y garantía de los derechos humanos, sin distinción de raza, sexo, idioma o religión. De acuerdo con Calduch, esta formulación aparecía reforzada en el artículo 9.1, el cual, al introducir el derecho a la libertad de pensamiento, conciencia y religión, admite su práctica "individual o colectiva", lo que implica que la protección de este derecho debe aplicarse a colectividades como las minorías nacionales existentes en cada Estado[207].

Sin embargo, el texto no alude en ninguna de sus disposiciones a derechos concretos de las minorías, ni tampoco contempla algún sistema de tutela[208]. Con palabras de Sayago: "Aun así, el precepto no ha bastado para garantizar efectivamente la igualdad de estos grupos en todos los casos y la erradicación general y definitiva de la discriminación, de ahí que sigan aprobándose Documentos en este sentido"[209]. En esta línea, resulta obligado referirse al Protocolo nº12 adoptado en Roma el 4 de Noviembre de 2000 puesto que en su primer artículo no solo ratifica la prohibición de cualquier discriminación contenido en artículo 14 del Convenio Europeo de Derechos Humanos, sino que extiende expresamente la prohibición a las actuaciones <<por parte de cualquier autoridad pública, basada en particular en los motivos

---

207 CALDUCH CERVERA, RAFAEL: <<Nacionalismos y minorías en Europa>>. Conferencia pronunciada en el Curso de Verano titulado: *La Nueva Europa en los albores del siglo XXI. Conflictos, cooperación, retos y desafíos*, op. cit., p. 11.

208 DE WITTE, BRUNO: <<Los Derechos Europeos de las minorías>>, *Revista Española de Derecho Europeo*, nº 28, op. cit., pp. 411-412. Lo que sí es cierto es que el Convenio desarrolla algo más los derechos referentes a la lengua (arts. 5.2 y 6.3) y la libertad religiosa (art. 9); lo cual influye de manera directa en las personas pertenecientes a minorías puesto que la identidad de gran cantidad de estos grupos depende principalmente de estos rasgos.

209 SAYAGO ARMAS, DIANA: <<La protección de las minorías: un desafío clave de constitucionalismo multinivel>>, UNED. *Revista de Derecho Político,* nº 106, op. cit., p. 218.

mencionados en el apartado 1>>, esto es, <<por razones de sexo, raza, color, lengua, religión, opiniones políticas o de otro carácter, origen nacional o social, pertenencia a una minoría nacional, fortuna, nacimiento o cualquier otra situación>>. El Protocolo nº 12 recoge la prohibición general de no discriminación como una cláusula independiente y transversal, de manera que, a partir de su aprobación, en las demandas ante el TEDH el *petitum* o *causa petendi* puede ser la propia discriminación.

Quizás lo más importante de todo es que desde el Consejo de Europa se podían proteger los derechos contemplados en el Convenio Europeo y Protocolo a través de la Comisión Europea de Derechos Humanos hasta el protocolo nº 11[210] y el Tribunal de Derechos Humanos. Cabría recordar, entre otras sentencias relevantes del Tribunal de Estrasburgo, además de las ya citadas anteriormente: *sentencias lingüísticas en Bélgica* (1968)[211] ; *Abdulaziz, Cabales y Balkandali*

---

210 Tengamos en cuenta que desde 1954 hasta la entrada en vigor del Protocolo nº 11 de la Convención Europea de Derechos Humanos, los individuos no podían tener acceso directo a la Corte Europea de Derechos Humanos, sino que debían acudir a la Comisión, que establecía si el caso estaba bien fundado como para ser analizado en la Corte. El Protocolo nº 11, vigente desde el 31 de octubre de 1998, abolió la Comisión, permitiendo que los individuos pudieran acudir al TEDH directamente. Sin embargo, de acuerdo con el Protocolo nº 11, la Comisión continuó en funciones durante un año más (hasta el 31 de octubre de 1999) para instruir los casos declarados admisibles por ella antes de la entrada en vigor del Protocolo.

211 *Caso Relativo a determinados aspectos del régimen lingüístico de la enseñanza en Bélgica. Sentencia del TEDH 1968/3 Derecho a la educación, derecho al respeto a la vida privada y familiar y prohibición de discriminación: Enseñanza: modelo lingüístico: Bélgica: Leyes de 30 julio y 2 agosto de 1963*: impedimento a ciertos niños, con el único fundamento de la residencia de sus padres, de acceder a las escuelas de lengua francesa existentes en Lovaina y en los seis municipios de la periferia de Bruselas dotados de un «estatuto especial», incluido el municipio Kraainem en litigio: medida desproporcionada y que comporta un trato discriminatorio fundado más sobre la lengua que sobre la residencia, en detrimento de ciertos individuos.

contra el Reino Unido (1985)[212] , *Marckx contra Bélgica* (1979)[213] , *Airey contra Irlanda* (1979)[214], *Johnston y otros contra Irlanda* (1986)[215], *López Ostra contra España* (1994)[216], *Stjerna contra Finlandia* (1994)[217]. Todos estos fallos ponen en evidencia la preocupación de la Comisión Europea de Derechos Humanos (entonces operante) y el Tribunal de Estrasburgo, a la hora de proteger los derechos de las minorías.

Asimismo, el Tribunal Europeo de Derechos ha interpretado la igualdad reconocida en dicho art. 14, aclarando que "discriminar" significa "tratar de modo diferente, sin una justificación objetiva y razonable, a personas situadas en situaciones sustancialmente

---

212 *Abdulaziz, Cabales, and Balkandali v. UK* (Application nos. 9214/80; 9473/81; 9474/81) 1). Sentencia del TEDH de 28 de mayo de 1985. http://cmiskp.echr.coe.int/tkp197/view.asp?action=html&documentId=695293 &portal =hbkm&source=externalbydocnumber&table=1132746FF1FE2A468 ACCBCD1763D4D8 149

213 Sentencia 6833/74. *Caso Marckx* [TEDH-25]. Sentencia de 13 de junio de 1979. Legitimación de los particulares para impugnar una Ley. Filiación: derechos patrimoniales del menor «natural o ilegítimo» y de su madre. Indemnización por perjuicios morales.

214 *Airey v. Ireland* (application No. 6289/73). Sentencia del TEDH de 9 de octubre de 1979.

215 Este fallo sirve para entender cómo el TEDH no sólo ha perfilado el derecho a la vida privada en términos negativos, sino que reiteradamente se ha pronunciado sobre la obligación de los Estados de actuar para permitir disfrutar efectivamente a los ciudadanos del derecho y también para protegerlo frente a las actuaciones de otros sujetos. En esta línea se sitúan, entre otras, además de la sentencia. *Johnston y otros c. Irlanda*, 18 diciembre 1986, otros fallos como *Marckx c. Bélgica*, 13 junio 1979; *X e Y contra Países Bajos*, 26 marzo 1985; *Von Hannover c. Alemania*, 24 junio 2004; *K.U. c. Finlandia*, 2 diciembre 2008. Se entiende, por tanto, que del art. 8 CEDH se derivan inherentemente obligaciones positivas para los Estados. Vid. <<El derecho al respeto de la vida privada: los retos digitales, una perspectiva de Derecho Comparado europeo. Consejo de Europa>>. EPRS | Servicio de Estudios del Parlamento Europeo Unidad Biblioteca de Derecho Comparado PE 628.261 – octubre 2018.

216 Asunto *López Ostra contra el Reino de España*, STEDH, de 9 de diciembre de 1994. El TEDH incluye en el ámbito del domicilio del art. 8 del Convenio, los derechos medio ambientales.

217 Asunto *Stjerna contra Finlandia* de 25 de noviembre de 1994, Serie A nº 299-B. Esta sentencia trata de responder a la evolución que ha seguido el modelo familiar con una nueva interpretación del art. 8 del Convenio, que será reiterada por numerosa jurisprudencia posterior sobre el tema.

similares"[218]. Ahora bien, el Tribunal también ha precisado que podría ser considerada discriminatoria una política o una medida general que tuviera efectos perjudiciales desproporcionados para un grupo de personas, aunque no tratara específicamente ese grupo[219].

En suma, la evolución del TEDH en la aplicación de las garantías del Convenio en materia de igualdad y erradicación de la discriminación ha sido relevante y meritoria, con un avance progresivo y consolidado a partir del caso *Derechos Humanos y otros contra la República Checa*, de 13 de noviembre de 2007, donde el Tribunal asume las categorías del Derecho Antidiscriminatorio procedentes del derecho anglosajón que, a su vez, recibe el ordenamiento de la Unión Europea[220].

4.2. *La Carta Social Europea (1961)*

La Carta Social Europea (CSE) constituye el instrumento más emblemático del Derecho europeo de los derechos sociales o del Derecho

---

[218] Vid. *Willis contra Reino Unido*, núm. 36042/97, apartado 48, TEDH 2002 IV; *Okpisz contra Alemania*, núm. 59140/00, apartado 33, 25 de octubre de 2005). De ello se deduce, que el artículo 14 no prohíbe a un Estado miembro tratar grupos de manera diferente para corregir las "desigualdades fácticas" entre ellos. De hecho, la ausencia de un trato diferencial cuyo objetivo es corregir una desigualdad puede considerarse, si no existe justificación objetiva y razonable, una violación de la disposición en cuestión (caso "sobre determinados aspectos del régimen de la lengua de la educación en Bélgica" contra Bélgica (fondo), 23 de julio de 1968, p. 34, apartado 10, serie A núm. 6; *Thlimmenos contra Grecia GS*, núm. 34369/97, apartado 44, TEDH 2000- IV; *Stec y otros contra Reino Unido GS*, núm. 65731/01, apartado 51, TEDH 2006 VI.

[219] Vid. *Hugh Jordan contra Reino Unido*, núm. 24746/94, apartado 154, 4 de mayo de2001; *Hoogendijk contra Holanda (dec.)*, núm. 58641/00, 6 de enero de 2005.

[220] REY MARTÍNEZ, FERNANDO: <<La discriminación racial en la jurisprudencia del Tribunal Europeo de Derechos Humanos>>, *Pensamiento Constitucional*, n° 17, 2012. Como subraya el autor, con acierto, esta sentencia constituye un leading-case, esto es, una Sentencia que establece la doctrina a aplicar en el futuro. La Gran Sala del Tribunal, con esta sentencia revocó la anterior de una Sala del mismo Tribunal, en virtud del art. 43 del Convenio Europeo de Derechos Humanos que permite, en "casos excepcionales" (en este caso se apreció importancia social, por parte de un colegio de cinco jueces) el "reexamen" de las Sentencias de Sala.

social de los derechos humanos[221]. Tal y como se señala en el propio Preámbulo, la Carta se centra en buscar <<el goce de los derechos sociales sin discriminación, la mejora del nivel de vida y la promoción del bienestar de los pueblos de los Estados contratantes, a través de instituciones y acciones apropiadas>>.

La Carta Social Europea se adoptó en 1961 en Turín y entró en vigor en 1965. Se completa con un Protocolo adicional (1988) para concretar y ampliar los derechos reconocidos en la Carta y con dos Protocolos de enmienda de su sistema procesal e institucional (1991 y 1995). La Carta Social Europea fue revisada en 1996, unificándose así los textos anteriores y prohibiendo a los Estados parte rebajar su anterior carga obligacional[222]. Actualmente, la Carta obliga a cierto número de Estados europeos[223] y protege ciertos derechos relaciona-

---

221 JIMENA QUESADA, LUIS: <<El Comité Europeo de Derechos Sociales: sinergias e impacto en el Sistema Internacional De Derechos Humanos y en los Ordenamientos Nacionales>>, *Revista Europea de Derechos Fundamentales*, nº 25, Primer semestre 2015, pp. 99-127. SAYAGO ARMAS, DIANA: <<La protección de las minorías: un desafío clave de constitucionalismo multinivel>>, UNED. *Revista de Derecho Político,* nº 106, op. cit., p. 219.

222 Como precisa SAYAGO ARMAS, DIANA: <<La protección de las minorías: un desafío clave de constitucionalismo multinivel>>, UNED. *Revista de Derecho Político*, nº 106, ibídem: "Además, el texto de la Carta Social de 1961 ha conocido diversas modificaciones que se arbitran a través de los Protocolos: el Protocolo adicional de 1988 que garantiza cuatro nuevos derechos; el Protocolo de enmienda de 1991 que prevé la reforma del mecanismo de control (y que formalmente no ha entrado en vigor al precisar la unanimidad de todos los Estados Partes en la Carta, pero cuyo contenido se aplica tras una decisión del Comité de Ministros de diciembre de 1991, mediante la que se pedía a los órganos de control de la Carta que, "en la medida en que el texto de la Carta lo permitiere", aplicaran el Protocolo incluso antes de su entrada en vigor); y el Protocolo adicional de 1995 que establece el mecanismo de las reclamaciones colectivas", pp. 219-220.

223 En el caso de España, habría que recordar que ratificó la Carta el 6 de mayo de 1980, entrando en vigor el 5 de junio de ese mismo año. Veinte años después, la Carta revisada fue firmada el 23 de octubre de 2000. Ahora bien, llamaba la atención que se fuera posponiendo su ratificación ante la necesidad de adaptar algunos aspectos de la legislación española. El 1 de febrero de 2019, el Consejo de Ministros sí que aprobó un Acuerdo por el que se autorizaba su remisión a las Cortes Generales, para proceder a su ratificación ante la incógnita de si se pasaría por alto el Protocolo de reclamaciones colectivas de 1995, que constituye un mecanismo de garantía fundamental de la Carta. Como precisaba SAYAGO ARMAS, DIANA: <<La protección de las minorías: un desafío clave de constitucionalismo multinivel>>, UNED. *Revista de Derecho Político,* nº 106, ibídem:

dos con las esferas económica y social. Las normativas legales que corresponden a estos derechos, en realidad, no confieren a los individuos ningún derecho subjetivo en sentido estricto; más bien se formulan como principios generales que deben guiar la actividad legislativa y administrativa de los Estados contratantes. Dicho de otra manera: las disposiciones constituyen "criterios programáticos" más que preceptos directamente aplicables. Con el fin de facilitar la participación de los Estados que adoptaron la Carta, en ella se establece que estos pueden aceptar tan sólo algunas de sus provisiones, esto es, se permite la mera aceptación parcial (art. 20). Por otra parte, sólo es aplicable a nacionales de Estados parte y carece de mecanismos de control jurisdiccionales. De ahí que se haya sostenido[224] que la fuerza de la Carta es de carácter moral más que coercitivo, teniendo en cuenta que esta ofrece diversas alternativas y opciones a los Estados miembros[225].

Sin embargo, para que la Carta no quedara en simple papel mojado, se estableció un mecanismo de supervisión internacional complejo en el que intervienen varios órganos. El fin de la verificación puede consistir en una recomendación a un Estado contratante, adoptada (por una mayoría de dos tercios) por un cuerpo político: el Comité de Ministros[226] del Consejo de Europa. Como ha observado Cassese:

"aun cuando se culmine el procedimiento de ratificación de la Carta revisada, al no acometer en paralelo la ratificación del Protocolo de reclamaciones colectivas de 1995, España va a seguir sufriendo un déficit social que la aleja de manera inexcusable de la protección en derechos sociales que se consagra en el seno del Consejo de Europa e, inclusive, de la Unión Europea", p. 227.

224 Vid. POYAL COSTA, ANA: *Los Derechos Fundamentales en la Unión Europea*, op. cit., p. 113.

225 A ello habría que sumar que, como ha puesto de manifiesto SAYAGO ARMAS, DIANA: <<La protección de las minorías: un desafío clave de constitucionalismo multinivel>>, UNED. *Revista de Derecho Político*, nº 106, op. cit.: "a pesar de esto, la realidad es que la indiscutible potencialidad de la Carta no termina de superar el muro de desconocimiento que de ella tienen tanto la opinión pública como los actores y políticos europeos, lo que se traduce en una ausencia de efectividad que es lo que denuncia insistentemente el Consejo de Europa", p. 220.

226 Explica SAYAGO ARMAS, DIANA: <<La protección de las minorías: un desafío clave de constitucionalismo multinivel>>, UNED. *Revista de Derecho Político*, nº 106, ibídem: "El Comité Europeo de Derechos Sociales (CEDS), compuesto por quince miembros independientes elegidos por el Comité de Ministros del Consejo de Europa por un mandato de seis años (renovable una sola vez), se configura como un órgano equiparable al TEDH en relación al CEDH, realizando

"A pesar de la naturaleza <<programática>> de las provisiones de la Carta y de la complejidad de la supervisión, hay que valorar los resultados obtenidos hasta el presente como altamente positivos (en varios casos, los Estados contratantes han enmendado la legislación nacional de acuerdo con las observaciones o críticas de las entidades supervisoras internacionales)"[227]. De acuerdo con esto, no parece del todo acertada la opinión de autores como W. Karl que consideran que la Carta, "hermana pequeña" de la Convención de 1950, ha de considerarse en términos prácticos un "fracaso"[228].

Tengamos en cuenta que la Carta de 1961 contiene una relevante disposición que trata de combatir la pobreza. Concretamente, el art. 13 reconoce el derecho a la asistencia social o a recursos mínimos garantizados; por otra parte, el art. 16 establece la protección económica, jurídica y social de la familia, incluyendo la vivienda como parte de esa protección. Por su lado, la Carta Social revisada de 1996 refuerza ambas disposiciones, introduciendo una disposición única en el contexto internacional que reconoce autónomamente el derecho a

---

funciones de control de la correcta aplicación de la Carta a través de un sistema de presentación de informes y un procedimiento de reclamaciones colectivas. El primero se desarrolla a partir de la elaboración de informes por parte de los Estados partes con carácter anual, en relación a una de las cuatro categorías de disposiciones temáticas de la Carta. De este modo, cada Estado presentará informes sobre cada conjunto de disposiciones cada cuatro años, y en base a ellos, el CEDS expresa sus "conclusiones".

En cuanto al sistema de reclamaciones colectivas, este legitima a las organizaciones de trabajadores (nacionales e internacionales) así como a otras organizaciones no gubernamentales, a presentar las reclamaciones de violación de los derechos humanos por parte de los Estados ante el Comité Europeo de Derechos Sociales, según el protocolo adicional de 1995, que entró en vigor en 1998, siempre y cuando el Estado haya reconocido este derecho. Al respecto, el CEDS emite "decisiones de fondo" con forma de sentencia", pp. 220-221. Asimismo vid. JIMÉNEZ GARCÍA, FRANCISCO: <<La Carta Social Europea (revisada): entre el desconocimiento y su revitalización como instrumento de coordinación de las políticas sociales europeas>>, *Revista electrónica de estudios internacionales*, nº 17, 2009.

[227] CASSESE, ANTONIO: *Los derechos humanos en el mundo contemporáneo*, Ariel, Barcelona, 1993, p. 275.

[228] KARL, WOLFRAM: <<Besonderheiten der internationalen Kontrollverfahren zum Schutz der Menschenrechte>>, en Kälin/Riedel/Karl/Bryde/ von Bar/Geimer: *Aktuelle Probleme des Menschenrechtssschtutzes*, C.F. Müller, Heidelberg, 1994, p. 96.

la lucha contra la pobreza y la exclusión social (art. 30), completada por el específico derecho a la vivienda (art. 31). El Comité Europeo de Derechos Sociales (CEDS) es la máxima instancia interpretativa de la Carta Social, tanto a través del sistema originario de informes (obligatorio, establecido en 1961) como mediante el más reciente mecanismo judicial de reclamaciones colectivas (instaurado por medio del Protocolo de 1995, insistimos, no aceptado por España), los cuales han dado lugar a una jurisprudencia, a todas luces, relevante en el campo de la inclusión social[229].

Ello quiere decir que los Estados parte se obligan tanto por las disposiciones de la Carta Social Europea (la de 1961 y la revisada de 1996), como por la jurisprudencia emanada por el Comité Europeo de Derechos Sociales a través de los sistemas de informes y de reclamaciones colectivas, encontrándose ambos sistemas vinculados entre sí[230].

En lo que se refiere a los grupos vulnerables, su protección ha motivado una rica jurisprudencia, habiendo dedicado especial atención a la minoría gitana. En 2010 se publicaron tres importantes decisiones de fondo en relación con varias reclamaciones colectivas: la Reclamación nº 49/2008, la Reclamación nº 58/2009 y la Reclamación nº 63/2010[231], que pasaremos a analizar.

1) En primer lugar, en la Reclamación nº 49/2008 (*INTERIGHTS contra Grecia*, decisión de admisibilidad de 23 de septiembre de 2008), se denunció que el Gobierno griego desahuciara a la fuerza a las personas gitanas sin proponerles un alojamiento adecuado, a lo que se añadía que, en materia de acceso a la vivienda, los gitanos residentes en Grecia sufrían discriminación, todo ello invocando el artículo 16 de la Carta (protección social, jurídica y económica de

---

229 Vid. <<Bases normativas y desarrollos jurisprudenciales: Una mirada desde Europa>>, en *Ararteko*. Disponible en https://argitalpen.ararteko.eus/index.php?leng=eusk&id_l=58&id_a=2081

230 JIMENA QUESADA, LUIS: <<Crónica de la jurisprudencia del Comité Europeo de Derechos Sociales-2012>>, *Revista Europea de Derechos Fundamentales*, nº 20, Segundo semestre, 2012.

231 SAYAGO ARMAS, DIANA: <<La protección de las minorías: un desafío clave de constitucionalismo multinivel>>, UNED. *Revista de Derecho Político,* nº 106, op. cit., pp. 221-227.

la familia), autónomamente o en combinación con la cláusula de no discriminación del Preámbulo. Pues bien, la decisión de fondo de 11 de diciembre de 2009 del CEDS acoge la tesis impugnatoria de la entidad reclamante, declarando la vulneración del artículo 16 de la Carta Social[232] (protección social, jurídica y económica de la familia) en la medida en que el Gobierno griego habría continuado desahuciando a la fuerza a las personas gitanas sin proponerles un alojamiento adecuado, todo ello acompañado de discriminación racial en materia de acceso a la vivienda de los gitanos residentes en Grecia[233].

El CEDS es cierto que detecta algunos avances en la mejora de las condiciones de vida de las personas de etnia gitana (extensión del programa de préstamos inmobiliarios, tanto en número como en montante, o construcción de un nuevo campamento permanente y adopción de legislación antidiscriminatoria que se aplicaría al acceso a bienes y servicios, entre ellos, a la vivienda), sin embargo, entiende que está ampliamente probado que gran número de integrantes de la comunidad gitana continúan viviendo en campamentos que no responden a las normas mínimas exigibles y, desde este punto de vista, se reafirma la posición recogida en la previa decisión de fondo de 8 de diciembre de 2004 sobre la Reclamación nº 15/2003 (*Centro de Derechos para los Gitanos Europeos c. Grecia*)[234].

---

232 Para alcanzar esta conclusión, el CEDS se basa en los elementos probatorios proporcionados por INTERIGHTS, así como en otras fuentes concretas, como el informe de 2006 sobre la República Helénica del Comisario para los Derechos Humanos del Consejo de Europa, el informe anual correspondiente a 2008 de la Comisión nacional griega para los derechos humanos, el informe de 2009 sobre Grecia del experto independiente de Naciones Unidas sobre las cuestiones relativas a las minorías, el informe de 2009 sobre Grecia de la Comisión Europea contra el Racismo y la Xenofobia del Consejo de Europa, o el informe de octubre de 2009 de la Agencia de los Derechos Fundamentales de la Unión Europea sobre las condiciones de alojamiento de las personas de etnia gitana y gentes viajantes en la Unión Europea. Vid. SAYAGO ARMAS, DIANA: <<La protección de las minorías: un desafío clave de constitucionalismo multinivel>>, UNED. *Revista de Derecho Político,* nº 106, ibídem, p. 222.

233 Vid. <<Bases normativas y desarrollos jurisprudenciales: Una mirada desde Europa>>, en *Ararteko*. Disponible en: https://argitalpen.ararteko.eus/index.php?leng=eusk&id_l=58&id_a=2081

234 Para alcanzar la conclusión violatoria, el CEDS no se basa únicamente en los elementos probatorios proporcionados por INTERIGHTS, sino asimismo en otras fuentes como el informe de 2006 sobre la República Helénica del Comisa-

Por otra parte, y tras sostener que, en el caso de las personas de etnia gitana asegurar un trato idéntico no constituye un medio adecuado de protección contra la discriminación, sino que debe tomarse en cuenta la diferencia, el CEDS estima discriminatorios los desalojos forzosos padecidos por dichas personas en Grecia, basándose tanto en la jurisprudencia del TEDH[235] (se citan, entre otras, las sentencias dictadas el 27 de mayo de 2004 o el 13 de mayo de 2008 en el *caso Connors* y en el *caso McCann*, respectivamente, ambos contra el Reino Unido) como en la Observación General sobre la materia del Comité de Derechos Económicos, Sociales y Culturales de Naciones Unidas (nº 7), para considerar discriminatorios los desahucios forzosos padecidos por dichas personas en Grecia, argumentando que un número considerable de personas de etnia gitana son desahuciadas forzosamente, en violación del artículo 16 de la Carta, sin ser consultadas previamente, sin un plazo razonable de preaviso y sin alternativa de realojamiento, a lo que hay que añadir que no son informadas sobre los recursos disponibles para contestar la orden de desahucio[236]. Esta última consideración sitúa en relación directa el tema de la

---

rio para los Derechos Humanos del Consejo de Europa, el informe anual correspondiente a 2008 de la Comisión nacional griega para los derechos humanos, el informe de 2009 sobre Grecia del experto independiente de Naciones Unidas sobre las cuestiones relativas a las minorías, el informe de 2009 sobre Grecia de la Comisión Europea contra el Racismo y la Xenofobia del Consejo de Europa, o el informe de octubre de 2009 de la Agencia de los Derechos Fundamentales de la Unión Europea sobre las condiciones de alojamiento de las personas de etnia gitana y gentes viajantes en la Unión Europea. Vid. <<Bases normativas y desarrollos jurisprudenciales: Una mirada desde Europa>>, en *Ararteko*. Disponible en: https://argitalpen.ararteko.eus/index.php?leng=eusk&id_l=58&id_a=2081

235 Entre la jurisprudencia del TEDH y el CEDS se observa una comunicación fluida si tenemos en cuenta que ambos organismos hacen uso de la jurisprudencia respectiva. Vid. JIMENA QUESADA, L.: <<El Comité Europeo De Derechos Sociales: sinergias e impacto en el Sistema Internacional De Derechos Humanos y en los Ordenamientos Nacionales>>, *Revista Europea de Derechos Fundamentales*, nº 25, op. cit., pp. 99-127.

236 JIMENA QUESADA, LUIS: <<Crónica de la jurisprudencia del Comité Europeo de Derechos Sociales-2012>>, *Revista Europea de Derechos Fundamentales*, nº 20, op. cit.

justiciabilidad de los derechos sociales con la problemática sobre la cultura jurídico-democrática en materia de derechos humanos[237].

2) En segundo lugar, la decisión de fondo de 25 de junio de 2010 sobre la Reclamación nº 58/2009 (*Centre on Housing Rights and Evictions c. Italia*), estimó las denuncias formuladas por la organización reclamante que reprochaban a las autoridades italianas la legislación de emergencia adoptada para hacer frente a la situación de las personas gitanas (población romaní y sinti) por exponerlas a un discurso racista y xenófobo, así como someterlas a expulsiones ilegales tanto de los campamentos como del territorio italiano, con vulneración de los artículos 16 (protección social, jurídica y económica de la familia), 19 (protección y asistencia de los trabajadores migrantes y sus familias), 30 (protección contra la pobreza y la exclusión social) y 31 (derecho a la vivienda), invocados autónomamente y en conexión con la cláusula de no discriminación del artículo E de la Carta revisada. Esta decisión tuvo la peculiaridad de que, en la decisión de admisibilidad de 8 de diciembre de 2009, el CEDS acordó por primera vez utilizar el procedimiento preferente y sumario previsto en el artículo 26 del Reglamento, a la vista de la gravedad de las violaciones denunciadas en la reclamación colectiva.

Entre las cuestiones preliminares, una de ellas, importantísima, tiene que ver con el alcance del principio de no discriminación (art. E), que merece la atención del CEDS al versar la reclamación básicamente sobre la discriminación racial en el disfrute de los derechos invocados[238]. A tal efecto, se recuerda por el CEDS su propia jurisprudencia y la del TEDH para resaltar que el art. E prohíbe no solo la discriminación directa sino también todas las formas de discriminación indirecta[239]; que la carga de la prueba en asuntos de discriminación sobre personas vulnerables debe prever una inversión o desplazamiento

---

237 Vid. <<Bases normativas y desarrollos jurisprudenciales: Una mirada desde Europa>>, en *Ararteko*. Disponible en: https://argitalpen.ararteko.eus/index.php?leng=eusk&id_l=58&id_a=2081

238 Ibídem.

239 Decisiones de fondo adoptadas el 4 de noviembre de 2003 sobre la Reclamación nº 13/2002, Autismo-Europa contra Francia, y el 18 de octubre de 2006 sobre la Reclamación nº 31/2005, *Centro de Derechos para los Gitanos Europeos contra Bulgaria*.

apropiados[240]; que la discriminación basada en el origen étnico constituye una forma de discriminación racial que no tiene cabida en una sociedad democrática contemporánea fundada en los principios de pluralismo y diversidad cultural[241], y que las personas de etnia gitana constituyen un minoría desfavorecida y vulnerable necesitada de protección especial[242].

La decisión de fondo de 25 de junio de 2010 sobre la Reclamación nº 58/2009 está constituida por cuatro partes: en la primera se declara la violación del art. E (no discriminación) en relación con el art. 31 (derecho a la vivienda), por la situación de exclusión social y condiciones deplorables sufridas por las personas de etnia gitana, ubicadas en guetos en la periferia de las ciudades (apartado 1); por la estigmatización de esas personas provocada por las "medidas de seguridad" (conocidas como "emergenza rom") adoptadas por las autoridades italianas, que no solo habrían permitido la perpetración de violencia generalizada por individuos y grupos organizados contra campamentos y asentamientos gitanos, sino que habrían contribuido a favorecer dicha violencia por medio de reprochables intervenciones y omisiones policiales (apartado 2); y por la falta de acreditación por parte de las autoridades italianas de la adopción de medidas, sin perjuicio del nivel territorial competente en la materia, tendentes a facilitar el acceso a viviendas sociales sin discriminación (apartado 3)[243].

---

240 Decisión de fondo de 3 de junio de 2008 sobre la Reclamación nº 41/2007, *Centro de defensa de los derechos de las personas con discapacidades mentales contra Bulgaria*.

241 STEDH *Timishev contra Rusia*, de 13 de diciembre de 2005.

242 STEDH *Orsus contra Croacia*, de 16 de marzo de 2010.

243 En cualquier caso, la mayor aportación del CEDS en esta primera parte radica, en lo que atañe al apartado 2 del art. 31, en haber "europeizado" la noción de violación agravada y responsabilidad agravada (tomada de la jurisprudencia de la Corte Interamericana de Derechos Humanos, que se cita explícitamente en la decisión de fondo), que considera producida cuando se cumplen dos criterios: uno, la adopción de medidas violatorias de derechos humanos que afectan expresamente a grupos vulnerables; el otro, la pasividad de los poderes públicos, que no solamente omiten adoptar las medidas apropiadas contra los autores de dichas violaciones, sino que concurren a provocar esa violencia. Vid. <<Bases normativas y desarrollos jurisprudenciales: Una mirada desde Europa>>, en *Ararteko*. Disponible en https://argitalpen.ararteko.eus/index.php?leng=eusk&id_l=58&id_a=2081

En la segunda parte de la decisión de fondo de 25 de junio de 2010 se constata la violación del art. E en conjunción con el art. 30 (derecho a protección contra la pobreza y la exclusión social), tanto por las condiciones de pobreza derivadas de la segregación y marginación engendradas en los campamentos gitanos, como por la exclusión social de las personas de etnia gitana de toda posible participación ciudadana y política, a lo que habrían contribuido los poderes públicos italianos al poner obstáculos al respeto de la identidad étnica y las opciones culturales de esa minoría en la cultura, los medios de comunicación y los diferentes niveles administrativos, y al no facilitar la obtención de los documentos de identidad que permiten acceder a la condición de elector. De particular interés resulta que se trae de nuevo a colación por el CEDS el principio de indivisibilidad de los derechos humanos[244].

En la tercera parte se declara la violación del art. E en relación con el art. 16 (protección de la familia), tanto en la vertiente clásica de protección social y acceso a la vivienda como en una faceta novedosa que constituye una jurisprudencia nueva del CEDS, elaborada por analogía con respecto a la jurisprudencia del TEDH sobre el art. 8 CEDH) relativa a la protección frente a las injerencias injustificadas y discriminatorias en la vida familiar de las personas de etnia gitana, por el modo en que se ha producido el censo e identificación de dichas personas en los campamentos (huellas digitales, almacenamiento de datos fotométricos e incluso en algunos casos una etiqueta identificativa para acceder al campamento), lo cual no habría comportado un respeto de las normas internacionales en la materia (principios de declaración individual voluntaria y de autoidentificación; cooperación con los órganos de supervisión nacionales e internacionales, y consulta con las ONGs que representan o trabajan con esos colectivos vulnerables; confidencialidad, "habeas data" y compilación de respuestas múltiples relativas a la pertenencia étnica por parte de personal cualificado)[245].

Finalmente, en la cuarta parte se reconoce la violación del art. E combinado con el artículo 19 de la Carta Social (derecho de los tra-

---

244 Vid. Ibídem.

245 Vid. Ibídem.

bajadores migrantes y sus familias a protección y asistencia), por la flexibilización de la legislación antidiscriminatoria sobre incitación al odio racial y la violencia, así como por la propaganda racista engañosa contraria a los inmigrantes romanís y sintis tolerada o emanada directamente de las autoridades públicas (apartado 1; se constata por el CEDS una violación agravada); por la discriminación contra esa población inmigrante gitana en situación regular en el acceso al alojamiento subvencionado y ayudas sociales [apartado 4.c)]; y por haber utilizado las "medidas de seguridad" como dispositivo normativo discriminatorio tendente a expulsar colectivamente a personas de etnia gitana (se cita en apoyo la STEDH *Conka c. Bélgica*, de 5 de febrero de 2002), incluso a muchas de ellas que reunían las condiciones para ostentar la nacionalidad italiana pese a no poder demostrarlo por las trabas administrativas en el acceso a la documentación de identidad[246].

Como explica Sayago de forma clara: "Asimismo, el CEDS aprecia que no solo las autoridades italianas habrían incumplido la decisión de fondo adoptada al respecto el 7 de diciembre de 2005 con motivo de la Reclamación no 27/2004 sino que, además, al aplicar medidas regresivas, habrían agravado la situación apreciada con anterioridad, conculcando de lleno el principio de que la realización de los derechos sociales fundamentales reconocidos por la Carta Social está guiada por la progresividad. Asimismo el CEDS señala además que, aunque el grupo vulnerable que es objeto de la reclamación comprenda no sólo personas de nacionalidad italiana y otros nacionales con residencia legal en territorio italiano, sino que a estos hay que añadir personas en situación irregular que no responderían a la definición del ámbito personal de aplicación previsto en el Anexo a la Carta, la ausencia de posibilidades de identificación de este segundo colectivo no pueden constituir una privación de los derechos a la vida y a la dignidad, para lo que el CEDS cita dos decisiones de fondo previas, adoptadas el 8 de septiembre de 2004 con motivo de la Reclamación nº 14/2003, Federación Internacional de Ligas de Derechos Humanos contra Francia, y el 20 de octubre de 2009 con ocasión de la Reclamación no 47/2008, Defence for Children International contra Países Bajos.

---

246 Vid. Ibídem.

El CEDS cita su propia jurisprudencia y la del TEDH para recordar que el artículo E prohíbe no sólo la discriminación directa sino asimismo todas las formas de discriminación indirecta (decisiones de fondo adoptadas el 4 de noviembre de 2003 sobre la Reclamación no 13/2002, Autismo— Europa contra Francia, y el 18 de octubre de 2006 sobre la Reclamación no 31/2005, Centro de Derechos para los Gitanos Europeos contra Bulgaria), que la carga de la prueba en asuntos de discriminación sobre personas vulnerables debe prever una inversión o desplazamiento apropiados (decisión de fondo de 3 de junio de 2008 sobre la Reclamación no 41/2007, Centro de defensa de los derechos de las personas con discapacidades mentales contra Bulgaria). Asimismo, puntualiza que la discriminación basada en el origen étnico constituye una forma de discriminación racial que no tiene cabida en una sociedad democrática contemporánea fundada en los principios de pluralismo y diversidad cultural (STEDH *Timishev contra Rusia*, de 13 de diciembre de 2005), y que las personas de etnia gitana constituyen un minoría desfavorecida y vulnerable necesitada de protección especial (STEDH *Orsus contra Croacia*, de 16 de marzo de 2010)"[247].

3) En tercer lugar, en la decisión de fondo de 28 de junio de 2011 sobre la Reclamación nº 63/2010 (*Centre on Housing Rights and Evictions contra Francia*), el CEDS adopta por unanimidad una solución condenatoria por el desalojo y desmantelamiento de campamentos gitanos, así como por las expulsiones de Francia de las personas de etnia gitana (básicamente de nacionalidad búlgara y rumana) durante el verano de 2010, rechazando así las alegaciones del Gobierno francés según las cuales las expulsiones de personas gitanas procedentes de Bulgaria y Rumanía no habrían sido colectivas. El CEDS estimó que se había producido una violación del art. E (no discriminación) combinada con el art. 31.2 (que obliga a prevenir y paliar la situación de carencia de hogar con vistas a eliminar progresivamente dicha situación) y con el art. 19.8 CSE revisada de 1996 (que recoge las garantías relativas a la expulsión de los trabajadores migrantes y sus

---

247 SAYAGO ARMAS, DIANA: <<La protección de las minorías: un desafío clave de constitucionalismo multinivel>>, UNED. *Revista de Derecho Político*, nº 106, op. cit., p. 224-225.

familias), apreciándose además que había mediado una responsabilidad y violación agravadas (apartado 53)[248].

No podemos olvidar que una de las funciones más importante del CEDS es comprobar en los sucesivos informes estatales que sigan al procedimiento de reclamaciones colectivas o al sistema de informes, que el Estado demandado ha cumplido las observaciones efectuadas por el CEDS en sus conclusiones y/o ha reparado la situación que violaba la CSE. Es por ello por lo que nos parece acertada la siguiente afirmación de Sayago: "Asimismo, el CEDS se está afianzando como la instancia europea de protección de derechos sociales, realizando su actividad de forma autónoma pero sin dejar de mantener una conexión con los desarrollos recientes en materia de derechos sociales realizados por otros órganos internacionales. De esta forma, se nutre de las instancias internacionales mencionadas en su jurisprudencia, y a la vez puede resultar útil a otros mecanismos de nueva instauración, como el nuevo procedimiento de comunicaciones individuales establecido mediante el Protocolo facultativo al Pacto internacional de derechos económicos, sociales y culturales, adoptado el 18 de junio de 2008 por el Consejo de Derechos Humanos de Naciones Unidas. Todo ello sin olvidar las sinergias entre el TEDH y el CEDS, en el seno del Consejo de Europa"[249].

En relación con la Unión Europea, y sin dejar de lado la posibilidad de una adhesión a la Carta Social Europea, debe advertirse que la jurisprudencia del CEDS, por más que no se mencione explícitamente en la Carta de los Derechos Fundamentales de la Unión, no puede ser

---

248 JIMENA QUESADA, LUIS: <<El Comité Europeo De Derechos Sociales: sinergias e impacto en el Sistema Internacional De Derechos Humanos y en los Ordenamientos Nacionales>>, en *Revista Europea de Derechos Fundamentales*, nº 25, op. cit., pp. 118-119; JIMENA QUESADA, LUIS: <<Protection of Refugees and other Vulnerable Persons under the European Social Charter>>, *Revista de Derecho Político*, nº 92, enero-abril 2015, pp. 245-272. SAYAGO ARMAS, DIANA: <<La protección de las minorías: un desafío clave de constitucionalismo multinivel>>, UNED. *Revista de Derecho Político*, nº 106, op. cit., p. 225.

249 SAYAGO ARMAS, DIANA: <<La protección de las minorías: un desafío clave de constitucionalismo multinivel>>, UNED. *Revista de Derecho Político*, nº 106, ibídem, p. 226.

ignorada. Tengamos en cuenta que la jurisprudencia del CEDS[250] es más rica cuando se trata de interpretar los derechos sociales recogidos en la Carta de Derechos Fundamentales de la Unión Europea cuya redacción se basó de forma explícita en la Carta Social Europea[251].

Por último, me gustaría destacar que, en España, afortunadamente, por fin, hemos ratificado el protocolo de 1995 de procedimiento de reclamaciones colectivas, que permite a sindicatos, entidades sociales u organizaciones patronales demandar al Gobierno ante el Comité cuando sus leyes o políticas públicas sean contrarias a la CSE, al haber sido ratificada la Carta Social Europea (revisada) en 2021[252]. Queda más que patente que la jurisprudencia del CEDS sobre las disposiciones de la Carta Social de 1961 elaborada en el marco de dicho

---

250 JIMENA QUESADA, LUIS: <<Las grandes líneas jurisprudenciales del Comité Europeo de derechos sociales: Tributo a Jean-Michel Belorgey>>, *Lex Social. Revista Jurídica de los Derechos Sociales*, volumen 7, nº 1, 2017.

251 JIMENA QUESADA, LUIS: <<La protección de los grupos vulnerables por el Consejo de Europa>>, en el libro *Colectivos vulnerables y derechos humanos. Perspectiva internacional,* Ed. S. Sanz Caballero, Valencia, Tirant lo Blanch, 2010, pp. 15-42. Vid. HERMIDA DEL LLANO, CRISTINA: *Los derechos fundamentales en la Unión Europea*, op. cit.

252 Me gustaría recordar que la Carta Social Europea (revisada) de 1996 actualiza el contenido de la Carta de 1961, teniendo en cuenta los cambios sociales fundamentales acaecidos desde su adopción. Consolida en un solo instrumento los derechos recogidos en la Carta de 1961 y en el Protocolo adicional (nº1) de 1988, la reforma del mecanismo de control prevista por el Protocolo modificador (nº2) de 1991 y añade la posibilidad de suscribir el Protocolo adicional (nº3) de 1995 de reclamaciones colectivas. Asimismo, amplía el catálogo de derechos e introduce nuevas enmiendas, prestando especial consideración a las personas vulnerables.
La Carta Social Europea (revisada) se abrió a la firma el 3 de mayo 1996 y entró en vigor el 1 de julio de 1999. España la firmó el 23 de octubre de 2000, pero la necesidad de adaptar algunos aspectos de la legislación española llevó a posponer su ratificación hasta 2021. De hecho, la Carta Social Europea (revisada) no ha entrado en vigor en España hasta el 1 de julio de 2021, tras su ratificación por España y su publicación en el Boletín Oficial de Estado el 11 de junio de 2021. Vid. https://www.boe.es/eli/es/ai/1996/05/03/(2)
Según se precisa literalmente: <<En relación a la parte IV, Artículo D, párrafo 2, de la Carta Social Europea (revisada), España declara que acepta la supervisión de sus obligaciones contraídas en la Carta según lo que establece el procedimiento recogido en el Protocolo Adicional a la Carta Social Europea que desarrolla un sistema de reclamaciones colectivas, hecho en Estrasburgo, el 9 de noviembre de 1995>>.

mecanismo resulta más que nunca trasladable a España, y por ello debe ser tenida en cuenta por todos los poderes públicos y operadores jurídicos, a tenor de los mandatos contenidos en los arts. 10.2 y 96 de la Constitución española[253].

4.3. *La Carta Europea de las Lenguas Regionales o Minoritarias (1992)*

La Carta Europea de Lenguas Regionales o Minoritarias fue adoptada por los delegados de los ministros el 25 de junio de 1992 y firmada por once Estados el 5 de noviembre del mismo año, entrando en vigor en 1998. La Carta considera a las lenguas regionales o minoritarias como parte importante de la riqueza cultural y del propio desarrollo de Europa y advierte del riesgo de que puedan llegar a desaparecer. Su finalidad, tal y como se detalla en el Preámbulo, es proteger <<las lenguas regionales o minoritarias históricas de Europa, de las que algunas corren el riesgo de desaparecer con el tiempo>>, puesto que contribuyen <<al mantenimiento y al desarrollo de las tradiciones y la riqueza culturales de Europa>>.

El objetivo de la Carta no persigue el reconocimiento de minorías lingüísticas ni garantizar derechos individuales o colectivos, sino que trata simplemente de proteger y preservar la riqueza cultural europea[254]. Sin embargo, de manera indirecta, es una forma de proteger a las minorías lingüísticas y de crear una conciencia de respeto en la sociedad hacia las mismas. De hecho, como se podrá apreciar a continuación, la Carta está fuertemente influida por los principios de no discriminación y de igualdad de oportunidades. Es por ello por lo que el texto busca el reconocimiento, por parte de los Estados, así como el respeto al área geográfica en la que se encuentre, la salvaguarda, el fomento tanto en la vida pública como en la privada, garantizar las condiciones para su enseñanza y la promoción en estudios e investiga-

---

[253] Vid. <<Bases normativas y desarrollos jurisprudenciales: Una mirada desde Europa>>, en *Ararteko*. Disponible en: https://argitalpen.ararteko.eus/index.php?leng=eusk&id_l=58&id_a=2081

[254] CLOTET I MIRÓ, MARÍA ANGELS: <<La Carta Europea de las Lenguas Regionales o Minoritarias>>, *Revista de Instituciones Europeas*, Vol. 21, nº 2, 1994, p. 536.

ciones de las lenguas en cuestión; pero recordando que nunca se llevará a cabo en detrimento de las lenguas oficiales que tienen prioridad.

La Carta contempla el derecho a utilizar una lengua regional o minoritaria en la vida privada y pública, constituyendo <<un derecho imprescriptible, de conformidad con los principios contenidos en el Pacto Internacional de Derechos Civiles y Políticos de las Naciones Unidas, y de acuerdo con el espíritu del Convenio del Consejo de Europa para la Protección de los Derechos Humanos y de las Libertades Fundamentales>>. De esta forma, el ejercicio de los derechos que reconoce los vincula a la protección de los derechos humanos expresamente[255].

La Carta define a estas lenguas en su artículo 1 como aquellas <<habladas tradicionalmente en un territorio de un Estado por nacionales de ese Estado que constituyen un grupo numéricamente inferior al resto de la población del Estado y diferentes de la lengua oficial del Estado>>. Por consiguiente, la protección y el fomento de las lenguas regionales o minoritarias no deben hacerse en detrimento de las lenguas oficiales y de la necesidad de aprenderlas.

Cabe mencionar que el texto no limita ni deroga en forma alguna al Convenio Europeo de Derechos Humanos (artículo 4.1), ni a los regímenes jurídicos más favorables que ya se estén aplicando o previstos de aplicación (artículo 4.2), ni tampoco da lugar a la contradicción de los principios de integridad territorial y soberanía nacional (artículo 5).

El artículo 2 señala que los miembros firmantes quedan obligados a aplicar los objetivos y principios de la Carta en todas las lenguas regionales o minoritarias que sean habladas en el ámbito de su territorio. Por otro lado, los Estados deberán especificar las diferentes lenguas a las que habrán de aplicar un mínimo de 35 apartados de entre los 97 redactados en la parte III (artículo 3), sobre las medidas para fomentar el empleo de las lenguas en la vida pública. No necesariamente se aplicarán las mismas disposiciones en todas las lenguas, sino que, dependiendo de la situación de cada una de ellas, se selec-

---

255 SAYAGO ARMAS, DIANA: <<La protección de las minorías: un desafío clave de constitucionalismo multinivel>>, UNED. *Revista de Derecho Político*, nº 106, op. cit., p. 227.

cionarán los preceptos que el Estado considere que mejor se amolden a las circunstancias de las lenguas[256].

Las diversas medidas que se propone quedan clasificadas dentro de los siguientes ámbitos: enseñanza (artículo 8), justicia (artículo 9), autoridades administrativas y servicios públicos (artículo 10), medios de comunicación (artículo 11), actividades y servicios culturales (artículo 12), vida económica y social (artículo 13) e intercambios transfronterizos (artículo 14).

En el ámbito de la enseñanza, las disposiciones van orientadas a impartir clases en los idiomas de las lenguas minoritarias o a que sean parte integrante del plan de estudios, tanto en la educación preescolar, como en la primaria, secundaria, técnica y profesional, universitaria o superior y para adultos; siempre que el número de alumnos sea el adecuado. Asimismo, exige a los Estados que garanticen la enseñanza de la cultura e historia de las lenguas para fomentar la empatía y la convivencia; y la creación órganos de control sobre el cumplimiento y progreso de los preceptos.

Dentro del ámbito judicial, se proponen medidas a implantar en los procedimientos civiles, penales y administrativos. Entre otras, cabe destacar las siguientes: que los procedimientos se lleven a cabo en la lengua minoritaria si se solicita y que los interesados puedan expresarse mediante la misma; que las demandas, pruebas y demás documentos puedan redactarse en dicha lengua. Todo esto se garantizará siempre que no obstaculice el proceso.

Los que se adhieran a la Carta deben comprometerse a que en sus administraciones tomarán medidas como, por ejemplo, hacer uso de las lenguas minoritarias o admitir la recepción de documentos en dicho dialecto.

Por otra parte, se pretende garantizar la pluralidad en los medios de comunicación facilitando a las lenguas minoritarias la creación de canales y la emisión de programaciones en espacios televisivos o en emisoras de radio así como la publicación de artículos en la prensa. Además, en caso de que la ley lo posibilite, el Estado deberá suplir los gastos adicionales en los mencionados medios. Por último, se apuesta

---

256 Ibídem, p. 547.

por el fomento de periodistas con las lenguas minoritarias como idioma materno.

Los miembros del Consejo de Europa entienden que uno de los caminos para dar a conocer y preservar las lenguas regionales y minoritarias es promover la cultura que las envuelve, y es por ello por lo que consideran relevante apostar por el acceso a las lenguas y a su cultura a través de obras escritas en su dialecto (para lo que se podrán crear organismos encargados de presentarlas y publicarlas o para realizar trabajos de traducción) y actividades culturales en relación con la misma.

En lo referente a la vida económica y social de las lenguas regionales o minoritarias, la Carta pone el foco en evitar su exclusión en la legislación y en las sociedades. El objetivo es que los individuos no se vean privados del derecho de utilizar su lengua materna en su ámbito de trabajo, y que los clientes o consumidores puedan comunicarse con los empleados en su idioma si lo desean.

En materia de intercambios fronterizos, la Carta no permite a las Partes dejar de respetar y aplicar aquellos tratados que hubieren firmado con otros Estados con lenguas minoritarias en común con el fin de permitir el contacto entre los hablantes de ambos Estados. Del mismo modo, insta a mantener relaciones de cooperación con otros países.

Para realizar un seguimiento de la aplicación de la Carta, se dispone tanto de mecanismos internos de los propios Estados, como de mecanismos externos. Cabe la posibilidad de que las Partes creen órganos asesores en defensa de los intereses de las lenguas regionales o minoritarias (artículo 7.4) y órganos de control en el ámbito de la enseñanza (artículo 8.1.i); de tal manera que su función sea exclusivamente consultiva.

Por su parte, el Consejo de Europa contempla otra serie de mecanismos de control. De esta forma, dispone de un Comité de Expertos (artículo 17) encargado de examinar los informes que los Estados firmantes tienen la obligación de presentar de manera periódica al secretario general del Consejo de Europa acerca de las medidas llevadas a cabo de la Parte III; informes que serán publicados (artículo 15). Este Comité atenderá también a las observaciones de los organismos mencionados en el párrafo anterior en lo referente a las medidas de la

Parte III adoptadas por el Estado del que provienen (artículo 16.2). El Comité redactará informes teniendo en consideración dichas observaciones con el fin de realizar proposiciones y/o recomendaciones a uno o varios Estados parte (artículo 16.4). Sin embargo, a pesar de todo, este procedimiento no dispone de ningún tipo de garantía jurisdiccional[257]. Finalmente, el secretario general emitirá informes bianuales a la Asamblea Parlamentaria (artículo 16.5).

La Carta ha sido criticada por no estar dirigida a los derechos individuales de los miembros de las minorías que hacen uso de lenguas regionales o minoritarias, ya que únicamente se centra en preservar las lenguas, su cultura y su conocimiento y promover su respeto. A pesar de ello, el Congreso de los Poderes Locales y Regionales indicó que la Carta podría tener trascendencia más allá del ámbito cultural, haciendo valer el artículo 14 del CEDH de tal manera que la Carta en el fondo también sirve como protección para los individuos relacionados con las lenguas regionales o minoritarias frente a la discriminación. Como ha precisado Sayago: "En definitiva, la Carta pone en valor la importancia de las lenguas, reconociendo expresamente que las lenguas regionales o minoritarias contribuyen a mantener y desarrollar la riqueza cultural de Europa como factor crucial en la construcción de las identidades colectivas. Actualmente, es posible afirmar que el balance que ofrece la Carta en cuanto a consecución de objetivos es meritorio, aunque precisa de una tarea de reinterpretación de su articulado con la finalidad de actualizar los contenidos, así como el perfeccionamiento del sistema de control de su cumplimiento por parte de los Estados. No obstante, constituye el principal instrumento jurídico de protección de las lenguas europeas no oficiales"[258].

---

257 Ibídem, p. 558.

258 SAYAGO ARMAS, DIANA: <<La protección de las minorías: un desafío clave de constitucionalismo multinivel>>, UNED. *Revista de Derecho Político,* N° 106, op. cit., p.228. Asimismo, vid. RUIZ VIEYTEZ, EDUARDO J.: <<La Carta Europea de las Lenguas Regionales o Minoritarias en su veinte aniversario: balance y retos de futuro>>, *Revista de Llengua i Dret, Journal of Language and Law,* N° 69, 2018, pp. 18-27.

4.4. El Convenio Marco para la protección de las minorías nacionales (1995)

Las medidas recogidas en la Declaración de Viena (1993) pueden resumirse en las siguientes: 1) reforma del sistema institucional de protección de los Derechos Humanos, unificando la Comisión y el Tribunal en una única Corte de Justicia (Anexo I); 2) adopción de una Declaración sobre las Minorías Nacionales (Anexo II), en la que se encargan al Comité de Ministros diversas medidas, entre las que destacan la conclusión de Tratados internacionales para la protección de las minorías, incluida la elaboración de un Convenio-Marco y un Protocolo a la Convención sobre los derechos humanos de naturaleza cultural; 3) Lanzamiento de un Programa de medidas contra el Racismo, la xenofobia, el antisemitismo y la intolerancia (Anexo III), que incluye, además de campañas de concienciación, la constitución de un Comité de Expertos gubernamentales que ha pasado a denominarse Comisión Europea contra el Racismo y la Intolerancia (ECRI)[259].

Pues bien, de acuerdo con las decisiones recogidas en la Declaración de Viena, el Consejo de Europa elaboró el Convenio-Marco para la protección de las minorías nacionales, firmado en Estrasburgo el 1 de febrero de 1995, constituyendo el primero de los mecanismos multilaterales, con carácter jurídico vinculante, dirigido a la protección de las minorías en general. El objetivo del que parte el Convenio es el de delimitar los principios que deben ser respetados. A sabiendas de que los destinatarios son grupos heterogéneos, con circunstancias muy distintas entre sí, el Convenio crea un marco general aplicable en aras de que los preceptos puedan adaptarse a todos los grupos minoritarios.

El artículo 1 encuadra jurídicamente la protección de los derechos y libertades de los miembros de las minorías como parte integrante de la protección internacional de los derechos humanos y, en suma, del ámbito de la cooperación internacional. Las partes siempre deberán tener en cuenta los principios de cooperación entre Estados, buena vecindad y relaciones amistosas (artículo 2). Sin embargo, como precisa Sayago: "el Convenio tampoco nos proporciona una definición

---

[259] La dirección de Internet de la Comisión Europea contra el Racismo y la Intolerancia es: http://www.ecri.coe.fr/

del concepto de "minorías nacionales", soslayando la complejidad de encontrar un significado que satisfaga a todos los Estados parte"[260].

Los Estados parte se comprometen a ejecutar una serie de normas programáticas que desarrollarán internamente. La única norma que no posee este carácter es la del artículo 3, disposición que posibilita a las personas el derecho a elegir libremente su deseo de ser o no consideradas como individuos pertenecientes a una minoría, garantizando que el ejercicio de esa opción y de los derechos relacionados con la misma no dará lugar a ninguna desventaja. Es cada sujeto a título individual, libre y consciente de su identidad personal y cultural, por lo que es él quien elige si se identifica a sí mismo como miembro de una minoría nacional y, por lo tanto, se convierte en sujeto destinatario del Convenio. Este es un aspecto sumamente importante digno de reflexión.

Cabría afirmar que estamos ante un texto normativo de carácter progresista ya que al tiempo que consagra el principio de igualdad y no discriminación de los miembros de las minorías, reconoce la posibilidad de que los Estados opten por medidas de acción positiva dirigidas a conseguir la igualdad real, plena y efectiva. El artículo 4.1 declara: <<Las Partes se comprometen a garantizar a las personas pertenecientes a minorías nacionales el derecho a la igualdad ante la ley y a una protección igual por parte de la ley. A este respecto, se prohibirá toda discriminación fundada sobre la pertenencia a una minoría nacional. 2. Las partes se comprometen a adoptar, cuando sea necesario, medidas adecuadas con el fin de promover, en todos los campos de la vida económica, social, política y cultural, una plena y efectiva igualdad entre las personas pertenecientes a una minoría nacional y las pertenecientes a la mayoría. A este respecto, tendrán debidamente en cuenta las condiciones específicas de las personas pertenecientes a las minorías nacionales. 3. Las medidas adoptadas de conformidad con el apartado 2 no se considerarán un acto de discriminación>>.

Conforme al artículo 5, se dispone que <<Las Partes se comprometen a promover las condiciones necesarias para permitir a las per-

---

260 SAYAGO ARMAS, DIANA: <<La protección de las minorías: un desafío clave de constitucionalismo multinivel>>, UNED. *Revista de Derecho Político*, nº 106, op. cit., p. 230.

sonas pertenecientes a minorías nacionales mantener y desarrollar su cultura, así como preservar los elementos esenciales de su identidad, a saber, su religión, lengua, tradiciones y patrimonio cultural>>.

En el Título II se encuentran las normas encaminadas a la protección de los derechos y libertades fundamentales de las personas pertenecientes a minorías nacionales, reconociéndose principios como los de igualdad ante la ley, libre desarrollo de su propia cultura, tolerancia, libertad de expresión, de opinión, de religión, de reunión y de recibir y emitir información en su lengua, el derecho a utilizar su propia lengua tanto públicamente como en el ámbito privado y el derecho de crear centros de enseñanza y dirigirlos.

Otras disposiciones se ocupan de guiar la acción de los Estados para la consecución de los objetivos. De este modo, por ejemplo, el artículo 15 obliga a las Partes a practicar las condiciones para facilitar que las personas pertenecientes a minorías nacionales participen en la vida económica, cultural y social y en las cuestiones públicas que les sean de interés. Otro ejemplo es también que los Estados parte tienen la obligación de no obstaculizar el desarrollo de los principios del Convenio (arts. 16 y 17). Por otro lado, el artículo 20 impone a las personas pertenecientes a una minoría nacional el deber de respetar el ordenamiento jurídico nacional y los derechos de los demás. Es el único precepto de todo el texto que establece una norma con carácter imperativo hacia individuos en concreto.

El Convenio deja claro que en su aplicación no se limitarán los derechos humanos y libertades fundamentales que ya se encuentren garantizados en el derecho internacional o en el Derecho interno. En el conjunto de los 32 artículos del Convenio, se enuncian, de forma detallada, los derechos a la educación, al empleo de la lengua, a la libertad de pensamiento y expresión, etc. de las minorías. Destacan, entre otros aspectos del Convenio, la expresa prohibición de las políticas de asimilación desarrolladas por los Gobiernos contra las minorías (artículo 5.2) o las medidas destinadas a modificar la proporción demográfica de aquellas áreas geográficas donde se concentran las minorías (artículo 16).

El mecanismo de control está basado en la presentación de informes de los Estados parte al secretario general del Consejo de Europa. Un primer informe se realiza dentro del plazo de un año desde la entrada en vigor del Convenio, el cual ha de recabar la información sobre las medidas legislativas llevadas a cabo por los Estados (artículo 25.1). Con posterioridad a este informe, los miembros deben facilitar nueva información con regularidad relacionada con la aplicación del Convenio. El Comité de Ministros goza de una especial relevancia en este procedimiento no solo porque es el encargado de realizar la evaluación de los informes y demás información (artículo 26), sino porque además tiene potestad para exigir a los Estados información determinada cuando así lo requiera (artículo 25.2).

Por consiguiente, la responsabilidad de llevar a cabo la supervisión en el cumplimiento de este Convenio por los países signatarios corresponde al Comité de Ministros, a pesar de que la Convención queda abierta a la firma y ratificación por los Estados que no son miembros del Consejo de Europa (artículo 24). En las tareas de supervisión, el Comité de Ministros contará con la ayuda de un Comité Consultivo dependiente de él y cuyos miembros deberán gozar de una reconocida competencia en el tema de minorías (artículo 26).

Coincidiría con aquellos autores que consideran un claro defecto del sistema el hecho de que el Comité de Ministros carezca de competencia alguna para imponer sanciones o medidas oportunas para los casos en los que la evaluación de la aplicación del Convenio, por parte de los Estados firmantes, resulte insuficiente o contraria a los principios proclamados[261].

Del análisis realizado hasta aquí de los diferentes textos normativos más importantes en el ámbito del Consejo de Europa[262], se deduce y alberga la impresión de que los Estados son algo reacios a la hora de asumir en los acuerdos internacionales verdaderos mecanismos de control con carácter sancionador en caso de incumplimiento. Probablemente, ello se deba a la falta de un verdadero compromiso por parte de los Estados a la hora de cumplir los preceptos de una forma

261 BAUTISTA JIMENEZ, J. M.: <<El Convenio marco para la protección de las minorías nacionales: construyendo un sistema europeo de protección de las minorías>>, *Revista de Instituciones Europeas*, vol. 22, nº 3, 1995, p. 956.

262 Aunque es cierto que también existen otros tratados de protección de derechos que afectan a las minorías como, por ejemplo, el Convenio Europeo contra la Tortura de 1987.

efectiva y real, a los cuales se han comprometido previamente, lo que les conduce a dejar la regulación como *soft Law*.

Asimismo, me gustaría subrayar que a pesar de que las iniciativas adoptadas por el Consejo de Europa constituyen una primera aproximación jurídico-política para proteger a las minorías nacionales en el ámbito europeo, sin embargo, dichas iniciativas presentan una importante limitación. Tengamos en cuenta que sólo afectan a los Estados miembros del Consejo Europa, esto es, a los Estados que gozan de regímenes democráticos y efectivos sistemas nacionales de protección de los derechos humanos. Durante muchos años sólo participaron como miembros de esta organización internacional los países de Europa Occidental y aunque en la actualidad se han incorporado algunos países de Europa Central, siguen quedando fuera países en los que las minorías nacionales son víctimas de discriminación. Pensemos en Bielorrusia. No se puede pasar por alto que, tras la decisión del Comité de Ministros del 16 de marzo de 2022, la Federación de Rusia ya no es un Estado miembro del Consejo de Europa.

Una segunda limitación, de no menos calado que la anterior, radica en la naturaleza eminentemente jurídica de las medidas adoptadas por el Consejo de Europa. Tengamos en cuenta que la solución al problema de las minorías nacionales requiere de medidas de naturaleza política, económica y cultural, además de la adopción de mecanismos puramente normativos porque también en estos ámbitos se manifiesta la discriminación. En este terreno, el Consejo de Europa carece de competencias efectivas, más allá de las meras recomendaciones a sus miembros.

Me gustaría concluir que la protección de los derechos de las minorías se sitúa en el ámbito de protección de los derechos humanos y que, desde luego, en el ámbito de la protección jurídica a las minorías, no se ha reconocido hasta la fecha un derecho de autodeterminación de los pueblos, entendido como el establecimiento o creación de un nuevo Estado soberano e independiente al territorio del Estado parte del Consejo de Europa, donde habiten las minorías[263]. Ahora bien,

---

263 El Preámbulo del Convenio Marco para la Protección de las Minorías Nacionales especifica las limitaciones fundamentales que la protección efectiva de las minorías nacionales y de los derechos y libertades de las personas pertenecientes

como han resaltado Sayago y Díaz Barrado, "la doctrina admite la posibilidad de que las minorías dispongan del derecho a ejercer la autodeterminación en su manifestación de crear un Estado independiente, o integrarse en otro Estado soberano, en el caso de que el Estado donde el grupo habita no respete los derechos humanos básicos de sus miembros o atente contra principios fundamentales del derecho internacional"[264].

Esto último lo puso precisamente de manifiesto el Tribunal Constitucional español en su Sentencia 114/2017, de 17 de octubre de 2017, referida al caso de Cataluña, al dejarse patente la inexistencia de un supuesto derecho de secesión del pueblo catalán sobre la base del derecho de autodeterminación de los pueblos. El TC español no dudó en reconocer, con sumo acierto, que ni del Derecho Constitucional ni del Derecho Internacional podía derivarse la existencia de este derecho, al no contemplarse un derecho a la autodeterminación en el seno de un Estado con un sistema constitucional íntegramente democrático como el español. En definitiva, en el ámbito del Derecho Internacional no se podía encontrar base alguna desde la que poder sostener la posibilidad de un derecho de secesión.

Es más, como afirmó, con rotundidad, el propio Tribunal Constitucional español, del propio principio básico del Estado de derecho (*Rule of Law*) se sostiene que cualquier intento de creación de un Estado en violación del propio Derecho interno estatal constituye en

---

a las mismas deben respetar: la preeminencia del Derecho, la integridad territorial y la soberanía. De la misma forma el artículo 21 establece que ninguna de sus disposiciones podrá interpretarse en el sentido de que implique el derecho a realizar cualquier acto contrario a los principios fundamentales del derecho internacional y, en particular, de la igualdad soberana territorial e independencia política de los Estados. Ahora bien, se concede la potestad de disfrutar de un cierto grado de autonomía dentro del Estado. Esta es la interpretación que, entre otros ha defendido Sayago, tras la lectura de los artículos 8, 9, 10 ó 17 del Convenio Marco. SAYAGO ARMAS, DIANA: <<La protección de las minorías: un desafío clave de constitucionalismo multinivel>>, UNED. *Revista de Derecho Político,* nº 106, op. cit., p. 231.

264 SAYAGO ARMAS, DIANA: <<La protección de las minorías: un desafío clave de constitucionalismo multinivel>>, UNED. *Revista de Derecho Político,* nº 106, ibídem, p. 231. DÍAZ BARRADO, CÁSTOR MIGUEL: *La Protección de las minorías Nacionales por el Consejo de Europa,* Editorial Edisofer, Madrid, 1999, p. 58.

sí mismo una conculcación del Derecho Internacional puesto que este vela por que los ordenamientos jurídicos nacionales se respeten por sus ciudadanos. Como recuerda la Sentencia, de hecho, desde la perspectiva del Derecho Internacional, el derecho de autodeterminación (artículo 1.2 de la Carta de las Naciones Unidas) solo está permitido cuando concurran unos requisitos muy precisos y, en consecuencia, no se pueden aplicar al caso de Cataluña ni las citas que aparecen en el preámbulo de la Ley impugnada del artículo 1 de los Pactos de Naciones Unidas de derechos civiles y políticos y de derechos económicos, sociales y culturales (1966), que recogen expresamente, el derecho de libre determinación de "todos los pueblos", ni de la Declaración sobre los Principios del derecho Internacional (Resolución 2625, de 24 de octubre de 1970), cuando esta enuncia el principio de libre determinación de los pueblos.

De esta manera se deja claro que es el proceso descolonizador el ámbito en el que ha de interpretarse el referido derecho de autodeterminación, lo que no cabe en el caso de Cataluña por formar parte de un Estado democrático, que tiene un gran nivel de descentralización y respeta el Estado de derecho. Ello quiere decir que el proclamado derecho de separación solo tendría encaje <<en supuestos de dominación colonial, pueblos anexionados por conquista, dominación extranjera u ocupación y pueblos oprimidos por violación masiva y flagrante de sus derechos>>.

Como con acierto ha destacado Savater en su artículo en prensa "La agresión independentista" (2017)[265], no cabe justificar la independencia alegando que la población catalana fuera o sea víctima de una represión brutal, criminal y exterminadora, que no respeta los derechos humanos, como la que tuvo lugar por el ejército serbio de Milosevic en Kosovo o el ejército chino en el Tíbet. Por el contrario, en Cataluña se respetan los derechos humanos y los derechos fundamentales y por eso esta vía de justificación se convierte en una alternativa ilusoria, inviable y absurda para los separatistas. Con palabras del propio Savater: "Los separatistas catalanes ni son kosovares ni tampoco tibetanos europeos por mucho que algunos se empeñen. No

---

265 SAVATER, FERNANDO: <<La agresión independentista>>, *El País*, 14 de noviembre de 2017.

les falta razón a los que afirman que estamos instalados en la era de la postverdad".

Queda así más que patente, siguiendo al filósofo español, que en lo que al proyecto separatista catalán se refiere, la legislación internacional en ningún caso respalda a los secesionistas, y así lo demuestra la declaración de la ONU sobre autodeterminación unilateral (1970), la cual sólo resulta comprensible en situaciones coloniales, como ya se ha dicho, pero nunca en casos en que el "pueblo" que quiere emanciparse forma parte de un espacio político "donde no se discrimina a nadie por su raza, credo o color".

5. LAS MINORÍAS EN LA ORGANIZACIÓN PARA LA SEGURIDAD Y COOPERACIÓN EN EUROPA

La OSCE, Organización para la Seguridad y Cooperación en Europa desde 1994[266], anteriormente Conferencia -CSCE-, es una organización internacional que facilita el encuentro en un mismo foro de los Estados occidentales y orientales de Europa, y que encarna una visión de lo que se ha dado en llamar <<seguridad cooperativa>>, para la prevención próxima y remota de los conflictos[267].

En los primeros años de la década de los setenta hay que situar la creación de la CSCE para constituirse en un foro multilateral de diálogo y negociación entre el Este y el Oeste. De hecho, la CSCE realizó un importante papel en favor de la distensión en las fases finales de la política de bloques y su momento principal hay que situarlo en la firma del Acta Final de la Conferencia de Helsinki de 1 de agosto de 1975[268], donde se reconocieron las fronteras europeas y se asumió

---

266 En 1994, la Cumbre de Budapest reconoció que la CSCE ya no era una simple Conferencia y cambió su nombre por el de OSCE. Esto, que reflejaba el desarrollo institucional de la organización desde el final de la guerra fría, dio nuevo impulso político a la OSCE.

267 A diferencia de la OTAN, que traduce las necesidades de una "seguridad defensiva" o "militar", destinada a dotar de medios materiales suficientes la disuasión o intervención armada frente al eventual agresor. Sobre la OSCE, vid. HERMIDA DEL LLANO, CRISTINA: *Los derechos fundamentales en la Unión Europea*, op. cit., de donde se extraen muchas de las ideas aquí recogidas.

268 Fueron treinta y cuatro los países firmantes del Acta Final de Helsinki.

un compromiso en defensa de los derechos humanos de todo el continente[269].

Efectivamente, esta organización nació a raíz de la iniciativa de la diplomacia soviética para reconocer las fronteras tal y como habían quedado fijadas tras la Segunda Guerra Mundial en los acuerdos de Yalta y, como ya se ha apuntado, favorecer la distensión entre los bloques capitalista y socialista. Con el fin de lograr un compromiso, las potencias occidentales pusieron como condición a los soviéticos la aceptación de la inclusión del respeto de los derechos humanos y de las libertades fundamentales en las negociaciones. De este modo se llegó a un consenso para cooperar en tres ámbitos, conocidos como "cestos de cooperación": seguridad y defensa, economía y cuestiones humanitarias. Precediendo a estas tres dimensiones, el Acta Final de Helsinki se encuentra encabezada por una serie de principios fundamentales que han de regir la conducta de los Estados entre ellos y para con sus ciudadanos (el denominado "Decálogo", por tratarse de diez principios), el séptimo de los cuales reconoce el <<respeto de los derechos humanos y de las libertades fundamentales>>.

De este modo en el Acta final de Helsinki (1975), el tratamiento de las minorías se abordó en relación con otros temas como los de seguridad y derechos humanos. Esta Declaración introdujo un criterio de compatibilidad entre dos principios que hasta ese momento se habían revelado histórica y políticamente antagónicos: el principio de inviolabilidad de las fronteras y el reconocimiento y protección de las minorías nacionales. Aunque parezca mentira, como destaca Calduch[270], ambos principios aparecen recogidos en la parte del Ac-

269 Según explica RUPÉREZ, JAVIER en un artículo titulado <<Seguridad y equilibrio en Europa>>, publicado en la Revista *Cuenta y Razón del pensamiento actual*, n° 102, Fundes, Madrid, primavera de 1997, p.19, el Acta Final de Helsinki habría de sembrar los gérmenes democratizadores que, sin ningún tipo de hipérbole, acabarían derribando el muro de Berlín y devolviendo a todos los europeos el protagonismo que únicamente se puede encontrar en la libertad.

270 CALDUCH CERVERA, RAFAEL: <<Nacionalismos y minorías en Europa>>. Conferencia pronunciada en el Curso de Verano titulado: *La Nueva Europa en los albores del siglo XXI. Conflictos, cooperación, retos y desafíos*, op. cit., p. 15.

ta final de Helsinki en los principios 3[271] y 7. Concretamente en el principio 7 se precisa lo siguiente: <<VII.- Respeto de los derechos humanos y de las libertades fundamentales, incluida la libertad de pensamiento, conciencia, religión o creencia. (....)

Los Estados participantes en cuyo territorio existan minorías nacionales respetarán el derecho de los individuos pertenecientes a tales minorías a la igualdad ante la ley, les proporcionarán la plena oportunidad para el goce real de los derechos humanos y las libertades fundamentales y, de esta manera, protegerán los legítimos intereses de aquellos en esta esfera>>[272].

Como precisa Calduch, dicho criterio de compatibilidad sólo podía gozar de efectividad si se reconocía la aplicación del derecho de autodeterminación de los pueblos (principio VIII), pero imponía la condición de que toda modificación de fronteras, resultante del ejercicio del citado derecho, sólo sería legal si se alcanzaba mediante la negociación diplomática y no mediante el uso de la fuerza. De hecho, este planteamiento resultaba tan lógico como poco practicable en una Europa que se encontraba dividida por dos bloques antagónicos. Hubo que esperar hasta 1989 para que su aplicación comenzase a resultar decisiva en el mapa europeo que comenzaba a diseñarse[273].

El clima hostil de enfrentamiento que reinó en las reuniones posteriores de la Conferencia (Belgrado 1977-1978, Madrid 1980-1982, Ottawa 1985) impidió establecer controles para la observancia de un principio (el séptimo) que los países socialistas habían aceptado con

---

271 <<III.- Inviolabilidad de las fronteras
Los Estados participantes consideran mutuamente como inviolables todas sus fronteras, así como las fronteras de todos los Estados en Europa y, en consecuencia, se abstendrán ahora y en el futuro de atacar dichas fronteras.
En consecuencia, se abstendrán también de toda exigencia o de todo acto encaminado a apoderarse y usurpar todo o parte del territorio de cualquier Estado participante.
(....)>>.

272 *Conferencia de Seguridad y Cooperación en Europa. Textos fundamentales*, Ministerio de Asuntos Exteriores. Secretaria General Técnica, Madrid, 1992, pp. 22-24.

273 CALDUCH CERVERA, RAFAEL: <<Nacionalismos y minorías en Europa>>. Conferencia pronunciada en el Curso de Verano titulado: *La Nueva Europa en los albores del siglo XXI. Conflictos, cooperación, retos y desafíos*, op. cit, p. 15.

la esperanza de conseguir ventajas comerciales, limitándose los Estados participantes a intercambiar opiniones sobre la aplicación de las disposiciones del Acta.

Con la caída del sistema soviético y la modificación de fronteras consecuente, como era de esperar, se alteró la base negocial propuesta en la Conferencia de Helsinki. De hecho, en la reunión de la Conferencia celebrada en Viena en 1989 se estableció un dispositivo gradual de control del respeto de los derechos humanos, inicialmente, basado en la mera obligación de informar. En posteriores Conferencias se regulan algunas cuestiones como las siguientes: se reducen los plazos de remisión de información en Copenhague en 1990[274]; se establece un sistema de expertos y relatores con meras facultades de investigación en Moscú en 1991; se crea una Oficina de Instituciones Democráticas que actúa como foro de reuniones bilaterales en Praga en 1992. Todos estos mecanismos de verificación sólo funcionan en aquellos casos en que un Estado es acusado de violaciones graves y masivas de derechos humanos. Desde la Cumbre celebrada en Helsinki en 1992, la organización cuenta con un Alto Comisionado para las Minorías.

Ahora bien, tal y como ha observado Granado, la CSCE ha servido casi como la única institución-puente entre los países del Este y del Oeste tras producirse el hundimiento del sistema soviético, no faltando ideólogos, como M. Gorbachov, que propusieron convertirla

---

[274] Además, en la Conferencia sobre la dimensión humana se recogió en su párrafo 32 que el pertenecer a una minoría nacional constituye una opción individual que no se puede traducir en ningún tipo de desventaja para esta. Asimismo, se reconoció el derecho de las "personas pertenecientes a minorías nacionales" *a* "expresar, preservar y desarrollar libremente su identidad étnica, cultural, lingüística o religiosa y de mantener y desarrollar su cultura en todos sus aspectos, libres de cualquier tentativa de asimilación contra su voluntad". Incluso hizo mención del modo en que pueden "ejercer y disfrutar" de sus derechos, esto es, "individualmente, así como en comunidad con otros miembros de su grupo".
Además, el texto decreta que ninguna de sus disposiciones podrá interpretarse de manera que faculte ningún derecho a emprender actividades o llevar a cabo cualquier acción en contravención de los propósitos y principios de la Carta de las Naciones *Unidas,* "u otras obligaciones dimanantes del derecho internacional y las disposiciones del Acta Final, incluido el principio de la integridad territorial de los Estados" (párrafo 37). Vid. SAYAGO ARMAS, DIANA: <<La protección de las minorías: un desafío clave de constitucionalismo multinivel>>, UNED. *Revista de Derecho Político,* nº 106, op. cit., p. 235.

en germen de una *casa común europea*, lo que explica su institucionalización como Organización Internacional permanente[275]. También Rupérez ha llamado la atención sobre los esfuerzos desarrollados por la CSCE/OSCE para dotar a sus compromisos fundacionales de vigencia y respeto: "El foro del diálogo que fue en el inicio no sólo supo generar ya desde 1984 el proceso de reducción de armas convencionales más importante que ha tenido lugar en Europa desde principios de siglo sino que, además, ha puesto en pie una organización para las instituciones democráticas y los derechos humanos –la ODIHR, con sede en Varsovia-, ha sentado las bases para el tratamiento de los derechos de las personas pertenecientes a las minorías nacionales a través del Alto Comisionado correspondiente, ha intervenido (...) en la prevención y la solución de conflictos como los de Bosnia, Nagorno-Karabaj, Kosovo, Ossetia del Sur, Abjassia o Chechenia, mantiene misiones abiertas en países y zonas de eventual o próxima conflictividad y, en definitiva, es hoy un consolidado punto de referencia en el marco de la seguridad europea. Es una, la más amplia, de las <<moradas>> europeas de la seguridad[276]. Tan amplia como para albergar a todos los que, a su vez, participan en otras geometrías de seguridad y como para facilitar que en su seno se produzcan los entendimientos correspondientes entre sus integrantes"[277].

---

[275] GRANADO HIJELMO, IGNACIO: *Reflexiones jurídicas para un tiempo de crisis. Nuevo orden internacional, constitución europea y proceso autonómico español*, Ediciones Internacionales Universitarias, Barcelona, 1997, p. 81.

[276] Ahora bien, como aclara el propio RUPÉREZ, JAVIER en otro pasaje de su artículo <<Seguridad y equilibrio en Europa>>, publicado en la Revista *Cuenta y Razón del pensamiento actual*, n° 102, op. cit.: "La seguridad en Europa o fuera de ella, no es sólo ni únicamente el resultado de las <<moradas>> que la protegen y cobijan, por buenas que sean –y en nuestro caso son excelentes-, sino de elementos preexistentes sin los cuales difícilmente cabrá la construcción de la seguridad. Esos elementos se sitúan en terrenos imprescindibles: el de la satisfacción de las necesidades materiales de las gentes en primer lugar, el del respeto de los derechos humanos individuales y colectivos, el de la existencia de un Estado de Derecho, de una democracia parlamentaria y estable, de una alternancia en la ocupación del poder, de un auténtico respeto al pluralismo social, o cultural, o religioso, de un orden, en definitiva, basado en el respeto elemental a la dignidad de la persona humana y a sus exigencias. Sólo sobre esos elementos se puede construir la estabilidad y, en consecuencia, la seguridad", p. 30.

[277] Ibídem, p. 21.

Aunque el carácter de los documentos elaborados en el marco de la OSCE es esencialmente político, de ellos deriva una fuerte obligatoriedad moral que suele ser tenida en consideración por parte de los Estados. Un texto fundamental a tener en cuenta es <<la Carta de París para una nueva Europa>>, firmada en París el 21 de noviembre de 1990, y elaborada por todos los Jefes de Estado o de Gobierno de los Estados participantes en la CSCE, en un momento en el que, según se precisa, <<la era de la confrontación y de la división de Europa ha terminado>>[278]. En este documento se instaba a la CSCE a que contribuyera a la gestión del histórico cambio sobrevenido en Europa y a que respondiera a los nuevos desafíos del período posterior a la guerra fría. Como explica Calduch: "Es en el contexto histórico abierto por la "perestroika" de Gorbachov y consolidado por la desaparición del Pacto de Varsovia en 1990, cuando se impone una revisión del decisivo papel desempeñado por la CSCE durante los tres lustros de existencia y se decide dotarla de una nueva estructura institucional y de unas competencias ampliadas que, respetando el espíritu de Helsinki permitan hacer frente a los nuevos retos que están surgiendo en Europa"[279].

El primer apartado de la Carta de París aparece bajo el rótulo <<Derechos Humanos, Democracia y Estado de Derecho>>, y declara: <<Los derechos humanos y las libertades fundamentales son patrimonio de todos los seres humanos, son inalienables y están garantizados por la ley. Su protección y fomento es la primera responsabilidad de los gobiernos. Su respeto es una salvaguardia esencial contra un excesivo poder del Estado. Su observancia y pleno ejercicio son la

278 También en noviembre de 1990, dentro del marco del proceso de la CSCE, finalizó la negociación de un importante acuerdo para el control de armamentos: <<el Tratado sobre Fuerzas Armadas Convencionales en Europa (FACE)>>. A pesar de que no constituyen órganos de la OSCE, el Grupo Consultivo Conjunto (encargado de promover la aplicación del Tratado sobre Fuerzas Armadas Convencionales en Europa) y la Comisión Consultiva de Cielos abiertos (que representa a todos los Estados parte en el Tratado de Cielos abiertos, de 1992), se reúnen periódicamente en Hofburg (Viena).

279 CALDUCH, RAFAEL: <<Movimientos migratorios y protección de minorías en Europa>>, op. cit., p. 20.

base de la libertad, la justicia y la paz>>[280]. Ello nos invita a pensar el cambio en las prioridades decidido por los Estados signatarios de la Carta de París, lo que va a tener consecuencias en lo que se refiere al protagonismo que se concede a las minorías cuando dentro de este apartado se afirma: <<Afirmamos que la identidad étnica, cultural, lingüística y religiosa de las minorías nacionales será protegida y que las personas pertenecientes a minorías nacionales tienen el derecho de expresar, preservar y desarrollar libremente esa identidad sin discriminación alguna y en plena igualdad ante la ley>>[281].

De hecho, cabría decir que, tras la caída del telón de acero, a principios de los años noventa, las democracias occidentales sintieron la necesidad internacionalizar el tratamiento de las minorías nacionales en la Europa postcomunista. En 1990 declararon, a través de la Organización para la Seguridad y la Cooperación en Europa (OSCE), que el estatus y tratamiento de las minorías nacionales <<son objeto de legítima atención internacional y, por lo tanto, no constituyen un asunto exclusivamente interno de sus respectivos Estados>>[282].

La OSCE también ha contribuido a la protección de las minorías nacionales desde el Documento de Copenhague de 1990, en el cual los Estados se comprometen a garantizar la igualdad en el ejercicio de los derechos de las minorías nacionales tanto como individuos como colectivos, recalcando que la pertenencia a estos grupos proviene de una decisión estrictamente personal y debe ser respetada como cualquier otra. También persigue la conservación de su identidad mediante el

---

[280] Vid. Apéndice III –Carta de París para una nueva Europa- del libro de CASSESE, ANTONIO: *Los derechos humanos en el mundo contemporáneo*, op. cit., pp. 284-285.

[281] Vid. ABRIL STOFFELS, RUTH Y MARTÍN JIMÉNEZ, GUILLERMO: <<Organizaciones internacionales y minorías>> en ALGORA WEBER, MARÍA DOLORES: *Minorías y fronteras en el Mediterráneo ampliado. Un desafío a la seguridad internacional del siglo XXI*, Dirección y Coordinación Grupo MESIMA, Dykinson, Madrid, 2015, p. 173.

[282] KYMLICKA, WILL: <<La evolución de las normas europeas sobre los derechos de las minorías: los derechos a la cultura, la participación y la autonomía>>, *Revista Española de Ciencia Política*, nº 17, op. cit., pp. 11-50; disponible en: https://www.researchgate.net/publication/237359441_La_evolucion_de_las_normas_europeas_sobre_los_derechos_de_las_minorias_los_derechos_a_la_cultura_la_participacion_y_la_autonomia [accessed Mar 22 2020].

acceso a la educación en su lengua materna, a la participación directa en los asuntos públicos.

Los cambios institucionales introducidos en la CSCE se recogieron en el Documento suplementario para dar validez a algunas disposiciones que figuran en la Carta de París para una nueva Europa, firmado al mismo tiempo que el documento principal. Entre las principales modificaciones orgánicas figuran la creación de un Comité de Altos Funcionarios, una Secretaría de la CSCE y un Centro para la Prevención de Conflictos como órganos dependientes del Consejo de Ministros y destinados a coadyuvar en sus tareas. Además, se establecieron la Oficina pro Elecciones Libres y las Reuniones de Expertos sobre Instituciones democráticas y sobre Minorías Nacionales como órganos complementarios.

La concreción de las medidas destinadas a proteger los derechos de las minorías se realizó en la Reunión de Expertos celebrada en Ginebra entre el 1 y el 19 de julio de 1991. Como con acierto ha advertido Calduch, en las fechas señaladas todavía no había tenido lugar el fracasado golpe de Estado que precipitaría la desintegración soviética y, por otra parte, los conflictos armados que se generarían en la antigua Yugoslavia se encontraban en sus primeros momentos y no habían alcanzado la virulencia y gravedad que se apreciaría tan sólo dos meses más tarde. Con otras palabras, los expertos sobre minorías nacionales no disponían en aquel momento de elementos de juicio suficientes para apreciar la amenaza que para la paz y la seguridad europeas suponían los nacionalismos radicales de algunos países balcánicos y la urgente necesidad de instaurar mecanismos internacionales de solución de la cuestión de las minorías que resultaría de la aparición de las nuevas Repúblicas independientes surgidas en el espacio ex soviético[283].

---

283 CALDUCH CERVERA, RAFAEL: <<La perestroika soviética y los procesos de cambio en los países balcánicos>>, Cursos de Derecho Internacional de Vitoria-Gasteiz, 1991, Servicio Editorial de la Universidad del País Vasco, Bilbao, 1992, pp. 271-332.
Disponible en: https://www.ehu.eus/es/web/cursosderechointernacionalvitoria/-/la-perestroika-sovietica-y-los-procesos-de-cambio-en-los-paises-balcanicos
CALDUCH CERVERA, RAFAEL: <<Los Balcanes: entre la democracia y la guerra civil>>, *Tiempo de Paz* Nº 22 (invierno) 1992, pp. 32-49.

El resultado de la Reunión de Expertos influyó notablemente en la Conferencia de Helsinki de 1992, en la que se crea la importante figura del Alto Comisario de la CSCE para las Minorías Nacionales, y se determinan sus competencias, entre otras, asume la tarea de intervenir en las situaciones tensas que puedan desencadenar conflictos graves entre colectivos, salvo en casos de terrorismo. Este Alto Comisionado se caracteriza por su fuerte dependencia ante el Presidente y el Consejo superior (antiguo Comité de Altos Funcionarios), pero por otro lado por la flexibilidad de la que dispone para poder llevar a cabo sus investigaciones, ya que es el propio órgano el que decide qué información va a recabar y las fuentes de la misma[284]. Al frente de esta institución se nombró al Ministro de Estado holandés Max van der Stoel, quien ostentó el cargo desde 1993-2001, como ya se señaló anteriormente. Las funciones del Alto Comisario eran, fundamentalmente, de dos tipos: funciones informativas, destinadas a asesorar al Consejo de Ministros sobre las condiciones en las que se encontraban las minorías nacionales en los diversos países y alertar sobre aquellas situaciones de tensión que pueden desencadenar conflictos armados, pero también acciones de diplomacia preventiva orientadas a evitar la escalada de tensiones surgidas en relación con las minorías. Como se puede fácilmente apreciar, ambas funciones eran complementarias de las que realizaban otros órganos de la OSCE, como la Oficina de Instituciones Democráticas y Derechos Humanos[285].

En suma, esta figura se ocupa así de detectar y estudiar los casos en los que comienzan a surgir diferencias entre los colectivos recabando la información necesaria para conocer el estado de la situación, pudiendo incluso dirigirse a los Estados en cuestión para obtener dicha información directamente de los grupos implicados. Para poder llevar a cabo esta tarea resulta necesario obtener la autorización del Presidente. Posteriormente, cuando el Alto Comisionado lo considere oportuno, puede ejercer la función de mediador para acercar a las

---

284 PETSCHEN VERDAGUER, SANTIAGO: <<La cuestión de las minorías nacionales en la Organización para la Seguridad y Cooperación en Europa>>, *Cursos de derecho internacional de Vitoria-Gasteiz = Vitoria-Gasteizko nazioarteko zuzenbide ikastaroak*, nº 1, 1996, p. 176.

285 Ministerio de Asuntos Exteriores: *Conferencia de Seguridad y Cooperación en Europa. Textos fundamentales*, Madrid, 1992, pp. 301-304.

partes en aras de alcanzar un consenso. Una vez el Alto Comisionado ha intervenido, presenta un informe con sus conclusiones al Presidente, el cual posteriormente también será enviado al Consejo Superior. En el supuesto de que el Alto Comisionado previera, durante o tras el proceso de mediación, la posibilidad de que las tensiones puedan desembocar en un conflicto, en este caso, ha de comunicar inmediatamente al Consejo Superior la situación de "pronta alerta" a través del Presidente, que es quien actuará en consecuencia[286].

En 1996, la Cumbre de Lisboa continuó perfilando la función clave de la OSCE en el fomento de la seguridad y de la estabilidad en todas sus facetas. Al mismo tiempo impulsó el desarrollo de un Documento-Carta de la OSCE sobre la seguridad europea.

En noviembre de 1999 los jefes de Estado y de Gobierno de la OSCE aprobaron durante la Cumbre de Estambul (Turquía) una serie de documentos con los que trataron de dar respuesta a las necesidades de la seguridad europea para el próximo siglo. Por una parte, suscribieron <<una Carta de Seguridad>> que pretendería convertirse en un código de conducta para todos los miembros de la OSCE; por otra, renovaron el Documento de Viena sobre Medidas de Confianza y actualizaron el Tratado sobre Fuerzas Armadas Convencionales en Europa (FACE). A ello habría que añadir que aprobaron la creación de un cuerpo civil de reacción rápida que pudiera servir para aportar el componente no militar de las posibles operaciones de paz de la organización.

La Carta obliga a sus firmantes al respeto de una serie de principios con el fin de hacer que se convierta en previsible su comportamiento exterior y, en consecuencia, conseguir incrementar la estabilidad del escenario europeo. En este sentido, el texto es heredero del Acta Final de Helsinki que acordó en 1975 la Conferencia de Seguridad y Cooperación en Europa, embrión de la actual OSCE. La Carta firmada en

---

286 Un ejemplo de las tareas que desempeña el Alto Comisionado se ve con el caso de Hungría y Eslovaquia, que tenían disputas fronterizas por los territorios que Hungría había perdido a favor de Eslovaquia tras el fin de la Primera Guerra Mundial, y en los que se encontraban multitud de ciudadanos húngaros. Tras la intervención del Alto Comisionado y del Consejo superior, se firmó un tratado entre ambas partes en el que se comprometían a respetar las fronteras y a cooperar en el ámbito de las minorías nacionales de ambos Estados.

Estambul se encarga de subrayar el respeto a la soberanía y la integridad de los Estados. Además, señala que la seguridad del conjunto del continente está ligada a que los países que lo integran se comporten de acuerdo con los valores democráticos. En definitiva, se exige a los miembros de la OSCE que respeten los derechos individuales de sus ciudadanos, así como las garantías políticas y sociales que aseguran una vida digna a las minorías.

Respecto a la puesta al día del Documento de Viena, el texto de Estambul estimula los intercambios de información sobre armamento entre los entonces 54 países de la organización, exigiendo la notificación previa de las maniobras de cierta envergadura que realizasen sus ejércitos.

En cuanto a la adaptación del Tratado FACE de reducción de armas convencionales en Europa supuso una adecuación de este texto, suscrito en 1990, a la nueva realidad internacional de la posguerra fría.

También interesa resaltar como documento político relevante de la OSCE <<la Declaración Ministerial de Bucarest sobre terrorismo>> de 4 de diciembre de 2001, elaborada a raíz de los atentados producidos en Estados Unidos el 11 de septiembre de 2001. Ahí los cincuenta y cinco Estados miembros de la OSCE condenaron los actos de barbarie terrorista cometidos contra los Estados Unidos. Del mismo modo se comprometieron <<a reforzar y a desarrollar una cooperación bilateral y multilateral dentro de la OSCE, con Naciones Unidas y con otras organizaciones internacionales y regionales, en aras de combatir el terrorismo en todas sus manifestaciones>> en <<la Decisión n°1 sobre el combate al terrorismo>>. Como anexo a esta Decisión, el Consejo Ministerial de la OSCE adoptó también <<el Plan de Acción de Bucarest para combatir el terrorismo>>, que tuvo como objetivo <<extender actividades ya existentes que contribuyan a combatir el terrorismo, facilitar la interacción entre Estados y donde convenga, identificar nuevos instrumentos para la acción>>.

Por último, advertir que el 7 de diciembre de 2002, se clausuró en Porto (Portugal) el X Consejo Ministerial de la OSCE, después de aprobar <<la Carta para la Prevención y el Combate al Terrorismo>>. Los cincuenta y cinco miembros de la OSCE asumieron en esta Carta sus compromisos: no dejar entrar en su territorio a los terroristas, no aceptar actividades terroristas en su territorio, no organizar y facilitar asistencia o apoyo a los actos terroristas en los Estados. Los países signatarios se comprometieron también a que cualquier persona que financiase, planease y aplicase actos terroristas respondería ante un tribunal, y los países miembros de la OSCE ofrecerían unos a otros, toda la asistencia y la información necesarias relacionadas con las investigaciones y la extradición.

Los países de la OSCE reafirmaron en la Carta su empeño en <<tomar las medidas necesarias para proteger los derechos humanos y libertades fundamentales, especialmente el derecho a la vida>>. Es importante resaltar que la Carta rechazaba de plano y con firmeza la identificación del terrorismo con cualquier nacionalidad o religión al mismo tiempo que reconocía la necesidad de <<una respuesta coordinada y global>> contra él.

La reunión, organizada por Portugal, aprobó también una declaración en la que destacaba la importancia de continuar (durante el año 2003) el desarrollo de una estrategia de la OSCE que permitiera enfrentar las amenazas a la seguridad y la estabilidad en el siglo XXI, combinada con la estrategia global contra el terrorismo liderada por la Organización de Naciones Unidas.

Si realizamos una valoración general sobre el papel desempeñado por la CSCE/OSCE en lo que se refiere a la cuestión de las minorías en Europa, debemos reconocer, siguiendo a Calduch[287], que desde sus inicios no sólo ha existido una clara voluntad política por abordar de forma directa y específica esta cuestión sino que además se ha llevado a cabo desde un enfoque plural en el que se han tomado en consideración tanto la dimensión jurídica, como la política y la cultural, al tiempo que se han promovido medidas internacionales que pudieran servir para reforzar las que adopta cada Estado en su ámbito interno.

Además, la CSCE/OSCE aglutinó, desde un primer momento a todos los países europeos, salvo Albania, junto con Estados Unidos y Canadá. En nuestros días y tras la desintegración soviética, su influencia se ha extendido también a las nuevas Repúblicas caucásicas (Georgia, Armenia, Azerbaiyán) y centroasiáticas (Kazajstán, Kyrgi-

---

287 CALDUCH, RAFAEL: <<Movimientos migratorios y protección de minorías en Europa>>, op. cit., p. 22.

zistán, Turkmenistán, Tayikistán y Uzbekistán), lo que significa que los requisitos de ingreso resultan ser, al final, mucho más laxos que en el caso del Consejo de Europa y la UE.

Los problemas y limitaciones de las CSCE/OSCE han sido y son de otra índole, como explica Calduch[288]. Por un lado, existen graves dificultades relacionadas con el proceso de toma de decisiones, pues cada decisión debe adoptarse por unanimidad, lo que confiere un derecho de veto efectivo a cualquier país miembro y complica extraordinariamente las decisiones en un Consejo de Ministros en el que participan más de cincuenta Estados. Por otro lado, la OSCE no cuenta con recursos materiales y humanos suficientes para garantizar las funciones que le han sido asignadas: "Esta limitación convierte a las OSCE en rehén de sus propios países miembros, especialmente de aquellos con mayor poder político, militar y económico, a la hora de ejecutar aquellas decisiones tan dificultosamente alcanzadas"[289].

Y lo mismo ocurre con los recursos humanos. Cada misión OSCE debe realizarse con los funcionarios (militares o civiles) aportados por los países miembros. Esto constituye una dificultad importante en el caso de las funciones atribuidas a la Oficina de Instituciones Democráticas y Derechos Humanos por el elevado número de intervenciones que debe realizar anualmente para supervisar las elecciones en los países miembros que se encuentran inmersos en complicados procesos de transición política. Por si esto fuera poco, existe además otra seria dificultad en la OSCE de carácter esencialmente ideológico o de filosofía política. Se trata de la ingenua presunción de que existe una relación directa y automática entre la creación de unas condiciones propicias para el respeto y protección de las minorías y la paralela reducción de los conflictos o tensiones con el Estado o con otras minorías. En otras palabras, que la democracia y el respeto de los derechos de las minorías reduce o neutraliza el radicalismo de los movimientos nacionalistas y de este modo se garantiza la paz y la seguridad europeas. La realidad demuestra que ello no siempre es así, lo que conviene no olvidar[290]. Precisamente el fracaso de esta

---

288 Vid. Ibídem, pp. 22-23.

289 Vid. Ibídem, p. 23.

290 Rafael Calduch pone el siguiente ejemplo: "En efecto, el caso de la antigua Yugoslavia resulta paradigmático. No sólo era el país comunista más abierto a

concepción optimista de la OSCE, es la que obliga a considerar muy seriamente el papel que en relación con las minorías le corresponde a las dos alianzas que operan en este momento en Europa: la OTAN y la Unión Europea Occidental (UEO)[291].

Occidente y donde existía un régimen político, social y económico más participativo de todos los existentes en el área balcánica, salvando el caso de la restauración de la democracia en Grecia tras el "golpe de los coroneles", sino que era en el que existían los mayores estándares de reconocimiento y protección de los derechos lingüísticos, religiosos y culturales de las minorías en toda la Europa Central y Oriental de los años setenta y ochenta. Esta realidad, sin embargo, no impidió que fuese precisamente en este país donde las fuerzas nacionalistas radicales se desatasen con mayor virulencia y desencadenasen los conflictos armados más violentos de Europa desde que concluyó la Segunda Guerra Mundial". Vid. Ibídem, p. 23.

291 Como explica Calduch, ni el Tratado de Washington de 1949, por el que se creaba la *Organización del Tratado del Atlántico Norte* (OTAN), ni mucho menos la *Unión Europea Occidental* (UEO), surgida al amparo del Tratado de Bruselas, suscrito en 1948, modificado en 1954 por el *Protocolo de París* y de nuevo a partir de la década de los ochenta, contemplaron entre sus funciones el desarrollo de acciones políticas o militares en relación con las minorías nacionales. Naturalmente, ambas alianzas establecían, como todas las alianzas, compromisos de cooperación política y militar en caso de amenaza o agresión contra algunos de los Estados miembros.

Conviene recordar algunas diferencias entre ambas organizaciones puesto que mientras en la OTAN participan Estados Unidos y Canadá, además de países europeos, en la UEO, desde sus inicios, sólo participan países europeos. En cambio, cuando se considera el ámbito geográfico de aplicación de las garantías políticas y militares, la OTAN quedaba restringida al área definida en el art. 6, mientras que la UEO nunca tuvo una restricción geoestratégica y por tanto siempre pudo, sobre el papel, actuar allí donde uno de sus miembros fuese agredido. Por último, la OTAN ha desarrollado una amplia estructura orgánica, y ha dispuesto de una poderosa capacidad militar operativa (fuerzas convencionales y nucleares, bases logísticas y sistemas de comunicación), el efecto de la bipolaridad impidió un desarrollo similar de la UEO que quedó como una simple estructura orgánica de cooperación militar internacional.

Aunque estas diferencias se han reducido en nuestros días debido al desarrollo de las capacidades operativas de la UEO, así como al establecimiento de un sistema de articulación operativa entre los recursos de la OTAN y los de la UEO, conocido como *Identidad Europea de Defensa*, gracias al cual la OTAN puede "ceder" para operaciones de la UEO y viceversa, lo cierto es que el futuro inmediato de ambas organizaciones aliancistas permanece todavía poco claro. Vid. BARDAJÍ, RAFAEL L.: <<Por un concepto estratégico de la OTAN realmente nuevo>>, *Revista Española de Defensa*, nº 124, Ministerio de Defensa, Madrid, junio de 1998, pp. 52-54. CALDUCH CERVERA, RAFAEL: <<La Unión Europea Occi-

---

dental y la Seguridad Común Europea. La vinculación entre la Unión Europea y la Unión Europea Occidental: Alternativas y consecuencias>>, *La Conferencia Intergubernamental y de la Seguridad Común Europea*. Monografías del CESEDEN (Centro Superior de Estudios de la Defensa Nacional), nº 21, VII Jornadas Universidad Complutense–CESEDEN, 1997, pp. 201-212.

Sin embargo, el desencadenamiento de los conflictos armados balcánicos, cuyas raíces nacionalistas son indiscutibles, obligó a ambas alianzas a realizar importantes despliegues militares con objeto de ejecutar los mandatos de la ONU o el cumplimiento de los *Acuerdos de Paz de Dayton*. Verdaderamente la contribución de ambas alianzas en las operaciones de mantenimiento de la paz en la zona resultó fundamental. De hecho, podemos estar seguros de que sin ellas la situación de paz no se habría restablecido en Croacia o en Bosnia-Herzegovina.

Como quedaría demostrado tras la crisis albanesa y el conflicto armado de Kosovo, las intervenciones de la OTAN y la UEO tienen como principal objetivo impedir que los conflictos armados entre minorías puedan extenderse a otros países, restaurando y manteniendo la paz entre las partes beligerantes. Sin duda alguna, ambas funciones son fundamentales para garantizar la seguridad en toda Europa, tratando de evitar que se repitan conflictos bélicos generales como las dos Guerras Mundiales. A juicio de Calduch, "más que auténticas soluciones al problema de las minorías, ambas alianzas realizan terapias de emergencia ante la falta de soluciones o la ineficacia de las soluciones aportadas por las distintas instituciones regionales europeas".

Por otra parte, la contribución de la OTAN y la UEO a la cuestión de las minorías, se encuentra estrechamente unida al debate suscitado sobre *el derecho de injerencia con fines humanitarios o para la protección de los derechos humanos*, lo que ha provocado una gran controversia jurídica entre los internacionalistas. Vid. entre otros, RAMÓN CHORNET, CONSUELO: *¿Violencia necesaria? La intervención humanitaria en Derecho Internacional*, Trotta, Madrid, 1995.

Este derecho de injerencia ha de venir legalmente autorizado por el Consejo de Seguridad de Naciones Unidas, al ser el único órgano facultado jurídicamente para determinar cuándo hay una amenaza a la paz o la seguridad internacional que exige el empleo de la fuerza (capítulo VII de la Carta de San Francisco), facilitando la legalidad internacional de aquellas acciones de la OTAN y la UEO que gozan de dicha autorización. Ahora bien, las crecientes dificultades para lograr que el Consejo de Seguridad adopte resoluciones autorizando el uso de la fuerza ante los riesgos o amenazas que entrañan las situaciones de discriminación de las minorías en varios países europeos, como ha sucedido en Chipre, Macedonia o los países bálticos, está propiciando la generalización de una nueva doctrina de la seguridad colectiva europea, según la cual la autorización del Consejo de Seguridad podría ser sustituida por la autorización de una organización regional en la que participasen todos los Estados europeos, es decir, por la autorización de la OSCE. Ello puede parecer a primera vista beneficioso, pero, como precisa Calduch, "se perjudicará muy seriamente el orden jurídico y la estabilidad política no sólo de Europa sino del resto de la sociedad mundial".

6. ALGUNAS CONCLUSIONES PROVISIONALES

Las naciones y las minorías en Europa han evolucionado notablemente desde los comienzos del siglo XIX hasta nuestros días. Estos cambios han sido fruto de las transformaciones políticas, territoriales y culturales experimentadas a escala continental, especialmente a raíz de los sucesivos repartos que tuvieron lugar tras las grandes guerras que asolaron el continente. Desde 1989 estamos asistiendo a un nuevo reparto de Europa que, lógicamente, ha afectado tanto a los Estados como a las minorías.

Repasando la historia, todo parece indicar que verdaderamente a las minorías nacionales no les ha beneficiado el sistema westfaliano de <<Estados-nación>> soberanos. De hecho, si observamos lo sucedido en las últimas décadas, las minorías han sido objeto de numerosas políticas de asimilación y exclusión en favor de la construcción de Estados-nación homogéneos, al tiempo que, históricamente, la comunidad internacional no ha luchado con suficiente eficacia frente a las injusticias ocasionadas. Lo que sí se constata en la actualidad es un compromiso creciente por encontrar vías de resolución de conflictos que afectan a minorías y la fuerte convicción de que el tratamiento de las minorías es una cuestión que merece atención y protección internacional. Como precisa Kymlicka: "Como mínimo, estas normas en evolución establecen límites en los medios que los Estados pueden emplear para lograr sus objetivos de homogeneización nacional. Pero además, al menos implícitamente, ofrecen una visión alternativa del Estado que incorpora la tolerancia como valor nuclear, y de acuerdo con la cual la diversidad constituye una realidad ineludible y tozuda y una característica definitoria del sistema político"[292].

Como también ha subrayado, con acierto, Kymlicka: "El CM-PMN del Consejo de Europa y las Recomendaciones de la OSCE van más allá del Artículo 27 incluyendo explícitamente algunos modestos

---

292 KYMLICKA, WILL: <<La evolución de las normas europeas sobre los derechos de las minorías: los derechos a la cultura, la participación y la autonomía>>, *Revista Española de Ciencia Política*, nº 17, op. cit., pp. 11-50. Disponible en: https://www.researchgate.net/publication/237359441_La_evolucion_de_las_normas_europeas_sobre_los_derechos_de_las_minorias_los_derechos_a_la_cultura_la_participacion_y_la_autonomia [accessed Mar 22 2020].

derechos positivos, como la financiación pública de escuelas públicas minoritarias, el derecho a usar el apellido en la lengua propia y el derecho a redactar en esta los documentos dirigidos a los poderes públicos. Estos cambios son significativos, pero en esencia siguen siendo versiones del concepto de «derecho a disfrutar de la cultura propia». Por lo tanto, no tienen en cuenta las características y aspiraciones que distinguen a las minorías nacionales (por ejemplo, su conciencia nacional o sus demandas territoriales). Lo que suelen perseguir estos grupos no es solamente el derecho de los individuos a reunirse y llevar a cabo determinadas prácticas culturales, sino el derecho de una comunidad nacional a gobernarse a sí misma en su territorio nacional y a emplear su capacidad de autogobierno para expresar y celebrar su lengua, historia y cultura en el ámbito y las instituciones sociales. (...) El marco de normas sobre derechos humanos resultante es ineficiente y también inestable.

Es ineficiente porque dichas normas no solucionan los problemas a los que iban dirigidas. Cabe recordar que estas normas se crearon originalmente para afrontar los conflictos étnicos violentos en la Europa postcomunista, como el de Kosovo, Bosnia, Croacia, Macedonia, Georgia, Azerbaiyán, Moldavia o Chechenia. Ninguno de estos conflictos tenía que ver con el derecho de los individuos a reunirse y disfrutar de su cultura propia. La violación de estos derechos no fue la causa del conflicto violento, y el respeto de estos no lo habría resuelto. Se puede decir lo mismo de otros casos importantes que hicieron temer a las organizaciones europeas un desenlace potencialmente violento: por ejemplo, las minorías húngaras en Rumanía y Eslovaquia o la minoría rusa en Ucrania"[293].

Por otra parte, podemos afirmar que las minorías nacionales, tanto étnicas y raciales como lingüísticas y religiosas, han sido objeto de ataques de los movimientos radicales de extrema derecha durante las crisis económicas acaecidas en los últimos tiempos. Esto rememora lo ocurrido, por ejemplo, en el periodo de entreguerras, cuando los países vencidos en la Primera Guerra Mundial padecían fuertes depresiones económicas, dando lugar más tarde a los regímenes fascistas. Una situación análoga parece tener lugar hoy en día, que es aprovechada

---

293 Ibídem.

nuevamente por los movimientos ultraderechistas, al tratar de ganar simpatizantes a costa de culpabilizar a los grupos minoritarios más vulnerables de los problemas económicos y sociales existentes.

El incremento de actos racistas y xenófobos en el mundo en general, y en Europa en particular, se está convirtiendo en una situación extremadamente preocupante y debemos tomar medidas eficaces para combatirlos. Es obvio que los Estados tienen la responsabilidad de adoptar instrumentos contundentes para crear una conciencia ciudadana en aras de prevenir e impedir la proliferación de este tipo de comportamientos. Sin lugar a duda, se requiere una inversión fuerte en formación en valores, lo que nos obliga a pensar en la necesidad de implementar medidas educativas cívicas desde las edades más tempranas de la vida.

Aunque es cierto que la UE, el Consejo de Europa y la OSCE han fomentado con diferentes acciones el apoyo a las minorías, sin embargo, muchas de las medidas adoptadas han quedado sepultadas en el limbo del *soft law* y ello ha provocado que no hayan resultado del todo eficaces además de no ajustarse a las especificidades de las necesidades imperantes actuales. Del mismo modo resulta llamativo el diferente tratamiento que se ha dado a las minorías en las Constituciones europeas, aunque recojan cláusulas genéricas de prohibición de la discriminación. Como propone Merino, “incluir de manera expresa a estos colectivos supondría otorgarles una importancia simbólica que podría llegar a concienciar a la sociedad en la importancia de respetar sus derechos”[294].

Una medida muy positiva ha resultado ser la que han adoptado algunos Estados al garantizar una representación de las minorías en las cámaras parlamentarias. Con ello se les ha permitido tener voz ante toda la ciudadanía y luchar de una forma más directa por sus derechos. Es un modelo que creo debería considerarse por los Estados o, al menos, merecería una reflexión detenida; e incluso, por parte de

---

294 MERINO EUGERCIOS, MARIO: Trabajo Fin de Grado titulado <<Gestión de la diversidad cultural en Europa: Políticas de protección e inserción de las minorías nacionales>>, realizado en el Doble Grado en Administración y Dirección de Empresas y Derecho, tutorizado por Cristina Hermida del Llano en la Universidad Rey Juan Carlos de Madrid, habiendo sido defendido en la Convocatoria de junio de 2020 con la calificación de Sobresaliente.

la cámara parlamentaria europea, para que las minorías repartidas por toda la Unión Europea tuvieran su propia representación[295].

Prácticamente todos los Estados garantizan el estudio de las lenguas minoritarias, así como de su cultura e historia, a aquellos que lo soliciten o a los que residan en las zonas donde su uso es frecuente y además, por lo general, reconocen el derecho al acceso a los medios de comunicación y al uso de las lenguas maternas en la Administración Pública. Sin embargo, resulta fácil constatar que las minorías nacionales están desinformadas en cuanto a sus derechos, motivo por el cual muchas de las vulneraciones no llegan a denunciarse, lo que provoca que la aplicación de las medidas antidiscriminatorias no esté resultando tan efectiva como se desearía. Es por ello por lo que, a mi modo de ver, se debería facilitar a las minorías vulnerables suficiente apoyo informativo a través de cursos y acciones formativas como, de hecho, ya se está haciendo en algunos países[296].

La Europa del siglo XXI exige que se desarrolle una amplia red europea de organismos, tratados internacionales y sistemas de seguridad colectiva para promover la protección de los derechos humanos, la democracia, el desarrollo social y económico, así como ciertos mecanismos de garantía de las particularidades étnicas, culturales, lingüísticas o religiosas de las minorías, haciendo un buen uso de este término[297].

---

295 Vid. Ibídem.

296 Vid. Ibídem.

297 Ya ha quedado puesto de manifiesto la falta de consenso en torno a la delimitación conceptual del término minoría. Recordemos que el Pacto Internacional de Derechos Civiles y Políticos de 1966 y la Declaración sobre los Derechos de las Personas Pertenecientes a Minorías Nacionales o Étnicas, Religiosas o Lingüísticas de 1992 recogen la expresión “minoría nacional o étnica, lingüística y religiosa”, a diferencia del Convenio Marco para la Protección de las Minorías Nacionales de 1995, en vigor desde 1998, que prefiere el uso del término más generalista “minorías nacionales”. Por otra parte, en los documentos de la Unión Europea “minoría nacional” es la voz elegida como término que comprende a las minorías étnicas, religiosas o lingüísticas, al tiempo que en los documentos de Naciones Unidas observamos una equiparación de las expresiones “minoría nacional” y “minoría étnica”, a diferencia de los Estados, en el ámbito interno, donde apenas se hace uso del término “minoría nacional”.

CAPÍTULO SEGUNDO
LA POBLACIÓN GITANA COMO MINORÍA VULNERABLE EN EUROPA

1. ANTIGITANISMO EN EL ÁMBITO EUROPEO

El antigitanismo es la forma de racismo más prevalente en todos los Estados miembros de la Unión Europea, siendo también el más aceptado en términos sociales. La promoción del conocimiento y reconocimiento de la memoria histórica del Pueblo Gitano se viene considerando una buena manera de luchar contra el antigitanismo en Europa y, de hecho, el día 8 de abril se celebra en todo el mundo el *Día Internacional del Pueblo Gitano* (*International Roma Day*). Conmemorando esta fecha, se pretende recordar el histórico Congreso Mundial roma/gitano celebrado en Londres el 8 de abril de 1971[1] en el que se instituyó la bandera y el himno gitano[2], aunque fue más

---

1 El Congreso contó con delegados de 14 países y fue convocado por el "Comité Internacional Gitano" (federación de diversas organizaciones nacionales). Las principales decisiones que se adoptaron fueron la aceptación como nombre que los une el de ROM, su bandera y un himno.

2 A partir de entonces, el pueblo gitano puede lucir un hermoso estandarte de color verde y azul que es una adaptación de la bandera de la India. Se divide en dos franjas horizontales, azul y verde, con una rueda roja en el centro. La parte superior, azul, simboliza el cielo, que es el techo del hogar del pueblo romaní. La inferior, de color verde, simboliza el suelo, el mundo por el que transitan. La rueda, también presente en la bandera de la India, expresa los deseos de libertad de circulación más allá de las fronteras establecidas, simbolizando el largo camino que tuvieron que emprender los gitanos desde la india, en la época de la invasión islámica a partir del siglo IX. Se tiene constancia de que en el siglo X los gitanos abandonaron la India por causas desconocidas y comenzaron su peregrinaje por Asia, Europa y luego el resto del mundo.
Partiendo de distintas versiones, el himno fue compuesto por Jarko Jovanovic, un músico de origen serbio, y fue titulado *Gelem, Gelem (Anduve, anduve)*, en honor a todos los gitanos que desaparecieron durante el nazismo. De hecho, la letra del texto se debe al mismo Jarko Jovanovic y al médico gitano suizo-alemán Jan Cibula, quienes la reescribieron en 1978, durante el Segundo Congreso Internacional Gitano.

tarde, durante el desarrollo del 4º Congreso Internacional Gitano, realizado en Polonia en 1990, cuando Naciones Unidas decidió establecer este día como fecha internacional del pueblo gitano para dar visibilidad a la historia de discriminación y maltratos sufridos a lo largo del tiempo. En esta misma línea, se han posicionado instituciones internacionales como el Parlamento Europeo, al haber animado en su Resolución sobre las normas mínimas para las minorías en la Unión Europea a los Estados miembros de 13 de noviembre de 2018 a que se celebren y honren los principales días de conmemoración de los grupos minoritarios a nivel estatal como, por ejemplo, la Jornada de conmemoración del holocausto gitano[3] o *Samudaripen*[4].

Es cierto que en el ámbito internacional, en los últimos tiempos, han sido numerosas las iniciativas llevadas a cabo para defender los derechos del pueblo gitano y que la amplia experiencia en relación con la lucha contra las discriminaciones en el ámbito de la Unión Europea y del Consejo de Europa junto a la nutrida jurisprudencia del Tribunal de Justicia de Luxemburgo[5] y del Tribunal Europeo de Estrasburgo han ayudado mucho a mejorar el marco conceptual de la lucha contra la discriminación racial y los instrumentos de garantía de la igualdad. Sin embargo, dicho esto, todavía queda mucho camino por recorrer y constituye un importante desafío seguir defendiendo el principio de igualdad y la prohibición de discriminación racial, si te-

---

Tanto la letra como la música fueron aceptadas unánimemente durante el primer y el segundo Congreso respectivamente. Con el transcurso del tiempo, se ha llegado a aceptar como himno oficial, especialmente a partir de la grabación que hizo el popular músico yugoslavo Šaban Bairamovic en los años ochenta.

3 Vid. Informe Anual FSG 2019: *Discriminación y Comunidad Gitana*, <<Resolución del Parlamento Europeo sobre las normas mínimas para las minorías en la Unión Europea (2018/2036(INI)), p. 193.

4 *Samudaripen [samudaripén]* y *Porrajmos [porraymós]* son los dos términos que se utilizan habitualmente para denominar el genocidio al que fue sometida la población gitana europea durante el régimen nazi (1933-1945) y que se extendió por 20 países europeos. El término más adecuado, no obstante, es *Samudaripen*. Vid. https://arainfo.org/75-anos-del-samudaripen-el-genocidio-antigitano-en-europa/

5 A modo de ejemplo, vid. Sentencia del Tribunal de Justicia (Gran Sala) de 15 de abril de 2021. Disponible en: https://curia.europa.eu/juris/document/document_print.jsf;jsessionid=D8EDC5EBC27BE0BB57BC3A59F136EB59?docid=239882&text=&doclang=ES&pageIndex=0&cid=2781742

nemos en cuenta que los actos racistas y de discriminación en general siguen multiplicándose en Europa, alimentados muchas veces por los discursos políticos intolerantes o xenófobos de partidos radicales dirigidos a los grupos más vulnerables dentro del entramado social[6], entre los cuales ocupa un lugar especial la comunidad gitana. Pensemos, por poner solo un ejemplo, en las declaraciones contra ciudadanos gitanos que realizó el presidente de la República Checa, Milos Zeman en septiembre de 2018 en los medios de comunicación checos en una reunión pública en Kojetin cuando, a propósito de las personas desempleadas en Chequia, calificaba a los gitanos como personas que no trabajan y recordaba la era comunista cuando los romaníes "tenían que trabajar" y eran encarcelados si no lo hacían[7].

---

6 Concretamente en España, por ejemplo, en 2017 los delitos de odio aumentaron en un 11,6 % en comparación con 2016; dentro de estos, la mayor parte la ocuparon los delitos de odio por racismo con un 36,9 %, por ideología con un 31,4 % y por orientación sexual con un 19,1 %. Por su parte, en 2018 el número de delitos de odio registrados ascendió en un 12,6 % en relación con el año anterior; en esta ocasión, los delitos más acontecidos son los delitos por motivos ideológicos con un 37,3 %, racistas con un 33,2 % y con motivo de la orientación sexual con un total del 16,2 %. En definitiva, se puede observar que los delitos de odio se han encontrado en tendencia alcista en los últimos años, a la par que los partidos políticos con ideología xenófoba, y que las personas pertenecientes a las minorías nacionales son las principales víctimas de estos actos ilícitos. Vid. *Informe sobre la evolución de los delitos de odio en España.* [Madrid]: Gabinete de Coordinación y Estudios de la Secretaría de Estado de Seguridad, 2019. En el marco del I Plan de Acción de lucha contra los delitos de odio (2019-2021), la Oficina Nacional de Lucha Contra los Delitos de Odio (ONDOD) advertía que si miramos el informe de 2021 las cifras alertan todavía más de la situación reinante en España: <<El ámbito que mayor número de delitos registra en el año 2021 es el de "racismo/xenofobia", con 639 hechos conocidos constitutivos de delitos de odio, habiendo ascendido con respecto al año 2019 un 24,08% y en referencia al año anterior un 31,75%>>. Vid. *Informe sobre la evolución de los delitos de odio en España.* [Madrid]: Gabinete de Coordinación y Estudios de la Secretaría de Estado de Seguridad, 2021, p. 38.

7 El presidente de la República Checa, Milos Zeman literalmente declaró: "La mayoría de ellos trabajaban cavando zanjas, y si se negaban a trabajar, iban a la cárcel". A lo que añadió que entre los equipos de trabajo romaníes, si un hombre no trabajaba "lo abofeteaban. Es un método muy humano que funcionó la mayor parte del tiempo". Vid. Informe Anual FSG 2019: *Discriminación y Comunidad Gitana*, <<Conclusiones y propuestas para mejorar la respuesta frente a la discriminación>>, op. cit., p. 139.

Efectivamente, dentro de los grupos vulnerables, merece una atención especial la población gitana, (también conocidos como Roma People)[8] que representa no solo la minoría étnica más numerosa de Europa -entre 10 y 12 millones de personas-[9], sino además constituye uno de los grupos étnicos con mayor vulnerabilidad, por ser víctima de la pobreza, la exclusión social y la discriminación como minoría étnica[10]. La mayor concentración de los *Roma People* se encuentra en los países de Europa Central y del Este: Rumanía (con más 2 millones), Bulgaria[11] (unos 700.000), Hungría (más de 500.000), República

---

8 Siguiendo las recomendaciones del Consejo de Europa, existe un consenso en la comunidad internacional por el que el término "Roma" agrupa a los distintos grupos y subgrupos de gitanos existentes en Europa (romaníes, traveller, sinti, calé, gitanos, romanichal, boyash, ashkali, egipcios, yeniches, dom, lom, abdal…). En consonancia con la terminología de las instituciones europeas y las organizaciones internacionales, aquí se utilizarán los términos "*gitano*", "*Roma*" o "*romaní*", indistintamente, para hacer referencia a estos sujetos individuales o grupos -que incluyen a los nómadas-, sin negar las especificidades de cada grupo.

9 De ellas, alrededor de 6,2 millones residen en la Unión Europea, la mayoría en los Estados miembros centrales y orientales. Vid. COM (2011) 173 final, de 5 de abril de 2011, <<Un marco europeo de estrategias nacionales de inclusión de los gitanos hasta 2020>>. Aunque la gran mayoría de los gitanos de Europa (entre el 80% y el 85%) mantiene actualmente un estilo de vida sedentario, es importante no confundir a los gitanos que mantienen un estilo de vida itinerante con los gitanos que se desplazan de un Estado miembro de la UE para asentarse en otro. También vid. Informe especial nº 14 del Tribunal de Cuentas Europeo de 2016: <<Iniciativas y ayuda financiera de la UE para la integración de los gitanos: pese a los avances significativos de la última década, aún son necesarios esfuerzos adicionales sobre el terreno>, que fue presentado con arreglo al artículo 287, apartado 4, párrafo segundo, del TFUE. Según este informe, alrededor de cuatro quintas partes de la población gitana estimada de la UE viven en ocho Estados miembros: Rumanía, Bulgaria, España, Hungría, Eslovaquia, Francia, República Checa y Grecia.

10 En los Estados miembros donde la concentración de esta población es más elevada (Bulgaria, Eslovaquia, Rumanía y Hungría), los gitanos representan entre el 15% y el 20% de los alumnos escolarizados y de la población recién incorporada al mercado laboral. Vid. Ibídem.

11 De esta manera, según ha informado recientemente la Fundación Secretariado Gitano, en Bulgaria el 9 de octubre de 2018 un niño romaní recibió varios disparos y falleció en Montana. El joven de 17 años estaba recolectando leña con su abuelo cuando un hombre le disparó con su arma varias veces. El niño murió poco después por las heridas. Asimismo, en un acto de terror racista, dos hermanos gitanos fueron agredidos por un hombre con un cuchillo que los atacó gritándoles que había venido a "Arabia para incendiar mezquitas y matar gita-

Checa (unos 300.000) y Eslovaquia[12] (casi 450.000)[13], produciéndose en todos ellos graves atropellos a sus derechos por ser sistemáticamente discriminados, lo que por desgracia no es algo nuevo[14].

---

nos". El 12 de mayo de 2018 el joven de veintiocho años murió a causa de las puñaladas en el hospital. Vid. Informe Anual FSG 2019: *Discriminación y Comunidad Gitana*, <<Conclusiones y propuestas para mejorar la respuesta frente a la discriminación>>, op. cit., pp. 139-140.

12 Según ha informado la Fundación Secretariado Gitano, en junio de 2018 en Eslovaquia un hombre disparó un arma contra personas gitanas empleadas por una empresa de jardinería para cortar el césped en un complejo de apartamentos. El atacante colgó una bandera nazi desde esta ventana después de haber disparado el arma. Asimismo, en la ciudad eslovaca de Zilina, el 21 de julio de 2018, se produjo un brutal asalto por parte de una pandilla de cabezas rapadas, lo que dejó en coma a un joven gitano, Daniel Dans, tras causarle un daño cerebral grave, además de romper la pierna a una persona no gitana que acudió a ayudarle. Por si esto no fuera suficiente, el policía que vino con la ambulancia a socorrerlos exclamó: "el centro de la ciudad no es para gitanos sino para blancos". Vid. Informe Anual FSG 2019: *Discriminación y Comunidad Gitana*, <<Conclusiones y propuestas para mejorar la respuesta frente a la discriminación>>, ibídem, pp. 141-142.

13 Ahora bien, la cifra todavía es más alta si vamos al ámbito europeo, donde podemos decir que hay unos 10-12 millones. Esta cifra incluiría la UE, los Balcanes y países más al Este como, por ejemplo, Moldavia.

14 Como ejemplo de que este fenómeno no es algo nuevo o reciente, cabría recordar el caso mediático de Leonarda Dibrani. En octubre de 2013 se produjo la detención y deportación de esta estudiante de origen kosovar, de 15 años y etnia romaní, que llevaba cuatro años escolarizada en Francia y que fue arrestada por la policía de fronteras (PAF), concretamente, el 9 de octubre en el aparcamiento de un instituto público mientras realizaba una excursión escolar con sus compañeros de tercero de secundaria. Tras 24 horas de silencio oficial y de apagón mediático, la delegación del Gobierno en la provincia de Doubs (este del país) emitió un prolijo comunicado administrativo para justificar la legitimidad burocrática de la deportación de una familia numerosa -el padre, la madre, y seis hijos de entre uno y 17 años- que había huido de su minúsculo país, escapando de la persecución racial e intentando buscar refugio primero en Italia y más tarde en Francia.

El caso revelaba la ferocidad del tratamiento dispensado entonces por el Gobierno francés a la minoría romaní, pese a las reiteradas promesas de humanidad del presidente socialista François Hollande. El relato de la prefectura resume en folio y medio el calvario administrativo y judicial que vivieron los Dibrani hasta conseguir instalarse en Francia. La familia había "entrado irregularmente" en el país el 26 de enero de 2009, fecha que coincidía con los ataques institucionales y los incendios de campamentos que sufrieron los romaníes en la Italia gobernada por Silvio Berlusconi. Los Dibrani solicitaron hasta tres veces la concesión del

Ello ha conducido a que el propio Consejo de Europa, organización internacional que ha velado con fuerza por la protección de los derechos de los derechos de los gitanos[15], haya llegado a hablar de "antigitanismo"[16], definiéndolo como "una forma específica de racismo, una ideología basada en la superioridad racial, una forma de deshumanización y de racismo institucional alimentado por una discriminación histórica que se manifiesta, entre otras cosas, por la violencia, el discurso del miedo, la explotación y la discriminación en su forma más flagrante"[17].

---

asilo político, pero las autoridades lo rechazaron el 29 de agosto de 2009 y dos veces más a lo largo de 2011. El 29 de septiembre de ese año, el delegado del Gobierno cursó una orden de abandono forzoso del territorio francés, que fue confirmada por los tribunales administrativos posteriormente, y ratificada por la Corte de Apelación de Nancy. La familia pidió entonces su regularización invocando la llamada *Circular Valls*, de 28 de noviembre de 2012, que permitía excepcionalmente a los extracomunitarios que cumplían diversas condiciones (entre otras, tener una casa digna, hablar francés y estar escolarizados) regularizar su situación y seguir en el país. En marzo de 2013 los Dibrani fueron entrevistados dos veces, pero el Estado decidió que no cumplían las condiciones por "sus insuficientes perspectivas de integración social y económica". El 19 de junio de 2013, recibieron una nueva orden de expulsión.

15 Es indudable el papel relevante que ha jugado y juega el Consejo de Europa en este ámbito. En particular, habría que referirse al Convenio Europeo para la Protección de los Derechos Humanos y de las Libertades Fundamentales (1950), la Resolución de la Asamblea Parlamentaria del Consejo de Europa n.º 2153 (2017) sobre el fomento de la inclusión de los gitanos y los *travellers* y la jurisprudencia del Tribunal Europeo de Derechos Humanos relativa al reconocimiento de la comunidad romaní como grupo que necesita una protección especial contra la discriminación. En relación con esta última, me gustaría hacer hincapié en que la jurisprudencia del Tribunal Europeo de Derechos Humanos ha desempeñado un papel decisivo en la lucha contra la discriminación racial de los gitanos, como veremos más adelante de forma detenida.

16 El antigitanismo u hostilidad hacia los gitanos se expresa por medio de distintos términos según los Estados miembros como, por ejemplo, "Antiziganismus" en alemán. Vid. Resolución del Parlamento Europeo, de 12 de febrero de 2019, sobre la necesidad de reforzar el Marco Europeo de Estrategias Nacionales de Inclusión de los Gitanos para el período posterior a 2020 y de intensificar la lucha contra el antigitanismo (2019/2509(RSP)).

17 Vid. Recomendación de Política General Número 13 de la ECRI "Sobre la lucha contra el antigitanismo y las discriminaciones contra los Romaníes/Gitanos", adoptada el 24 de junio de 2011.

Valeriu Nicolae, Secretario General del Consejo de Europa para Asuntos del Pueblo Gitano y activista gitano, ha insistido en que el antigitanismo es un tipo específico de ideología racista similar y diferente, y está interconectado con muchos otros tipos de racismo. Con palabras suyas: "El antigitanismo en sí es un fenómeno social complejo que se manifiesta a través de la violencia, el discurso de odio, la explotación y la discriminación, en su forma más visible. Los discursos y representaciones del mundo de la política, la academia y la sociedad civil, la segregación, la deshumanización, la estigmatización, así como la agresión social y la exclusión socio-económica son otras formas de propagación del antigitanismo"[18]. Una buena prueba de ello son las declaraciones del Ministro del Interior italiano, Matteo Salvini, realizadas en junio de 2018 cuando propuso crear un censo de gitanos con el fin de expulsar a todos los que estuvieran en situación irregular en Italia y, por si esto fuera poco, lamentando tener "que quedarse con el resto"[19]. A lo que cabría añadir las declaraciones que realizó un año después, en julio de 2019, cuando Matteo Salvini pidió a los delegados de Gobierno del país un informe sobre los campamentos de gitanos para localizar a los ilegales y "preparar un plan de desalojo"[20].

La Agencia Europea de Derechos Fundamentales (FRA) se ha hecho eco de esta grave situación y publicó en 2018 un relevante estudio monográfico en el que analizaba cómo el antigitanismo es un elemento clave que dificulta la inclusión social de la comunidad gitana en muchos países de la Unión Europea (*A persisting concern: anti-Gypsism as a barrier to Roma inclusion*)[21]. Según manifiesta el estudio, las formas más atroces de antigitanismo, los delitos motivados por el odio y el acoso continúan obstaculizando la inclusión de los gitanos

---

18 Remito a la página web de la Fundación Secretariado Gitano: https://www.gitanos.org/centro_documentacion/herramientas/cajas/antigitanismo.html.es

19 https://www.gitanos.org/actualidad/archivo/124869.html.es

20 En una carta el ministro pidió que el censo se elaborase en un plazo de dos semanas, subrayando la necesidad de centrarse en las "situaciones de ilegalidad y degradación que frecuentemente se registran en los asentamientos" y "que a menudo constituyen un peligro para el orden público y la seguridad". https://www.publico.es/internacional/gitanos-salvini-ordena-censar-campos-gitanos-crear-plan-desalojos.html

21 Disponible en: https://fra.europa.eu/en/publication/2018/persisting-concern-anti-gypsyism-barrier-roma-inclusion

y las gitanas en la sociedad. A propósito de ello, la Fundación Secretariado Gitano en el informe de 2019, valoraba así la situación actual: "Esto demuestra que no se ha prestado suficiente atención a las manifestaciones de antigitanismo en forma de delitos de odio contra gitanos y gitanas. Como era de esperar, esto disminuye la confianza de las personas gitanas en sus instituciones públicas, en particular en la aplicación de la ley y la justicia, lo que socava gravemente los esfuerzos de la inclusión social"[22]. Es por ello por lo que urge acometer medidas verdaderamente efectivas tanto a nivel interno como internacional para luchar contra el antigitanismo en el ámbito europeo puesto que ello implica que la minoría gitana continúa siendo víctima de la discriminación racial y, en definitiva, no disfruta de los derechos recogidos en los diversos ordenamientos jurídicos nacionales en condiciones de igualdad respecto al resto de ciudadanos[23].

2. LA LUCHA CONTRA LA DISCRIMINACIÓN RACIAL DE LOS GITANOS EN EL ÁMBITO DE LA UNIÓN EUROPEA

Ante esta situación de discriminación de los gitanos, es cierto que no han permanecido indiferentes las instituciones de la Unión Europea, sino que, más bien al contrario, han reaccionado tratando de combatir las graves injusticias que padecen como minoría, desarrollando una fuerte tarea de concienciación de los Estados miembros para animarlos a la implementación de políticas reparadoras para

---

22 Informe Anual FSG 2019: *Discriminación y Comunidad Gitana*, <<Conclusiones y propuestas para mejorar la respuesta frente a la discriminación>>, op. cit., p. 188.

23 Hay que aplaudir que la Comisión de Igualdad del Congreso en España aprobara el 27 de abril de 2022 la ley de Igualdad de Trato y No Discriminación, la cual promovía una reforma del Código Penal para que se incluyera el antigitanismo como forma específica dentro de los delitos de odio. Vid. https://www.abc.es/sociedad/abci-ley-igualdad-trato-modificara-codigo-penal-para-incluir-antigitanismo-como-delito-odio-especifico-202204290907_noticia.html
Sin lugar a duda, un gran avance se ha producido en España con la Ley 15/2022, de 12 de julio, integral para la igualdad de trato y la no discriminación. <<BOE>> núm. 167, de 13 de julio de 2022, páginas 98071 a 98109. Disponible en: https://www.boe.es/eli/es/l/2022/07/12/15/dof/spa/pdf

este colectivo. Buena prueba de ello es el Plan de acción de la UE contra el racismo 2020-2025 que incluye medidas para dar un apoyo institucional al trabajo de las organizaciones de la sociedad civil con experiencia, y también a la futura legislación, a la financiación y al compromiso político con la lucha por la justicia racial[24].

Ahora bien, la andadura comenzó ya en la primera década del siglo XXI. La Comisión Europea, en un comunicado presentado el 2 de julio de 2008 ante el Parlamento Europeo y otras instituciones comunitarias, afirmó que millones de europeos de origen romaní eran objeto de una discriminación persistente, tanto a nivel individual como institucional, así como de una exclusión social a gran escala. Y ello a pesar de que, en relación con el uso de instrumentos comunitarios, durante los años noventa del siglo anterior se comenzasen a impulsar iniciativas innovadoras específicas para la población gitana en el marco de las Iniciativas Comunitarias Horizon e Integra del Fondo Social Europeo (FSE) que culminaron con la inclusión de objetivos y medidas específicas relativas a la población gitana en el Programa Operativo de Lucha Contra la Discriminación (POLCD) para el año 2000-2006, que tuvo continuidad durante el ciclo 2007-2013[25].

También digna de destacar es la Comunicación de la Comisión, de 5 de abril de 2011, titulada <<Un marco europeo de estrategias nacionales de inclusión de los gitanos hasta 2020>> (COM(2011)0173) y los posteriores informes de aplicación y evaluación. Asimismo, en los últimos años, el grupo de Alto Nivel contra el Racismo y la Intolerancia de la Comisión Europea ha desglosado los casos con la categoría de "antigitanismo", gracias a una iniciativa de incidencia de la Fundación Secretariado Gitano en España, que consiguió que por primera vez se incluyera esta categoría, al considerar fundamental visibilizar este tipo de rechazo específico que sufre el pueblo gitano[26].

---

[24] MOUA, MICHAELA–KABUTA, VANESSA–BANU, LAVINIA: <<Un año del Plan de Acción de la UE contra el racismo: la crisis de la COVID-19 y la importancia de la interseccionalidad en las políticas contra el racismo>>, recogido en el Informe anual FSG 2021: <<Discriminación y Comunidad Gitana>>, op. cit., p. 200.

[25] Estas medidas y objetivos estaban encuadrados en el Programa Acceder, gestionado hasta hoy por la Fundación Secretariado Gitano.

[26] Vid. Informe Anual FSG 2019: *Discriminación y Comunidad Gitana*, <<Conclusiones y propuestas para mejorar la respuesta frente a la discriminación>>, op.

Una encuesta de la Agencia de Derechos Fundamentales publicada hace años, en mayo de 2013, ya puso de manifiesto casos de exclusión social y miseria entre romaníes en once países de la Unión Europea, con altos niveles de desempleo (más del 66%) y bajos niveles de graduación de la escuela secundaria (15%). Al mismo tiempo, una evaluación de la Comisión Europea sobre el progreso de los Estados miembros en la integración de los romaníes halló deficiencias en aquel momento en la atención de la salud y la vivienda. Meses más tarde, en agosto de 2013, la Comisión Europea anunciaba que supervisaría los desalojos y expulsión de Francia de romaníes de Europa del Este y en septiembre escribió a Italia para pedir información sobre la discriminación contra los romaníes, conforme al informe 2013 <<Unión Europea de Human Rights Watch>>. Esto creo que merecería una profunda reflexión para entender mejor la situación actual.

Del mismo modo, en la línea de denunciar los atropellos a los derechos del pueblo gitano, habría que citar también el Informe sobre los derechos fundamentales de 2016 junto con el estudio de 2018[27], ambos elaborados por la Agencia de los Derechos Fundamentales de la Unión Europea (FRA), las encuestas EU-MIDIS I y II de la FRA y otras encuestas e informes sobre los gitanos; la iniciativa ciudadana europea <<Minority SafePack>>, registrada el 3 de abril de 2017; los informes y recomendaciones pertinentes de la sociedad civil romaní, las ONG[28] y los centros de investigación.

---

cit., p. 185. Concretamente, el informe señala que un 12.2% de todos los casos reportados en Europa son casos de discurso de odio ilegal antigitano, es decir, 527 casos.

27 Disponible en: https://fra.europa.eu/en/publication/2018/persisting-concern-anti-gypsyism-barrier-roma-inclusion. Vid también Informe Anual FSG 2019: *Discriminación y Comunidad Gitana*, <<Conclusiones y propuestas para mejorar la respuesta frente a la discriminación>>, op. cit., p. 188.

28 Vid. HERMIDA DEL LLANO, CRISTINA: <<The importance of non-governmental organizations of achieving the sustainable development goals: The fight against racial discrimination of Roma in Europe>>, en *Public-Private Partnerships and sustainable development goals: proposals for the implementation of the 2030 Agenda*, Volumen coordinado por Paloma Durán y Lalaguna, Sagrario Morán Blanco, Castor M. Díaz Barrado y Carlos Fernández Liesa. Verdiales López, D. M. (coord.), Instituto de Estudios Internacionales y Europeos "Francisco de Vitoria", Universidad Carlos III de Madrid, Madrid, 2018, pp. 17-32.

También desde el Parlamento Europeo se ha venido animando, con insistencia, a los Estados miembros a tomar medidas para combatir la discriminación de los gitanos en la Unión Europea. Sirvan de botón de muestra varias de sus resoluciones: la Resolución emitida con ocasión del Día Internacional del Pueblo Gitano – antigitanismo en Europa y reconocimiento por la UE del día de conmemoración del genocidio del pueblo gitano durante la Segunda Guerra Mundial de 15 de abril de 2015[29]; la Resolución del Parlamento Europeo sobre los aspectos de la integración de los gitanos en la Unión relacionados con los derechos fundamentales: combatir el antigitanismo de 25 de octubre de 2017[30] en la que se recuerda que todos los ciudadanos europeos deben recibir asistencia y gozar de protección en la misma medida, con independencia de su origen étnico o cultural; la Resolución del Parlamento Europeo, de 7 de febrero de 2018, sobre la protección y no discriminación de minorías en los Estados miembros de la Unión (2017/2937(RSP)). En relación con esta última, convendría resaltar que su objetivo reside en impulsar medidas contra la discriminación a las minorías, entre ellas el pueblo gitano, por considerarlo una responsabilidad nacional y de la Unión[31].

Particular atención merece la Resolución del Parlamento Europeo sobre las normas mínimas para las minorías en la Unión Europea (2018/2036 (INI), aprobada el 13 de noviembre de 2018, anteriormente ya citada, en la que también se destaca que el pueblo gitano es una de las víctimas más frecuentes de discriminación. Se resalta el problema que sufren los gitanos apátridas en Europa, puesto que este fenómeno implica que muchos sujetos de origen gitano tienen denegado el acceso a los servicios sociales, educativos y sanitarios por lo que se insta a los Estados para que puedan disfrutar de los derechos humanos fundamentales. Asimismo, se pide a la Comisión y a los Estados miembros que se ocupen de salvaguardar la protección de las minorías y aborden las desigualdades dentro de las mismas, ya que las personas pertenecientes a minorías se enfrentan a menudo a

---

29 DO C 328 de 6.9.2016, p. 4.

30 DO C 346 de 27.9.2018, p. 171.

31 Informe Anual FSG 2019: *Discriminación y Comunidad Gitana*, <<Conclusiones y propuestas para mejorar la respuesta frente a la discriminación>>, op. cit., p. 191.

discriminaciones múltiples e interseccionales[32]. Es por ello por lo que se insta a la participación activa de los grupos minoritarios en los ámbitos social, económico, político y cultural, así como a que se realicen campañas de concienciación sobre la legislación relativa a la lucha contra la discriminación.

También tiene gran relevancia la Resolución del Parlamento Europeo sobre la necesidad de reforzar el Marco Europeo de Estrategias Nacionales de Inclusión de los Gitanos para el período posterior a 2020 y de intensificar la lucha contra el antigitanismo (2019/2509(RSP)) de 12 de febrero de 2019, apoyándose en el Tratado de la Unión Europea (artículo 2), el Tratado de Funcionamiento de la Unión Europea y la Carta de los Derechos Fundamentales de la Unión Europea (artículos 1 y 21)[33].

Del mismo modo el Consejo como institución europea ha actuado con gran diligencia desde la aprobación de la Directiva 2000/43/CE de 29 de junio de 2000, relativa a la aplicación del principio de igualdad de trato de las personas independientemente de su origen racial o étnico[34]. De hecho, dignos de resaltar son: la Recomendación del Consejo de 9 de diciembre de 2013, relativa a la adopción de medidas eficaces de integración de los gitanos en los Estados miembros[35]; las conclusiones del Consejo de 8 de diciembre de 2016 sobre la aceleración del proceso de integración de los gitanos, junto a las conclusiones de 13 de octubre de 2016 sobre el Informe especial nº 14/2016 del Tribunal de Cuentas; la Decisión Marco 2008/913/JAI del Consejo

---

32 Informe Anual FSG 2019: *Discriminación y Comunidad Gitana*, <<Resolución del Parlamento Europeo sobre las normas mínimas para las minorías en la Unión Europea (2018/2036 (INI))>>, op. cit., p. 192.

33 Carta de los Derechos Fundamentales de la Unión Europea (2000/C 364/01) de 18.12.2000. Artículo 1: <<La dignidad humana es inviolable. Será respetada y protegida>>. Artículo 21: <<1. Se prohíbe toda discriminación, y en particular la ejercida por razón de sexo, raza, color, orígenes étnicos o sociales, características genéticas, lengua, religión o convicciones, opiniones políticas o de cualquier otro tipo, pertenencia a una minoría nacional, patrimonio, nacimiento, discapacidad, edad u orientación sexual. 2. Se prohíbe toda discriminación por razón de nacionalidad en el ámbito de aplicación del Tratado constitutivo de la Comunidad Europea y del Tratado de la Unión Europea y sin perjuicio de las disposiciones particulares de dichos Tratados>>.

34 DO L 180 de 19.7.2000, p. 22.

35 DO C 378 de 24.12.2013, p. 1.

de 28 de noviembre de 2008, relativa a la lucha contra determinadas formas y manifestaciones de racismo y xenofobia mediante el Derecho Penal[36].

Por último, me gustaría referirme a la Revisión intermedia del Marco europeo de estrategias nacionales de integración de los gitanos (2017)[37], realizada por la Comisión Europea, en la que se confirma el valor añadido del Marco, la pertinencia de los objetivos de la UE en materia de integración de los gitanos y la necesidad de seguir combinando planteamientos específicos y generales. Según se destacó en esta Revisión intermedia (2017), la educación se convierte en el principal ámbito en el que ha mejorado la situación de los gitanos, cuestión sobre la que más adelante nos detendremos.

En lo que se refiere al ámbito de la salud, se constata que la cobertura básica de la seguridad social sigue siendo un reto, sin mejoras significativas en los países más afectados, donde alrededor más de la mitad de la población gitana continúa sin "cobertura básica de seguro médico" (Bulgaria y Rumanía, pero se registra una mejora de más de 30 puntos porcentuales en Grecia). Todo ello ocurre a pesar de la adopción de medidas orientadas a eliminar los obstáculos que impiden a los gitanos acceder al sistema de asistencia sanitaria, obstáculos que a menudo incluyen una falta de documentación civil. En general, la percepción que tienen los gitanos de su estado de salud parece haber mejorado (las mejoras más fuertes se registran en Rumanía, Bulgaria, Hungría, Portugal y Grecia), lo que apunta a cierto éxito de otras medidas sanitarias, como las que promueven la concienciación en materia de salud, el acceso a las vacunas, las revisiones médicas, la atención pre y postnatal y la planificación familiar. La mejora en la percepción de la salud también puede estar relacionada con el descenso de la tasa de gitanos que padecen hambre con regularidad en la mayoría de los países. La prestación civil de servicios y la atención a las mujeres gitanas tienen más peso en el ámbito de la salud, pero las

---

36 DO L 328 de 6.12.2008, p. 55.

37 Comunicación de la Comisión al Parlamento Europeo y al Consejo. Revisión intermedia del Marco europeo de estrategias nacionales de integración de los gitanos {SWD (2017) 286 final} Bruselas, 30.8.2017 COM(2017) 458 final.

reformas sanitarias no suelen mencionar explícitamente las necesidades de los gitanos[38].

En lo que al ámbito de la vivienda se refiere, se observan pequeñas mejoras en lo que respecta al acceso de los gitanos a servicios básicos, con una disminución del porcentaje de gitanos que viven en casas sin agua corriente, aseos, duchas o baños en varios Estados miembros (especialmente en Bulgaria, Rumanía, Eslovaquia y Chequia). El acceso al suministro eléctrico también está mejorando ligeramente, con porcentajes superiores al 90% en la mayoría de los Estados miembros (salvo en Portugal y Grecia). No obstante, en varios Estados miembros (Chequia, España[39], Italia y Portugal), los gitanos se encuentran sufriendo cada vez más discriminación en el acceso a la vivienda. En las estrategias nacionales de integración de los gitanos, los Estados miembros parecen haberse centrado en fomentar un acceso no discriminatorio a la vivienda social, y algunos adoptaron incluso medidas contra la segregación. Sin embargo, algunos de los países más afectados no notifican medidas contra la segregación, mientras que otros no abordan en absoluto el acceso no discriminatorio a la vivienda social. Ambos ámbitos son sumamente importantes para seguir adoptando medidas enérgicas, potencialmente financiadas con cargo a los fondos de la UE de conformidad con las orientaciones de la Comisión contra la segregación y ello resulta especialmente importante en el contexto de los desalojos frecuentes en varios Estados miembros de la Unión Europea[40].

---

38 Estas conclusiones se ven confirmadas por los Puntos Nacionales de Contacto para la población gitana, que mencionan entre los éxitos: la concienciación sobre la salud; el fomento de un estilo de vida saludable; el énfasis en la prevención; la alfabetización sanitaria; los mediadores sanitarios gitanos; la participación civil, y la cooperación intersectorial y entre varias partes interesadas. Entre los retos planteados figuran: la falta de cobertura sanitaria y de médicos de cabecera en las zonas con población gitana; la infrautilización de los servicios sanitarios; los problemas de salud física y mental; los embarazos de adolescentes, y la necesidad de más profesionales de la salud gitanos.

39 Sobre el caso de España, recomiendo la lectura del Informe Anual FSG 2019: *Discriminación y Comunidad Gitana*, <<Conclusiones y propuestas para mejorar la respuesta frente a la discriminación>>, op. cit., pp. 163-179.

40 Entre los éxitos mencionados por los Puntos Nacionales de Contacto para la población gitana (que tienden a ser requisitos previos para un futuro cambio) figuran: la atribución de vivienda a las comunidades marginadas con cargo a

En definitiva, a modo de conclusión, podemos decir que con el cambio de siglo comenzaron a materializarse avances en la lucha contra la discriminación racial de los gitanos en el ámbito europeo gracias al trabajo llevado a cabo por sus instituciones, tribunales, ONGs[41] y sociedad civil, aunque todavía tenemos ante nosotros grandes retos para conseguir arribar a una sociedad inclusiva en la que la diversidad sea gestionada de forma adecuada y sobre todo equitativa para todos.

3. LA DISCRIMINACIÓN INTERSECCIONAL Y LA IMPORTANCIA DE LOS MEDIOS DE COMUNICACIÓN PARA ERRADICAR PREJUICIOS

Cuando nos referimos a la discriminación interseccional no estamos aludiendo a una mera suma aritmética de diferentes tipos de discriminaciones sino a un tipo de discriminación específica en la que confluyen varios tipos de discriminación provocados por razón del género y la etnia. Aunque fue la jurista norteamericana Kimberlé Crenshaw quien introdujo desde los estudios jurídicos y el feminismo negro el concepto de interseccionalidad en las Ciencias Sociales en 1989, se rastrea esta idea de la interseccionalidad con anterioridad en las denuncias de mujeres afroamericanas, chicanas y mujeres apodadas como las "otras", las "inapropiables", las "subalternas", etc.

La discriminación interseccional, también llamada múltiple, de un modo menos impreciso, que sufren de forma especial las mujeres gitanas tiene por tanto una dimensión distinta que las transforma en sujetos particularmente vulnerables dentro del cuerpo social. De hecho, se constata que las mujeres gitanas son presas de esa angosta inter-

---

los programas operativos de los Fondos EIE 2014-2020; las encuestas sobre la situación de la vivienda, y los nuevos planes de acción o documentos estratégicos en materia de vivienda. Por el contrario, entre los desafíos, señalan: la disponibilidad limitada y escasa calidad de la vivienda social; la discriminación en el mercado de la vivienda, y la segregación y la formación de guetos.

41 Vid. HERMIDA DEL LLANO, CRISTINA: <<The importance of non-governmental organizations of achieving the sustainable development goals: The fight against racial discrimination of Roma in Europe>>, en *Public-Private Partnerships and sustainable development goals: proposals for the implementation of the 2030 Agenda*, op. cit., pp. 17-32.

sección que se origina de la interacción de distintos sistemas de dominación u opresión que vulneran elementales derechos humanos[42]. La Fundación Secretariado Gitano ha plantado cara a este problema, insistiendo en su informe 2019 en la necesidad de que sea revisada la Directiva 2000/43/CE con el fin de ampliar los ámbitos de discriminación prohibida e incorporar expresamente los términos de antigitanismo y de discriminación interseccional[43]. Tengamos en cuenta que como señala el estudio de la Fundación Secretariado Gitano *Estudio comparado sobre la situación de la población gitana en España en relación al empleo y la pobreza 2018*[44], las mujeres gitanas son las más fuertemente afectadas por el abandono y el fracaso escolar, así como por el desempleo y la pobreza. De ahí que se haya animado a todas las administraciones para el aumento y dotación de suficientes recursos a los programas especializados de apoyo integral a mujeres gitanas, sobre todo de las más vulnerables, "con miras a empoderarlas en el ejercicio de sus derechos frente a la discriminación y a la violencia de género, mejorar su formación académica y profesional, incorporarse

---

42 De hecho, el COVID-19, que se detectó por primera vez en la ciudad china de Wuhan (provincia de Hubei) en diciembre de 2019, nos confirmó las consecuencias que tiene la discriminación interseccional. Tengamos en cuenta que el COVID-19 al no conocer del juego de las mayorías y las minorías, al no conocer de clases sociales, al no conocer de relaciones de poder, retrató en una imagen monumental y gigantesca las desigualdades sociales en el ámbito de los bienes y servicios, salud, educación y empleo. Sobra decir que son estas esferas en las que las mujeres gitanas, de una forma llamativa, han padecido y padecen una discriminación histórica. En definitiva, esta terrible crisis sanitaria puso sobre la mesa cómo la precaria salud y el alto grado de vulnerabilidad en la situación actual son los materiales con los que se construye el espejo de las desigualdades e injusticias sociales que ha sufrido el pueblo gitano como minoría durante siglos. Vid. HERMIDA DEL LLANO, CRISTINA: <<Si hubiera nacido mujer y además gitana>>. Disponible en: https://www.elimparcial.es/noticia/211987/opinion/si-hubiera-nacido-mujer-y-ademas-gitana.html

43 Informe Anual FSG 2019: *Discriminación y Comunidad Gitana*, <<Conclusiones y propuestas para mejorar la respuesta frente a la discriminación>>, op. cit., p. 11.

44 Disponible en: https://www.gitanos.org/centro.documentacion/publicaciones/fichas/129378html.es

al mercado laboral, mejorar sus autoestima y seguridad en sí mismas, así como superar los roles tradicionales de género"[45].

Con razón se dice que en la base de la discriminación interseccional suelen estar el uso de estereotipos de género sobre las mujeres que pertenecen a grupos históricamente discriminados, convirtiéndose aquéllos en la causa, pero también en la consecuencia de la discriminación. Es por ello por lo que urge tanto detectar cuáles son los prejuicios irreflexivos, irracionales y contaminados socialmente como erradicarlos a través, entre otros, de la educación, de la familia y, no menos importante, a través de los medios de comunicación.

En relación con esto último, como ha resaltado la Fundación Secretariado Gitano en su informe 2019, tanto la mención de la etnia en las noticias como los comentarios en redes sociales, son dos problemas que contribuyen a difundir estereotipos sobre el pueblo gitano y, en especial, sobre la mujer gitana. Con palabras recogidas del propio informe: "De los 334 casos de discriminación y antigitanismo detectados en el año 2018, un tercio de ellos son de medios de comunicación, principalmente en dos ámbitos: por un lado, casos de periódicos y otros medios que mencionan la etnia de los protagonistas de noticias relacionadas con delitos, situaciones de violencia o tráfico de drogas (lo que produce una imagen negativa de toda la comunidad gitana), y por otra parte, casos de comentarios de odio que escriben *on line* algunos lectores en noticias protagonizadas por personas gitanas, o en redes sociales"[46].

En este sentido habría que poner en valor las Recomendaciones para el tratamiento de la comunidad gitana en los medios de comunicación (2016) por tratarse de un documento con recomendaciones a los medios de comunicación para mejorar el tratamiento informativo

---

45 Informe Anual FSG 2019: *Discriminación y Comunidad Gitana*, <<Conclusiones y propuestas para mejorar la respuesta frente a la discriminación>>, op. cit., p. 12.

46 Vid. Ibídem, p. 12. Un caso reciente de estigmatización llevada a cabo a través de medios de comunicación se produjo a comienzos de noviembre de 2022 cuando en diversos diarios y noticias televisivas se hacía referencia a una reyerta entre familias de etnia gitana que celebraban una boda en Torrejón de Ardoz (Madrid) y que terminó con un atropello intencionado que dejaba cuatro fallecidos y 10 heridos.

de la comunidad gitana en España, impulsado por el Grupo de Trabajo de Comunicación del Consejo para la Eliminación de la Discriminación Racial o Étnica, en cuya elaboración participaron diversas entidades representativas del colectivo de etnia gitana integrantes del Consejo Estatal del Pueblo Gitano[47].

Todos sabemos que, en situaciones de crisis, como la que ahora padecemos, especialmente, a raíz de la pandemia del COVID-19, las redes sociales se saturan con mensajes falsos que lejos de mejorar, lo que hacen es empeorar todavía más la percepción existente de ciertos grupos sociales. No sorprende por ello que en los últimos tiempos se hayan extendido los mensajes antigitanos en forma de audios difamantes, insultantes y estigmatizantes. Bulos y rumores que afectan, de nuevo, al modo en que son percibidas las mujeres gitanas. Urge que tratemos, entre todos, de evitar que la pandemia se revele no sólo en forma de COVID-19 sino también en forma de antigitanismo. Tengamos en cuenta que, aunque es cierto que ha mejorado la respuesta al discurso de odio gitano en redes sociales y plataformas de internet a través, por ejemplo, de los *trusted flaggers*[48], todavía sigue habiendo medios que diseminan ideas contra el pueblo gitano y que tratan de alentar la violencia contra este grupo.

De todo lo anterior, se deduce que la Fundación Secretariado Gitano en España haya hecho un llamamiento a: "- Los medios de comunicación para que muestren un mayor compromiso con los códigos deontológicos del periodismo para no difundir imágenes estereotipadas, o la mención de la etnia en las noticias cuando no es relevante, y

---

47 Vid. Informe de España del quinto ciclo de seguimiento del Convenio-Marco para la protección de las minorías nacionales (periodo 2014-2018) presentado en marzo de 2019 por el Ministerio de Sanidad, Consumo y Bienestar Social.

48 Así, por ejemplo, You Tube ha implementado tecnología avanzada para erradicar el contenido extremista y terrorista de la plataforma. De hecho, junto a la implementación de la tecnología de "Machine Learning", la compañía ha comenzado a expandir su programa de "Trusted Flaggers", un sistema que incluye asociaciones que revisan el contenido de la plataforma, añadiendo a 50 nuevas ONG expertas en este tiempo de contenido, que se sumarán a las 63 que ya forman parte de él. El objetivo de esta acción es ganar rapidez en la identificación de vídeos inapropiados o que vulneren derechos fundamentales. Vid. https://www.europapress.es/sociedad/noticia-youtube-implementa-tecnologia-avanzada-erradicar-contenido-extremista-terrorista-plataforma-20170619114759.html

de una mayor conciencia del impacto que tiene ese tratamiento informativo en la imagen colectiva del pueblo gitano, una imagen negativa que a su vez puede conducir a actitudes de hostilidad o discriminación contra las personas gitanas. - Las principales redes sociales, para que se sigan implicando y mejoren las respuestas frente al discurso de odio antigitano, retirando los contenidos de odio de manera automática. - Los foros *on line*, para que comiencen a implicarse en la lucha contra el discurso de odio antigitano, moderando los comentarios y retirando aquellos mensajes de odio más graves. - Las autoridades de todos los niveles de la administración para que promuevan campañas de concienciación y sensibilización que muestren una imagen diversa y no estereotipada de la comunidad gitana, y de este modo se generen contranarrativas frente a los prejuicios y el discurso del odio"[49].

Esta iniciativa llevada a cabo por la Fundación Secretariado Gitano está en consonancia con la recomendación de la Comisión Europea contra el Racismo y la Intolerancia (ECRI) que dirige a España en su informe de seguimiento de 2018 en el que resalta que "los medios de comunicación también contribuyen a la expansión del racismo y la xenofobia", entendiendo que la cobertura mediática de asuntos relacionados con la comunidad gitana difunde en ocasiones una imagen negativa[50]. En definitiva, según estipula la ECRI se trata de que "las autoridades españolas adopten a la mayor brevedad una legislación general contra la discriminación que esté en consonancia con las normas establecidas en los párrafos 4 a 17 de su Recomendación nº 7 de política general"[51].

Dicho esto, creo que no se puede pasar por alto que, conforme señala el informe de España del quinto ciclo de seguimiento del Convenio-Marco para la protección de las minorías nacionales (periodo 2014-2018) presentado en marzo de 2019 por el Ministerio de Sanidad, Consumo y Bienestar Social de España, a partir del año 2013

---

49 Informe Anual FSG 2019: *Discriminación y Comunidad Gitana*, <<Conclusiones y propuestas para mejorar la respuesta frente a la discriminación>>, op. cit., p. 13.

50 Vid. Ibídem, p. 187.

51 Vid. Informe de la ECRI sobre España. Quinto ciclo de supervisión, adoptado el 5 de diciembre de 2017 y publicado el 27 de febrero de 2018. Disponible en: https://rm.coe.int/fifth-report-on-spain-spanish-translation-/16808b56cb

se ha desarrollado y difundido la *campaña DOSTA!* del Consejo de Europa contra los estereotipos de la población gitana, a través de un convenio de colaboración de la Secretaría de Estado de Igualdad, la Dirección General de Servicios para las Familias y la Infancia, del Ministerio de Asuntos Exteriores y Cooperación y la Fundación Secretariado Gitano.

Asimismo se ha desarrollado e implementado el programa *YOSOYTÚ Diversidad*, dirigido a jóvenes de 13 a 20 años con el objetivo de promover mensajes positivos en relación con la diversidad entre este segmento de población fundamental para evitar la reproducción de los estereotipos que generan comportamientos discriminatorios (incluyendo el antigitanismo)[52]; al tiempo que se ha participado en el proyecto *Somos más, contra el odio y el radicalismo* promovido por Google, que tiene como objetivo prevenir y sensibilizar en materia de discurso de odio y radicalización violenta[53].

---

52 Según el informe de España del quinto ciclo de seguimiento del Convenio-Marco para la protección de las minorías nacionales (periodo 2014-2018) presentado en marzo de 2019 por el Ministerio de Sanidad, Consumo y Bienestar Social de España: "Se realizó en 2015, en el marco de un programa financiado por la Comisión Europea, y se solicitó la colaboración de una entidad gitana para contactar con jóvenes que pudieran poner rostro a dicha campaña. Dentro de este programa, en la web www.mezclate.es se presentan diferentes materiales y un completo programa de actividades de sensibilización. El portal cuenta con una sección para ayudar a los jóvenes que sufran o hayan presenciado actos de discriminación por sexo, raza o etnia, discapacidad, así como un apartado titulado "un poco de historia", donde se exponen ejemplos de personas que, a pesar de las barreras a las que se enfrentaron por la intolerancia de su entorno, han dejado huella y un legado de logros colectivos".

53 Según el informe de España del quinto ciclo de seguimiento del Convenio-Marco para la protección de las minorías nacionales (periodo 2014-2018) presentado en marzo de 2019 por el Ministerio de Sanidad, Consumo y Bienestar Social de España: "Se realiza con la colaboración del Ministerio de Justicia; el Ministerio del Interior (Secretaría de Estado de Seguridad y CITCO); el Ministerio de Educación y Formación Profesional (CNIIE); el Ministerio de Empleo, Migraciones y Seguridad Social (Secretaría General de Inmigración y Emigración y OBERAXE); el Ministerio de Sanidad, Consumo y Bienestar Social (Secretaría de Estado de Servicios Sociales); la Red Aware (*Alliance of Women Against Radicalization and Extremism*); FeSP-UGT a través de Aula Intercultural; la ONG Jóvenes y Desarrollo; y Google, a través de la iniciativa global *YouTube Creators for Change*".

Al hablar de discriminación múltiple e interseccional, tampoco podríamos pasar por alto la Resolución del Parlamento Europeo sobre las normas mínimas para las minorías en la Unión Europea (2018/2036 (INI), aprobada el 13 de noviembre de 2018, en la que se pide a la Comisión y a los Estados miembros que salvaguarden la protección de las minorías y aborden las desigualdades dentro de las mismas, ya que las personas pertenecientes a minorías se enfrentan a menudo a discriminaciones múltiples e interseccionales, solicitando a la Comisión y a los Estados miembros que aborden el complejo problema de este tipo de discriminaciones[54]. Quizás deberíamos tomar en serio las palabras de Donna Kate Rushin cuando en su poema "*de la puente*" decía que "la puente que tengo que ser es la puente a mi propio poder. Tengo que traducir mis propios temores. Mediar mis propias debilidades. Tengo que ser la puente a ningún lado más que a mi verdadero ser. Y después seré útil"[55].

4. UN CASO PARADIGMÁTICO: LA PROHIBICIÓN DE SEGREGACIÓN DE LOS NIÑOS GITANOS EN LAS ESCUELAS

La Agencia Europea de Derechos Fundamentales (FRA) se ha hecho eco de la grave situación que genera la segregación de los niños gitanos en las escuelas y en 2018 publicaba un importante estudio en el que destacaba, entre diversos problemas en el ámbito educativo, cómo el antigitanismo es un elemento clave que dificulta la inclusión social de la comunidad gitana en muchos países de la Unión Europea (*A persisting concern: anti-Gypsism as a barrier to Roma inclusion*)[56].

Los datos recogidos por FRA en este estudio mostraban que, si bien en algunos Estados miembros la participación de niños y niñas

54 Informe Anual FSG 2019: *Discriminación y Comunidad Gitana*, <<Resolución del Parlamento Europeo sobre las normas mínimas para las minorías en la Unión Europea (2018/2036 (INI))>>, op. cit., p. 192.

55 RUSHIN, DONNA KATE: <<El poema de la puente>>, en Cherríe Moraga y Ana Castillo (eds.), *Esta puente, mi espalda: voces de mujeres tercermundistas en los Estados Unidos*, San Francisco, Ism Press, 1988, pp. 15-17.

56 Disponible en: https://fra.europa.eu/en/publication/2018/persisting-concern-anti-gypsyism-barrier-roma-inclusion

gitanas en la educación mejoró con el tiempo, la brecha en el nivel educativo entre los niños gitanos y no gitanos sigue siendo muy alta sobre todo en los tramos posteriores a lo que es la educación obligatoria. Lo que, en cambio, sí parecía que era alentador en el estudio es que entre 2011 y 2016 la participación en la educación de la primera infancia había aumentado en seis de los nueve países encuestados, aunque todavía estaba por debajo del promedio de la población general.

Según ha precisado la Fundación Secretariado Gitano, a propósito de este estudio monográfico sobre antigitanismo de la FRA: "Las mejoras en la participación en la educación obligatoria también fueron alentadoras, aunque sigue siendo inferior al promedio general de la población en la mayoría de los países. Además, entre 2011 y 2016, el número de alumnos gitanos que abandonaron la educación en el nivel secundario en promedio disminuyó: del 87% en 2011 al 68% en 2016. En términos de experiencias de discriminación directa, la proporción general de gitanos que se sintió discriminado en la escuela no ha cambiado desde 2011, con un 14% en 2016. Mientras tanto, la proporción de jóvenes que abandonaron la escuela de forma temprana en comparación con los que abandonaron la escuela en la población general en todos los países encuestados sigue siendo inaceptablemente alta. Con respecto a la segregación escolar, la proporción de gitanos que asisten a clases donde "todos los compañeros son gitanos" en promedio aumentó el 10% en 2011, al 15% en 2016, lo que subraya la necesidad de una acción más decisiva en esta área"[57]. En definitiva, resultaba imprescindible implementar medidas para lograr un cambio en este ámbito y así conseguir dar una respuesta al Objetivo de Desarrollo Sostenible nº 4: <<Garantizar una educación de calidad inclusiva y equitativa y promover oportunidades de aprendizaje y permanente para todos>>.

Tengamos en cuenta que también el Parlamento Europeo en su resolución sobre las normas mínimas para las minorías en la Unión Europea (2018/2036(INI)), aprobada el 13 de noviembre de 2018, instó a que la Comisión y los Estados miembros velasen por que los miembros de las minorías pudieran ejercer sus derechos sin temor y,

---

[57] Informe Anual FSG 2019: *Discriminación y Comunidad Gitana*, <<Conclusiones y propuestas para mejorar la respuesta frente a la discriminación>>, op. cit., p. 188.

a este respecto, animó a los Estados miembros a que incluyeran la educación obligatoria en derechos humanos, ciudadanía democrática y alfabetización política en sus programas escolares a todos los niveles. Del mismo modo solicitó a la Comisión y a los Estados miembros a que proporcionasen formación obligatoria a los responsables políticos, por considerarse fundamental para la correcta aplicación de la legislación de la Unión y de los Estados miembros, instando además a que abordasen la discriminación interseccional tanto en sus políticas como a través de sus programas de financiación[58].

Resulta de enorme interés también referirnos a la Revisión intermedia del Marco europeo de estrategias nacionales de integración de los gitanos (2017)[59], realizada por la Comisión Europea, a la que anteriormente ya me referí, porque allí se destaca que la educación es el principal ámbito en el que parece haber mejorado la situación de los gitanos. También es el ámbito más destacado en la combinación de políticas de los Estados miembros para la integración de los gitanos. La mejora se ha detectado sobre todo en la lucha contra el "abandono escolar prematuro", con una disminución de los índices entre los gitanos de todos los Estados miembros que han sido objeto de la encuesta. España destaca por sus mejoras significativas junto a otros países como Eslovaquia, Bulgaria, Chequia y Rumanía. Ello es señal de que España ha estado aplicando las estrategias contra el abandono escolar, siguiendo las directrices de la estrategia Europa 2020 en este ámbito.

La otra mejora obvia dentro de este ámbito se observa en "educación y cuidados de la primera infancia": la participación de los niños gitanos ha aumentado en la mayoría de los Estados miembros con progresos significativos en España junto a otros países como Bulgaria, Grecia, Eslovaquia y Hungría, aunque ha empeorado en otros Estados miembros como Portugal y Rumanía. El mayor reconocimiento a la importancia de la educación infantil tiene su reflejo en el elevado

---

58 Informe Anual FSG 2019: *Discriminación y Comunidad Gitana*, <<Resolución del Parlamento Europeo sobre las normas mínimas para las minorías en la Unión Europea (2018/2036 (INI))>>, op. cit., p. 192.

59 Comunicación de la Comisión al Parlamento Europeo y al Consejo. Revisión intermedia del Marco europeo de estrategias nacionales de integración de los gitanos {SWD (2017) 286 final} Bruselas, 30.8.2017 COM(2017) 458 final.

número de medidas y en el aumento de la inversión en este ámbito, con el apoyo de cambios legislativos, como la introducción de años de preescolar obligatorios (Bulgaria, Chequia, Finlandia, Hungría y Lituania), lo que, sin embargo, no se ha realizado en España.

El informe llama la atención de que se requiere un apoyo financiero específico para ayudar a las familias más necesitadas a hacer frente a los costes indirectos de la educación infantil (tasas, comida, ropa, transporte, etc.) aunque, eso sí, se registran pequeñas mejoras en la "enseñanza obligatoria": más de 9 de cada 10 niños gitanos sujetos a la enseñanza obligatoria asisten a clase en la mayoría de los Estados miembros (salvo en Grecia y Rumanía).

Aunque la educación es el ámbito en el que verdaderamente más se ha avanzado, ello no quiere decir que no sigan existiendo desafíos sistémicos importantes de gran calado. De hecho, uno de los grandes retos es conseguir combatir la "segregación en la educación" y poner fin a la escolarización inadecuada de los gitanos en escuelas para alumnos con necesidades especiales, tal y como ya destacaron en el pasado el Marco europeo, la Recomendación del Consejo de 2013 y la Directiva sobre la igualdad racial.

En España se detecta claramente segregación ya que los niños gitanos van a escuelas en las que entre el 29 y el 48% son gitanos, lo que ocurre también en otros países como Grecia, Croacia, Chequia y Rumanía. Ahora bien, esta situación todavía se agrava más en Eslovaquia, Hungría y Bulgaria donde los niños gitanos representan un 60 % o más. Esto podría explicarse solo parcialmente por la segregación residencial. Es obvio que a pesar del número creciente de Estados miembros que invierten en medidas destinadas a promover *métodos de enseñanza y aprendizaje integradores*[60], siguen echándose de menos medidas activas contra la segregación en varios de los países más afectados y, en algunos casos, los fondos de la UE han sido utilizados incluso para instalaciones de segregación. Llama la atención que, aunque está plenamente demostrado que los entornos escolares integrados y las clases mixtas resultan beneficiosos para la población gitana y no gitana, todavía no existen de una manera generalizada. En consecuencia, entre los retos pendientes en este ámbito se encuentran los siguientes: las tasas de abandono

---

60 El destacado está en el texto original del documento.

escolar prematuro[61], la dificultad de promover la transición efectiva para los gitanos al segundo ciclo de la enseñanza secundaria o a la enseñanza superior, las carencias lingüísticas, y la discriminación.

Como ha puesto de relieve la Fundación Secretariado Gitano, el acoso discriminatorio en las escuelas y la segregación escolar es una realidad que impacta a la infancia gitana. De hecho, el informe de 2019 es contundente al respecto: "En el ámbito de la educación este año hemos documentado un total de 31 casos, casi el doble que el año anterior. Teniendo en cuenta lo difícil que es documentar este tipo de casos debido al perfil especialmente vulnerable de las víctimas (niños, niñas y adolescentes de etnia gitana), es un dato reseñable y preocupante. En muchas ocasiones se trata de casos en los que el alumnado gitano es víctima de acoso escolar antigitano debido a su origen étnico, lo cual tiene un impacto especialmente grave en lo que respecta a los derechos a la educación, a la dignidad y al bienestar de la infancia gitana. Por otro lado, debe resaltarse que este tipo de incidentes se producen en un contexto de segregación escolar del alumnado gitano y migrante, lo cual ya constituye, *per se*, una discriminación prohibida por los estándares europeos de derechos humanos.

Por todo ello, hacemos un llamamiento a las autoridades educativas, tanto a nivel estatal como autonómico, así como a la comunidad educativa en su conjunto para que tomen medidas encaminadas a:

---

61 La Fundación Secretariado Gitano ha puesto en marcha en septiembre de 2019 una iniciativa, *El Pupitre Gitano*, con la que pretenden buscar apoyos a la vista de la situación que sufren las niñas y niños gitanos en España en el ámbito escolar: "Seis de cada diez alumnas y alumnos gitanos abandonan los estudios sin acabar la Secundaria Obligatoria. Toma asiento, pero no te acomodes. En eso consiste El Pupitre Gitano, en vivir la incomodidad de sentarse en él y conocer las barreras que tiene que superar el alumnado gitano. El sistema educativo no garantiza la igualdad de oportunidades, no compensa las desventajas de partida, ni aborda las situaciones de segregación que afectan de manera desproporcionada a niñas y niños gitanos. Con esta acción, desde la Fundación Secretariado Gitano pedimos que su derecho a una educación de calidad se garantice en España. Reclamamos a los poderes públicos una reforma de la actual Ley Educativa que promueva una educación realmente inclusiva, con atención a la situación específica del alumnado gitano, un plan de choque contra el fracaso escolar y medidas para prevenir y revertir la segregación escolar". www.elpupitregitano.org

- Evaluar la alta concentración del alumnado gitano que permita realizar un mapa con datos fiables con miras a erradicar la segregación escolar;
- Investigar, sancionar y dar una respuesta debida al acoso escolar que sufren niños, niñas y adolescentes gitanos en los centros escolares debido a su origen étnico"[62].

También se constata que las mejoras en la educación aún no se han traducido efectivamente en el empleo. La tasa de "nini" entre los jóvenes gitanos sigue siendo alarmantemente elevada y, de hecho, ha aumentado en varios Estados miembros (oscila entre el 51 y el 77% en España, Croacia, Bulgaria, Eslovaquia, Rumanía, Chequia y Hungría; solo Portugal arroja un claro descenso). Ello es explicable si pensamos que las medidas se centran en el lado de la oferta, es decir, en la empleabilidad (a través de la formación profesional, el aprendizaje permanente, etc.) y no se dedican de forma proporcional a eliminar barreras por el lado de la demanda, por ejemplo, mediante la supervisión y la lucha contra la discriminación. Es por ello por lo que urge incrementar las vías para movilizar al sector privado e incentivar a los empresarios que contraten a gitanos, que en varios Estados miembros representan una proporción significativa y creciente de la población en edad de trabajar, por ejemplo, mediante la búsqueda explícita de gitanos en el marco de la Garantía Juvenil y consideraciones sociales en la contratación pública[63].

Por último, habría que referirse al informe de 2018 que publicó la Comisión Europea contra el Racismo y la Intolerancia (ECRI)

---

62 Informe Anual FSG 2019: *Discriminación y Comunidad Gitana*, <<Conclusiones y propuestas para mejorar la respuesta frente a la discriminación>>, op. cit., p. 14.

63 Según los Puntos Nacionales de Contacto para la población gitana, el factor único de éxito más importante es el siguiente: dirigirse a los gitanos mediante los servicios de empleo generales, por ejemplo, a través de un apoyo individual, o llegar a ellos por medio de trabajadores sociales o responsables de empleo gitanos. Los Puntos Nacionales de Contacto para la población gitana señalan como desafíos, entre otros: la falta de cualificaciones y competencias; la discriminación; la necesidad de convencer a los empleadores de la importancia de la gestión de la diversidad y de la lucha contra la discriminación, y mayor atención a las mujeres gitanas.

del Consejo de Europa en relación con el seguimiento de España en cuestiones relativas al racismo y la intolerancia. En dicho informe, la ECRI hace un repaso de los avances realizados por España desde el último informe de 2010 y señala ciertas recomendaciones que afectan directamente a la población gitana. Es en el ámbito educativo en el que las recomendaciones fundamentalmente señalan que las autoridades españolas deberían poner en marcha medidas para asegurar un rápido incremento del porcentaje de niños y niñas gitanos que terminan la educación obligatoria. En este sentido, la ECRI recomienda que las autoridades españolas, tanto a nivel central como regional y local, se centren en mejorar los resultados educativos del alumnado gitano. Literalmente se precisa: "La ECRI acoge con agrado los modelos concebidos por la sociedad civil, como la Fundación Secretariado Gitano, para prevenir el absentismo escolar y el abandono escolar prematuro. Pero estima que estos programas deberían extenderse y que su financiación a cargo de una parte específica de los impuestos sobre la renta debería mantenerse". Ahora bien, dada la magnitud del problema, "la ECRI opina que los esfuerzos desplegados solamente por la sociedad civil no bastan, y que las autoridades escolares a nivel nacional y regional deben asumir su responsabilidad de garantizar la enseñanza obligatoria para todos. Así pues, deberían responsabilizarse y adoptar, en estrecha relación con la sociedad civil gitana, otras medidas estructurales encaminadas a afrontar el absentismo escolar y el abandono escolar temprano".

Por otra parte, la ECRI considera que se encuentra pendiente de aplicación la Recomendación objeto de seguimiento emitida en su último informe de "adoptar medidas para asegurar una distribución equitativa de los alumnos españoles, inmigrantes y gitanos, en las diversas escuelas". Este organismo del Consejo de Europa señala el impacto negativo de la segregación escolar en las expectativas de los niños gitanos y, en particular, de las niñas gitanas, lo que conduce en muchos casos al abandono escolar temprano. En este contexto, resulta razonable la aseveración de la ECRI cuando afirma "que las autoridades deberían continuar centrándose en reducir la segregación escolar y su impacto negativo"[64].

---

64 Informe Anual FSG 2019: *Discriminación y Comunidad Gitana*, <<Conclusiones y propuestas para mejorar la respuesta frente a la discriminación>>, op. cit., p. 187.

No obstante, como más adelante se analizará, conforme señala el informe de España del quinto ciclo de seguimiento del Convenio-Marco para la protección de las minorías nacionales (periodo 2014-2018) de marzo de 2019 del Ministerio de Sanidad, Consumo y Bienestar Social, el Consejo Estatal del Pueblo Gitano dentro del área de educación en España ha realizado notables esfuerzos por luchar contra la segregación escolar, además de apostar por la universalización de la escolarización y aumento del éxito académico del alumnado gitano en educación primaria.

5. LITIGIOS ESTRATÉGICOS DEL TEDH EN DEFENSA DE LOS DERECHOS DE LOS GITANOS

Mientras que el Tribunal Europeo de Derechos Humanos ha mostrado numerosos signos a la hora de combatir la discriminación por nacimiento o por nacionalidad[65], la protección jurídica frente a la discriminación racial ha sido hasta comienzos del siglo XXI muy escasa, temerosa, con avances y retrocesos constantes, que no han permitido la construcción de un sendero firme y decidido. Esto no deja de inquietar cuando uno se acerca al tema porque, como afirma Dworkin, la discriminación racial es la más odiosa de todas porque "expresa desprecio y es profundamente injusta... es completamente destructora de las vidas de sus víctimas... no les priva simplemente de alguna oportunidad abierta a otros, sino que les daña en casi todos los proyectos y esperanzas que puedan concebir".[66] La discriminación racial, por un lado,

---

65 La discriminación por nacionalidad se regula en el ámbito de la UE dentro de la libre circulación de personas.

66 DWORKIN, RONALD: *Sovereign Virtue. The Theory and Practice of Equality*, Harvard Univ. Press, 2000, p. 407.

estigmatiza a sus víctimas[67] y, por otro, las convierte en "minorías aisladas y sin voz[68]".

De hecho, en el ámbito norteamericano el origen del Derecho antidiscriminatorio se halla precisamente en la lucha contra la discriminación racial que, como hemos podido comprobar, tras la muerte del afroamericano George Floyd a manos de la policía el 25 de mayo de 2020, lamentablemente, permanece con su llama más viva que nunca. Su injusto y cruento fallecimiento desató una importante ola de vio-

---

[67] En el Derecho anti-discriminatorio, la teoría del estigma procede de KARST, KENNETH L.: <<Equal Citizenship under the Fourtheenth Amendment>>, *Harvard Law Review*, vol. 91, nov. 1977, pp. 1-68. Para este autor, el corazón de la idea de igualdad es el derecho de igual ciudadanía, que garantiza a cada individuo el derecho a ser tratado por la sociedad como un miembro respetado, responsable y participante. Enunciado de modo negativo, el derecho de igual ciudadanía prohíbe a la sociedad tratar a un individuo como un miembro de una casta inferior o dependiente o como un no-participante. En otras palabras, el derecho de igual ciudadanía protege contra la degradación o imposición de un estigma, que es la actitud con la que "los normales", "la mayoría" miran a aquellos que son diferentes. Citando a Goffman, Karst afirmará: "la persona víctima de un estigma no es del todo humano". No todas las desigualdades estigmatizan. Los efectos del estigma recaen sobre las víctimas, dañando su autoestima, de modo que la mayoría llegan a aceptar como "naturales" las desigualdades perjudiciales que reciben, pero también recaen sobre toda la sociedad, que llega a elaborar una ideología del estigma para justificarlo. Me parece fuera de toda duda que las minorías raciales encajan a la perfección en esa categoría de "casta" víctima de un "estigma". Esto determina, en mi opinión, que las normas contra la discriminación racial deban ser particularmente incisivas.

[68] Las minorías raciales son, en sentido estricto, "minorías aisladas y sin voz" en el proceso político. Como se sabe, la doctrina de las "*discrete and insular minorities*" fue acuñada por el Tribunal Supremo norteamericano en la cuarta nota a pie de página de la Sentencia *Carolene Products v. U.S.*, de 1938 (ponente: Stone) y ha sido formulada teóricamente por ELY, JOHN H.: <<Equal Citizenship under the XIV Amendment>>, *Harvard Law Review*, vol. 91, nov. 1977, pp. 69 ss. Según esta teoría, la prohibición constitucional de discriminación concierne principalmente a la protección judicial de aquellos grupos minoritarios que son incapaces de defenderse en la arena política a causa de su privación de derechos o por sufrir estereotipos negativos. También desde este punto de vista se refuerza la idea de que el derecho contra la discriminación racial ha de ser particularmente intenso e incisivo. También sobre esta cuestión, recomiendo la lectura del artículo de MARUGÁN ZALBA, NICOLÁS, titulado <<La discriminación racial, la intolerancia y el discurso de odio racista>>, recogido en la obra colectiva de HERMIDA DEL LLANO, CRISTINA (Coord.): *Discriminación racial, intolerancia y fanatismo en la Unión Europea*, op. cit., pp. 19-34.

lencia y numerosas protestas raciales no solo en más de cincuenta ciudades de Estados Unidos sino por todo el mundo, erigiéndose Floyd en símbolo del racismo existente por la violenta, brutal y abusiva actividad policial ejercida contra afroamericanos[69]. De ahí que no falten autores como Sheryll Cashin[70] que insisten hoy en la imperiosa necesidad de recordar las palabras de Martin Luther King Jr. cuando anhelaba "*the creation of the Beloved Community*", esto es, "un mundo en el que todas las personas puedan vivir como hermanos en comunidad, y no continuamente vivan con amargura y fricción"[71]. Algo que, por cierto, en el continente africano también defendió hasta el final de sus días el arzobispo emérito y activista por los derechos humanos sudafricano, Desmond Tutu, "la voz de los que no tienen voz", como fue descrito por Nelson Mandela[72]. Sobra decir que no solo grandes sujetos individuales, de la talla de Desmond Tutu y Nelson Mandela, o colectivos como las ONGs, sino también los tribunales nacionales e internacionales desempeñan una labor decisiva a la hora de emprender la lucha contra la discriminación racial en el mundo.

En lo que a los órganos jurisdiccionales se refiere, en el contexto del Consejo de Europa, el Tribunal Europeo de Derechos Humanos ha asumido un papel decisivo en la lucha contra la discriminación ra-

---

[69] Fue el policía Derek Chauvin quien con su rodilla presionó el cuello de Floyd durante varios minutos hasta asfixiarlo, aunque también ha sido digno de reproche el comportamiento de los oficiales Thomas Lane y J. Alexander Kueng, quienes ayudaron a contener a Floyd, mientras que el oficial Tou Thao se mostraba impasible y sin capacidad de reacción ante semejante atrocidad. Vid. HERMIDA DEL LLANO, CRISTINA: <<Cánticos por la igualdad racial>>, *El Imparcial*, 1 de junio de 2020. Disponible en: https://www.elimparcial.es/noticia/213650/opinion/canticos-por-la-igualdad-racial.html

[70] Remito a su última obra titulada *White Space, Black Hood: Opportunity Hoarding and Segregation in the Age of Inequality*, Beacon Press, 2021.

[71] La traducción es mía. Vid. CASHIN, SHERYLL: <<Where MLK's Vision Is Starting to Be Realized>>, *Político*, 17 de enero de 2022. Disponible en: https://www.politico.com/news/magazine/2022/01/17/martin-luther-king-day-city-governments-527214

[72] Ganador del Premio Nobel de la Paz en 1984 por la justicia racial y los derechos LGBT y arzobispo anglicano retirado de Ciudad del Cabo, Tutu falleció a los 90 años el 26 de diciembre de 2021. Calificado como "el rostro del movimiento contra el apartheid" actuó como guía espiritual y moral de la nación africana. Junto al líder Nelson Mandela dedicó tiempo y esfuerzo a la espinosa tarea de reconciliar a la nación tras la conquista de la democracia en 1994.

cial de los sujetos y, en especial de los gitanos, a la que aquí nos referiremos, pudiéndose llegar a diferenciar dentro de ella con claridad dos etapas: la primera, insuficientemente garantista y de argumentación jurídica precaria, que llegaría hasta dos sentencias de gran relevancia en este ámbito, *Nachova* (2005)[73], y *D.H. y otros* (2007)[74]; y, una segunda, a partir de estos fallos, en la que el Tribunal parece encontrarse más sensible a los casos de discriminación racial, incorporando al ordenamiento europeo el aparato conceptual del Derecho antidiscriminatorio[75] procedente del Derecho anglosajón. Por desgracia, este cambio de orientación lo llevó a cabo el Tribunal con grandes dudas y además, en ocasiones, sin hacer un correcto uso de los conceptos relativos a la prohibición de discriminación[76].

Dicho esto, también es cierto que si uno examina las sentencias de las dos primeras décadas del siglo XXI detecta que el Tribunal Euro-

---

73 Sentencia del TEDH, de la Gran Sala, "*Caso Nachova and Others v. Bulgaria*", de 6 de julio de 2005 Applications Nº 43577/98–43579/98. Sobre esta sentencia, recomiendo la lectura del artículo de PALACIO ZULOAGA, PATRICIA: <<Hito y Retroceso en la Violencia Racial bajo el Sistema Europeo de Derechos Humanos: El Caso Nachova y Otros v. Bulgaria>>, *Anuario de Derechos Humanos*, 2006, pp. 133-137. Vid. https://anuariocdh.uchile.cl/index.php/ADH/article/view/13381

74 Sentencia del TEDH, de la Gran Sala, "D. H. y otros contra la República de Chequia", de 13 de noviembre de 2007. Sobre esta sentencia, recomiendo la lectura del artículo de REY MARTÍNEZ, FERNANDO: <<La Sentencia del Tribunal Europeo de Derechos Humanos, de la Gran Sala, "D. H. y otros contra la República de Chequia>>, de 13 de noviembre de 2007". Disponible en: https://www.gitanos.org/upload/74/54/Sentencia_Caso_Ostrava_Fernando-Rey-Martinez.pdf

75 GARRIDO GÓMEZ, MARÍA ISABEL: <<Expresiones del Derecho antidiscriminatorio>>, en D. Pabón Piscitello, *Derecho* (coord.), *Derecho internacional de los derechos humanos: manifestaciones, violaciones y respuestas actuales*, T. I ("Especial referencia al ámbito universal"), Universidad Católica de Córdoba (Argentina), Córdoba (Argentina), 2014, pp. 139-166.

76 Podemos recordar las dos discutibles sentencias de Sala relativas a la segregación escolar de niños gitanos, *Orsus y D.H. y otros*, o decisiones del Tribunal en materia de violencia racial (incluso con resultado de muerte) que no concluyeron con la apreciación de móvil racista, a pesar de los sospechosos indicios en contrario. Todavía más hiriente puede considerarse la Sentencia del Caso *Carabulea* en la que ni siquiera se utiliza el estándar de decisión acuñado en el asunto *Nachova*. En definitiva, la jurisprudencia no ha seguido un camino con firmeza y coherencia.

peo de Derechos Humanos ha ido adoptando una línea cada vez más activa y garantista como efecto reflejo de lo que él mismo denomina "nuevo consenso europeo" en materia de prohibición de la discriminación racial, no siempre del todo coherente, habiendo resultado decisivos documentos que han procedido de otras instituciones del Consejo de Europa, en particular, de la ECRI para fallos emblemáticos como el de *Orsus y otros contra Croacia* de 16 de marzo de 2010[77] en el ámbito de la segregación escolar o *V.C. contra Eslovaquia* de 8 de noviembre de 2011 sobre esterilización forzosa de mujeres romaníes en la República eslovaca[78].

Fue a raíz del Caso *Régimen Lingüístico Belga* (1968)[79] cuando el Tribunal de Estrasburgo se decanta por la versión original inglesa del artículo 14 CEDH que resalta que el goce de los derechos y libertades

---

77 https://www.refworld.org/pdfid/4ba208fc2.pdf

78 Vid. AGUILERA RULL, ARIADNA / GILI SALDAÑA, MARIAN: <<La esterilización forzosa de mujeres romaníes en la República eslovaca: ¿no hay discriminación? Comentario a la sentencia del Tribunal Europeo de Derechos Humanos de 8 de noviembre de 2011 (TEDH 2011\95), Caso V. C. contra Eslovaquia>>, *InDret. Revista para el Análisis del Derecho* 4/2012, Barcelona, 2012.

79 Caso relativo a ciertos aspectos del régimen lingüístico de la enseñanza en Bélgica. Sentencia del TEDH de 23 de julio de 1968. Demandas nº 1474/1962, 1677/1962 y 1691/1962. Un grupo de ciudadanos belgas presenta una demanda contra Bélgica planteando al Tribunal que decida sobre si ciertas disposiciones de la legislación lingüística belga en materia de enseñanza responden o no a las exigencias del artículo 2 del Protocolo adicional y de los artículos 8 y 14 del Convenio, en la medida en que parece impedirse a algunos niños, con el único fundamento del lugar de residencia de sus padres, el acceso a las escuelas de lengua francesa existentes en los seis municipios de la periferia de Bruselas dotados de un estatuto especial. Los demandantes, padres y madres de familia de nacionalidad belga alegaron que eran francófonos o que se expresaban habitualmente en francés, deseando que sus hijos fueran instruidos en esta lengua. En definitiva, reprochan al Estado belga: – no organizar una enseñanza en lengua francesa en los municipios donde residen los demandantes o, en el caso de Kraainem, haber organizado una enseñanza que juzgan insuficiente; – privar de subvenciones a los establecimientos que, en los citados municipios, no cumplían las disposiciones lingüísticas de la legislación escolar; – negarse a homologar los certificados de estudios expedidos por tales establecimientos; – no permitir el acceso de los hijos de los demandantes a las clases de francés existentes en ciertos lugares; – haber obligado así a los demandantes, bien a inscribir a sus hijos en una escuela local, solución que estiman contraria a sus aspiraciones, bien a enviarlos a hacer sus estudios a Bruselas capital, donde la lengua de la enseñanza es el holandés o el francés, según la lengua materna o habitual del niño, o en la "región de lengua

ha de ser asegurado *"without discrimination"* y defiende que la igualdad ha de ser interpretada como ausencia de discriminación, aclarando que esta disposición no prohíbe cualquier diferencia de trato sin más[80]. Parece, a todas luces, razonable la aproximación al tema del

---

francesa" (Valonia). Según los demandantes, dicha "emigración escolar" entrañaba graves riesgos e inconvenientes.

Vid.https://vlex.com.pe/vid/23-determinados-aspectos-regimen-belgica-365669854

80 Vid. FREIXES SANJUÁN, TERESA: <<Las principales construcciones jurisprudenciales del Tribunal Europeo de Derechos Humanos. El standard mínimo exigible a los sistemas internos de derechos en Europa>>, *Cuadernos Constitucionales de la Cátedra Fadrique Furió Ceriol,* Nº 11-12, op. cit. El fallo de 23 de julio de 1968 señala lo siguiente: <<Es cierto que el legislador ha instaurado un régimen que favorece únicamente la enseñanza dispensada en neerlandés, en la región unilingüe neerlandesa, del propio modo que consagra la homogeneidad lingüística de la enseñanza en francés en la región unilingüe francesa. Estas diferencias de trato de las dos lenguas nacionales en las dos regiones unilingües son, sin embargo, compatibles con el artículo 2 del Protocolo, tal y como el Tribunal lo ha interpretado, y con el artículo 8 del Convenio, incluso considerados en conexión con el artículo 14.

En efecto, el artículo 14 no impide una diferencia de trato si esta se basa en una apreciación objetiva de circunstancias de hecho esencialmente diferentes y si, inspirándose en el interés público, vela por un justo equilibrio entre la salvaguardia de los intereses de la comunidad y el respeto de los derechos y libertades garantizados por el Convenio>>.

El Tribunal constataba que su objetivo era el de realizar la unidad lingüística en el interior de las dos grandes regiones de Bélgica, en las que una amplia mayoría de la población hablaba una de las dos lenguas nacionales, promoviendo de este modo el conocimiento profundo de la lengua oficial de la región por parte de los alumnos. Según el Tribunal, este fin de interés público no comportaba en sí mismo ningún elemento discriminatorio.

En lo que se refiere a la relación de proporcionalidad entre los medios empleados y el fin a alcanzar, la cuestión no era tan sencilla. Una de las dificultades se encontraba en el hecho de que los niños que por ser titulares de un certificado no homologable por razones de orden puramente lingüístico, tenían que hacer un examen ante el Tribunal central, en consecuencia, encontrándose en una situación menos ventajosa que los alumnos que sí habían conseguido un certificado de fin de estudios homologable. Esta desigualdad de trato derivaba de una diferencia relativa al régimen administrativo de la escuela a la que se asistía: en el primero de los dos casos mencionados, se trataba de un establecimiento que, en virtud de la legislación en vigor, no estaba sometido a la inspección escolar, mientras que, en el segundo caso, por el contrario, sí que estaba sujeto a dicha inspección. Así, el Estado trataba desigualmente situaciones desiguales, sin privar al alumno del fruto de sus estudios.

Tribunal al entender que el hecho de llevar a cabo una diferencia de trato no se realiza automáticamente una acción discriminatoria, siendo admisible el trato diferenciado derivado de una disposición, acto, criterio o práctica que pudiera justificarse objetivamente por una finalidad legítima y como medio adecuado, necesario y proporcionado para alcanzarla. De ahí que las acciones positivas se pudieran tornar valiosas como medidas especiales que tratan de compensar las desventajas estructurales que afectan a personas en virtud de su concreto origen racial o étnico[81]. Como sabemos, estas ideas calarían en la UE hasta el punto de verse recogidas las denominadas medidas específicas o acciones positivas en la jurisprudencia del Tribunal de Luxemburgo (pensemos en las sentencias *Kalanke*, *Marshall* o *Abrahamson*) y en la propia Carta de Derechos Fundamentales de la Unión Europea.

Si la sentencia más arriba citada se considera una referencia ineludible es porque en ella se dan las pistas necesarias para lograr discernir si existe o no violación del artículo 14 CEDH, como si de un "test" de igualdad se tratara: 1) si la distinción en el trato carece de justificación objetiva; 2) si la distinción de trato resulta conforme a la finalidad de los efectos de la medida examinada en atención a los principios que generalmente prevalecen en las sociedades democráticas; 3) si existe una razonable relación de proporcionalidad entre los medios empleados y la finalidad perseguida[82].

También el caso *Sindicato Nacional de Policía Belga c. Bélgica*[83] marcó un verdadero hito en 1975 en la jurisprudencia del Tribunal de Estrasburgo, ya que desde entonces se ha venido manteniendo que el artículo 14 CEDH forma parte integrante de todos y cada uno de los

---

Pues bien, en este caso concreto, el Tribunal concluyó que las disposiciones legales a las que se refiere la cuestión no se encontraban por sí mismas en contradicción con las exigencias reconocidas en el Convenio.

81 Las acciones positivas son las medidas específicas a favor de determinados colectivos que se orientan a prevenir o compensar las desventajas que les afecten por razón de su origen racial o étnico. Vid. Ibídem, p. 16.

82 FREIXES SANJUÁN, TERESA en su artículo <<Las principales construcciones jurisprudenciales del Tribunal Europeo de Derechos Humanos. El standard mínimo exigible a los sistemas internos de derechos en Europa>>, *Cuadernos Constitucionales de la Cátedra Fadrique Furió Ceriol*, N° 11-12, op. cit.

83 Sentencia del TEDH de 27 de octubre de 1975.

preceptos que contemplan derechos y libertades[84]. Si esta apreciación resulta importante es porque pone de relieve que la igualdad y la no discriminación gozan de un carácter transversal, que recorre todo el articulado, permitiendo por ello que se pueda constatar el trato discriminatorio de cualquier derecho del Convenio de Roma de 1950, hasta el punto de que la igualdad y la no discriminación configuran su identidad de forma "adjetiva o conexa a los derechos o libertades respecto de los cuales se pretende la igualdad o se rechaza la discriminación"[85].

A pesar de este reconocimiento interpretativo del artículo 14 CEDH, si analizamos con detalle la jurisprudencia del TEDH, resulta un tanto decepcionante, como ya se ha querido apuntar, el modo en que este órgano jurisdiccional se ha aproximado al tema de la discriminación por origen racial o étnico, pues su tutela no parece haber dejado "una gran huella" a lo largo de su recorrido[86]. A mi modo de ver, si los tribunales en general han sido muy parcos en el reconocimiento de las acciones discriminatorias, ello en buena medida se ha debido a que los reclamantes no tenían nada fácil conseguir probar el trato discriminatorio en sí, aunque el *animus* o intención discriminatoria del autor quedaran más que claros ya que en la mayoría de los casos resultaba que era el propio autor de la acción discriminatoria quien poseía la

---

84 SCHUMANN, KLAUS: <<The role of the Council of Europe>>, *en Minority Rights in Europe. The Scope for a Trasnational Regime*, op. cit., pp. 87-98, especialmente, pp. 90-91.

85 FREIXES SANJUÁN, TERESA en su artículo <<Las principales construcciones jurisprudenciales del Tribunal Europeo de Derechos Humanos. El standard mínimo exigible a los sistemas internos de derechos en Europa>>, *Cuadernos Constitucionales de la Cátedra Fadrique Furió Ceriol*, Nº 11-12, op. cit. El Caso *Luedicke*, *Belkacem* y *Koç contra Alemania* (sentencia del TEDH de 10.03.1980) puso de manifiesto que cuando se aprecia violación sustantiva de un derecho no se ha de aplicar automáticamente el artículo 14 CEDH. Asimismo, por otra parte, desde el Caso *Rasmussen* el TEDH comenzaría a sostener la tesis de que el artículo 14 CEDH completa las demás cláusulas normativas del Convenio y de los Protocolos, de tal manera que no goza de sustantividad propia e independiente y, por ello, siempre debe alegarse en relación con alguno o algunos de los derechos reconocidos. En el fondo, lo que parecer latir tras estas consideraciones es la tesis del "alcance complementario del derecho a no ser discriminado en el goce de los derechos".

86 <<Informe anual sobre la situación de la discriminación y la aplicación del principio de igualdad de trato por origen racial o étnico en España 2011>>, op. cit., p. 43.

información necesaria para demostrarlo. El hecho de que durante décadas se obligara a los demandantes a que la prueba fuera más allá de la duda razonable[87] condicionaba el acercamiento del Tribunal a las acciones discriminatorias por razón de origen racial o étnico, por lo que no es de extrañar que con el tiempo creciera un ambiente de crítica, desagrado y disidencia dentro del propio órgano jurisdiccional.

Buena muestra de ello es el voto particular del Magistrado Bonello en la Sentencia *Anguelova contra Bulgaria* (2002)[88], en la que este llamó la atención del Tribunal sobre la dificultad probatoria del demandante al mantenerse el criterio jurisprudencial de la "duda más allá de lo razonable", y sobre su inmediata y drástica consecuencia: la ausencia de apreciación de discriminación racial en medio siglo de ejercicio del Tribunal[89]. De ahí que el Magistrado Bonello propusiera opciones para flexibilizar el modo probatorio, lo que, por cierto, influyó de forma decisiva en la evolución del TEDH en lo que a las exigencias probatorias se refiere: <<La técnica de inversión de la carga de la prueba o la estimación de la violación del derecho si el Gobierno de que se trate no proporciona la información a la que solo él tenía acceso, o

---

87 CAHN, CLAUDE: <<La indolencia de un tribunal: de cómo no afrontar la discriminación sistémica por origen racial en el Tribunal Europeo de Derechos Humano>>, *Revista de Derecho Europeo Antidiscriminación*, nº 4, 2006, p. 9.

88 En esta resolución de 2002 relativa al asesinato de un hombre de etnia gitana por parte de un policía búlgaro por móviles racistas, el Tribunal no encontró violación alguna de las previsiones legales sobre no discriminación del artículo 14 de la Convención. Caso *Anguelova v. Bulgaria* (Demanda nº 38361/97). Sentencia de 13 de septiembre de 2002.

89 El magistrado Bonello lo deja más que claro en su voto particular: <<2. (...). Al revisar los anales del Tribunal, un observador profano podría llegar a la conclusión de que, durante más de cincuenta años, la Europa democrática se ha visto libre de toda sospecha de racismo, intolerancia o xenofobia. La Europa que refleja la jurisprudencia del Tribunal es un refugio ejemplar de fraternidad étnica, en el cual los pueblos de los más diversos orígenes se fusionan sin rastro de tensión, prejuicios ni recriminación. El presente caso no hace sino alimentar esta ilusión. 3. El Tribunal ha reconocido frecuente y regularmente que miembros de minorías vulnerables han sido asesinados o sometidos a tratos degradantes, en violación del artículo 3; pero el Tribunal no ha estimado, ni siquiera una sola vez, que esos hechos estén ligados a su especificidad étnica. Kurdos, negros, musulmanes, gitanos y otros son una y otra vez asesinados, torturados o mutilados, pero el Tribunal aún no se convence de que su raza, color, nacionalidad o lugar de origen tenga nada que ver con ello>>.

la presunción de que cuando un miembro de un grupo desventajado sufre daño en un asunto donde las tensiones raciales son altas y la impunidad de los ofensores estatales epidémica, la carga de la prueba de que el suceso no fue étnicamente provocado debería corresponder al Estado>>[90]. Tengamos en cuenta que la dificultad probatoria había obstaculizado la condena en casos anteriores tan controvertidos como *Velicosa contra Bulgaria*, de 18 de mayo de 2000[91].

Habría que esperar hasta principios de 2004 para que el Tribunal en la Sentencia *Nachova y otros contra Bulgaria*[92] reconociera la violación de la prohibición de discriminación del artículo 14 en virtud del origen racial o étnico, marcando con ello un verdadero hito diferenciador en lo que a las exigencias probatorias se refiere. Concretamente, el 26 de febrero de 2004, la Sección cuarta de la Sala estimaba por unanimidad las pretensiones de los demandantes al considerar violación del artículo 14 CEDH por parte del Estado búlgaro. El Tribunal entendió que no había habido una investigación diligente y apreció la situación de desventaja de los demandantes al carecer del poder necesario para recopilar las pruebas que sí estaban en manos del Estado. De este modo, justificaba en este caso la necesidad de alterar la carga de la prueba: <<Respaldadas por la libre valoración de todas las pruebas, incluidas las inferencias que pudieran derivarse de los hechos y de las alegaciones de las partes [...] La prueba puede resultar de la coexistencia de inferencias suficientemente fuertes, claras y concordantes, o de similares presunciones no refutadas. Por otra parte, el grado de persuasión necesario para alcanzar una determinada conclusión y, a este respecto, el reparto de la carga de la prueba,

---

90 Añade la consideración de móvil racista cuando el Estado no investigue adecuadamente los hechos en los ataques a la vida o integridad física y moral del miembro de una minoría étnica.

91 Caso relativo a la muerte de personas gitanas en dependencias policiales.

92 Sentencia *Nachova y otros contra Bulgaria*, 26 de febrero de 2004. Asunto: muerte de dos personas gitanas en Bulgaria durante una detención con motivaciones racistas. Hechos: Muerte por disparos de la policía militar búlgara de unos trabajadores de etnia romaní que se habían dado a la fuga, alegando los demandantes que esas muertes eran debidas a un comportamiento policial desproporcionado fruto de prejuicios racistas. Violación del artículo 2 del Convenio que protege el derecho a la vida en relación con el artículo 14, derecho a la igualdad de trato.

están intrínsecamente vinculados a la especificidad de los hechos, la naturaleza de las alegaciones formuladas y el derecho del CEDH en cuestión>>.

El Tribunal afirmó con valentía que en aquellos supuestos en los que se invoque discriminación racial, la carga de la prueba incumbe al gobierno demandado; es decir, debía ser el Estado demandado la parte que, con la ayuda de elementos probatorios suplementarios en su caso, o de una explicación plausible de los hechos, debiera convencer de que los hechos que se habían denunciado no habían estado motivados por una actitud discriminatoria sujeta a prohibición.

Como era de esperar, el Estado de Bulgaria solicitó que se remitiera el asunto a la Gran Sala que dictó sentencia el 6 de julio de 2005 desestimando la motivación racista al no poder concluir más allá de la duda razonable que las muertes y la ausencia de investigación se hubieran producido por motivos racistas. En consecuencia, las autoridades quedaron liberadas de realizar prueba *ad hoc* y de justificar la ausencia de un procedimiento interno de investigación de los hechos.

Es cierto que sorprende que hasta principios de 2004 sólo se hayan detectado un par de resoluciones positivas sobre temas raciales, pero ninguna sentencia comprendida dentro de las disposiciones del artículo 14. Ahora bien, si lo pensamos detenidamente, todavía resulta aún más llamativo que el Tribunal de Estrasburgo hubiera tenido una especial dificultad en identificar las disposiciones del Convenio de Roma cuando afectaban a la población de origen gitano[93], lo que, explicablemente, condujo a que fuera acusado, en no pocas ocasiones, de un marcado prejuicio anti-gitano[94].

Por ello, en consecuencia, sería muy celebrada una sentencia paradigmática del TEDH en la que toma un nuevo rumbo respecto a la interpretación del artículo 14 CEDH y además en un caso que afectaba

---

93 Sobre las violaciones de los derechos humanos de los gitanos recomiendo la lectura de CAHN, CLAUDE: <<Human Rights and Roma: What's the Connection?>>, en *Roma Rights. Race, Justice and Strategies for Equality*, International Debate Education Association, New York, 2002, pp. 10-24, en especial, pp. 18-19.

94 Vid. CLEMENTS, LUKE: *Litigating Cases on Behalf of Roma before the Court and Commission in Strasbourg*. Roma Rights, invierno de 1998. Disponible en: http://www.errc.org/cikk.php?cikk=487

a las minorías gitanas: el caso de un cruel pogromo en Rumanía[95]. Al dictar sentencia sobre el Caso *Hadareni contra Rumania*, el 13 julio de 2005, el Tribunal sostuvo que Rumanía había violado múltiples disposiciones del Convenio Europeo de Derechos Humanos. Especialmente interesante, a mi modo de ver, fue que el Tribunal se adentró en el problema de la discriminación racial desde diversas perspectivas. Al revisar los argumentos que hacían referencia a que se habían infringido diversas disposiciones del Convenio sobre no discriminación, el Tribunal se mostró a favor de dichos argumentos, y estimó una violación del artículo 14 del Convenio, que puso en conexión con los artículos 6.1 (derecho a un proceso equitativo), habida cuenta de la duración del proceso, y 8 (derecho al respeto de la vida privada y familiar). El Tribunal también constató una violación de la prohibición del artículo 3 de tratos inhumanos o degradantes por razones que incluían la discriminación racial: <<En vista de los argumentos enunciados más arriba, el Tribunal estima que las condiciones de vida de los demandantes y la discriminación racial a la que se han visto públicamente sujetos por la forma en la cual las diversas autoridades han atendido sus quejas, constituyen una ofensa a su dignidad humana, lo cual (...) se eleva a la categoría de "trato degradante" dentro del significado del artículo 3 del Convenio>>[96].

Con la sentencia del Caso *Hadareni*, el Tribunal velaba por hacer justicia en un Estado miembro del Consejo de Europa, no sólo ofreciendo apoyo jurídico, sino tratando de resarcir a las víctimas por los daños severos sufridos que derivaban en buena medida de la discriminación racial.

---

95 Es cierto que este Caso, referido a la muerte y agresiones a ciudadanos gitanos del barrio de Hadarini, el Tribunal no lo admitió a juicio sin dificultades debido al hecho de que el pogromo había tenido lugar unos meses antes de que Rumanía ingresara realmente en el Consejo de Europa, y por tanto antes de que el Convenio entrara en vigor allí. Sin embargo, el Tribunal, finalmente, se decidió a estudiar el asunto, aceptando argumentos sobre las degradantes condiciones de vida bajo las cuales las víctimas habían vivido durante muchos años después de la violencia ejercida contra ellas, así como que el fracaso, debido a motivos raciales, a la hora de impartir justicia en este asunto, habían constituido violaciones continuadas del Convenio desde el 20 de junio de 1994, momento en el que el texto internacional había entrado en vigor en Rumanía.

96 *Moldovan and Others contra Romania* (Demandas nº 41138/98 y 64320/01), Sentencia nº 2 de 12 de Julio de 2005, parágrafo 113.

Aunque parezca mentira, la acertada y contundente perspectiva asumida por el Tribunal en el Caso *Hadareni* contrastó crudamente con las hirientes, confusas y erróneas conclusiones de otro caso sobre el cual deliberaba el Tribunal al mismo tiempo: la demanda de un grupo de niños gitanos que se quejaban por los perjuicios causados por su inclusión, fundada en motivos raciales, en planes de escolarización separados y fuera de los estándares habituales, pensados para niños mentalmente discapacitados[97]. El caso terminaría afortunadamente con la Sentencia *D.H. y otros contra la República Checa*, 13 de noviembre de 2007, que revocaba la lamentable sentencia de sala de 7 de febrero de 2006[98].

Conviene recordar que el problema de la segregación racial de los niños gitanos en la educación había sido un tema de discusión pública que se remontaba a finales de la década de los setenta en el siglo XX, cuando la iniciativa cívica disidente checoslovaca Carta 77 llamó la atención por primera vez acerca de esta penosa y grave situación que afectaba a los menores de etnia gitana. El Gobierno checo había reconocido la existencia de este dramático problema en ciertas ocasiones como, por ejemplo, en el año 2000 cuando el Gobierno comunicó al Comité de las Naciones Unidas para la Eliminación de la Discriminación Racial lo siguiente: <<En base a tests psicológicos que no toman en consideración las diferencias sociales y culturales entre los niños gitanos y no gitanos, los niños de la minoría gitana son trasladados a menudo a escuelas para niños con necesidades especiales, con el consentimiento de los padres, aunque esas escuelas están oficialmente pensadas para niños con unas dificultades de aprendizaje tales que les resulta imposible estudiar en una escuela primaria o en una escuela primaria especial. El problema es que los graduados en escuelas para niños con necesidades especiales tienen muchas menos posibilidades en su vida: no pueden ser aceptados en escuelas secundarias ni pueden obtener una educación vocacional en edad adulta. Las estimaciones

97 Sobre este tema vid. <<Segregation of Roma children>>, *Human Rights of Roma and Travellers in Europe*, Council of Europe, Estrasburgo, 2012, pp. 123-131.

98 ECtHR Czech School Segregation Decision (Demanda nº 57325/00), Sentencia de 7 de febrero de 2006.

hablan de que un 75% de los niños gitanos son trasladados o directamente matriculados en esas escuelas especiales>>[99].

El pleito fue llevado en primera instancia ante los tribunales internos en junio de 1999 y entonces, una vez agotada la vía interna, ante el Tribunal a comienzos del año 2000. En el pleito, entablado en representación de dieciocho niños gitanos, se sostuvo que la matriculación forzada, basada en motivos étnicos, en escuelas para discapacitados mentales, donde no existía procedimiento alguno para poner en cuestión dicha matriculación injusta o para lograr un eventual retorno a una escuela general, se elevaba a la categoría de segregación racial, en violación de un buen número de disposiciones del Convenio.

El Tribunal se limitó a comunicar la demanda al Gobierno checo en diciembre de 2004, más de tres años y medio después de que se presentara. A partir de entonces, en la fase de admisión, el Tribunal rechazó sin más explicaciones el punto de vista que sostenía que estos asuntos podían elevarse a la categoría de trato degradante, tal y como lo indicaba el artículo 3, acordando tomar en serio solamente asuntos como la discriminación en la realización del derecho a la educación: artículo 14 en relación con el artículo 2 del Protocolo 1. Finalmente, en febrero de 2006 sentenció que ni siquiera se había incumplido este criterio y no constató violación alguna del Convenio.

En esta injusta y lamentable sentencia el TEDH reitera sus criterios en esta materia: <<La jurisprudencia del Tribunal establece que la discriminación significa tratar de forma diferente, sin una justificación objetiva o razonable, a personas en situaciones similares y comparables>> (*Willis v. the United Kingdom*, no. 36042/97, § 48, ECHR 2002-IV). <<Los Estados contratantes disfrutan de un cierto margen de apreciación para determinar si, y en qué medida, las diferencias justifican una diferencia de trato en situaciones en otras circunstancias similares>> (*Gaygusuz v. Austria*, sentencia de 16 de septiembre de 1996, *Reports of Judgements and Decisions* 1996-IV, § 42). <<En todo caso, la decisión final sobre el cumplimiento de los mandatos del Convenio queda reservada al Tribunal>>. (EctHR Czech School Segregation Decision, parágrafo 44).

---

99 *Cuarto informe periódico de los Estados Parte para el año 2000, Addendum*, República Checa CERD/C/372/Add. 1, 14 de abril de 2000, parágrafo 134.

Resulta a todas luces decepcionante que la sentencia concluyera sosteniendo alegremente que aunque <<la situación general en la República Checa en relación con la educación de los niños gitanos de ninguna manera es perfecta, el Tribunal no puede bajo las circunstancias actuales establecer que las medidas tomadas contra los demandantes fueran discriminatorias>>, y, en suma, que se siente incapaz de <<concluir que la matriculación de los demandantes o, en algunos casos, la continua matriculación, en escuelas de educación especial era el resultado de prejuicios raciales>>[100].

En realidad, esta incomprensible y difícilmente digerible decisión del TEDH nos obliga a preguntarnos por qué se había comportado de forma tan distinta en estos dos casos, sin embargo, estudiados en paralelo: por un lado, el asunto del pogromo de Hadareni y, por otro, el asunto de la segregación racial sistémica en el sistema educativo checo. Quizás la respuesta se encuentre en las siguientes palabras de Cahn: "Hadareni se ajusta a una visión de daños basados en el origen racial impulsada por los genocidios de la Segunda Guerra Mundial y acontecimientos anteriores, como los pogromos contra los judíos en Europa del Este a finales del Siglo XIX y principios del XX. En Hadareni, el Tribunal se enfrentó a un asunto que traía resonancias de las razones por las cuales se fundó el Tribunal. Con el pasado como espejo, el Tribunal reconoció los daños en cuestión. Cual Narciso, el Tribunal se encaprichó de su propio reflejo.

Ante el desafío de la discriminación racial sistémica en la República Checa, el Tribunal no ha sabido qué hacer. Donde los miembros de un grupo étnico (sujetos al desprecio general y presuntamente destinados al fracaso) son, de forma rutinaria y normalizada, engatusados para su traslado a escuelas y clases en las cuales su futuro les depara, en primer lugar, subescolarización, por los deficientes contenidos obligatorios, y en segundo lugar, marginación y pobreza en la vida adulta, reforzadas por un abandono masivo durante la edad escolar, de acuerdo con el Tribunal Europeo de Derechos Humanos, todo está en orden"[101].

---

[100] ECtHR Czech School Segregation Decision, parágrafo 52.

[101] CAHN, CLAUDE: <<La indolencia de un tribunal: de cómo no afrontar la discriminación sistémica por origen racial en el Tribunal Europeo de Derechos Humano>>, op. cit., p. 15.

Llama todavía más la atención esta decisión del Tribunal en el caso de la segregación escolar en las escuelas checas, a la vista de lo que había fallado en la sentencia del Tribunal en el caso *Timishev contra Rusia* de 2005[102], lo que volvía a poner de manifiesto un posible talante o sesgo anti-gitano, dando lugar a afirmaciones como la de que "el Tribunal no está preparado para hacer lo propio con la población gitana"[103], o a albergar interrogantes como el de por qué había protegido el Tribunal a la población de etnia chechena en Rusia y, sin embargo, no hacía lo mismo con la comunidad gitana en la República Checa.

En este contexto, es importante no sólo destacar que la Sentencia *Derechos Humanos y otros contra la República Checa*, de 13 de noviembre de 2007, revocó la sentencia de la Sala de 7 de febrero de 2006, sino aún más interesante resulta analizar el procedimiento que

---

102 Por ejemplo, en su loable decisión *Timishev contra Rusia* de diciembre de 2005. En este caso sobre discriminación en la educación contra la población de etnia chechena en Rusia, el Tribunal, con gran acierto, sostuvo: <<Un trato diferenciado de personas en situaciones similares y comparables sin una justificación objetiva o razonable, constituye discriminación (véase *Willis contra el Reino Unido*, no. 36042/97, § 48, ECHR 2002-IV). La discriminación en base a la pertenencia étnica real o percibida es una forma de discriminación racial (...). La discriminación racial es una forma de discriminación particularmente injusta y, en vista de sus terribles consecuencias, requiere de una vigilancia especial por parte de las autoridades y una reacción rotunda. Es por esa razón que las autoridades deben emplear todos los medios disponibles para combatir el racismo, reforzando de ese modo la visión de la democracia de una sociedad en la cual la diversidad no se perciba como una amenaza sino como una fuente de enriquecimiento (véase Nachova y otros, citada arriba, § 145). (...) Una vez que el demandante ha mostrado que hay una diferencia de trato, es tarea del Gobierno demandado demostrar que la diferencia de trato podría estar justificada (véase, por ejemplo, Demandas nos. 25088/94, 28331/95 y 28443/95 *Chassagnou* y otros contra Francia 29 EHRR 615, §§ 91-92). (...) el Tribunal considera que no existe diferencia de trato basada exclusivamente, o en un grado determinante, en el origen étnico de una persona, que pueda estar objetivamente justificada en una sociedad democrática contemporánea construida sobre los principios del pluralismo y el respeto hacia las diferentes culturas>>. Vid. Sentencia del Caso *Timishev contra Rusia* (Demandas nº 55762/00 y 55974/00), 13 de diciembre de 2005, parágrafos 56 a 58.

103 CAHN, CLAUDE: <<La indolencia de un tribunal: de cómo no afrontar la discriminación sistémica por origen racial en el Tribunal Europeo de Derechos Humanos>>, op. cit., p. 16.

utilizó el Tribunal para su revocación. A mi modo de ver, con gran astucia y sagacidad, la Gran Sala cambió su postura y admitió la eficacia de las estadísticas para probar la discriminación sufrida. Los datos estadísticos indicaban que el 56% de todos los niños en colegios especiales en Ostrava eran gitanos, aunque solo constituyeran el 2,26% del total de alumnos en escuelas primarias de dicha localidad.

Además, solo el 1,8% de niños no gitanos estaban en las escuelas especiales, mientras que la proporción de niños gitanos en estas escuelas ascendía al 50,3%. El Tribunal observó que el Gobierno checo no había cuestionado estos datos y que tampoco había aportado otros distintos. Por otro lado, las estadísticas generales del conjunto del país confirmaban las de Ostrava: del total del alumnado en escuelas especiales, entre el 80 y el 90% era gitano. De la argumentación de los datos se dedujo que el número de niños gitanos en escuelas especiales era desproporcionadamente alto, resultando por ello innecesario y superfluo probar la intencionalidad de la discriminación.

Se produce con ello un giro copernicano del TEDH que confirmaría la Sentencia *Orsus y otros contra Croacia* (2010)[104], aunque ahora el Tribunal consideró que no era necesario recurrir a los datos estadísticos para apreciar la discriminación y segregación de niños romaníes, y ello a pesar de que el Estado había basado su defensa en lo siguiente: <<Las clases separadas no se establecían con ningún propósito de segregación racial en la inscripción al primer curso de la enseñanza primaria, sino como medio de proporcionar a los chicos clases adicionales de lengua croata y de eliminar las consecuencias de las privaciones sociales previas>>. En este caso, el Tribunal entendió que existía una presunción de trato diferenciado puesto que la medida de asignar a los niños a clases separadas en función de su dominio insuficiente del croata solo se había aplicado a los alumnos gitanos[105].

También de interés resulta ser un caso que plantea la discriminación racial ante un supuesto de esterilización sin previo consentimien-

---

104 Sentencia del TEDH de 16 marzo 2010. Asunto: Asignación de niños gitanos croatas a clases separadas.

105 CASADO CASADO, LUCÍA: <<Discriminación racial y ejercicio del derecho a la instrucción en la jurisprudencia del Tribunal Europeo de Derechos Humanos. El caso de la minoría gitana>>, en *Revista Vasca de la Administración Pública,* nº 92, enero-abril 2012, pp. 247-291.

to informado de una mujer gitana: *Sentencia V.C. contra Eslovaquia*, de 8 de noviembre de 2011. En este caso la demandante era una mujer gitana a la que, en un hospital público, tras el parto del segundo hijo por cesárea, y ante los riesgos derivados de un eventual tercer embarazo, es esterilizada, pero sin haberle solicitado su consentimiento para llevar a cabo esta brutal práctica. El Tribunal considera que esta intervención paternalista habría lesionado su derecho al consentimiento informado, es decir, habría violado su derecho a la integridad personal (artículo 3), pero también aprecia un cierto sesgo discriminatorio por motivos racistas. En efecto, el índice de probabilidad de sufrir este tipo de intervenciones era más alto en el caso de las mujeres gitanas dados los prejuicios racistas[106] existentes en el país y, en particular, la creencia popular de que las mujeres gitanas tenían demasiados hijos. Apoyándose, de nuevo, como hiciera en el caso *Orsus contra Croacia*, en los informes de la Comisión Europea contra el Racismo y la Intolerancia y de otros organismos europeos que identifican tales estereotipos racistas[107], el Tribunal concluye que el Estado eslovaco no había dispuesto de efectivas garantías para asegurar la salud reproductiva de las mujeres gitanas, por lo que dictamina que se había lesionado el derecho al respeto a la vida privada y familiar del artículo 8 del Convenio. Ahora bien, llama la atención que, aunque el caso tenía connotaciones raciales en la medida en que la esterilización sin el previo consentimiento afectaba de modo especial a personas vulnerables de grupos étnicos, el Tribunal no había entrado en el examen de una eventual lesión del artículo 14 del Convenio porque, a su modo de ver, el personal médico no había actuado de mala fe, ni había pruebas de la existencia de un plan público sistemático de esterilización forzosa de las mujeres de la minoría étnica. En definitiva, en este caso se pasa nuevamente de puntillas sobre las connotaciones raciales, conforme resalta el voto discrepante del Magistrado Mijovic, al destacar este

---

[106] Sobre la idea de prejuicios raciales o étnicos, elevados al nivel de doctrinas que son utilizadas en aras de legitimar la discriminación racial, vid. EIDE, ASBJORN: <<Help eliminate Racism>>, en *New Expressions of Racism. Growing Areas of Conflict in Europe*, Utrecht: Netherlands Institute of Human Rights –SIM, pp. 63-75, especialmente, pp. 74-75.

[107] En relación con la percepción de los gitanos, vid. LIÉGEOIS, JEAN-PIERRE: *The Council of Europe and Roma: 40 years of Action*, Council of Europe, Estrasburgo, 2012, p. 29.

que la connotación racial del caso es crucial para entenderlo y resolverlo.

La jurisprudencia del Tribunal de Estrasburgo en la primera década del siglo XXI nos permite afirmar así que la interpretación que ha venido realizando de la igualdad (consagrada en el art. 14 de la Convención de Roma) gira en torno a los siguientes puntos clave:

1°) La discriminación por diferenciación, esto es, discriminar es "tratar de modo diferente, sin una justificación objetiva y razonable, a personas situadas en situaciones sustancialmente similares". El Tribunal toma como referencia *-leading-case-* de esta doctrina la sentencia *Willis contra Reino Unido*, de 11 de septiembre de 2002[108]. En un célebre Caso, *Thlimmenos contra Grecia*, de 6 de abril de 2000[109], el Tribunal apoyó también la denominada *"discriminación por indiferenciación"*, es decir, la existencia de discriminación cuando los Estados no traten de modo diferente, sin una justificación objetiva y razonable, a personas cuyas situaciones son sustancialmente distintas. A juicio de Elósegui, es "el *leading case* de los acomodamientos"[110]. Dicho de otro modo: el trato de dos grupos diferentes de la misma forma puede implicar discriminación en contra de uno de esos grupos[111]. Por tanto, habría discriminación tanto cuando no se trate jurídicamente

---

108 Caso *Willis v. Reino Unido*, Comunicación No 36042/97, sentencia de 11 de junio de 2002. Un asunto en el que el Tribunal estimó lesionado el derecho de propiedad privada (art. 1 del Protocolo Adicional Primero) en relación con la prohibición de discriminación por razón de sexo (art. 14) por el hecho de que las pensiones de viudedad se concedieran a las mujeres, pero no a los varones.

109 34369/97 (2000) EHRR 161. Vid. GILBERT, GEOFF: <<Article 5. Non-assimilation - Development of identity>>, <<Article 6. Tolerance>>, en la obra colectiva *The Rights of Minorities in Europe. A Commentary on the European Framework Convention for the Protection of National Minorities*, edited Marc Weller, Oxford University Press, Oxford-New York, 2005, p. 156.

110 ELÓSEGUI ITXASO, MARÍA: <<El concepto jurisprudencial de acomodamiento razonable. El Tribunal Supremo de Canadá y el Tribunal Europeo de Derechos Humanos ante la gestión de la diversidad cultural y religiosa en el espacio público>>, *Anuario de Filosofía del Derecho*, 2014 (XXX), pp. 69-96, concretamente, p. 84.

111 En esta misma línea, también ha precisado que una práctica generalizada igual para todos los grupos podría afectar negativamente a un grupo específico dentro del Estado. Vid. *Shanagan v. United Kingdom* (37715/97) (2000) EHRR 326 (3 rd Section). Asimismo vid. *Jordan v. United Kingdom* (24746/94) (2001) EHRR 323, *McKerrr v. United Kingdom* (28883/95) (2001).

igual a los iguales (discriminación por diferenciación), como cuando no se trate de modo distinto a los desigualmente situados (discriminación por indiferenciación). Sin embargo, conviene aclarar que esta última doctrina, que exigiría tratar jurídicamente mejor a cualquiera que, en una situación comparable, esté de hecho peor (y, por tanto, que consagraría un principio, por así decir, *activo* del Estado social y de la igualdad de oportunidades) no parece haberse consolidado del todo en el Tribunal, pues sólo parece haberla aplicado de forma excepcional en asuntos como *Thlimmenos*[112]. Con otras palabras, da la impresión de que el Tribunal no pone el foco en la igualdad material y se conforma con la consecución de una igualdad meramente formal.

2º) Los Estados miembros disfrutan de "un cierto margen de apreciación" a la hora de valorar si, y con qué alcance, las diferencias en otras situaciones similares justifican una diferencia de trato, aunque el TEDH es quien tiene la última palabra sobre su conformidad con las exigencias que establece el Convenio Europeo para la Protección de los Derechos Humanos y de las Libertades Fundamentales. Tengamos en cuenta que el Tribunal de Estrasburgo ha venido considerando en su jurisprudencia[113] que "las injerencias o límites que son compatibles con el Convenio de Roma pueden reconducirse a tres:

a) Que los límites estén previstos en la ley[114].

---

112 El caso era bastante claro. Al señor Thlimmenos se le impedía legalmente el acceso a la función pública de censor jurado de cuentas porque había sido condenado penalmente con anterioridad; pero lo había sido porque, en su condición de testigo de Jehová, se había negado a llevar uniforme militar. El Tribunal sostiene que no hay justificación objetiva y razonable para no tratar al señor Thlimmenos de modo distinto al de otras personas condenadas por delito grave y, por tanto, habría violación del art. 14 del Convenio en relación con el derecho de libertad religiosa del art. 9. Sobre la discriminación por indiferenciación, puede verse: COBREROS MENDAZONA, EDORTA: <<Discriminación por indiferenciación, estudio y propuesta>>, *Revista Española de Derecho Constitucional,* Año 27, nº 81, 2007, pp. 71-114.

113 Vid. Entre otros, Caso *Handyside*, sobre el famoso "pequeño libro rojo del cole", Caso *Class y otros*, Caso *Sunday Times*.

114 Vid. Caso *Silver y otros* sobre la necesidad de que los límites deban estar previstos en la ley. Se abordaba en este caso si en Gran Bretaña, determinadas órdenes de la autoridad penitenciaria que constituían una interferencia en la correspondencia de los presos podían ser considerados como "ley" a los efectos del Convenio. Vid. también Caso *Malone* en el que se sostiene que el concepto de ley ha

b) Que los límites sean necesarios en una sociedad democrática para conseguir un fin legítimo. De especial interés, resulta el Caso *Young, James y Webster* porque permite al Tribunal de Estrasburgo aclarar el contenido del concepto de sociedad democrática. Según el TEDH comprende pluralismo, tolerancia y espíritu de apertura, a la par que exige un equilibrio que asegure a las minorías un justo trato y que evite todo abuso por parte de una posición dominante.

c) Que los límites sean proporcionales con relación al fin legítimo perseguido"[115].

En definitiva, como señaló el TEDH en el caso *Class y otros*, en el caso *Sunday Times* o en el *caso Dudgeon*, el legislador goza de cierta discrecionalidad para imponer restricciones, pero no tiene poderes ilimitados, ya que deben existir garantías suficientes y adecuadas contra los abusos.

3º) El artículo 14 del Convenio no tiene existencia independiente, puesto que sólo puede ser alegado junto con otro de los derechos reconocidos en el Convenio. La aplicación del artículo 14 es, además, "subsidiaria"[116] en relación con los demás derechos del Convenio porque si el Tribunal constata la vulneración de estos, no es preciso que examine su lesión respecto de la prohibición de discriminación. El Tribunal afirma que el artículo 14, aunque no tenga existencia independiente, "juega un importante papel complementario" del resto de derechos (*Timishev contra Rusia*, de 13 de diciembre de 2005).

De acuerdo con lo anterior, podría resumirse la jurisprudencia del Tribunal de Estrasburgo sobre la prohibición de discriminación del art. 14 como una combinación formada por tres elementos: 1º) discriminación como diferencia jurídica de trato no razonable; 2º) aplica-

---

de apreciarse en relación con el sistema de fuentes previsto en el ordenamiento jurídico de cada Estado signatario.

115 FREIXES SANJUÁN, TERESA en su artículo <<Las principales construcciones jurisprudenciales del Tribunal Europeo de Derechos Humanos. El standard mínimo exigible a los sistemas internos de derechos en Europa>>, *Cuadernos Constitucionales de la Cátedra Fadrique Furió Ceriol*, Nº 11-12, op. cit.

116 Así lo viene expresando el Tribunal desde el caso *Airey contra Irlanda*, de 9 de octubre de 1979.

ción amplia y muy generosa de la doctrina del margen estatal de apreciación; 3°) función complementaria y subsidiaria del artículo 14[117].

Esta interpretación de la cláusula anti-discriminatoria del artículo 14 del Convenio de Roma ha sido ampliamente criticada por la doctrina[118], al no diferenciarse el concepto general de "igualdad" (como razonabilidad jurídica del trato diferente) del de prohibición de discriminación por determinados y concretos rasgos sospechosos (raza, sexo, etc.), ante los cuales no debería bastar el criterio de la razonabilidad, sino que el juicio debería tornarse más exigente (proporcionalidad, escrutinio estricto, etc.), en aras de que no se le termine dando a la prohibición de discriminación un valor meramente secundario o subsidiario, esto es únicamente relacional, respecto del resto de derechos del Convenio.

A mi modo de ver, y coincido en ello plenamente con autores como Rey, resulta imprescindible que el Tribunal realice un esfuerzo por su parte a la hora de diferenciar entre igualdad en general y prohibición de discriminación por ciertos rasgos, como la raza o la etnia, otorgando a esta última un valor sustantivo o autónomo (y no meramente relacional de la prohibición de discriminación en sentido estricto) hasta el punto de endurecer el examen judicial cuando una discriminación de este tipo sea invocada, adoptando un estándar más exigente que el de mera razonabilidad y parcialmente diferente según el rasgo sospechoso que esté en juego (sexo, raza, edad, etc.) y sin ignorar, además, el concreto escenario social del que parte el conflicto.

La conclusión más evidente a la vista de todo lo anterior es que la jurisprudencia del Tribunal Europeo de Derechos Humanos en la primera década del siglo XXI, en materia de discriminación racial, no deja de ser un tanto oscilante y confusa por sus repetidos avances

---

117 REY MARTÍNEZ, FERNANDO: <<La discriminación racial en la jurisprudencia del Tribunal Europeo de Derechos Humanos>>, op. cit. Vid. También su obra: *Por la diversidad, contra la discriminación. La igualdad de trato en España: hechos, garantías, perspectivas*, Fundación Ideas para el Progreso, Madrid, 2010.

118 Así, por ejemplo, Fernando Rey la califica de "baja intensidad" aunque reconoce su coherencia interna. Vid. REY MARTÍNEZ, FERNANDO: <<La discriminación racial en la jurisprudencia del Tribunal Europeo de Derechos Humanos>>, ibídem.

y retrocesos. Sirvan de recordatorio las dos discutibles sentencias de Sala relativas a la segregación escolar de niños gitanos, *Orsus y D.H. y otros* o las decisiones del Tribunal en materia de violencia racial (incluso con resultado de muerte), que no terminaron en la apreciación de móvil racista, a pesar de los sospechosos indicios en contrario. O, peor aún, la Sentencia del caso *Carabulea* en la que ni siquiera se utiliza el estándar de decisión acuñado en el asunto *Nachova*[119]. En algunos ámbitos, como el de la expulsión de las caravanas, sigue vigente una línea argumental profundamente negativa.

No obstante, hay que reconocer que la incorporación del concepto de discriminación indirecta ha venido a fortalecer los mecanismos de la tutela contra la discriminación, al tiempo que hay que elogiar que se hayan introducido algunas novedades en los aspectos procesales[120], flexibilizando los procedimientos jurisdiccionales tradicionales en lo que respecta a la prueba.

Lamentablemente, como ya dijimos anteriormente, un punto vulnerable de la jurisprudencia sigue siendo la utilización no excesivamente depurada de las categorías del Derecho antidiscriminatorio, siendo un buen ejemplo de que esto es así la Sentencia *Muñoz Díaz*

---

119 PALACIOS ZULOAGA, PATRICIA: <<Hito y Retroceso en la Violencia Racial bajo el Sistema Europeo de Derechos Humanos: El Caso Nachova y Otros v. Bulgaria>>, *Anuario de Derechos Humanos*, 2006, pp. 133-137. Disponible en: https://anuariocdh.uchile.cl/index.php/ADH/article/view/13381

120 Así, por ejemplo, como ya hemos señalado anteriormente, la demostración por parte del demandante de la práctica discriminatoria lo situaba en una situación procesal delicada y de desventaja; es por ello por lo que los tribunales han venido a admitir la prueba estadística, consistente en la aportación de datos estadísticos significativos de la situación del colectivo especialmente protegido por la norma y la posterior argumentación de los datos. Como se ha apuntado: <<Estas pruebas se basan en la comparación estadística entre dos grupos: el de referencia (grupo de partida) y un grupo de llegada que incluye a todas las personas que hayan pasado la prueba cuyo impacto se trata de medir. En el seno de estos grupos, los individuos se dividen entre los de clase dominante o mayoritaria y los de clase desfavorecida o minorías. La estadística demuestra discriminación racista cuando los miembros del grupo minoritario estén peor representados en el grupo de llegada>>. Vid. <<Informe anual sobre la situación de la discriminación y la aplicación del principio de igualdad de trato por origen racial o étnico en España 2011>>, op. cit., p. 46.

contra España de 8 de diciembre de 2009[121], sobre la que más adelante me detendré.

Es cierto que hay que aplaudir que exista una voluminosa y creciente normativa internacional protectora de las minorías étnicas y raciales[122], de un modo particular procedente de las instituciones tanto del Consejo de Europa como de la Unión Europea, lo que no hace sino demostrar un nuevo consenso europeo sobre la especial protección que requieren las minorías étnicas, y particularmente, la comunidad gitana, víctima de los principales prejuicios[123] y ataques racistas en suelo europeo[124]. Ahora bien, parece que ello no es suficiente, resultando además imprescindible la colaboración de los tribunales.

---

121 El Tribunal argumenta desde el (general) derecho de igualdad y no desde el (específico) derecho a no sufrir discriminación racial.

122 En forma de declaraciones generales sobre derechos humanos (art. 2.1 de la Declaración Universal de Derechos Humanos, art. 2.1 del Pacto Internacional de Derechos Civiles y Políticos, además del art. 14 del Convenio de Roma), o de textos específicos (universales, como la Convención internacional sobre la eliminación de todas las formas de discriminación racial, aprobada por la Asamblea General de Naciones Unidas el 21 de diciembre de 1965, o el Convenio nº 111 OIT, o regionales, como el Convenio Marco núm. 157 del Consejo de Europa para la protección de las minorías nacionales, ratificado por España el 1 de febrero de 1995). Vid. *National minority standards. A compilation of OSCE and Council of Europe texts*, Council of Europe-OSCE, 2007. Las instituciones tanto del Consejo de Europa como de la Unión Europea han desplegado una intensa actividad a favor de la igualdad de trato y de oportunidades de las minorías étnicas y, en particular, de la comunidad gitana desde hace más de una década. Pensemos, por ejemplo, en el Marco Europeo de Estrategias Nacionales para la inclusión social de la población gitana, aprobado por la Comisión de la Unión Europea el 5 de abril de 2011. Para un seguimiento de esta línea de trabajo, y de otras, ver: www.gitanos.org

123 Tengamos en cuenta que el prejuicio es aquel sentimiento desfavorable respecto de una persona o un grupo de personas, formado sin conocimiento, razón o hecho. Podría decirse que representan algo así como las voces de otros.

124 A propósito de ello, REY MARTÍNEZ, FERNANDO escribe en <<La discriminación racial en la jurisprudencia del Tribunal Europeo de Derechos Humanos>>, op. cit.: "La violencia contra las minorías étnicas y, en particular, contra el pueblo gitano, es un fenómeno no coyuntural, sino sistemático; no local, sino global (aunque naturalmente mayor allí donde la población gitana es mayor, esto es, en Europa del Este); no leve, sino extraordinariamente grave; no reciente, sino histórico. Estamos hablando de personas que son asesinadas o apaleadas brutalmente, tanto por otros particulares como, con frecuencia, por agentes de la autoridad, tan sólo por ser gitanas. Personas que por ese mismo motivo no

La necesidad de una nueva mirada política al problema del racismo en Europa[125] trae causa, entre otras razones, de los problemas derivados de los poderosos movimientos migratorios en el interior de la región y de algunos incidentes en los últimos tiempos de inequívoco corte racista provocados por ciertos gobiernos europeos (en Hungría[126], Francia, Italia, Suiza, etc. –por no hablar de las tradicionales prácticas de racismo institucional de la mayoría de los países del Este de Europa), que han hecho reaccionar a las instituciones europeas, incluido el Tribunal Europeo de Derechos Humanos[127].

---

acceden a la educación normalizada. Etcétera. Se trata de ataques brutales a la dignidad humana y a los derechos más básicos".

125 Vid. CASTLES, STEPHEN: *Ethnicity and Globalization. From Migrant Worker to Trasnational Citizen*, Sage, London- Thousand Oaks- New Delhi, 2000.

126 Sirva de ejemplo el hecho de que el Primer ministro húngaro, Víctor Orban, otorgó condecoraciones oficiales en el mes de mayo de 2013 a tres destacadas figuras de la extrema derecha: el periodista Ferenc Szaniszlo, conocido por sus diatribas contra judíos y romaníes, que él compara con "monos"; el arqueólogo antisemita Kornel Bakav, que atribuye a los judíos la organización de la trata de esclavos en la Edad Media y, finalmente, el "artista" Petras Janos, orgulloso de proclamar su simpatía por Jobbik y su milicia paramilitar, responsable de varios asesinatos racistas de gitanos y heredero del Partido de la Cruz Flechada, artífice del exterminio de judíos y gitanos durante la Segunda Guerra Mundial. Vid. ABTAN, BENJAMÍN (presidente de European Grassroots Antiracist Movement (EGAM)): <<Hungría, la amenaza europea>>, *El País*, 12 de abril de 2013. Disponible en: https://elpais.com/elpais/2013/04/12/opinion/1365765384_976404.html?event_log=oklogin

Un tribunal húngaro condenó a cadena perpetua a tres hombres y a 13 años de prisión a un cuarto por seis asesinatos racistas. La casa de una familia gitana empezó a arder el 23 de febrero de 2009. Les habían lanzado varios cócteles molotov por la ventana. Ocurrió a la una de la madrugada en Tataszentgyörgy, a 32 kilómetros de Budapest. Cuando huían del fuego, el padre, de 27 años, y uno de los hijos, de cinco, fueron asesinados a tiros. Otros dos niños fueron heridos. Ello ha sucedido, constituyendo un fallo excepcional, cuatro años después de la oleada de crímenes contra gitanos que conmocionó al país entre 2008 y 2009, y tiene, según Erika Muhi, la responsable de la organización de defensa legal para las minorías Neki, "un valor ejemplar" en un país donde los gitanos, que representan alrededor del 8% de la población de 10 millones de húngaros, son la víctima principal de los ataques de extrema derecha y de la discriminación. Vid. *El País*, 6 de agosto de 2013.

127 El Tribunal viene afirmando, desde la Sentencia *Coster contra Reino Unido*, de 18 de enero, de 2001, que "está creciendo un consenso internacional en el seno de los Estados del Consejo de Europa para reconocer las necesidades particulares de las minorías y la obligación de proteger su seguridad, identidad y modo de

Un estudio reciente pone de relieve los casos que han sido estimados por el TEDH sobre discriminación contra personas gitanas en 2018, los cuales resaltan en su mayoría el trato discriminatorio de las fuerzas y cuerpos de seguridad a la minoría gitana[128]. Comencemos, no obstante, por los casos que no tienen relación directa con las fuerzas y cuerpos de seguridad, siguiendo el orden cronológico de los asuntos citados:

1) En el Caso *Negrea y otros v. Rumanía* (24 de julio de 2018) lo que se planteó fueron las supuestas denuncias de discriminación indirecta por pertenencia al grupo étnico gitano, en relación con el derecho a las prestaciones familiares. El TEDH no les dio la razón en lo que se refiere a la discriminación antigitana pero sí reconoció que los procedimientos se habían alargado demasiado en el tiempo, casi ocho años y, por lo tanto, sostuvo que había habido una violación del artículo 6.1 (derecho a un juicio justo y sin dilaciones indebidas) y del artículo 13 (derecho a un recurso efectivo) de la Convención.

2) En el caso *Jansen V. Noruega* (6 de septiembre de 2018) el TEDH sostuvo que se había violado el artículo 8 (derecho al respeto de la vida familiar) de la Convención. Tengamos en cuenta que la demandante, una ciudadana noruega de origen gitano, se quejaba de que se le hubiera negado la posibilidad de ir a ver a su hija, tras haber sido recogida esta por los Servicios sociales y estar con una familia de acogida. La razón de estas restricciones adoptadas por los tribunales noruegos derivaba del peligro de que la niña pudiera ser secuestrada por la familia de la demandante por lo que se prefirió no dar a conocer a la demandante la dirección de la familia de acogida. El TEDH, con razón, consideró que no se habían sopesado de forma equilibrada las consecuencias negativas a largo plazo para la niña al perder el contacto con su madre biológica, lo que le alejaba también de su identidad romaní, y que se había vulnerado el deber positivo de tomar medidas para facilitar la reunificación familiar cuando ello fuera posible.

---

vida…". Como hemos tenido oportunidad de comprobar, esta hermosa frase no presagiaba, sin embargo, un desenlace de la decisión judicial positivo para la comunidad gitana.

128 Informe Anual FSG 2019: *Discriminación y Comunidad Gitana*, <<Conclusiones y propuestas para mejorar la respuesta frente a la discriminación>>, op. cit., pp. 196-197.

3) El caso *Lingurar y otros v. Rumanía* (16 de octubre de 2018) se refiere a dos operaciones policiales realizadas sobre la comunidad gitana de Pata Rät para localizar a personas sospechosas de haber robado. Los demandantes alegaron que habían sido sometidos a malos tratos por parte de funcionarios estatales y de que no se había llevado a cabo una investigación efectiva de su denuncia. También alegaron que habían sido discriminados por su origen étnico. El TEDH mantuvo en este caso que se habían violado los aspectos sustantivos y procesales del artículo 3 (prohibición de tratos inhumanos o degradantes) de la Convención con respecto a dos de los demandantes, al mantener que el uso de la fuerza por parte de la policía contra ellos había sido desorbitado y no estaba justificado. Uno de ellos había sido empujado al suelo mientras que el otro había sido golpeado con una porra para ser inmovilizado. El TEDH entendió que estos actos de brutalidad tenían la intención de generar sentimientos de miedo, angustia e inferioridad, lo que constituía un trato humillante y degradante. El Tribunal además defendió que se había violado el artículo 14 en relación con el artículo 3 en su vertiente procesal teniendo en cuenta que la investigación de las autoridades sobre las alegaciones de los demandantes de racismo no había sido lo minuciosa que cabía esperar.

4) En el caso *Burlya y otros v. Ucrania* (6 de noviembre de 2018), lo que plantean los demandantes es que, en calidad de ciudadanos ucranianos de etnia gitana, se habían visto obligados a huir de sus casas en una aldea de la región de Odessa tras recibir avisos de que iba a producirse un ataque en sus hogares, habiendo actuado como cómplices las propias autoridades. El TEDH sostuvo que se había violado el artículo 8 (derecho a la vida privada y familiar) en relación con el artículo 14 (prohibición de discriminación) de la Convención. Según explica la Fundación Secretariado Gitano: "También sostuvo, con respecto a los solicitantes que se encontraban en el país en el momento de los hechos en cuestión, que se habían cometido dos violaciones del artículo 3 (prohibición de tratos inhumanos o degradantes en su vertiente procesal) de la Convención, considerada en relación con el artículo 14. El Tribunal señaló en particular que el papel de la policía, que había optado por no proteger a los solicitantes pero les había aconsejado que se retiraran antes del pogromo, y el hecho de que estos eventos habían implicado la invasión y el saqueo de las viviendas de los solicitantes por una gran multitud que fue impulsada por senti-

mientos dirigidos contra ellos como gitanos constituían una afrenta a la dignidad de los solicitantes lo suficientemente seria como para ser catalogados como un trato degradante. Además, a pesar de la clara evidencia de que el ataque había apuntado a miembros de un grupo étnico específico, se había investigado como un disturbio ordinario, y no había evidencia de que las autoridades hubieran realizado ninguna investigación sobre el odio contra los romaníes como un probable motivo del delito"[129].

5) Quizás el caso más grave sea *Lakatosová y Lakatos v. Eslovaquia* (11 de diciembre de 2018) ya que aquí lo que se plantea es el asesinato de tres miembros de una familia romaní, así como heridas graves de los demandantes en su vivienda, hechos que había llevado a cabo un agente de policía que se encontraba fuera de servicio. Cuando el policía fue interrogado, este contestó que había estado pensando en "una solución radical para los romaníes". Sin embargo, recibió una condena reducida de nueve años de prisión, debido a una menor responsabilidad y, por si esto fuera poco, además la resolución judicial se adoptó en forma de sentencia simplificada sin contener ningún razonamiento jurídico. Los demandantes alegaron que las autoridades eslovacas no habían realizado una investigación efectiva sobre si el ataque a su familia había tenido connotaciones raciales. El TEDH mantuvo que sí que se había violado el artículo 14 (prohibición de discriminación) en relación con el artículo 2 (derecho a la vida) de la Convención, y entendió que había información suficiente para alertar a las autoridades sobre la necesidad de llevar a cabo una investigación sobre un posible motivo racista en el ataque. Como explica la Fundación Secretariado Gitano: "Observó en particular que la violencia racista era una afrenta particular a la dignidad humana y requería una vigilancia especial y una reacción vigorosa de las autoridades, sin embargo, las autoridades no examinaron a fondo los fuertes indicios de racismo en el caso"[130].

Si analizamos, a continuación, los casos de antigitanismo constatados en el año 2020, que han sido llevados ante el TEDH, podemos hacernos idea de por dónde va el Tribunal de Estrasburgo actualmen-

---

129 Vid. Ibídem, p. 197.
130 Vid. Ibídem, p. 197.

te, en pleno siglo XXI. Como se podrá comprobar, resaltan los casos de abusos de poder ejercidos por las fuerzas y cuerpos de seguridad sobre la minoría gitana:

1) El caso *AP v. Slovakia* (28 de enero de 2020)[131] se refiere a un estudiante romaní de dieciséis años que denunció haber sido golpeado por agentes de policía a la salida de su escuela, intentando que confesara un delito menor. Su denuncia fue investigada, pero terminó siendo rechazada por los fiscales y el Tribunal Constitucional de Eslovaquia. Aunque el TEDH concedió a A.P. el derecho a una cantidad pecuniaria que el Gobierno eslovaco debía pagarle como consecuencia de esas violaciones, el Tribunal rechazó la alegación del demandante de que la violencia policial y la falta de investigación hubiera sido discriminatoria. Sin embargo, dos de los siete jueces que decidieron este caso emitieron un voto disidente, apoyándose en la intervención de terceros del ERRC (*European Roman Rights Centre*), resaltando que "frente al trato degradante de un niño romaní por parte de la policía en un contexto de tensión racial", el Tribunal debería haber considerado la reclamación por discriminación, en lugar de desestimarla por ser manifiestamente infundada[132].

2) El caso *X & Y v. Macedonia del Norte* (5 de noviembre de 2020)[133] se refiere a la detención de dos jóvenes menores gitanos poco tiempo después de que una mujer fuera asaltada. Según los demandantes, sus padres y los transeúntes, la detención fue llevada a cabo con brutalidad por agentes de policía que utilizaron porras. Uno de los menores fue detenido e interrogado durante 2 horas sin la presencia de su padre ni de un abogado. Debido a los golpes y amenazas recibidos durante el interrogatorio, el menor terminó admitiendo el delito y además firmando un acta, sin presencia de su abogado, en la que se indicaba que ni él ni su padre tenían ninguna queja sobre la conducta de la policía. A la vista del acta médica en el hospital en la que se indicaba que los menores habían sido duramente golpeados, se presentó una denuncia penal por malos tratos y discriminación racial contra agentes de policía no identificados. En el momento en que se

---

131 Disponible en: https://hudoc.echr.coe.int/spa?i=001-200556

132 Informe anual FSG 2021: <<Discriminación y Comunidad Gitana>>, op. cit., p. 215.

133 Vid. Ibídem, pp. 215-216. Disponible en: https://hudoc.echr.coe.int/spa?i=001-205543

dictó la sentencia del TEDH, 6 años después del incidente en cuestión, esta denuncia penal seguía pendiente. Los demandantes también presentaron dos series de reclamaciones civiles que fueron desestimadas.

Las demandas se refieren a malos tratos contrarios al artículo 3, tanto en su aspecto sustantivo como procesal. En cuanto al aspecto procesal, el Tribunal reiteró su opinión mantenida en el caso *Assenov*[134], que fue el primer caso de violencia policial contra los gitanos presentado ante el TEDH. De este modo el Tribunal invocó la obligación positiva de las autoridades de llevar a cabo una investigación efectiva por plantearse por parte de una persona vulnerable una reclamación de malos tratos.

Respecto a la parte sustantiva del artículo 3, el Tribunal consideró que "debido en gran medida a la inactividad de las autoridades nacionales y a la falta de una investigación efectiva de las alegaciones del demandante, el Tribunal no está en condiciones de establecer qué versión de los hechos es más creíble" (§62). El Tribunal concluyó que no podía establecerse, más allá de toda duda razonable, que los demandantes hubiesen sido maltratados durante su detención. En consecuencia, no se constató ninguna violación del artículo 3.

En cuanto a la reclamación por discriminación, aunque los demandantes presentaron sus reclamaciones por discriminación en virtud del artículo 1 del Protocolo nº 12, así como del artículo 14 en conjunción con el artículo 14 del Protocolo nº 12, así como el artículo 14 en

[134] Caso *Assenov v. Bulgaria*. Sentencia de 28 de octubre de 1998. el Tribunal declara por vez primera la obligación que tienen las autoridades nacionales de abrir una investigación que ayude a esclarecer los hechos cuando existan indicios racionales de que el artículo 3 pudiera haber sido violado. El caso trata sobre las lesiones causadas por la policía a un chico de 14 años. A pesar de que la Corte resuelve que no es posible probar que las heridas denunciadas habían sido causadas efectivamente por las fuerzas del orden público, el Tribunal llegó a la conclusión de que en la investigación abierta las autoridades no hicieron todo lo posible para averiguar lo que realmente había sucedido, premisa imprescindible para garantizar la vigencia efectiva del derecho reconocido en el artículo 3 CEDH. Vid. parágrafos 95 y 100 a 106, especialmente el parágrafo 102. Vid. LÓPEZ ULLA, JUAN MANUEL: <<Alcance del artículo 3 del Convenio Europeo del Derechos Humanos en relación con la detención de un menor extranjero no acompañado. La obligación positiva de no dejarle en desamparo>>, en *Teoría y Realidad Constitucional*, núm. 32, UNED, 2013, pp. 481-497, en especial, p. 486.

relación con el artículo 3, el Tribunal decidió considerar únicamente esta última combinación. Reiteró el criterio de la Gran Sala en el caso *Nachova y otros contra Bulgaria*, un hito jurisprudencial en casos de violencia policial contra los gitanos. En esta sentencia, el Tribunal distinguió por primera vez una rama sustantiva y otra procesal del artículo 14, de forma similar al procedimiento de *Assenov* en relación con el artículo 3. Sin embargo, inmediatamente después de exponer los principios pertinentes, el Tribunal declaró que la demanda por discriminación era inadmisible, por manifiestamente infundada, debido a que el material probatorio presentado a las autoridades nacionales no era suficiente para activar la obligación de investigar los motivos racistas[135].

3) El caso *Hirtu y otros v. Francia* (14 de mayo de 2020)[136] se refería al desalojo, en abril de 2013, de un campamento no autorizado en el que los demandantes, de origen romaní, habían estado viviendo durante seis meses. Los demandantes se quejaban, en particular, de la vulneración de su derecho al respeto de su vida privada y familiar y de su domicilio y alegaban que no habían dispuesto de un recurso efectivo para impugnar su desalojo forzoso. También alegaron que las circunstancias de su desalojo forzoso y sus posteriores condiciones de vida habían supuesto un trato inhumano y degradante.

El Tribunal consideró que se había violado el artículo 8 (derecho al respeto de la vida privada y familiar y del domicilio) del Convenio, al considerar que la forma de desalojo de los demandantes había vulnerado su derecho al respeto de su vida privada y familiar. Aunque las autoridades podían tener derecho a desalojar a los demandantes, que habían estado ocupando ilegalmente un terreno municipal y no podían alegar una expectativa legítima de permanecer en él, sin embargo, en cuanto a la forma de desalojo de los demandantes, el Tribunal observó que la medida no se había basado en una decisión judicial, sino en el procedimiento de notificación formal previsto en una Ley de julio de 2000, lo que tuvo graves consecuencias para los demandantes. Además, el Tribunal subraya que el hecho de que los demandantes pertenezcan a un grupo social desfavorecido, con ne-

---

135 Disponible en: https://hudoc.echr.coe.int/spa?i=002-12815 Vid. Informe anual FSG 2021: <<Discriminación y Comunidad Gitana>>, ibídem, p. 216.

136 Ibídem, pp. 216-217.

cesidades particulares, debe tenerse en cuenta en la evaluación de la proporcionalidad que las autoridades nacionales están obligadas a realizar, lo que brilló por su ausencia en este caso.

4) El caso *R.R. & R.D. v. Eslovaquia* (1 de septiembre de 2020)[137] se refiere a los siguientes hechos: los demandantes, todos ellos gitanos, fueron detenidos durante una operación policial en una zona de su campamento y golpeados con dureza alegando que se habían resistido. El TEDH reiteró que el artículo 3 del Convenio prohíbe estrictamente la tortura y los tratos o penas inhumanos o degradantes, independientemente de la conducta de la víctima. Además, el TEDH entendió que la investigación se había retrasado y no se había hecho en profundidad por lo que se había infringido la parte procesal del artículo 3 del CEDH.

Ahora bien, para el TEDH no había existido violación del artículo 14 en relación con la discriminación racial debido a que los demandantes no habían esgrimido argumentos sólidos para la supuesta discriminación racial. Es sí, la falta de una investigación adecuada sobre la existencia de un motivo racista en la agresión era incompatible con la obligación positiva del Estado demandado de cumplir el artículo 14 de adoptar medidas razonables para determinar si existe esta motivación, por lo que determinó una violación del artículo 14 del CEDH en relación con la indebida investigación practicada.

5) El caso *Hudorovic & otros v. Eslovenia* (10 de marzo de 2020)[138] plantea la queja de un grupo de ciudadanos eslovenos gitanos, que viven en asentamientos informales de romaníes en Eslovenia, por la falta de acceso a los servicios públicos básicos, especialmente al agua potable y al saneamiento. También alegaron que habían sido objeto de actitudes negativas y discriminatorias por parte de las autoridades locales.

---

137 Vid. Ibídem, p. 217. Disponible la sentencia en: https://hudoc.echr.coe.int/spa?i=001-204154
El TEDH concedió 20.000 euros a cada uno de los demandantes en concepto de daños no pecuniarios y 6.500 euros conjuntamente en concepto de costas.

138 Informe anual FSG 2021: <<Discriminación y Comunidad Gitana>>, ibídem, pp. 217-218. Disponible la sentencia en: https://hudoc.echr.coe.int/spa?i=001-201646

En su sentencia, el TEDH consideró que la actuación de las autoridades eslovenas se ajustaba al derecho al respeto de la vida privada (artículo 8 del CEDH), a la prohibición de tratos inhumanos o degradantes (artículo 3 del CEDH) y a la prohibición de discriminación (artículo 14 del CEDH).

El TEDH recordó que las obligaciones positivas en virtud del artículo 8 del CEDH sólo podían activarse por la falta persistente y prolongada de satisfacción de las necesidades básicas que tuviera consecuencias negativas para la salud y la dignidad humana. También subrayó que la existencia y el alcance de las obligaciones positivas debían determinarse caso por caso, teniendo en cuenta las circunstancias específicas de las personas afectadas, el marco jurídico existente y la situación socioeconómica del Estado demandado.

En este caso, tras tomar nota de las medidas adoptadas por las autoridades eslovenas para mejorar las precarias condiciones de vida de las comunidades romaníes en su país, así como del hecho de que los demandantes recibían prestaciones sociales y no vivían en un estado de extrema pobreza, el Tribunal de Estrasburgo termina concluyendo que las autoridades eslovenas habían respetado el CEDH debido a que habían cumplido su obligación positiva de proporcionar acceso a los servicios públicos a los demandantes.

Del examen de todos estos litigios, a mi modo de ver, verdaderamente estratégicos, cabe derivar la necesidad de apostar con más fuerza que nunca por la educación intercultural y por la implementación de medidas para la integración social, como factores ambos que considero fundamentales para construir un mundo más justo, en el que todos los sujetos podamos vivir en paz. Bien sea por miedo, desconocimiento o falta de formación e información hacia otras etnias y culturas, por desgracia, la discriminación racial persiste en todas partes del mundo en pleno siglo XXI. Como ya señalé en otro lugar: "Si queremos defender la diversidad y construir una sociedad pacífica, inclusiva, sostenible e igualitaria debemos estar convencidos de que la dignidad humana es inherente a todos los seres humanos y, por tanto, no se puede conculcar a través de un trato discriminatorio y racista. (...) No hay nada que temer de aquellos que son diferentes por motivos exógenos o endógenos ni dar credibilidad a la dialéctica amigo-enemigo que tantos males ha causado a lo largo de nuestra historia al conducir al exterminio "del otro" desde el sentimiento del odio y del rencor"[139]. En definitiva, por terminar con palabras del propio Tribunal Europeo de Derechos Humanos -en los asuntos *Nachova y otros contra Bulgaria* (2005) y en *Timishev contra Rusia* (2005)-, se trataría de ir en busca de una comprensión de <<la democracia como una sociedad en la que la diversidad no es percibida como una amenaza, sino como una fuente de riqueza>>.

---

139 HERMIDA DEL LLANO, CRISTINA: <<Cánticos por la igualdad racial>>, *El Imparcial*, 1 de junio de 2020. Disponible en: https://www.elimparcial.es/noticia/213650/opinion/canticos-por-la-igualdad-racial.html

CAPÍTULO TERCERO
LA INCLUSIÓN DE LA POBLACIÓN GITANA EN ESPAÑA

1. LA PROTECCIÓN DE LAS MINORÍAS EN ESPAÑA

El hecho de que España cuente con más de 40 años de democracia ha posibilitado que en la actualidad constituya un Estado moderno que goza de una amplia y rica diversidad en lenguas, culturas y religiones a lo largo de su territorio. Como ha resaltado el informe del Relator Especial de Naciones Unidas sobre cuestiones de las minorías en España de 2020, las 17 Comunidades Autónomas han contribuido a una participación política más efectiva de las minorías vasca, catalana y gallega[1], y han proporcionado medios para reconocer y aplicar los derechos de esas minorías en esferas como el idioma y la cultura.

Me gustaría aclarar que, aunque el Relator Especial de las minorías en España parte de una definición de minorías para su estudio con la que pretende ser consecuente[2], nuestro ordenamiento jurídico

---

1 Vid. Informe del Relator Especial sobre cuestiones de las minorías en España. Fernand de Varennes, RP, Doyen. Naciones Unidas. A/HRC/43/47/Add.1. Consejo de Derechos Humanos. 43er período de sesiones, 24 de febrero a 20 de marzo de 2020, Tema 3 de la agenda Promoción y protección de todos los derechos humanos, civiles, políticos, económicos, sociales y culturales, incluido el derecho al desarrollo.

2 El Relator Especial entiende por minoría étnica, religiosa o lingüística "todo grupo de personas que represente menos de la mitad de la población de todo el territorio de un Estado cuyos miembros compartan características comunes de cultura, religión o idioma, o una combinación de cualquiera de ellas. Una persona puede pertenecer libremente a una minoría étnica, religiosa o lingüística sin ningún requisito de ciudadanía, residencia, reconocimiento oficial o cualquier otra condición (*ibid.*, párr. 53)". Según este concepto, las personas sordas y con pérdida auditiva que utilizan la lengua de señas se consideran miembros de una minoría lingüística. El catalán, el vasco y otros grupos lingüísticos que pueden constituir una mayoría numérica en algunas regiones del país, pero cuyo número sigue siendo inferior a la mitad de la población total del Estado, también se consideran minorías de acuerdo con esta definición de trabajo. Vid. Informe del

español no aporta ninguna definición de minoría, siguiendo la estela de la Unión Europea y de otras organizaciones internacionales. Tampoco encontramos una normativa que de forma general se ocupe de la cuestión de la diversidad en su conjunto[3], aunque se han promulgado disposiciones especiales dirigidas de un modo especial a la comunidad roma o gitana. Lo que es incuestionable es que en España coexisten grupos diferenciados de base cultural, lingüística y religiosa y a pesar de que no se cuenta con un marco jurídico interno general, ello no implica que nuestro ordenamiento no disponga de herramientas jurídicas para la protección de estos colectivos.

De hecho, la Constitución española, al igual que el resto de las Constituciones de nuestro entorno, recoge una serie de preceptos que constituyen un marco general de protección en el contexto de la consagración de valores de igualdad y libertad, y, por lo tanto, recogen la prohibición de todo tipo de discriminación. Si observamos el Preámbulo de la Constitución, allí se consagra como uno de sus principales objetivos el de <<proteger a todos los españoles y pueblos de España en el ejercicio de los derechos humanos, sus culturas y tradiciones, lenguas e instituciones>>. Y a lo largo del articulado de la Constitución de 1978 se van garantizando derechos que afectan a la protección de los miembros de los grupos: el art. 1.1 (consagra la igualdad como uno de valores superiores del ordenamiento jurídico), el art. 2 (reconoce y garantiza el derecho a la autonomía de las nacionalidades y regiones), el art. 3 (reconoce la diversidad lingüística y garantiza su protección), el art. 9.2 (establece el mandato a los poderes públicos para que la libertad y la igualdad del individuo y de los grupos en que se integra sean reales y efectivas), el art. 10.2 (los derechos fundamen-

---

Relator Especial sobre cuestiones de las minorías en España. Naciones Unidas. A/HRC/43/47/Add.1. Consejo de Derechos Humanos. 43er período de sesiones, 24 de febrero a 20 de marzo de 2020, Tema 3 de la agenda Promoción y protección de todos los derechos humanos, civiles, políticos, económicos, sociales y culturales, incluido el derecho al desarrollo.

3 JIMÉNEZ PIERNAS ha señalado que la cuestión en nuestro país se ha "desatendido o tratado con ligereza a pesar de que la inercia de nuestro sistema constitucional apunta en esta dirección" ("Prólogo" a la obra de ARP, titulada *Las minorías nacionales y su protección en Europa,* op. cit.). SAYAGO ARMAS, DIANA: <<La protección de las minorías: un desafío clave de constitucionalismo multinivel>>, UNED. *Revista de Derecho Político,* Nº 106, op. cit., p. 237.

tales se interpretarán de conformidad con la Declaración Universal de Derechos Humanos y los tratados y acuerdos internacionales sobre las mismas materias ratificados por España), el art. 14 (consagra la igualdad de todo ser humano y la prohibición de discriminación por razón de sexo, raza, etc.), los artículos del 15 al 29 (garantizan los derechos fundamentales y libertades públicas), o el art. 43 (reconoce el derecho a la protección a la salud), entre otros.

Además, la Ley 62/2003, de 30 de diciembre de 2003, traspuso al ordenamiento nacional las Directivas 2000/43 y 2000/78 del Consejo de la Unión Europea sobre la no discriminación, contemplando todos los motivos de discriminación e incluyendo definiciones de la discriminación tanto directa como indirecta, aunque en algunos casos uno o más motivos no se especifiquen en una disposición particular.

Por su parte, la Ley Orgánica 4/2000, de 11 de enero de 2000, sobre Derechos y Libertades de los Extranjeros en España y su Integración Social define la discriminación como todo acto contra un extranjero (que conlleve una distinción, exclusión, restricción o preferencia) basada en la raza, el color, la ascendencia o el origen nacional o étnico, las convicciones y prácticas religiosas[4].

Según ha resaltado el Relator Especial de Naciones Unidas para minorías en 2020, aunque todo este marco normativo se puede interpretar ampliamente, abarcando todos los motivos de discriminación, llama la atención la omisión de que no se incluyera específicamente el idioma, "una omisión que es potencialmente incompatible con varias obligaciones de tratados internacionales para las que esta característica es fundamental"[5].

---

4 Otras novedades legislativas importantes son la aprobación de la Ley núm. 27/2007, de 23 de octubre de 2007, por la que se Reconocen las Lenguas de Signos y se Regulan los Medios de Apoyo a la Comunicación Oral, y el Real Decreto Legislativo núm. 1/2013, de 29 de noviembre de 2013, por el que se Aprueba el Texto Refundido de la Ley General de Derechos de las Personas con Discapacidad y de su Inclusión Social. Interesa también advertir, a efectos informativos, que el Real Decreto 629/2022, de 26 de julio modificó el Reglamento de la Ley Orgánica 4/2000, sobre derechos y libertades de los extranjeros en España y su integración social, tras su reforma por Ley Orgánica 2/2009, aprobado por el Real Decreto 557/2011, de 20 de abril.

5 Vid. Informe del Relator Especial sobre cuestiones de las minorías en España. Naciones Unidas. A/HRC/43/47/Add.1. Consejo de Derechos Humanos. 43er

En lo que se refiere al marco institucional, ha resultado decisiva la Ley 62/2003, en su forma modificada por la Ley núm. 15/2014, de 16 de septiembre de 2014, de Racionalización del Sector Público y Otras Medidas de Reforma Administrativa, puesto que dispuso la creación del Consejo para la Eliminación de la Discriminación Racial o Étnica. El Consejo entró en funcionamiento el 28 de octubre de 2009[6] y a pesar de sus notables logros, siguen existiendo dudas sobre la capacidad del Consejo para iniciar investigaciones en casos de discriminación y para incoar procedimientos judiciales y participar en ellos[7].

También, a nivel institucional, de gran relevancia son las fiscalías provinciales del país, que cuentan con unidades especializadas en delitos de odio, existiendo un memorando de entendimiento interinstitucional firmado entre las instituciones de la administración pública nacional, que incorpora a las organizaciones de la sociedad civil en calidad de observadoras. Además, el Observatorio Español del Racismo y la Xenofobia ha elaborado y puesto en marcha programas de capacitación para funcionarios públicos, incluidos los agentes del orden, y programas específicos sobre la no discriminación en esferas como la salud, la educación e Internet.

---

período de sesiones, 24 de febrero a 20 de marzo de 2020, Tema 3 de la agenda Promoción y protección de todos los derechos humanos, civiles, políticos, económicos, sociales y culturales, incluido el derecho al desarrollo.

6 Está adscrito administrativamente al Ministerio de la Presidencia, Relaciones con las Cortes e Igualdad a través del Instituto de la Mujer y para la Igualdad de Oportunidades, y es un órgano colegiado que incluye representantes de las administraciones nacional, regional y local, interlocutores sociales y varias organizaciones de la sociedad civil. El Consejo, que funciona de manera independiente, presta asistencia a las víctimas de la discriminación, realiza investigaciones y publica informes, ofrece mediación y presenta denuncias ante el Defensor del Pueblo, las autoridades públicas, los servicios de inspección y las organizaciones de consumidores. Ayudó a crear una red de asistencia a las víctimas de la discriminación racial o étnica; ocho organizaciones especializadas con oficinas en diferentes regiones prestan los servicios de apoyo.

7 Vid. Informe del Relator Especial sobre cuestiones de las minorías en España. Naciones Unidas. A/HRC/43/47/Add.1. Consejo de Derechos Humanos. 43er período de sesiones, 24 de febrero a 20 de marzo de 2020, Tema 3 de la agenda Promoción y protección de todos los derechos humanos, civiles, políticos, económicos, sociales y culturales, incluido el derecho al desarrollo.

Asimismo, es necesario referirse a las actuaciones realizadas por el Defensor del Pueblo, en virtud de la Ley Orgánica núm. 3/1981, de 6 de abril de 1981, que le otorgó la capacidad de vigilar el respeto y la promoción de los derechos humanos en la Administración General del Estado (servicios administrativos nacionales del Estado) y en las administraciones regionales y locales, y de iniciar investigaciones tanto de oficio como sobre la base de las denuncias recibidas. Por su parte, también los defensores del pueblo de las Comunidades Autónomas contribuyen a la agenda de derechos humanos en los planos regional y local.

Por último, en lo que respecta al movimiento asociativo romaní, en 2005 se creó, en virtud el Real Decreto núm. 891/2005, de 22 de julio, el Consejo Estatal del Pueblo Gitano, en calidad de órgano consultivo interministerial adscrito ahora al Ministerio de Sanidad, Consumo y Bienestar Social, que cuenta con la participación de un número importante de organizaciones y asociaciones romaníes. Sus principales objetivos son fomentar y reforzar la colaboración con la administración del Estado, en particular en el ámbito de las políticas de bienestar social, aumentar la conciencia sobre los derechos humanos de los romaníes en España y fortalecer la capacidad de protección y promoción de esos derechos. Se han establecido órganos consultivos similares a nivel regional, por ejemplo, en Cataluña, el País Vasco y Extremadura.

Según el Relator Especial de Naciones Unidas para minorías en 2020, aunque España haya logrado muchos avances legislativos, institucionales y de política en ámbitos como la protección de los derechos humanos, la lucha contra la violencia de género y la inclusión de las comunidades romaníes, muchas de las iniciativas en esas esferas se vieron seriamente afectadas durante la grave crisis financiera de 2008-2014. Junto a ello señala lo siguiente: “Los planes operacionales establecidos para aplicar la Estrategia Nacional para la Inclusión Social de la Población Gitana en España 2012-2020, junto con otras muchas medidas, han contribuido sin duda a la disminución del analfabetismo, el aumento de la asistencia escolar y otros resultados positivos y mensurables. España reconoció sus dos principales lenguas de señas en 2007 y ha adoptado medidas para asegurar el uso de la lengua de señas en varias esferas, aunque su reconocimiento y apoyo tiende a centrarse en la lengua de signos española y no en la catalana. Ha habido iniciativas innovadoras para asistir e integrar mejor al creciente número de migrantes y extranjeros, como marroquíes y rumanos, que llegan a España y se quedan en el país, como ofrecer algún tipo de información y asistencia en sus idiomas”[8].

En lo que se refiere al ámbito internacional, España ha ratificado la mayoría de los tratados a nivel internacional de la Organización de Naciones Unidas, Unión Europea y Consejo de Europa. Me gustaría recordar que, en España, afortunadamente, por fin, hemos ratificado el protocolo de 1995 de procedimiento de reclamaciones colectivas, que permite a sindicatos, entidades sociales u organizaciones patronales demandar al Gobierno ante el Comité cuando sus leyes o políticas públicas sean contrarias a la CSE, al haber sido ratificada la Carta Social Europea (revisada) en 2021[9].

Sin embargo, también es verdad que España ha mostrado cierta inclinación a restringir al máximo la aplicación de sus disposiciones. Como destaca Sayago[10], se puede constatar, por ejemplo, en el seguimiento del Pacto de Derechos Económicos, Sociales y Culturales, donde nuestro país sólo ha atendido a cuestiones relacionadas con la lucha contra la discriminación de la población gitana y sus derechos culturales, lo que es importante pero no ha conferido entidad a otros grupos minoritarios[11].

---

[8] Vid. Informe del Relator Especial sobre cuestiones de las minorías en España. Naciones Unidas. A/HRC/43/47/Add.1. Consejo de Derechos Humanos. 43er período de sesiones, 24 de febrero a 20 de marzo de 2020, Tema 3 de la agenda Promoción y protección de todos los derechos humanos, civiles, políticos, económicos, sociales y culturales, incluido el derecho al desarrollo.

[9] Me gustaría dejar constancia de que la Carta Social Europea (revisada) no ha entrado en vigor en España hasta el 1 de julio de 2021, tras su ratificación por España y su publicación en el Boletín Oficial de Estado el 11 de junio de 2021. Vid. https://www.boe.es/eli/es/ai/1996/05/03/(2)

[10] SAYAGO ARMAS, DIANA: <<La protección de las minorías: un desafío clave de constitucionalismo multinivel>>, UNED. *Revista de Derecho Político*, nº 106, op. cit., pp. 237-238.

[11] Comité de Derechos Económicos, Sociales y Culturales, 48º período de sesiones, 30 de abril a 18 de mayo de 2012, Aplicación del Pacto Internacional de Derechos Económicos, Sociales y Culturales, Examen de los informes presentados por los Estados partes en virtud del artículo 16 del Pacto Internacional de Derechos Económicos, Sociales y Culturales, Adición, Respuestas del Gobierno de España a la lista de cuestiones (E/C.12/ESP/Q/5) que deben abordarse al examinar el

En la misma línea, en los Informes presentados con ocasión de los sucesivos ciclos de control (2010 y 2015), los cuales se han desarrollado en el marco del Examen Periódico Universal, España sólo menciona a la población roma/gitana. De hecho, solo después de las numerosas recomendaciones recibidas ha aceptado considerar aspectos relacionados con la lucha contra la discriminación de las minorías religiosas[12].

En lo que se refiere al Convenio Marco del Consejo de Europa para la Protección de las Minorías Nacionales, habiendo ratificado España el texto en 1995, precisa Sayago: "No obstante, la aplicación de dicho Convenio también ha sido restrictiva como resultado del limitado reconocimiento en cuanto a su ámbito de aplicación. El Ejecutivo español se ha mostrado reacio a admitir que existan minorías nacionales en su territorio, hasta el punto de que, aunque el Convenio llega a ser aplicado limitadamente a la comunidad gitana o romaní, para el Gobierno español esto no significa que asuma su consideración como minoría nacional[13], lo que supone una paradoja"[14]. De hecho, de forma reiterada el Gobierno español ha declarado <<que no existen nuevas circunstancias que permitan concluir que los mecanismos compensatorios de protección del Convenio Marco deberían aplicarse a otros individuos o grupos que no sean la población gitana>>[15]. Tengamos en cuenta que, en virtud del Convenio, cada

---

quinto informe periódico de España (E/C.12/ESP/5)[1 de marzo de 2012], Doc. UN, E/C.12/ESP/Q/5/Add.1, 28 de marzo de 2012, pp. 6-7 y 50-51.

12 SAYAGO ARMAS, DIANA: <<La protección de las minorías: un desafío clave de constitucionalismo multinivel>>, UNED. *Revista de Derecho Político*, nº 106, op. cit., p. 238.

13 Comments of the Government of Spain on the opinion of the Advisory Committee on the implementation of the Framework Convention for the Protection of National Minorities in Spain, Documento GVT/COM/INF/OP/I(2004)004, recibido el 10 de junio de 2004; publicado el 30 de septiembre de 2004.

14 SAYAGO ARMAS, DIANA: <<La protección de las minorías: un desafío clave de constitucionalismo multinivel>>, UNED. *Revista de Derecho Político*, nº 106, op. cit., p. 238.

15 Comentarios del Gobierno de España acerca del cuarto dictamen del Comité Consultivo sobre la implementación del Convenio Marco para la Protección de las Minorías Nacionales de España, en base al cuarto informe presentado por España al Consejo de Europa y en base a la visita a España del Comité Consultivo en julio de 2014. Disponible en: http://www.mscbs.gob.es/ssi/familiasInfancia/ inclusionSocial/poblacionGitana/docs/4th_Com_Spain__ES.pdf

Estado puede determinar libremente qué grupos constituyen su marco de aplicación[16]. Igualmente, el texto ofrece un margen a los Estados para que adapten sus disposiciones a las condiciones específicas de cada Estado tanto a través de la legislación nacional como de las políticas gubernamentales. Asimismo, los grupos pueden optar por estar protegidos por el Convenio o no (artículo 3), lo que en la práctica ha significado que la comunidad gitana se encuentre amparada por el Convenio, mientras que los gallegos, catalanes y vascos han manifestado su deseo de que no se les aplique dicha protección[17]. Es cierto que el Convenio Marco podría aplicarse en España a otros colectivos culturales, lingüísticos o religiosos que, actualmente, no gozan de semejante protección[18] pero, en todo caso, se ha venido considerando más razonable que se aplique al colectivo de los gitanos.

Al mismo tiempo aunque es cierto que en los últimos años el Gobierno ha adoptado medidas significativas para establecer una estrategia y unas iniciativas bastante amplias para hacer frente a la discriminación, el discurso de odio y los delitos de odio contra las minorías y otros grupos vulnerables, conforme señala el Relator Especial en

---

16 Con anterioridad, el Comité Consultivo advirtió que, aunque España no admitiera otros grupos diferentes a los *Roma* como destinatarios de la Protección que arbitra el Convenio, es fácilmente imaginable el considerar a otros grupos merecedores de la protección. A este argumento, el Gobierno español respondió que no es necesario incluir a las minorías lingüísticas dentro del ámbito de aplicación del Convenio, al contar ya "con la protección debida dentro del propio marco jurídico del Consejo de Europa, tales como la Carta Europea de Lenguas Regionales y Minoritarias", (2ª opinión emitida por el Comité Consultivo en febrero de 2007). Vid. SAYAGO ARMAS, DIANA: <<La protección de las minorías: un desafío clave de constitucionalismo multinivel>>, UNED. *Revista de Derecho Político*, nº 106, op. cit., pp. 238-239.

17 ARP, BJÖRN: <<La aplicación del Convenio-Marco para la protección de las minorías nacionales en España: el segundo ciclo>>, *Revista Española de Derecho Internacional*, Vol. 2-LX, 2008, pp. 689-695.

18 Pensemos en otras minorías históricas, como sería el caso de los "chuetas" en las islas Baleares (descendientes de los judíos conversos) u otros grupos diferenciados como los "agotes" de Navarra o los "vaqueiros de alzada" en Asturias Vid. ECHEVERRI ARDILA, NATHALIA MELISSA: Trabajo Fin de Grado en Derecho <<Minorías étnicas en la Unión Europea>>, tutorizado por Cristina Hermida del Llano, durante el curso académico 2019-2020 en la Universidad Rey Juan Carlos de Madrid, habiendo sido defendido en la Convocatoria de septiembre de 2020.

su informe de 2020, urge que el Gobierno español adopte medidas adicionales e introduzca más mejoras y cambios para garantizar que España cumpla plenamente sus obligaciones internacionales en materia de derechos humanos en relación con las minorías. Entre otras mejoras destacadas, habría que referirse a las siguientes[19]:

1) Se necesita la obtención de datos fiables sobre igualdad, "desglosados"[20] por origen étnico o nacional, idioma, religión y cultura, respetando plenamente las normas internacionales pertinentes de protección de datos, a fin de aumentar la eficacia de las medidas destinadas a promover la igualdad plena y efectiva de las personas pertenecientes a las minorías nacionales.
2) Aunque es cierto que se han adoptado medidas acertadas con el fin de que la policía deje de recurrir a perfiles étnicos, a través de la capacitación de la policía nacional, se necesitan más programas de ese tipo para afrontar de forma más eficaz y específica el fenómeno, que el Grupo de Trabajo de Expertos sobre los Afrodescendientes describió como endémico en el informe de 2018 sobre su misión a España (A/HRC/39/69/Add.2, párr. 19). Literalmente el informe precisa: "El Grupo de Trabajo observó cómo las disposiciones de la Ley de Protección de la Seguridad de los Ciudadanos, que preveía sanciones importantes por filmar a agentes del orden e invertir la carga de la prueba, habían tenido el efecto perverso de disminuir el número de denuncias de actos discriminatorios cometidos por agentes del orden presentadas por afrodescendientes —y cabe añadir que este también es el caso de las minorías en general—, con la consiguiente disminución de casos investigados y enjuiciados (*ibid.*, párr. 21)".
3) Hay que subsanar la omisión de que el artículo 14 de la Constitución y el artículo 23 de la Ley Orgánica 4/2000, ambos relativos a la igualdad y a la no discriminación, contemplen un

---

19 Vid. Informe del Relator Especial sobre cuestiones de las minorías en España. Naciones Unidas. A/HRC/43/47/Add.1. Consejo de Derechos Humanos. 43er período de sesiones, 24 de febrero a 20 de marzo de 2020, Tema 3 de la agenda Promoción y protección de todos los derechos humanos, civiles, políticos, económicos, sociales y culturales, incluido el derecho al desarrollo.

20 Las comillas son mías.

número limitado de motivos en relación con las distinciones prohibidas (entre los que no figura el idioma, por ejemplo[21]), lo que es incompatible con lo que disponen tratados internacionales de Derechos Humanos de Naciones Unidas. Es por ello por lo que el Relator Especial recomienda al Gobierno español que revise y modifique la legislación y otras disposiciones relativas a la prohibición de la discriminación para que toda lista de motivos contenga al menos aquellos que figuran habitualmente en los principales tratados internacionales de derechos humanos, a saber, la raza, el color, el sexo, el idioma, la religión, la opinión política o de otra índole, el origen nacional o social, la posición económica, el nacimiento u otra condición. Por otra parte, aunque en el artículo 13, párrafo 1, de la Constitución se indica que los extranjeros gozarán de las libertades públicas que garantiza el Título I de la Constitución en los términos que establezcan los tratados y la ley, el uso del término "españoles" en el artículo 14 parece que excluye a los extranjeros del derecho a reclamar el derecho a la igualdad sin discriminación.

4) En lo que se refiere al racismo, xenofobia y discurso de odio, el Gobierno ha progresado en este ámbito gracias, por un lado, al establecimiento de dependencias especializadas en la lucha contra los delitos de odio en las fiscalías provinciales y de un fiscal especial nacional para supervisar la coordinación de las actividades de lucha contra la discriminación, y, por otro lado, gracias al articulado del Código Penal. En especial, hay que referirse al artículo 510 del Código Penal[22], que tipifica

---

21 Según el Relator Especial de Naciones Unidas para Minorías, esto podría ser motivo de preocupación en relación con posibles prácticas discriminatorias contra las minorías lingüísticas, incluidos los miembros de la comunidad sorda que utilizan la lengua de signos española o la lengua de signos catalana. A pesar de que los funcionarios españoles se han defendido indicando que las disposiciones no son restrictivas ya que las autoridades judiciales y de otro tipo pueden interpretarlas con liberalidad y de forma compatible con las obligaciones internacionales de España, se teme que las minorías lingüísticas pueden quedar al albur de la impredecible interpretación y aplicación local o individual.

22 <<1. Serán castigados con una pena de prisión de uno a cuatro años y multa de seis a doce meses:

a) Quienes públicamente fomenten, promuevan o inciten directa o indirectamente al odio, hostilidad, discriminación o violencia contra un grupo, una parte del

mismo o contra una persona determinada por razón de su pertenencia a aquél, por motivos racistas, antisemitas u otros referentes a la ideología, religión o creencias, situación familiar, la pertenencia de sus miembros a una etnia, raza o nación, su origen nacional, su sexo, orientación o identidad sexual, por razones de género, enfermedad o discapacidad.
b) Quienes produzcan, elaboren, posean con la finalidad de distribuir, faciliten a terceras personas el acceso, distribuyan, difundan o vendan escritos o cualquier otra clase de material o soportes que por su contenido sean idóneos para fomentar, promover, o incitar directa o indirectamente al odio, hostilidad, discriminación o violencia contra un grupo, una parte del mismo, o contra una persona determinada por razón de su pertenencia a aquél, por motivos racistas, antisemitas u otros referentes a la ideología, religión o creencias, situación familiar, la pertenencia de sus miembros a una etnia, raza o nación, su origen nacional, su sexo, orientación o identidad sexual, por razones de género, enfermedad o discapacidad.
c) Públicamente nieguen, trivialicen gravemente o enaltezcan los delitos de genocidio, de lesa humanidad o contra las personas y bienes protegidos en caso de conflicto armado, o enaltezcan a sus autores, cuando se hubieran cometido contra un grupo o una parte del mismo, o contra una persona determinada por razón de su pertenencia al mismo, por motivos racistas, antisemitas u otros referentes a la ideología, religión o creencias, la situación familiar o la pertenencia de sus miembros a una etnia, raza o nación, su origen nacional, su sexo, orientación o identidad sexual, por razones de género, enfermedad o discapacidad, cuando de este modo se promueva o favorezca un clima de violencia, hostilidad, odio o discriminación contra los mismos.
2. Serán castigados con la pena de prisión de seis meses a dos años y multa de seis a doce meses:
a) Quienes lesionen la dignidad de las personas mediante acciones que entrañen humillación, menosprecio o descrédito de alguno de los grupos a que se refiere el apartado anterior, o de una parte de los mismos, o de cualquier persona determinada por razón de su pertenencia a ellos por motivos racistas, antisemitas u otros referentes a la ideología, religión o creencias, situación familiar, la pertenencia de sus miembros a una etnia, raza o nación, su origen nacional, su sexo, orientación o identidad sexual, por razones de género, enfermedad o discapacidad, o produzcan, elaboren, posean con la finalidad de distribuir, faciliten a terceras personas el acceso, distribuyan, difundan o vendan escritos o cualquier otra clase de material o soportes que por su contenido sean idóneos para lesionar la dignidad de las personas por representar una grave humillación, menosprecio o descrédito de alguno de los grupos mencionados, de una parte de ellos, o de cualquier persona determinada por razón de su pertenencia a los mismos.
b) Quienes enaltezcan o justifiquen por cualquier medio de expresión pública o de difusión los delitos que hubieran sido cometidos contra un grupo, una parte del mismo, o contra una persona determinada por razón de su pertenencia a aquél por motivos racistas, antisemitas u otros referentes a la ideología, religión o creencias, situación familiar, la pertenencia de sus miembros a una etnia, raza

como delito la incitación pública a la violencia, el odio o la discriminación y los actos de quienes, con conocimiento de su falsedad o temerario desprecio hacia la verdad, distribuyan información difamatoria, que a menudo puede dirigirse a las minorías y otros grupos vulnerables; el artículo 170 del Código Penal[23] que prevé penas más severas si las amenazas tienen por

---

o nación, su origen nacional, su sexo, orientación o identidad sexual, por razones de género, enfermedad o discapacidad, o a quienes hayan participado en su ejecución.
Los hechos serán castigados con una pena de uno a cuatro años de prisión y multa de seis a doce meses cuando de ese modo se promueva o favorezca un clima de violencia, hostilidad, odio o discriminación contra los mencionados grupos.
3. Las penas previstas en los apartados anteriores se impondrán en su mitad superior cuando los hechos se hubieran llevado a cabo a través de un medio de comunicación social, por medio de internet o mediante el uso de tecnologías de la información, de modo que, aquel se hiciera accesible a un elevado número de personas.
4. Cuando los hechos, a la vista de sus circunstancias, resulten idóneos para alterar la paz pública o crear un grave sentimiento de inseguridad o temor entre los integrantes del grupo, se impondrá la pena en su mitad superior, que podrá elevarse hasta la superior en grado.
5. En todos los casos, se impondrá además la pena de inhabilitación especial para profesión u oficio educativos, en el ámbito docente, deportivo y de tiempo libre, por un tiempo superior entre tres y diez años al de la duración de la pena de privación de libertad impuesta en su caso en la sentencia, atendiendo proporcionalmente a la gravedad del delito, el número de los cometidos y a las circunstancias que concurran en el delincuente.
6. El juez o tribunal acordará la destrucción, borrado o inutilización de los libros, archivos, documentos, artículos y cualquier clase de soporte objeto del delito a que se refieren los apartados anteriores o por medio de los cuales se hubiera cometido. Cuando el delito se hubiera cometido a través de tecnologías de la información y la comunicación, se acordará la retirada de los contenidos.
En los casos en los que, a través de un portal de acceso a internet o servicio de la sociedad de la información, se difundan exclusiva o preponderantemente los contenidos a que se refiere el apartado anterior, se ordenará el bloqueo del acceso o la interrupción de la prestación del mismo>>.

23 1. Si las amenazas de un mal que constituyere delito fuesen dirigidas a atemorizar a los habitantes de una población, grupo étnico, cultural o religioso, o colectivo social o profesional, o a cualquier otro grupo de personas, y tuvieran la gravedad necesaria para conseguirlo, se impondrán respectivamente las penas superiores en grado a las previstas en el artículo anterior.
2. Serán castigados con la pena de prisión de seis meses a dos años, los que, con la misma finalidad y gravedad, reclamen públicamente la comisión de acciones violentas por parte de organizaciones o grupos terroristas>>.

objeto atemorizar a los miembros de una minoría, colectivo o a cualquier otro grupo de personas; el artículo 22 del Código Penal[24] que sanciona y establece como circunstancia agravante la comisión de un delito por motivos racistas, antisemitas u otra clase de discriminación referente a la religión o creencias de la víctima, la etnia o nación a la que pertenezca, su género y su orientación o identidad sexual.

5) Aunque hay que felicitarse por iniciativas importantes, como la del Observatorio Español del Racismo y la Xenofobia, apoyado por el Gobierno, que reúne información sobre los delitos de odio y el discurso de odio y realiza programas de capacitación para educadores, agentes del orden y otras personas, se destaca

---

24 <<Son circunstancias agravantes:
1.ª Ejecutar el hecho con alevosía.
Hay alevosía cuando el culpable comete cualquiera de los delitos contra las personas empleando en la ejecución medios, modos o formas que tiendan directa o especialmente a asegurarla, sin el riesgo que para su persona pudiera proceder de la defensa por parte del ofendido.
2.ª Ejecutar el hecho mediante disfraz, con abuso de superioridad o aprovechando las circunstancias de lugar, tiempo o auxilio de otras personas que debiliten la defensa del ofendido o faciliten la impunidad del delincuente.
3.ª Ejecutar el hecho mediante precio, recompensa o promesa.
4.ª Cometer el delito por motivos racistas, antisemitas u otra clase de discriminación referente a la ideología, religión o creencias de la víctima, la etnia, raza o nación a la que pertenezca, su sexo, edad, orientación o identidad sexual o de género, razones de género, de aporofobia o de exclusión social, la enfermedad que padezca o su discapacidad, con independencia de que tales condiciones o circunstancias concurran efectivamente en la persona sobre la que recaiga la conducta
5.ª Aumentar deliberada e inhumanamente el sufrimiento de la víctima, causando a esta padecimientos innecesarios para la ejecución del delito.
6.ª Obrar con abuso de confianza.
7.ª Prevalerse del carácter público que tenga el culpable.
8.ª Ser reincidente.
Hay reincidencia cuando, al delinquir, el culpable haya sido condenado ejecutoriamente por un delito comprendido en el mismo título de este Código, siempre que sea de la misma naturaleza.

A los efectos de este número no se computarán los antecedentes penales cancelados o que debieran serlo, ni los que correspondan a delitos leves.
Las condenas firmes de jueces o tribunales impuestas en otros Estados de la Unión Europea producirán los efectos de reincidencia salvo que el antecedente penal haya sido cancelado o pudiera serlo con arreglo al Derecho español>>.

que España, junto con San Marino, son los únicos dos miembros del Consejo de Europa que no cuentan con un organismo independiente de igualdad. El Consejo para la Eliminación de la Discriminación Racial o Étnica no es todavía una entidad independiente, realiza pocas actividades y dispone de pocos recursos, lo que se está tratando de subsanar desde 2019.

6) Minorías como los romaníes, las personas afrodescendientes, los migrantes y las minorías religiosas como los musulmanes continúan siendo los principales objetivos y víctimas de la intolerancia expresada en los discursos de odio. A ello se suma que en relación con los acontecimientos que tuvieron lugar en Cataluña en 2017, el Relator Especial recibió informes que dan cuenta de un perceptible aumento del discurso de odio, el vilipendio, el vandalismo, las amenazas físicas e incluso las agresiones contra miembros de la minoría catalana y, en menor medida, otras minorías nacionales.

7) Aunque España, para hacer frente a todos estos desafíos, ha diseñado una serie de políticas y enfoques que son dignos de encomio[25], es criticable que se hayan construido sin la aportación o la representación directa de las minorías afectadas y no se traduzcan todavía necesariamente en medidas de aplicación concretas. Con palabras del Relator Especial para minorías: "Cuestiones como la perpetuación de estereotipos negativos de los romaníes en noticias de prensa, donde se los presenta de forma peyorativa, o en las causas penales, en las que normalmente se revela el origen étnico del acusado cuando se trata de un romaní, son recurrentes, y las autoridades españolas siguen sin abordarlas en su mayoría, a pesar de las numerosas iniciativas y políticas actualmente en vigor. También persisten dificultades en relación con la difusión de mensajes racistas, xenófobos y antisemitas en Internet y en las redes sociales, que deben abordarse con más firmeza, tanto en la práctica como en

---

25 Sirvan de ejemplo, las propuestas para una ley orgánica más amplia sobre la discriminación y para una estrategia integral contra el racismo, la discriminación racial, la xenofobia y otras formas conexas de intolerancia, junto a la creación de dependencias institucionales en los planos nacional, provincial y local, incluido el Consejo para la Eliminación de la Discriminación Racial o Étnica.

términos de lo permitido por los actuales marcos legislativos y regulatorios. Además, a la luz de los acontecimientos de 2017, debe prestarse especial atención a los crecientes signos de intolerancia y a los discursos de odio dirigidos a otras minorías".

Es por todo lo anterior por lo que el Relator Especial recomienda que se lleve a cabo un examen nacional y se adopte un plan estratégico para luchar contra todas las formas de racismo, xenofobia e intolerancia. Debería ser prioritario que se investiguen, enjuicien y castiguen con mayor eficacia los presuntos casos de discurso de odio cometidos en Internet y en otros medios de comunicación. De forma complementaria, debería emprenderse una revisión exhaustiva de los libros de texto escolares para incorporar exposiciones más inclusivas y positivas de la diversidad del país, así como campañas de concienciación y otras actividades para el público en general que celebren su rica asociación con muchas culturas, idiomas y religiones y las reconozcan como partes integrantes de la sociedad española moderna. Además, el Relator Especial recomienda al Gobierno que lleve a cabo campañas de concienciación de la población con gran presencia en los medios de comunicación para seguir alentando una sociedad inclusiva compuesta por muchas culturas, religiones e idiomas diferentes, con el fin de combatir el aumento del discurso de odio y de la intolerancia contra las minorías. En definitiva, como ha resaltado el informe del Relator Especial para Minorías en 2020, las cuestiones de derechos humanos en relación con las minorías constituyen todavía una "asignatura pendiente"[26].

2. LA SENSIBILIDAD DE ESPAÑA HACIA EL ANTIGITANISMO

La comunidad roma/gitana constituye un colectivo asentado por todo el territorio de la península ibérica desde el siglo XV, con una

---

[26] Vid. Informe del Relator Especial sobre cuestiones de las minorías en España. Naciones Unidas. A/HRC/43/47/Add.1. Consejo de Derechos Humanos. 43er período de sesiones, 24 de febrero a 20 de marzo de 2020, Tema 3 de la agenda Promoción y protección de todos los derechos humanos, civiles, políticos, económicos, sociales y culturales, incluido el derecho al desarrollo.

cultura propia muy característica, y que constituye "alrededor" del 2% de la población total, ya que se desconoce con exactitud el tamaño real[27]. El legislador español se refería ya a la familia gitana como un mero hecho en la Pragmática de Medina del Campo del año 1499 (Ley 1 del Título XVI, Libro XII de la Novísima Recopilación)[28]. Como recuerda Sayago: "Entre sus reivindicaciones no se encuentra el reclamar para sí un territorio o Estado propio, sino condiciones de respeto a su diversidad cultural y una efectiva igualdad a nivel social y económico"[29]. No deja de ser llamativo que, a pesar de contar con casi seis siglos de historia en España, los gitanos continúen siendo un grupo cultural que padece graves injusticias, además de ser el colectivo más rechazado en la sociedad y uno de los más excluidos tanto en términos sociales como económicos[30].

España representa uno de los países de la Unión Europea con mayor número de población gitana, representando aproximadamente el 8% de todos los gitanos europeos[31]. Su número ha ido aumentando paulati-

---

27 Vid. Estrategia Nacional para la Inclusión Social de la Población Gitana en España (2012-202), Informes, Estudios e Investigación 2014, Ministerio de Sanidad, Servicios Sociales e Igualdad, Madrid, segunda edición 2014, p. 11.

28 Vid. Voto particular que formula el Magistrado don Jorge Rodríguez-Zapata Pérez a la Sentencia dictada por el TC el 16 de abril de 2007, en el recurso de amparo núm. 7084-2002 interpuesto por doña María Luisa Muñoz Díaz.

29 SAYAGO ARMAS, DIANA: <<La protección de las minorías: un desafío clave de constitucionalismo multinivel>>, UNED. *Revista de Derecho Político*, N ° 106, op. cit., p. 240.

30 Los gitanos están distribuidos por toda la geografía española, aunque es en Andalucía donde vive la mayor parte de ellos (cerca del 45%). La gran mayoría se concentran en las ciudades y, dentro de estas, suele haber un gran número de familias en las zonas socialmente menos favorecidas. Aunque en conjunto sus miembros comparten bastantes rasgos de identificación común y de reconocimiento recíproco, conviene destacar la heterogeneidad y diversidad que existe en el seno de la propia comunidad. Vid. ANDRÉS, MARÍA TERESA: <<La comunidad gitana y la educación>>. Fundación Secretariado Gitano. Disponible en: https://docplayer.es/97815889-La-comunidad-gitana-y-la-educacion-ma-teresa-andres.html
Vid. HERMIDA DEL LLANO, CRISTINA: <<El antigitanismo en el ámbito de la Unión Europea, con especial referencia a España>>, recogido en la obra colectiva de HERMIDA DEL LLANO, CRISTINA (Coord.): *Discriminación racial, intolerancia y fanatismo en la Unión Europea*, op. cit., pp. 203-226.

31 "La población gitana está presente en España desde el siglo XV y su trayectoria histórica ha estado marcada, igual que en el resto de Europa, por persecuciones,

namente con la llegada de personas romaníes procedentes principalmente de Rumanía y Bulgaria sobre todo desde el año 2002–cuando se eliminó el requisito de visado para estos dos países–y posteriormente desde 2007–cuando sus países de origen se adhirieron a la UE -[32].

Aunque es cierto que, durante más de treinta años en España, las autoridades públicas de todos los niveles de gobierno han situado en su agenda la inclusión social de la población gitana desfavorecida, lo que ha contribuido a la consecución de algunos logros significativos, quedan todavía por delante grandes desafíos. En el ámbito estatal, cabría remontarse a la aprobación en 1985 por el Congreso de los Diputados de la Proposición no de Ley sobre la creación de un Plan Nacional de Desarrollo Gitano, tras la que se puso en marcha, en 1989, el Programa de Desarrollo Gitano (PDG). Dentro de las medidas de carácter específico también se puede destacar la cooperación financiera y técnica con organizaciones no gubernamentales (ONG) del movimiento asociativo gitano y/o que trabajan por el desarrollo de la población gitana[33].

---

intentos de asimilación y procesos de exclusión social. Actualmente, la población gitana española se calcula en alrededor de 725.000-750.000 personas, siendo estas las cifras relativas a España que han utilizado las instituciones europeas en sus cálculos sobre la población romaní para el conjunto de Europa". Vid. Estrategia Nacional para la Inclusión Social de la Población Gitana en España 2012-2020. Informes, Estudios e Investigación 2012. Ministerio de Sanidad, Servicios Sociales e Igualdad, Madrid, 2012, p. 11.

32 El número de personas romaníes de nacionalidades rumana y búlgara que, como ciudadanos de la UE, ejercen su derecho de libre circulación y residencia en España, es difícil de cuantificar, dado que están integrados en grandes contingentes de ciudadanos rumanos y búlgaros que han fijado su residencia temporal o permanentemente en España y debido a la inexistencia de registros que recojan la pertenencia étnica de los extranjeros en España. Vid. Ibídem, p.12.

33 La cooperación se realiza en paralelo: por una parte, prestación de apoyo técnico a estas organizaciones, y, por otra, de apoyo económico a los programas de interés social que realizan. El apoyo económico se instrumenta a través de subvenciones reguladas en las convocatorias anuales del Ministerio; en concreto, la convocatoria de subvenciones con cargo al 0,7% del Impuesto sobre la Renta de las Personas Físicas (IRPF) para la realización de programas de cooperación y voluntariado sociales, en la que se incluyen desde el año 1989, como programas de interés general subvencionables, los "Programas para el pueblo gitano", así como la convocatoria para el fortalecimiento del tejido asociativo en el marco de las subvenciones del régimen general. Sobre ello, vid. HERMIDA DEL LLANO, CRISTINA: <<The importance of non-governmental organizations of achieving

En lo que respecta a las personas migrantes como los Roma de los países del Este, el Estado español establece una clara distinción entre ciudadanos españoles y extranjeros, como queda patente en los artículos 11 y 13 de la Constitución Española, así como en la Ley 2/2009 que reformó la Ley de Extranjería 8/2000[34]. Se establecen otras dos distinciones en lo que se refiere a la ciudadanía y los inmigrantes, en virtud de los Tratados de la UE y las Directivas en materia de inmigración[35]: entre inmigrantes ciudadanos de la UE y aquellos procedentes de países de fuera de la UE, y entre los que se encuentran en situación regular e irregular.

Desde un punto de vista legislativo en el ámbito de la lucha contra la discriminación, hay que mencionar el avance que supusieron las Directivas 2000/43/CE[36] y la 2000/78/CE[37], aunque en nuestro país es cierto que no se realizó una trasposición adecuada, sino meramente de mínimos con la Ley 62/2003 de 30 de diciembre de medidas fiscales, administrativas y del orden social, hasta la aprobación, por cierto, con gran retraso, de la *Ley 15/2022, de 12 de julio, integral para la*

---

the sustainable development goals: The fight against racial discrimination of Roma in Europe>>, en *Public-Private Partnerships and sustainable development goals: proposals for the implementation of the 2030 Agenda*, Volumen coordinado por Paloma Durán y Lalaguna, Sagrario Morán Blanco, Castor M. Díaz Barrado y Carlos Fernández Liesa. Verdiales López, D. M. (coord.), op. cit.

34 Gobierno de España (2000) Ley Orgánica 8/2000, de 22 de diciembre, de reforma de la Ley Orgánica 4/2000, de 11 de enero, sobre derechos y libertades de los extranjeros en España y su integración social. Gobierno de España (2009) Ley Orgánica 2/2009, de 11 de diciembre, de reforma de la Ley Orgánica 4/2000, de 11 de enero, sobre derechos y libertades de los extranjeros en España y su integración social.

35 Véase como ejemplo la Directiva 2008/115/CE.

36 Directiva 2000/43/CE del Consejo, de 29 de junio de 2000, relativa a la aplicación del principio de igualdad de trato de las personas independientemente de su origen racial o étnico. Diario Oficial nº L 180/22 de 19/7/2000. Aunque hay que reconocer que la Directiva 2000/43/CE, y el resto de legislación estatal que protege la no discriminación (Código penal, Estatuto de los trabajadores, legislación civil, etc.) tienen un escaso conocimiento por parte de los profesionales del ámbito jurídico que deberían aplicarla, siendo prácticamente nula su aplicación práctica.

37 Directiva 2000/78/CE del Consejo, de 27 de noviembre de 2000, relativa al establecimiento de un marco general para la igualdad de trato en el empleo y la ocupaciónDiario Oficial n° L 303 de 02/12/2000, pp. 0016 – 0022.

igualdad de trato y la no discriminación. Como allí se precisa: <<En definitiva, no es una Ley más de derechos sociales sino, sobre todo, de derecho antidiscriminatorio específico, que viene a dar cobertura a las discriminaciones que existen y a las que están por venir, ya que los desafíos de la igualdad cambian con la sociedad y, en consecuencia, también deberán hacerlo en el futuro las respuestas debidas>>.

Como propósitos claros de esta ley quedan reflejados los siguientes: <<Entre los propósitos de esta ley está el de trasponer de manera más adecuada los objetivos y fines de las Directivas 2000/43/CE y 2000/78/CE, lo que solo se hizo parcialmente en la Ley 62/2003, de 30 de diciembre, de medidas fiscales, administrativas y del orden social, sin un adecuado debate público en un ámbito que requiere sensibilización y visibilidad pública, una repercusión social y política de sus deliberaciones y una tramitación parlamentaria significativa. Asimismo, esta trasposición fue objeto de un análisis crítico por parte de la Comisión Europea, las organizaciones sociales, y especialmente las de derechos humanos, proceso que generó una serie de propuestas de mejora. La trasposición se ha demostrado además insuficiente e ineficiente a la hora de acometer los problemas relativos a la igualdad y la no discriminación en la sociedad española, sobre todo en el actual contexto de crisis sanitaria, social y económica.

La ley, por tanto, no se limita a trasponer las directivas, sino que es más ambiciosa por cuanto pretende colocar la garantía de la igualdad y la no discriminación en el lugar que le corresponde, para situar a España entre los Estados de nuestro entorno que cuentan con las instituciones, instrumentos y técnicas jurídicas de igualdad de trato y no discriminación más eficaces y avanzados>>.

Afortunadamente, esta ley hace referencia expresa a que se pretende hacer frente de manera omnicomprensiva a todas las formas de discriminación, atendiendo de manera particular a formas históricas de discriminación como el antigitanismo, como sabemos, objeto de preocupación en los últimos años de distintos organismos internacionales.

Debido a la ausencia de un concepto legal expreso de raza en el marco de la legislación española y de las Directivas 2000/43/CE y 2000/78/

CE del Consejo[38], los tribunales españoles se han sentido obligados a tomar en consideración la jurisprudencia y las definiciones del Tribunal Europeo de Derechos Humanos[39]. Y es que hay que reconocer que junto a todas las medidas político-legislativas en España, resulta esencial la jurisprudencia del Tribunal Europeo de Derechos Humanos[40]

---

38 La definición de raza que recoge la Directiva 2000/43/CE es negativa en el sentido de que se basa en la oposición a las definiciones separatistas y no proporciona una descripción positiva y explícita. En el párrafo 6 se puede leer que «La Unión Europea rechaza las teorías que tratan de establecer la existencia de las razas humanas. El uso, en la presente Directiva, del término "origen racial" no implica el reconocimiento de dichas teorías». La Directiva se centra en la igualdad de derechos y oportunidades, incluyendo la igualdad de género, y en la lucha contra las formas múltiples de discriminación. UE (2000a) op. cit. UE (2000b) Directiva 2000/78/CE del Consejo, de 27 de noviembre de 2000, relativa al establecimiento de un marco general para la igualdad de trato en el empleo y la ocupación.

39 Según el Comité para la Eliminación de la Discriminación Racial, para que un colectivo en particular se considere un colectivo racial basta con que sea percibido y se considere "*subjetivamente*" como tal. Vid. OHRC (2004) *The Relevance of International Instruments on Racial Discrimination to Racial Discrimination Policy in Ontario* (La Relevancia de los Instrumentos Internacionales sobre Discriminación Racial para la Política en materia de discriminación de Ontario). Diciembre de 2004.

40 Uno de los escenarios de conflicto planteados ante el Tribunal de Estrasburgo en relación con la discriminación racial tiene que ver con la esterilización sin previo consentimiento informado de la mujer gitana. Sirva de ejemplo la Sentencia *V.C. contra Eslovaquia*, de 8 de noviembre de 2011. La demandante era una mujer gitana a la que, en un hospital público, tras el parto del segundo hijo por cesárea, y ante los riesgos derivados de un eventual tercer embarazo, se la esteriliza, pero sin solicitarle previamente su consentimiento. El Tribunal considera que esta intervención paternalista habría lesionado su derecho al consentimiento informado, es decir, habría violado su derecho a la integridad personal (art. 3), pero también aprecia un cierto sesgo discriminatorio por motivos racistas. En efecto, la probabilidad de sufrir este tipo de intervenciones es mayor en relación con las mujeres gitanas dados los prejuicios racistas existentes en el país y, en particular, la idea de que las mujeres gitanas tienen demasiados hijos. Apoyándose, de nuevo, como hiciera en *Orsus contra Croacia*, en los informes de la Comisión Europea contra el Racismo y la Intolerancia y de otros organismos europeos que identifican tales estereotipos racistas, el Tribunal concluye que el Estado eslovaco no disponía de efectivas garantías para asegurar la salud reproductiva de las mujeres gitanas, por lo que lesionó el derecho al respeto a la vida privada y familiar del art. 8 del Convenio. Aunque el caso tiene connotaciones raciales en la medida en que la esterilización sin el previo consentimiento afecta de modo especial a personas vulnerables de grupos étnicos, el Tribunal no pasa a examinar, sin embargo, la eventual lesión del art. 14 del Convenio porque el personal médico no

que, como sabemos, representa una herramienta ineludible a la hora de interpretar el sistema español de derechos[41], puesto que partiendo del Convenio de Roma como "standard" mínimo[42] previsto para los Estados signatarios dentro de la tradición política propia de los Estados democráticos, el Tribunal de Estrasburgo ha construido un parámetro interpretativo que, a partir del art. 10.2 de la Constitución española debe tenerse en cuenta en toda exégesis que se realice sobre la igualdad y no discriminación, en relación con cualquier derecho reconocido en la Constitución[43].

---

actuó de mala fe, ni hay pruebas de la existencia de un plan público sistemático de esterilización forzosa de las mujeres de la minoría étnica. El voto discrepante del Magistrado Mijovic llama la atención, sin embargo, sobre el hecho de que la connotación racial del caso es crucial para entenderlo y resolverlo.

41 Las razones que demuestran esta tesis son varias y a ellas se refiere FREIXES SANJUÁN, TERESA en su artículo <<Las principales construcciones jurisprudenciales del Tribunal Europeo de Derechos Humanos. El standard mínimo exigible a los sistemas internos de derechos en Europa>>, *Cuadernos constitucionales de la Cátedra Fadrique Furió Ceriol,* Nº 11-12, 1995, pp. 97-115: "a) La integración del Convenio Europeo de Derechos Humanos a nivel interno a partir de su publicación oficial impuesta por el art. 96.1 de la Constitución (en adelante CE). b) El mandato constitucional del art. 10.2 CE referente a la necesidad de interpretar los derechos y libertades conforme a los tratados internacionales sobre estas materias ratificados por España. c) La configuración del Tribunal Europeo de Derechos Humanos (en adelante Tribunal Europeo o TEDH) como órgano de aplicación e interpretación del Convenio a tenor de lo dispuesto en el art. 46 del Convenio Europeo de Derechos Humanos (en adelante el Convenio Europeo o bien CEDH). d) El reconocimiento explícito del Tribunal Europeo como órgano de aplicación e interpretación del Convenio Europeo, formulado por España".

42 "La función del Convenio como standard mínimo impone, por una parte, ciertas obligaciones a los estados como garantes de la efectividad de los derechos y, por otra, que los particulares también tengan el deber de no violar los derechos que el Convenio reconoce". Vid. FREIXES SANJUAN, TERESA: <<Las principales construcciones jurisprudenciales del Tribunal Europeo de Derechos Humanos. El standard mínimo exigible a los sistemas internos de derechos en Europa>>, ibídem.

43 Como ha señalado FREIXES SANJUAN, TERESA en su artículo <<Las principales construcciones jurisprudenciales del Tribunal Europeo de Derechos Humanos. El standard mínimo exigible a los sistemas internos de derechos en Europa>>, ibídem: "... a partir del art. 10.2 CE, la interpretación del Tribunal Europeo sobre los límites, sienta una construcción de alcance general que se revela de especial significación. El "test" elaborado por el TEDH constituye una garantía de suma importancia, que actúa como límite de los límites, y que deben respetar tanto el legislador como el aplicador de las normas reguladoras del ejer-

También hitos importantes de este proceso han sido los pasos dados hacia un mayor reconocimiento institucional de la población gitana. El Congreso de los Diputados acordó en 1999 la creación de una *Subcomisión para el estudio de la problemática de la población gitana;* en 2005, aprobó una moción parlamentaria por la que se instaba al Gobierno a promover la cultura, la historia, la identidad y la lengua del pueblo gitano que se materializó en la creación, en 2007, del Instituto de Cultura Gitana, adscrito al entonces Ministerio de Cultura. Por su parte, las asambleas legislativas de varias comunidades autónomas incluyeron en las reformas de sus Estatutos de Autonomía menciones expresas a las comunidades gitanas presentes históricamente en sus territorios[44]. Asimismo, en los últimos años se han establecido órganos consultivos y de representación del movimiento asociativo gitano adscritos tanto a la Administración General del Estado como a varias Comunidades Autónomas[45].

Planes gubernamentales en los ámbitos de empleo, inclusión social, etc., han contemplado, especialmente en la última década, referencias explícitas a la población gitana,[46] lo que ha permitido homogeneizar y armonizar esfuerzos, identificar buenas prácticas y una mayor cooperación entre actores. El enfoque inclusivo de las políticas sociales de carácter universal se ha complementado con medidas específicamente dirigidas a aquellas personas gitanas que tenían más dificultades para acceder a los servicios universales por su situación de desventaja o exclusión social, en consonancia con los Principios Básicos Comunes para la Inclusión de los Roma nº 2: <<Centrarse explícita pero no

---

cicio de los derechos fundamentales, así como los particulares que al ejercitar sus derechos puedan originar restricciones sobre los derechos de otras personas. De ahí la gran trascendencia que tiene la construcción jurisprudencial del Tribunal Europeo en la interpretación de nuestro sistema de derechos".

[44] Estas Comunidades Autónomas. han sido Andalucía, Aragón, Cataluña y Castilla y León.

[45] Ejemplos de ello son la creación de un Consejo Estatal del Pueblo Gitano en 2005, así como la articulación de órganos de similares características en Cataluña, País Vasco, Extremadura, y en Castilla La Mancha.

[46] Por ejemplo, el Plan Nacional de Inclusión Social del Reino de España 2008-2010 incluía medidas específicas para la población gitana tales como la adopción de un plan de acción específico de ámbito estatal y planes autonómicos, así como el desarrollo de las funciones del Consejo Estatal del Pueblo Gitano.

exclusivamente en la población gitana>>; y nº 4: <<Apuntar a la integración total de la población gitana en la sociedad>>[47].

Ello se explica como reacción frente a las contundentes denuncias realizadas, entre otros organismos, por la Organización No Gubernamental SOS Racismo, quien en su <<Informe anual 2008 sobre el racismo en el Estado Español>> ya llamó la atención de que "durante el último año, el caso del pueblo gitano ha representado el ejemplo más flagrante y a la vez profundamente asimilado de discriminación en el Estado Español", o por la Fundación Secretariado Gitano, quien desde el año 2005 elabora y publica informes anuales titulados <<Discriminación y comunidad gitana>>[48].

Concretamente, en el campo de la lucha contra la discriminación, no sólo se han reforzado los instrumentos y mecanismos de protección de las potenciales víctimas con la trasposición de la Directiva 43/2000 al ordenamiento jurídico español, sino que, como ya se ha señalado anteriormente, en los últimos años se han ido creando fiscalías especializadas para el tratamiento de delitos de odio y no discriminación, como en las provincias de Barcelona, Madrid o Málaga. Además, el Fiscal General del Estado ha designado un Fiscal de Sala Delegado del Tribunal Supremo para la tutela penal de la igualdad y contra la discriminación. Es asimismo destacable la creación del Consejo para la Promoción de la Igualdad de Trato y no Discriminación de las Personas por el Origen Racial o Étnico, del que forman parte dos entidades del movimiento asociativo gitano, así como de la Red de Asistencia a las Víctimas promovida por dicho organismo. Todas estas iniciativas se han desarrollado con una implicación activa de organizaciones de la sociedad civil y asociaciones gitanas en consonancia con los Principios Básicos Comunes para la Inclusión de los Roma

---

[47] Vid. Estrategia Nacional para la Inclusión Social de la Población Gitana en España 2012-2020, op. cit., p. 18.

[48] Estos informes tienen como misión central exponer con datos constatables, seleccionados de la experiencia práctica desde los más de setenta centros de trabajo de la FSG en toda España, la existencia cotidiana de la discriminación étnica respecto a la comunidad gitana.

nº 9: "Participación de la sociedad civil" y nº 10: "Participación activa de las personas gitanas"[49].

Convendría recordar que España firmó y ratificó el Convenio Marco para la Protección de las Minorías Nacionales sin añadir ninguna Declaración adicional. El Gobierno español remitió el primer Informe Nacional al Consejo de Europa tardíamente, en noviembre de 2000, habiéndose centrado exclusivamente en la comunidad gitana o roma. Con posterioridad, el Comité Consultivo preguntó al Gobierno español sobre el estatus de la minoría roma, así como consultó la relación entre los "pueblos" y las "nacionalidades" de España con el texto del Convenio Marco. Como explica Sayago[50], la consulta nació a raíz de la constatación de diferentes términos que aparecen en la Constitución de 1978 para referirse a la población española en su conjunto ("el pueblo español", en el artículo 1.2; "todos los españoles" en el Preámbulo, "la nación española" en el Preámbulo y en el artículo 2). En la consulta, el Comité señala que <<(...) desde el punto de vista legal, los gitanos (roma) no son reconocidos ni como un "pueblo" ni como minoría nacional". La respuesta española es la siguiente: "no hay en la realidad jurídico-política española un concepto de pueblo como una entidad con características diferenciadas en cuanto a etnia, religión o identidad. Los diferentes pueblos son identificados en tanto que constituyen la base de población en las distintas comunidades autónomas, con diferentes tradiciones culturales y, a veces, una lengua propia (...) pero que, en su conjunto, constituyen un único pueblo, el pueblo español sujeto de la soberanía (...)>>.

Prosigue argumentando en favor de que se limite su Informe nacional a la comunidad roma afirmando que, <<aunque no constituye una "minoría nacional", es la única que podría de alguna manera estar integrada en el espíritu del Convenio Marco>>. Asimismo, los "(...) ciudadanos españoles de etnia roma son ciudadanos de pleno derecho (...) así pues ni necesitan ser ni podrían ser reconocidos como

---

49 Vid. Estrategia Nacional para la Inclusión Social de la Población Gitana en España 2012-2020, op. cit., pp. 20-21.

50 SAYAGO ARMAS, DIANA: <<La protección de las minorías: un desafío clave de constitucionalismo multinivel>>, UNED. *Revista de Derecho Político*, nº 106, op. cit., p. 240.

una "minoría nacional", porque es legalmente imposible clasificarlos como tales>>[51].

Tras el intercambio de comunicaciones entre el Comité Consultivo del Convenio y el Gobierno español, la Resolución del Comité de Ministros del Consejo de Europa sobre la implementación por parte de España del Convenio Marco de 30 de septiembre de 2004, se adoptaría la siguiente conclusión: <<debería prestarse atención especial a la promoción de la cultura, lengua y tradiciones roma, de cara a facilitar una mejor integración de los roma en la sociedad española (...)>>.

De hecho, las presiones recibidas en este sentido provocaron que en poco tiempo y a nivel interno se produjeran avances normativos. Se aprueba el Real Decreto 891/2005, de 22 de julio, que crea y regula el Consejo Estatal del Pueblo Gitano cuya finalidad primordial es <<promover la participación y colaboración del movimiento asociativo gitano en el desarrollo de las políticas generales y en el impulso de la promoción de la igualdad de oportunidades y de trato dirigidos a la población gitana>> (art. 2.2). El Consejo Estatal del Pueblo Gitano constituía en 2005 un órgano colegiado adscrito al Ministerio de Trabajo y Asuntos Sociales a través de la Secretaría de Estado de Servicios Sociales, Familias y Discapacidad (art. 1) con amplias funciones. Actualmente, *como ya se ha señalado anteriormente*, el Consejo Estatal del Pueblo Gitano es el órgano colegiado interministerial de carácter consultivo y asesor, adscrito al Ministerio de Sanidad, Consumo y Bienestar Social, en el que se institucionaliza la colaboración y cooperación del movimiento asociativo gitano y la Administración General del Estado para el desarrollo de políticas de bienestar social basadas en el desarrollo y la promoción integral de la población gitana[52].

---

[51] Comentarios presentados por el Gobierno español en respuesta a la opinión del Comité asesor sobre la implementación en España del Convenio Marco para la Protección de las Minorías Nacionales, 10 de junio de 2004.

[52] El Consejo se estructura en Pleno, el cual se reúne un mínimo de dos veces al año, y en Comisión Permanente que actúa como órgano ejecutivo del Consejo, la cual celebrará al menos, dos reuniones ordinarias al año. La actividad del Consejo se organiza a través de seis grupos de trabajo: Acción Social, Igualdad de Trato y no discriminación y Agenda Europea; Educación; Empleo; Salud; Vivienda; y Cultura. Estos grupos de trabajo están formados por representantes del Ministerio competente por razón de la materia, movimiento asociativo gitano y expertos en la materia. Vid. Informe de España del quinto ciclo de seguimien-

El Real Decreto 1262/2007 regula el Consejo para la Promoción de la Igualdad de Trato y no Discriminación de las Personas por el Origen Racial o Étnico, organismo creado por el artículo 33 de la Ley 62/2003, de 30 de diciembre, de Medidas fiscales, administrativas y del orden de lo Social. Entre sus funciones, le corresponde la promoción del principio de igualdad de trato y no discriminación, de las personas por su origen racial o étnico, en la educación, la sanidad, las prestaciones y los servicios sociales, la vivienda, y en general, la oferta y el acceso a cualesquiera bienes y servicios, así como el acceso al empleo. Para el cumplimiento de sus fines, el Consejo tiene atribuidas competencias de tipo asistencial a las víctimas de discriminación directa o indirecta por razón del origen racial o étnico, así como la potestad de realizar análisis y estudios y publicar informes independientes sobre la discriminación de las personas y promover medidas que contribuyan a la igualdad de trato y a la eliminación de la discriminación. Estas facultades son ejercidas con plena autonomía funcional y con el apoyo del Observatorio Español del Racismo y la Xenofobia[53].

Interesa resaltar que en el informe de 2019 –el quinto- de la Comisión Europea contra el Racismo y la Intolerancia (ECRI) de seguimiento sobre España se recomendaba "que las autoridades adopten medidas urgentes para establecer un organismo independiente de promoción de la igualdad con el fin de asegurar que el Consejo para la Eliminación de la Discriminación Racial o Étnica sea independiente y que esté dotado de las facultades expuestas en las Recomendaciones núms. 2 y 7 de política general de la ECRI"[54]. Ya en su cuarto informe de 2010 la ECRI señaló que el Consejo para la Eliminación de la Discriminación Racial o Étnica (CERED), establecido en 2009, carecía de independencia y de facultades de investigación y del derecho de

to del Convenio-Marco para la protección de las minorías nacionales (periodo 2014-2018). Fecha de presentación: marzo 2019. Ministerio de Sanidad, Consumo y Bienestar Social.

53 SAYAGO ARMAS, DIANA: <<La protección de las minorías: un desafío clave de constitucionalismo multinivel>>, UNED. *Revista de Derecho Político*, nº 106, op. cit., p. 242.

54 Informe Anual FSG 2019: *Discriminación y Comunidad Gitana*, <<Conclusiones y propuestas para mejorar la respuesta frente a la discriminación>>, op. cit., p. 187.

iniciar y participar en procedimientos judiciales, y recomendaba que las autoridades adoptaran medidas con carácter urgente, fundamentalmente en lo tocante a su independencia[55].

En este sentido, habría que resaltar que el informe de España del quinto ciclo de seguimiento del Convenio-Marco para la protección de las minorías nacionales (2014-2018), presentado en marzo de 2019 por el Ministerio de Sanidad, Consumo y Bienestar Social, resalta que el Consejo para la Eliminación de la Discriminación Racial o Étnica se encarga de asesorar a las víctimas de discriminación de forma independiente, publica estudios, investigaciones, informes con autonomía e independencia y promueve medidas que contribuyen a la igualdad de trato.

Asimismo tampoco se puede perder de vista que la Resolución del Parlamento Europeo sobre las normas mínimas para las minorías en la Unión Europea (2018/2036 (INI)), aprobada el 13 de noviembre de 2018, exige a la Comisión y a todos los Estados miembros, entre los que se encuentra España, que se garantice la aplicación y el cumplimiento pleno de la Directiva sobre igualdad racial, animándoles a participar en campañas de concienciación sobre la legislación relativa a la lucha contra la discriminación, instando a que los Estados miembros velen por que las sanciones sean suficientemente eficaces, proporcionadas y disuasorias, dando a entender que la implementación de esta Directiva no se está haciendo de forma adecuada[56].

Y esto último sucede a pesar del esfuerzo que han realizado las asambleas legislativas de varias comunidades autónomas, al incluir en las reformas de sus Estatutos de Autonomía menciones expresas a las comunidades gitanas presentes históricamente en sus territorios[57].

---

55 Vid. Ibídem, p. 187.

56 Informe Anual FSG 2019: *Discriminación y Comunidad Gitana*, <<Resolución del Parlamento Europeo sobre las normas mínimas para las minorías en la Unión Europea (2018/2036 (INI))>>, op. cit., p. 193.

57 Estas Comunidades Autónomas. han sido Andalucía, Aragón, Cataluña y Castilla y León. De hecho, en los denominados Estatutos de autonomía "de nueva generación" (esto es, los adoptados a partir de 2006) se dejar entrever la tendencia creciente a incluir de forma expresa a la comunidad gitana en sus disposiciones. Así, el Estatuto de Autonomía de Andalucía (Ley Orgánica 2/2007, de 19 De Marzo, de Reforma del Estatuto de Autonomía para Andalucía) asigna a la Comunidad Autónoma la función de garantizar el pleno respeto a las minorías

Incluso algunos Gobiernos autonómicos han puesto en marcha planes de acción específicos para la población gitana, como el País Vasco[58], Cataluña[59], Extremadura[60] o Navarra[61]. Como precisa Sayago: "No obstante, destaca el programa de intermediación laboral <<Acceder>>, operativo desde 2000 y que surge con el objetivo de conseguir la incorporación efectiva de la población gitana al mundo laboral. Presen-

---

que residan en su territorio en el artículo 9 (apartado 2), para a continuación recoger en el artículo 10 los objetivos básicos de la Comunidad Autónoma, entre los que se encuentra <<la promoción de las condiciones necesarias para la plena integración de las minorías y, en especial, de la comunidad gitana para su plena incorporación social>> (10.3.21°).

Por su parte, el Estatuto de Cataluña incluye también una referencia expresa a la comunidad gitana en su artículo 42, dedicado a la cohesión y el bienestar sociales. << (…) 7. Los poderes públicos deben velar por la convivencia social, cultural y religiosa entre todas las personas en Cataluña y por el respeto a la diversidad de creencias y convicciones éticas y filosóficas de las personas y deben fomentar las relaciones interculturales mediante el impulso y la creación de ámbitos de reconocimiento recíproco, diálogo y mediación. También deben garantizar el reconocimiento de la cultura del pueblo gitano como salvaguarda de la realidad histórica de este pueblo>>.

El Estatuto de Castilla y León (Ley Orgánica 14/2007, de 30 de noviembre, de reforma del Estatuto de Autonomía de Castilla y León), en el Capítulo IV, dedicado a los Principios rectores de las políticas públicas, consagra en el artículo 16. 23°: <<(...) La no discriminación y el respeto a la diversidad de los distintos colectivos étnicos, culturales y religiosos presentes en Castilla y León, con especial atención a la comunidad gitana, fomentando el entendimiento mutuo y las relaciones interculturales>>.

El Estatuto de Autonomía de Aragón (Ley Orgánica 5/2007, de 20 de abril, de reforma del Estatuto de Autonomía de Aragón), después de que en el primer apartado del artículo 23 se establezca el mandato a los poderes públicos de promover y garantizar <<un sistema público de servicios sociales suficiente para la atención de personas y grupos, orientado al logro de su pleno desarrollo personal y social, así como especialmente a la eliminación de las causas y efectos de las diversas formas de marginación o exclusión social, garantizando una renta básica", el segundo apartado establece que los "poderes públicos aragoneses promoverán las condiciones necesarias para la integración de las minorías étnicas y, en especial, de la comunidad gitana>>.

58 I y II Plan Vasco para la Promoción Integral y Participación Social del Pueblo Gitano (2004-2007) y (2007-2011).

59 I y II Plan Integral del Pueblo Gitano de Cataluña (2005-2008) y (2009-2013).

60 Plan Extremeño para la Promoción y Participación Social del Pueblo Gitano (2007-2013)

61 Plan Integral de Atención a la Población Gitana de Navarra (2011-2014).

te en catorce Comunidades Autónomas y con cincuenta y un dispositivos integrados de empleo, tiene su origen en la financiación ofrecida por los Fondos Estructurales en el desarrollo de acciones dirigidas a la activación al empleo (formación vocacional y profesional, prácticas en empresas, mediación entre beneficiarios y empresas). El Programa está implementado por la Fundación Secretariado Gitano"[62]. Es cierto que, aunque los retos todavía son muchos, se ha avanzado algo en los últimos años, al establecerse órganos consultivos y de representación del movimiento asociativo gitano adscritos tanto a la Administración General del Estado como a varias Comunidades Autónomas[63].

3. LA ESTRATEGIA NACIONAL PARA LA INCLUSIÓN SOCIAL DE LA POBLACIÓN GITANA EN ESPAÑA (2012-2020)

El Consejo de Ministros dio un importante paso al aprobar el 2 de marzo de 2012 la Estrategia Nacional para la Inclusión de la Población Gitana en España. Esta nueva estrategia se derivaba de la Comunicación de la Comisión de 5 de abril al Parlamento Europeo, al Consejo, al Comité Económico y Social y al Comité de las Regiones *Un marco europeo de estrategias nacionales de inclusión de los gitanos hasta 2020* (COM (2011) 173 final). Dicha Comunicación, refrendada por los Estados miembros en la reunión del Consejo EPSCO de 19 de mayo y por el Consejo Europeo en su reunión de 24 de junio, instaba a los Estados miembros a aprobar Estrategias nacionales para la inclusión de la población Roma/gitana (o un conjunto integrado de medidas), que debían presentarse antes del fin de 2011. Las estrategias debían estar concebidas en coordinación con la *Estrategia Europea 2020* y los *Planes Nacionales de Reforma* de cada país.

---

62 SAYAGO ARMAS, DIANA: <<La protección de las minorías: un desafío clave de constitucionalismo multinivel>>, UNED. *Revista de Derecho Político,* N ° 106, op. cit., p. 246.

63 Ejemplos de ello son, como ya se ha subrayado anteriormente, la creación de un Consejo Estatal del Pueblo Gitano en 2005, así como la articulación de órganos de similares características en Cataluña, País Vasco, Extremadura y en Castilla La Mancha.

La Estrategia incidía en las cuatro áreas clave para la inclusión social: Educación, Empleo, Vivienda y Salud. En cada una de ellas se marcaban unos objetivos cuantitativos, que se concretaban en porcentajes de población, a alcanzar en el año 2020, así como unas metas intermedias para 2015. Además de estas cuatro áreas, la Estrategia establecía líneas de actuación complementarias en materia de acción social, participación, mejora del conocimiento de este colectivo, igualdad de la mujer, no discriminación, promoción de la cultura y una especial atención a la población romaní procedente de otros países.

Resulta interesante constatar que, como precisa la Estrategia Nacional para la Inclusión Social de la Población Gitana en España 2012-2020, uno de los mayores males en la sociedad española sigue siendo la existencia de prejuicios hacia los gitanos[64]. De este modo allí se resalta: <<la persistencia de prejuicios negativos hacia las personas gitanas en parte de la población española provoca que la población gitana siga siendo uno de los grupos hacia los que mayor rechazo social existe. En los últimos años se han realizado varias campañas de sensibilización que han tenido efectos positivos, pero los comportamientos y prácticas discriminatorias persisten en la sociedad, siendo este uno de los principales factores que dificultan la inclusión social real y plena. En efecto, la percepción subjetiva de discriminación de la población gitana española es acusada, especialmente en los ámbitos de la búsqueda de empleo, el acceso a locales y servicios, y la vivienda. La mayor presencia e interacción de personas gitanas en el espacio público, el aumento de su concienciación sobre sus derechos, el desarrollo de mecanismos y servicios de detección y denuncia por parte de organizaciones de la sociedad civil, y los efectos de la crisis económica[65], pueden contribuir a hacer más cuantiosas y visibles las

---

64 En un estudio llevado a cabo sobre percepción subjetiva de la discriminación de víctimas potenciales, las personas de origen subsahariano fueron el colectivo que en mayor proporción manifestaron haber sido discriminadas, seguidas por las personas gitanas. *Panel sobre discriminación por origen racial o étnico (2010): la percepción de las víctimas potenciales.* Ministerio de Sanidad, Política Social e Igualdad, Madrid, 2011.

65 La actual coyuntura de crisis económica puede estar agudizando la prevalencia de actitudes racistas y de la discriminación por origen racial o étnico, según ya se resaltó la vinculación entre ambas cuestiones hace años, en las conclusiones del

situaciones de discriminación que las personas gitanas padecen por razón de su origen étnico>>[66].

La Estrategia Nacional para la Inclusión Social de la Población Gitana en España, a mi modo de ver, acertaba al apoyarse en la inclusión de este grupo de población como destinatario de objetivos y medidas de políticas y planes que se dirigen al conjunto de la población española. Ello quiere decir que el impacto debería tener lugar en el seno del conjunto general de la sociedad española y no solo y de forma únicamente focalizada sobre el colectivo gitano. Es por ello por lo que se ha pretendido que dichos planes y políticas terminasen incidiendo en la población gitana en aras de compensar las desventajas sociales que han sufrido y sufren, para lo que se ha requerido que tanto los planes como las políticas sean inclusivos, flexibles y accesibles[67].

Panel sobre discriminación por origen racial o étnico (2010): la percepción de las víctimas potenciales, op. cit.

66 Vid. Estrategia Nacional para la Inclusión Social de la Población Gitana en España 2012-2020, op. cit., pp. 16-17.

67 En el marco del Plan de Derechos Humanos, aprobado por Acuerdo del Consejo de Ministros de 12 de diciembre 2008, se establecieron algunas medidas con un impacto potencial en la población gitana. Además de la medida relativa a la elaboración de un plan específico para mejorar las condiciones de vida de la población gitana (al que se ha hecho referencia en otro apartado), el Plan de Derechos Humanos incorporó la medida de un Plan Estratégico de Ciudadanía e Integración, así como la aprobación de una estrategia nacional de lucha contra el racismo y la xenofobia.
El II Plan Estratégico de Ciudadanía e Integración 2011-2014, dirigido a la integración de los extranjeros, incluyó líneas y medidas de interés para la población gitana como las referidas a los ámbitos transversales de Convivencia, Igualdad de Trato y No Discriminación, y Participación. La población beneficiaria de este plan incluía expresamente a los ciudadanos europeos procedentes de Rumanía y Bulgaria.
La Estrategia nacional e integral, contra el racismo, la discriminación racial, la xenofobia y otras formas conexas de intolerancia aprobada en noviembre de 2011, dedica en su parte de análisis un apartado a la situación del racismo sufrido por la población gitana. Las medidas previstas en el marco del Código Penal incluyen el seguimiento de los casos de discriminación y acciones específicas en los ámbitos de educación, empleo, sanidad, vivienda, medios de comunicación, internet, deporte y sensibilización. Vid. Estrategia Nacional para la Inclusión Social de la Población Gitana en España 2012-2020, op. cit., p. 36.

En el ámbito de la no discriminación y promoción de la igualdad de trato, la Estrategia Nacional para la Inclusión Social de la Población Gitana en España 2012-2020 establecería lo siguiente:

<<• Promoción de la aplicación efectiva de la legislación europea y española en materia de no discriminación, lucha contra el racismo y los crímenes de odio, aplicando las recomendaciones a nuestro país de los organismos internacionales, como el Consejo de Europa, en materia de lucha contra la discriminación o contra el *antigitanismo*.

- Refuerzo de la cooperación con el Consejo Estatal de Promoción de la Igualdad de Trato y la participación activa de las organizaciones gitanas.
- Elaboración de materiales informativos y de sensibilización dirigidos a reducir y erradicar la discriminación que sufre la población gitana.
- Desarrollar acciones formativas dirigidas a funcionarios públicos y otros agentes clave, especialmente profesionales del ámbito jurídico, servicios policiales, profesionales de los servicios y recursos públicos y profesionales de los medios de comunicación.
- Fomento de programas y actuaciones informativas y formativas para la población gitana, para conocimiento y sensibilización de los derechos y deberes.
- Establecimiento de medidas de atención especial a las mujeres gitanas víctimas de discriminación múltiple.
- Realización de estudios e informes que muestren la situación de discriminación de la comunidad gitana y su evolución (Panel sobre discriminación del Consejo Estatal de Promoción de la Igualdad de Trato).
- Apoyo a programas y servicios que presten orientación, acompañamiento y asistencia legal a las víctimas de discriminaciones (Red de asistencia a las víctimas).

- Atención especial a la discriminación de las personas gitanas originarias de otros países y a la garantía de sus derechos>>[68].

Asimismo, en relación con la población romaní procedente de otros países, se señalaba lo siguiente: <<La Estrategia prestará especial atención a los ciudadanos comunitarios romaníes que residen en España, u otras personas romaníes originarias de terceros países. El enfoque de trabajo será inclusivo, de modo que se procurará su participación en el conjunto de medidas y actuaciones que se dirigen a la población gitana española. Al mismo tiempo, y donde las circunstancias lo recomienden, se pondrán en marcha medidas y actuaciones específicas con el fin de promover y facilitar su inclusión social. Estas actuaciones se centrarán preferentemente en:

- Protección de los derechos fundamentales, mediante la aplicación efectiva de los instrumentos europeos, en particular las directivas sobre libre circulación y residencia[69], y antidiscriminación[70].
- Actuaciones de atención básica y mediación con los servicios sociales.
- Actuaciones de apoyo y seguimiento escolar.
- Favorecer su incorporación a los programas y actuaciones existentes de formación y de acceso al empleo.
- Actividades de educación para la salud y de apoyo al acceso y uso de los servicios sanitarios.
- Enseñanza del idioma.
- Acceso a la vivienda en entornos inclusivos.
- Promoción de programas transnacionales de cooperación, especialmente con Rumanía, con el apoyo de los instrumentos que brinda el Fondo Social Europeo.

---

68 Vid. Estrategia Nacional para la Inclusión Social de la Población Gitana en España 2012-2020, op. cit., p. 43.

69 Directiva Europea 2004/38/CE relativa al derecho de los ciudadanos de la Unión y de los miembros de sus familias a circular y residir libremente en el territorio de los Estados miembros.

70 Directiva Europea 2000/43/CE relativa a la aplicación del principio de igualdad de trato de las personas independientemente de su origen racial o étnico.

Para el desarrollo de estas medidas se prestará especial atención a la implicación de las administraciones locales, especialmente aquellos municipios en los que haya un mayor volumen de ciudadanos europeos romaníes, o que tengan especiales dificultades para su acogida e integración>>[71].

Me gustaría resaltar que poco tiempo después de que fuera aprobada la Estrategia Nacional para la Inclusión Social de la Población Gitana en España 2012-2020, la Resolución CM/ResCMN(2013), de 10 de julio de 2013, adoptada por el Comité de Ministros[72] del Consejo de Europa destacaría algunos avances en la lucha contra la discriminación como, por ejemplo, la creación del Consejo Estatal para la Promoción de la Igualdad de Trato y No Discriminación de las Personas por el Origen Racial o Étnico, la creación del Consejo Estatal del Pueblo Gitano o mejoras en la escolarización del alumnado gitano. Ahora bien, como era previsible, la Resolución también señalaba importantes carencias en lo que se refería a las políticas destinadas a la inclusión social de las personas de etnia gitana[73].

---

71 Vid. Estrategia Nacional para la Inclusión Social de la Población Gitana en España 2012-2020, op. cit., pp. 44-45.

72 Resolution CM/ResCMN(2013)4 on the implementation of the Framework Convention for the Protection of National Minorities by Spain. *(Adopted by the Committee of Ministers on 10 July 2013 at the 1176th meeting of the Ministers' Deputies).*

73 Las recomendaciones que se plantearon al Gobierno español fueron las siguientes en aquel momento:
Igualdad de trato y no discriminación: se subraya la necesidad urgente de aprobar el proyecto de Ley Integral de Igualdad de Trato y No Discriminación que no había llegado a aprobarse en la pasada legislatura. Propone desarrollar un sistema de recogida de datos sobre la discriminación y delitos por motivos racistas en el sistema de justicia, a fin de promover una aplicación más efectiva de la legislación contra la discriminación, y proporcionar un apoyo adecuado a la labor del Consejo Estatal para la Promoción de la Igualdad de Trato y No Discriminación de las Personas por el Origen Racial o Étnico.
Necesidad de dotar financieramente los diversos planes y estrategias de inclusión destinados a la población gitana, y velar por que los recortes no afectasen esta financiación.
Mejorar las medidas para combatir los actos de racismo antigitano y los delitos de odio contra miembros la comunidad gitana.
Abordar el problema del absentismo escolar del alumnado gitano, y los casos de segregación escolar que se daban en algunos colegios.

La Estrategia Nacional para la Inclusión Social de la Población Gitana en España 2012-2020 resaltaba la importancia de incidir desde la acción política a nivel europeo[74], destacando como tareas imprescindibles las siguientes: la continuidad de la participación activa en las instituciones y foros europeos, incluido el Consejo de Europa, impulsando y realizando iniciativas en colaboración otros países; la participación activa en la Plataforma para la Inclusión Social de los Roma y en la década para la Inclusión Social de la Población Gitana, 2005-2015; la continuidad y refuerzo de la Red Europea sobre la Inclusión Social y los Roma en el marco de los Fondos Estructurales (EURoma)[75].

Potenciar la participación social y política de la comunidad gitana, y la capacidad de decisión del Consejo Estatal del Pueblo Gitano.
Tomar medidas mucho más enérgicas para promover el acceso de gitanos y gitanas a los medios de comunicación, incluido el apoyo a la formación de periodistas gitanos/as; combatir la difusión de prejuicios y estereotipos contra los gitanos en los medios de comunicación.
Garantizar la promoción del alumnado gitano más allá de la educación primaria, así como la finalización con éxito de la educación secundaria, aumentar el uso de mediadores escolares de una manera más sistemática, y realizar una revisión de los textos escolares con el fin de asegurar que contenga información adecuada y suficiente sobre los gitanos, su cultura, su historia y su lengua, que llegue al alumnado en todos los niveles de la educación.
Promover activamente la participación de la comunidad gitana en los órganos electos de todos los niveles, apoyar los trabajos del Consejo Estatal del Pueblo Gitano con el fin de garantizar la consulta regular y efectiva en todos los asuntos que conciernen a la población gitana.
La Resolución llamaba también la atención sobre el grave impacto que la crisis estaba teniendo en el empleo de las personas de etnia gitana.
Propone tomar medidas para evitar que los vendedores ambulantes gitanos pierdan su fuente de ingresos como resultado de la aplicación de la nueva legislación sobre los mercados callejeros y el comercio ambulante.
Apoyar proyectos para erradicar el chabolismo y la infravivienda, usando las buenas prácticas existentes, con el fin de promover la integración de las familias gitanas en viviendas adecuadas.

74 Vid. Ibídem, pp. 45-46.

75 Esta red se creó en 2007 promovida por la Unidad Administradora del Fondo Social Europeo en España y la Fundación Secretariado Gitano. con el objetivo de promover el uso eficaz de los Fondos Estructurales para la inclusión social de la población romaní. La red reúne a las autoridades de gestión de los Fondos Estructurales (FSE principalmente) y a órganos responsables de las políticas con

En este contexto, es por ello de enorme interés recordar la Revisión intermedia del Marco europeo de estrategias nacionales de integración de los gitanos (2017)[76], realizada por la Comisión Europea, en donde España destacaba por sus mejoras significativas en el ámbito educativo junto a otros países como Eslovaquia, Bulgaria, Chequia y Rumanía, aunque todavía quedan retos pendientes, a los que ya nos referimos con anterioridad.

Sin embargo, me gustaría incidir en que, conforme señala el informe de España del quinto ciclo de seguimiento del Convenio-Marco para la protección de las minorías nacionales (periodo 2014-2018) de marzo de 2019 del Ministerio de Sanidad, Consumo y Bienestar Social, el Consejo Estatal del Pueblo Gitano dentro del área de educación tiene como objetivo la "Universalización de la escolarización y aumento del éxito académico del alumnado gitano en educación primaria". De ahí que fuera incluido el Programa MUS-E, como medida para la integración educativa y cultural del alumnado en situaciones de desventaja social a través de actividades artísticas en centros de educación primaria, secundaria y especial, promovido por la Fundación Yehudi Menuhin (FYME)[77]. La finalidad del Programa MUS-E va dirigida al desarrollo de las capacidades de los niños y niñas y el reconocimiento de la diversidad cultural desde las artes como herramienta que favorece la integración social, educativa y cultural de los alumnos y sus familias, mejorando así su rendimiento en las aulas. También otra medida adoptada relevante ha sido la elaboración de materiales didácticos sobre el pueblo gitano para Educación Primaria y Educación Secundaria, acción que aborda el Grupo de Trabajo de Educación del Consejo Estatal del Pueblo Gitano, coordinado por el Centro Nacional de Innovación e Investigación Educativa (CNIIE), y

población gitana de los doce países que actualmente la forman. Información disponible en web: http://www.euromanet.eu/IN

[76] Comunicación de la Comisión al Parlamento Europeo y al Consejo. Revisión intermedia del Marco europeo de estrategias nacionales de integración de los gitanos {SWD (2017) 286 final} Bruselas, 30.8.2017 COM (2017) 458 final.

[77] Este programa cuenta con la colaboración del Ministerio de Educación y Formación Profesional, Ministerio de Sanidad, Consumo y Bienestar Social y las Consejerías de Educación de las 11 comunidades autónomas en las que se desarrolla más las ciudades autonómicas de Ceuta y Melilla, además de ayuntamientos y otras entidades a nivel municipal.

que consiste en 20 unidades didácticas sobre cultura, antigitanismo e historia, que se deberían incluir en el currículo escolar.

Dentro del área de empleo, el Ministerio de Trabajo, Migraciones y Seguridad Social está haciendo esfuerzos para adaptar la aplicación del programa de garantía juvenil europeo para que haya un mayor acceso al mismo por parte de los jóvenes menos favorecidos, entre los que se encuentra buena parte de la juventud gitana.

También en el ámbito de la vivienda siguen haciendo falta avances, sobre todo, en lo que se refiere a la erradicación del chabolismo y la infravivienda. Como precisa Sayago: "En esta inclusión la perspectiva debe ser pluridimensional: no solo abarcar el acceso efectivo a recursos, servicios y oportunidades, sino que debe aplicarse en la comprensión (y aquí sí, asimilación) generalizada en la sociedad de los valores igualdad, libertad y la tolerancia. Son estos los pilares indispensables que definen a la sociedad democrática actual, cuya realidad efectiva es la que debe primar en la cotidianidad de la comunidad roma"[78].

Dentro del área de salud y para la consecución del objetivo "Mejora del estado de salud de la población gitana y reducción de las desigualdades sociales en salud: intervención en población adulta y en población infantil", hay que destacar el trabajo realizado en el ámbito del Grupo de Trabajo de Salud del Consejo Estatal del Pueblo Gitano, así como las políticas implementadas por las comunidades autónomas en aras de reducir las desigualdades en salud que afectan a la población gitana. La Federación Española de Municipios y Provincias (FEMP) es la entidad representativa de las entidades locales que contribuye a favorecer la coordinación de las políticas locales en materia de inclusión social de la población gitana y desde el Ministerio de Sanidad, Consumo y Bienestar Social, se han realizado acciones dirigidas a promover la igualdad del pueblo gitano en el ámbito de la salud por medio de acciones de formación y sensibilización de profesionales sanitarios.

Dentro de la línea de actuación de inclusión social, el Fondo Europeo de Ayuda para las personas más desfavorecidas (FEAD) también

---

[78] SAYAGO ARMAS, DIANA: <<La protección de las minorías: un desafío clave de constitucionalismo multinivel>>, UNED. *Revista de Derecho Político,* N ° 106, op. cit., p. 246.

proporciona ayuda alimentaria y medidas de inclusión social, con la finalidad de ayudar a las personas gitanas a salir de la pobreza.

Al mismo tiempo, dentro de la línea de actuación de no discriminación y antigitanismo, destacan las siguientes actuaciones llevadas a cabo desde el Ministerio del Interior: por una parte, el informe sobre la evolución de los incidentes relacionados con los delitos de odio en España, 2017 y, por otra, el plan de acción de lucha contra los delitos de odio. Este último se articula desde la Secretaría de Estado de Seguridad, siendo la Oficina Nacional de lucha contra los Delitos de Odio, dependiente del Gabinete de Coordinación y Estudios, la encargada de su impulso, coordinación y supervisión. Sus objetivos son la prevención y persecución de los delitos de odio y la mejora de la respuesta de las fuerzas y cuerpos de seguridad[79].

Una de las metas principales es tratar de reducir la infradenuncia de estos delitos, especialmente alta en los casos de discriminación y ataques en redes sociales. Aquí es donde la colaboración de ONG´s y asociaciones especializadas ha sido clave a la hora de identificar las necesidades específicas de los colectivos vulnerables y reflejarlas en un plan que pone de relieve la importancia de unos delitos especialmente lesivos para la calidad democrática.

También en el ámbito del Ministerio del Interior ha sido fundamental la puesta en marcha del Protocolo de actuación de las Fuerzas y Cuerpos de Seguridad para los delitos de odio y conductas que vulneran las normas legales sobre discriminación, el cual nace ante la necesidad de establecer reglas o pautas unificadas y homogéneas dirigidas a los agentes de los cuerpos policiales para la identificación, correcta recogida y codificación de incidentes racistas, xenófobos o

---

[79] Tiene 4 ejes estratégicos:

1. Mejora de la formación específica de las fuerzas y cuerpos de seguridad del Estado.
2. Perfeccionamiento de los sistemas de prevención de delitos de odio. En este eje aparece por primera vez el antigitanismo como un ámbito específico del racismo, tal y como se viene haciendo por parte de la Agencia de Derechos Fundamentales de la Unión Europea (FRA).
3. Atención a las víctimas.
4. Eficacia y rigor en la respuesta policial ante este tipo de crímenes.

conductas discriminatorios, y determinación de los elementos específicos a tener en cuenta en las actuaciones policiales a seguir[80].

En el ámbito del Ministerio de Justicia, es la Dirección General de Cooperación Jurídica e Internacional, concretamente la Subdirección General para Asuntos de Justicia en la Unión Europea y Organismos Internacionales, la encargada de dar seguimiento detallado de los derechos humanos, trabajando en dos líneas claramente diferenciadas: fiscalías especializadas en delitos de odio e iniciativas formativas dirigidas a jueces y fiscales en la que se hayan abordado cuestiones relacionadas con la población gitana.

En 2005 ya tuvo lugar una reforma del Código Penal que afectó a la regulación de los delitos de discurso de odio, articulado al que ya nos referimos pormenorizadamente con anterioridad. Los cuerpos y las fuerzas de seguridad, la fiscalía y los tribunales pasaron a ser los competentes para llevar a cabo las medidas de investigación, procesamiento o sanción respecto a dichos delitos. En el informe preliminar del Relator sobre Minorías de la ONU, se resaltaría la necesidad de hacer un gran esfuerzo para combatir todas las formas de racismo, xenofobia e intolerancia, estableciendo como prioridades: por un lado, la investigación de los delitos de odio para que sean procesados y sancionados con mayor eficacia y, por otro, la eliminación de los estereotipos.

Por su parte, el Ministerio de Presidencia, Relaciones con las Cortes e Igualdad, a través de la Dirección General para la Igualdad de Trato y Diversidad, ha llevado a cabo también actuaciones relevantes en los últimos años, como ha sido el apoyo y seguimiento brindado en la tramitación de la *Proposición de Ley Integral para la Igualdad de Trato y No Discriminación* hasta la aprobación, por cierto, con gran retraso, de la *Ley 15/2022, de 12 de julio, integral para la igualdad de trato y la no discriminación*, más arriba citada, o la creación de la autoridad para la igualdad de trato y no discriminación, con compe-

---

80 Para la realización de este protocolo se ha tenido en cuenta el Manual de apoyo para la formación de fuerzas y cuerpos de seguridad en la identificación y registro de incidentes racistas y xenófobos, editado por el Ministerio de Empleo y Seguridad Social en colaboración con el Ministerio del Interior.

tencias más allá de la discriminación por el origen racial o étnico de las personas[81].

También habría que destacar la creación del Observatorio Español del Racismo y la Xenofobia (OBERAXE), dependiente de la Secretaría de Estado del Ministerio de Trabajo, Migraciones y Seguridad Social, que recoge información sobre proyectos, encuestas, recursos, informes y estudios, promovidos por la Secretaría General de Inmigración y Emigración y por otros departamentos ministeriales, entidades e instituciones, con la finalidad de servir como plataforma de conocimiento, análisis e impulso del trabajo para combatir el racismo, la discriminación racial, la xenofobia y otras formas de intolerancia, así como los incidentes y delitos de odio. Todo ello a través de la colaboración con las administraciones públicas y la sociedad civil de ámbito nacional, de la Unión Europea e internacional[82].

Dentro de la línea de actuación de fomento y promoción de la cultura, hay que referirse como medida a la coordinación, implementación y seguimiento al Plan de Acción del Instituto de Cultura Gitana para la difusión y promoción de la Historia y el Patrimonio y la creación cultural de la población gitana.

Del Informe de Progresos 2017 se desprende una medida interesante, la cual estriba en la necesidad de implementar medidas culturales que muestren la diversidad del talento de la población gitana,

---

81 Hay que aplaudir que La Comisión de Igualdad del Congreso en España aprobara el 27 de abril de 2022 la ley de Igualdad de Trato y No Discriminación, la cual promueve una reforma del Código Penal para que se incluya el antigitanismo como forma específica dentro de los delitos de odio. Vid. https://www.abc.es/sociedad/abci-ley-igualdad-trato-modificara-codigo-penal-para-incluir-antigitanismo-como-delito-odio-especifico-202204290907_noticia.html
Sin lugar a duda, un gran avance se ha producido en España con la Ley 15/2022, de 12 de julio, integral para la igualdad de trato y la no discriminación. <<BOE>> núm. 167, de 13 de julio de 2022, páginas 98071 a 98109. Disponible en:
https://www.boe.es/eli/es/l/2022/07/12/15/dof/spa/pdf

82 Los ejes de actuación del OBERAXE se encuadran en la Estrategia integral contra el racismo, la discriminación racial, la xenofobia y otras formas conexas de intolerancia aprobada por Consejo de Ministros el 4 de noviembre de 2011 y atienden, por un lado a los compromisos internacionales asumidos por España en materia de racismo y xenofobia y por otro, a las necesidades, exigencias y esperanzas de la propia sociedad española.

si bien se está avanzando mucho en la difusión de dicho talento[83], gracias en parte al Grupo de Trabajo de Cultura del Consejo Estatal del Pueblo Gitano.

Por último, tanto solo me gustaría aclarar que tanto la Estrategia como los Planes Operativos 2014-2016 y 2018-2020 se han elaborado con las aportaciones y la colaboración del Consejo Estatal del Pueblo Gitano y una vez elaborados, este los ha ratificado.

En cuanto a la Estrategia para la Igualdad, Inclusión y Participación de la Población Gitana (2021-2030)[84], resta señalar que esta se

---

83 Entre otros avances, se podrían citar los siguientes: 1) Premio Goya 2019 a la mejor dirección novel a Arantxa Echevarría, por su película "Carmen y Lola", una película sobre la historia de 2 jóvenes gitanas; 2) la existencia de dos programas en la radio pública dedicados al pueblo gitano: Gitanos (Radio Nacional de España) y Ververipen: Diversidad Gitana (radio pública municipal del Ayuntamiento de Madrid); 3) la existencia de dos iniciativas populares a través de "change.org" para que se reconozcan por la UNESCO como patrimonio cultural inmaterial de la Humanidad la Zambra Gitana del Sacromonte Granadino y la Rumba Gitana Catalana. Aparte del Flamenco, que ya forma parte de este Patrimonio Cultural Inmaterial de la Humanidad desde 2010.

84 https://www.mdsocialesa2030.gob.es/derechos-sociales/poblacion-gitana/estrategia-nacional/futura-estrategia.htm
Allí se precisa lo siguiente: Estructura y perfiles prioritarios:
Siguiendo las directrices del Marco Europeo, la estrategia se estructura en 3 ejes, 9 líneas estratégicas y 29 objetivos específicos:
El primer eje es el de inclusión social, que aborda las líneas estratégicas de educación, empleo, vivienda y servicios esenciales, salud y pobreza, exclusión social y brecha digital.
El segundo eje, de igualdad de oportunidades y no discriminación, corresponde a las líneas de actuación de antigitanismo y no discriminación, igualdad entre hombres y mujeres y contra la violencia hacia las mujeres, y fomento y reconocimiento de la cultura gitana.
El tercer eje, de participación y empoderamiento, corresponde a la participación de la población gitana y del movimiento asociativo gitano.
Así mismo, se priorizarán los siguientes perfiles: mujeres, infancia y ciudadanos y migrantes europeos en movimiento.
Implementación, evaluación y seguimiento:
La Estrategia se materializará en dos planes operativos, el primero de ellos estará vigente para el periodo 2021-2026, y el segundo comprenderá los años 2027-2030.
Para conocer el impacto de la estrategia entre las personas gitanas, se garantizará un adecuado seguimiento y evaluación de la estrategia a través de la elaboración de los informes anuales de implementación, de los bianuales que se envíen a la

elaboró con la participación de todos los actores implicados (Administración General del Estado, comunidades autónomas, entidades locales, Movimiento Asociativo Gitano y academia), habiéndose presentado el 2 de noviembre de 2021 a la Comisión Europea, una vez aprobada por el Consejo de Ministros, para posteriormente ser desarrollada a través de los correspondientes planes operativos.

A la vista de los defectos constatados en la anterior Estrategia, se diferencia ahora entre objetivos y perfiles prioritarios. Entre los aspectos clave contenidos en el marco europeo, se destacan los cuatro objetivos sectoriales, que coinciden con las áreas prioritarias de la actual estrategia: educación, empleo, salud y vivienda y servicios esenciales. Asimismo, se resaltan como objetivos horizontales y transversales: antigitanismo y discriminación, pobreza y exclusión social y participación y empoderamiento. Por último, se priorizan

---

Comisión Europea y de las evaluaciones intermedia y final, previstas en 2027 y 2030, respectivamente. Se evaluarán las actuaciones establecidas a través de unos indicadores seleccionados siguiendo las indicaciones de la Agencia de Derechos Fundamentales de la UE (FRA).

Gobernanza:

La gobernanza de la Estrategia es fundamental para garantizar su implementación y una correcta coordinación y participación de los actores públicos y privados. En este sentido, esta estrategia aspira a reforzar y mejorar los mecanismos ya existentes al respecto.

Este sistema de gobernanza se va a reforzar a todos los niveles, tanto a nivel administrativo, reforzando los mecanismos de cooperación, así como los sistemas de información, tanto con los ministerios implicados como con las administraciones autonómica y local.

Por otro lado, se trata de reforzar los mecanismos de trabajo ya establecidos con el movimiento asociativo gitano y sus entidades.

Financiación:

Desde la Administración General del Estado el Plan de Desarrollo Gitano ha visto incrementada la dotación estatal en 2021 en más del 264% (pasando de 412.500 € a 1.502.500 €), con la finalidad de atender las necesidades de las personas gitanas más desfavorecidas y promover el desarrollo de la población gitana, en el marco de los compromisos asumidos por el Gobierno en esta Estrategia Nacional. Los proyectos dentro de este plan son promovidos y gestionados por las comunidades autónomas y las ciudades de Ceuta y de Melilla, las corporaciones locales y los entes públicos de carácter local sujetos a cofinanciación. Las comunidades autónomas deberán aportar al menos 2/3 de lo que aporta el Ministerio.

ciertos perfiles: mujeres, infancia y ciudadanos y migrantes europeos en movimiento[85].

4. PEDAGOGÍA A TRAVÉS DEL ANÁLISIS DE LOS LITIGIOS ESTRATÉGICOS EN ESPAÑA

La necesidad de ahondar en los litigios estratégicos–*leading cases*– responde a la idea de garantizar la protección de las víctimas y sentar jurisprudencia, además de visibilizar los casos más emblemáticos de vulneración de derechos, tratando de impulsar la aplicación de la ley y los cambios legislativos para un mayor disfrute de derechos por parte de las personas que conforman, en este caso, la población gitana[86]. Con palabras recogidas por la Fundación Secretariado Gitano en su informe de 2021: "El litigio estratégico nos abre la posibilidad de aplicar la legislación nacional y los estándares internacionales en materia de derechos humanos, la jurisprudencia europea, especialmente la del Tribunal Europeo de Derechos Humanos, y poner en cuestión las lagunas legales que todavía existen e incidir para que se aprueben nuevas normas que hagan efectivo y real el derecho a la igualdad y la no discriminación. Todo ello, no sólo con respecto del principio de igualdad de trato y no discriminación; también estamos trabajando para que se aplique el enfoque interseccional en la jurisprudencia, fundamentalmente en los casos que afecten específicamente a las mujeres gitanas, que obtengan respuestas específicas y agravadas al tipo de discriminación (en el sentido de la Sentencia del Tribunal Europeo en el caso Beauty Solomon, en el que España fue condenada por violencia discriminatoria a una mujer negra)"[87]. Naturalmente, como ha venido resaltando esta Fundación, habría que enfocar el análisis de

---

85 Vid. Ministerio de Derechos Sociales y Agenda 2030–Estrategia para la Igualdad, Inclusión y Participación de la Población Gitana 2021-2030 (mdsocialesa2030.gob.es). Disponible en: https://www.mdsocialesa2030.gob.es/derechos-sociales/poblacion-gitana/estrategia-nacional/futura-estrategia.htm

86 Informe Anual FSG 2019: *Discriminación y Comunidad Gitana*, <<Conclusiones y propuestas para mejorar la respuesta frente a la discriminación>>, op. cit., p. 153.

87 Informe anual FSG 2021: <<Discriminación y Comunidad Gitana>>, op. cit., p. 170.

los litigios estratégicos de una forma integral, no de forma aislada, sino "como una herramienta complementaria a otras, como son la asistencia a las víctimas, la sensibilización, la formación, la incidencia política y la promoción de buenas prácticas"[88]. No se puede olvidar que el litigio da voz y además empodera a aquellos ciudadanos gitanos que deciden denunciar su caso para reclamar la vulneración de sus derechos y los de su pueblo[89].

Ahora bien, aunque desde la perspectiva de la víctima emprender litigios puede ser una decisión difícil teniendo en cuenta que muchas veces el proceso judicial crea unas expectativas que, al final, no se cumplen, también hay que trabajar en la mejora de la respuesta judicial y policial ante los casos de delitos de odio y de discriminación. Ello implica que: 1) hay que tratar de crear un plan de formación para las fuerzas y cuerpos de seguridad del Estado puesto que se evidencia una falta de formación para hacer frente a este tipo de delitos; 2) hay que tratar de intentar llevar a cabo una campaña de sensibilización y formación de agentes en el ámbito judicial (jueces, fiscales, abogados de oficio) para tratar de erradicar los prejuicios irracionales que influyen en el tratamiento de los casos y además posibilitar el conocimiento de la normativa nacional e internacional cuando se trata de casos de delitos de odio, de discriminación y de antigitanismo; 3) hay que animar a la colaboración de las fiscalías provinciales especializadas en delitos de odio y discriminación con ONGs que acompañan a las víctimas en los procesos judiciales; por último, hay que incorporar en las memorias y los informes estadísticos de la Fiscalía y del Consejo General del Poder Judicial una categoría sobre antigitanismo, tal y como se previó para 2020 en los informes anuales del Ministerio del Interior y en los ciclos de seguimiento sobre discurso de odio que publica la Comisión Europea[90].

---

88 Informe Anual FSG 2019: *Discriminación y Comunidad Gitana*, <<Conclusiones y propuestas para mejorar la respuesta frente a la discriminación>>, op. cit., p. 153. Un breve resumen de los casos de litigios estratégicos emprendidos en 2018 por la Fundación Secretariado gitano puede verse en este informe, pp. 154-159.

89 Vid. Ibídem, p. 153.

90 Vid. Ibídem, pp. 160 y 185. Vid, también Informe anual FSG 2021: <<Discriminación y Comunidad Gitana>>, op. cit., p. 181.

Si observamos la jurisprudencia europea, como ya se ha destacado anteriormente, podemos confirmar que se ha hecho un uso no excesivamente depurado de las categorías del Derecho Antidiscriminatorio, pero por desgracia ello también ha ocurrido en el ámbito interno nacional español. Un buen ejemplo de este uso deficiente de las herramientas interpretativas cuando estamos ante supuestos de discriminación racial puede considerarse la Sentencia del TC español 69/2007, de 16 de abril, en el sonado caso *Muñoz Díaz contra España*[91], el cual llegó hasta el Tribunal de Estrasburgo marcando un relevante precedente jurisprudencial que sirve perfectamente como litigio estratégico por tener un fuerte carácter pedagógico que evidencia problemas que, a día de hoy, todavía no han sido resueltos.

La demandante es una mujer española, de etnia gitana, viuda con seis hijos, a la que las autoridades nacionales no le concedieron una pensión de viudedad por no haber contraído matrimonio según la forma legal válida en España en el año 1971 (entonces, el rito católico), sino de acuerdo con las tradiciones de la comunidad gitana. El Tribunal Constitucional español entendió no sólo que el matrimonio celebrado con arreglo al rito gitano no surtía efectos civiles como lo pudiera tener el matrimonio canónico, sino que tampoco era equiparable a una unión de pareja estable, lo cual no resultaba tan claro al menos por analogía. En definitiva, la Sentencia del Tribunal Constitucional 69/2007, de 16 de abril, desestimó el amparo de la recurrente, al no haber tenido considerado relevantes ni las verdaderamente particulares circunstancias del asunto ni los elementos étnicos o raciales que también estaban presentes en este caso.

La razón jurídica que adujo nuestro TC fue que el artículo 14 CE no admitía la llamada discriminación por indiferenciación, es decir, no consagraba un derecho a que el Estado tratara de modo diferente

---

[91] Sala Primera. Sentencia 69/2007, de 16 de abril de 2007. Recurso de amparo 7084-2002. Promovido por doña María Luisa Muñoz Díaz frente a la Sentencia de la Sala de lo Social del Tribunal Superior de Justicia de Madrid que, en grado de suplicación, desestimó su demanda contra el Instituto Nacional de Seguridad Social sobre prestación de viudedad. Supuesta vulneración del derecho a no ser discriminado por razón de raza o condición social: denegación de pensión de viudedad a mujer casada con el causante conforme a los usos y costumbre gitanos en 1971 (STC 184/1990). Voto particular.

a personas cuyas situaciones eran sustancialmente distintas. De tal manera que, si el matrimonio por rito gitano no tenía efectos civiles y tampoco era posible un derecho a la desigualdad derivada de su reconocimiento constitucional, entonces la demandante no tenía derecho a la pensión de viudedad, a pesar de enviudar de su marido caló con el que había convivido casi treinta años (1971-2000) teniendo con él una prole nada menos que de seis hijos.

De gran interés resultó el voto particular que formuló el Magistrado Rodríguez-Zapata a la Sentencia dictada el 16 de abril de 2007, en el que se ponía de relieve, con acierto, que el viudo de funcionaria con unión conyugal controvertida y no inscrita sí que había obtenido amparo del Tribunal Constitucional, consiguiendo su pensión de viudedad en la STC 199/2004, mientras que ahora, por el contrario, a la viuda gitana que no había visto inscrito en el Registro Civil el matrimonio realizado conforme a las costumbres ancestrales de su pueblo, de forma automática, se le denegaba.

En realidad, el caso planteaba la cuestión de si la sentencia del Tribunal Constitucional español asumía, a la hora de argumentar, la criticable perspectiva *race blind*, indiferente al factor étnico. No pasó tampoco inadvertido que el TC sólo hubiera resuelto dos casos de discriminación racial (frente a las decenas de casos de discriminación de género, por ejemplo), que los dos hubieran sido fallados en sentido contrario al solicitado por el miembro de la minoría discriminada racialmente y, por si esto fuera poco, que los dos asuntos hubieran sido revertidos por organismos internacionales de derechos humanos, el Tribunal de Estrasburgo y el Comité de Derechos Humanos, en el caso *Williams*[92].

---

92 Este asunto, también desestimado previamente por el Tribunal Constitucional español, en su STC 13/2001, de 29 de enero, se refería a una actuación policial de requerimiento de identificación de una mujer tan sólo por ser negra. El Tribunal español había considerado que dicho requerimiento policial no obedeció ni a una discriminación patente ni a una encubierta (a pesar de que sólo se le exigió a la demandante de amparo, por el color de su piel, de entre todos los pasajeros que descendieron del tren). Tan sorprendente decisión fue, como cabía esperar, declarada por el Comité de Derechos Humanos (Comunicación nº 1493/2006), de 27 de julio de 2009, contraria al art. 26 leído conjuntamente con el art. 2.3 del Pacto de Derechos Civiles y Políticos de Naciones Unidas (derecho de igualdad y prohibición de discriminación).

El Tribunal Europeo de Derechos Humanos, a través de la sentencia *Muñoz Díaz contra España* de 8 de diciembre de 2009, condenó a España, fallando a favor del derecho a la pensión de viudedad de esta mujer de etnia gitana que había contraído matrimonio conforme al rito gitano. Concretamente, la demandante había alegado dos violaciones del Convenio Europeo de Derechos Humanos frente al Tribunal de Estrasburgo. La primera se fundamentaba en el artículo 14 (igualdad) en conjunción con el artículo 1 del Protocolo nº 1 (derecho de propiedad), y la segunda se apoyaba en el artículo 14 (igualdad) en conjunción con el artículo 12 (derecho a contraer matrimonio). La primera de las causas de la demanda fue aceptada a trámite unánimemente por el TEDH. La segunda fue inadmitida por mayoría (par. 81) en cuanto que el Tribunal se negó a considerar que el no reconocimiento de la forma tradicional del matrimonio gitano como matrimonio con efectos civiles supusiera una violación del derecho a contraer matrimonio del art. 12 del Convenio de Roma o una forma de discriminación racial prohibida por el art. 14 de ese mismo Convenio. La Sentencia no puede leerse, por tanto, como la exigencia, a partir del Convenio de Roma, de un reconocimiento jurídico de los efectos civiles del matrimonio gitano, cuestión que, obviamente, se remite a la legislación interna de cada Estado. Como veremos en seguida, la Sentencia se ciñó a dictaminar que se había producido una violación de la prohibición de discriminación racial (art. 14 CEDH) en combinación con el derecho al respeto de los bienes del art. 1 del Protocolo Adicional Primero[93].

Veamos, a continuación, más despacio cómo argumentó el Tribunal Europeo en el asunto referido. En primer lugar, el TEDH recordó que su jurisprudencia establece que la discriminación consiste en un diferente trato sin justificación objetiva o razonable, entre personas que se encuentran en situaciones comparables (par. 47), y que los Estados conservan un cierto margen de apreciación en las situaciones análogas (par. 48). Esta es la razón por que la que estimó que la denegación de la pensión de viudedad había terminado siendo una diferencia discriminatoria, por suponer un trato distinto respecto de

---

93 En consecuencia, se falló que el Estado español indemnizara a María Luisa 70.000 €.

otras situaciones que debían ser tenidas como equivalentes en lo que concierne a los efectos de la buena fe matrimonial, como son la existencia de buena fe en los matrimonios nulos (art. 174 LGSS). Además, el TEDH recordó las tres sentencias en las que el TC español sí que había reconocido derecho a una pensión de viudedad en el caso de matrimonios canónicos no inscritos en el Registro Civil y que, por tanto, no producían efectos civiles[94].

El Tribunal de Estrasburgo sostuvo que el TC no había hecho este análisis de buena fe, que sí había realizado en los tres casos citados, y ello parecía deberse a que la recurrente en amparo, ahora demandante, pertenecía a la etnia gitana (pár. 54). Además, se resaltaba que dicha falta de análisis de buena fe estaba íntimamente ligada al hecho de que las autoridades españolas le hicieron creer a la demandante la realidad y eficacia de su matrimonio (par. 56), a través de documentos oficiales que se le otorgaron como el libro de familia, el reconocimiento de familia numerosa y la tarjeta de la Seguridad Social (par. 62 y 63). Afirmaba así con vigor la Sentencia: <<Resulta desproporcionado que el Estado español que ha conferido a la demandante y su familia... (todos esos documentos oficiales), no reconozca ahora los efectos del matrimonio gitano en materia de pensión de viudedad>>. También tiene en cuenta el Tribunal que, en el año 1971, cuando se unieron, sólo había un rito válido, el católico (para eximirse del cual había que apostatar previamente).

De notable interés es que el TEDH mantuvo la existencia de un 'consenso europeo' en la protección de la identidad y la seguridad de las minorías culturales, como su modo de vida (par. 60), considerando que las creencias colectivas de una comunidad enraizada y bien definida no podían ser ignoradas (par. 59), lo que planteaba el tema de si el Tribunal en realidad estaba apoyando aquí la doctrina del moralismo

---

[94] La STC 260/1988 en el caso de un matrimonio canónico que no pudo inscribirse debido a la imposibilidad de divorcio antes de 1981; la STC 180/2001 que reconocía el derecho a una indemnización con la base de un matrimonio canónico no inscrito poco antes de la Ley del Divorcio de 1981 por motivos de libertad de conciencia y de religión; la STC 199/2004 en la que el Tribunal sí había entendido que existía el derecho a la pensión de viudedad en el caso de un matrimonio celebrado conforme a las disposiciones legales (por el rito matrimonial católico), pero no inscrito voluntariamente en el Registro Civil por motivos de conciencia (par. 32).

legal[95] o no, añadiendo con ello el argumento étnico. La Sentencia subraya, en primer lugar, que la creencia de la demandante de que su matrimonio era válido se demostraba también por su pertenencia a la comunidad gitana, <<que tiene sus propios valores dentro de la sociedad española>>. El Tribunal volvería así a traer la idea del nuevo "consenso internacional" en el seno del Consejo de Europa "por reconocer las necesidades particulares de las minorías y la obligación de proteger su seguridad, identidad y modos de vida, no sólo para proteger los intereses de los miembros de dichas minorías, sino también para preservar la diversidad cultural que beneficia a toda la sociedad en su conjunto". Sostiene la Sentencia que <<*si bien la pertenencia a una minoría no dispensa de respetar las leyes relativas al matrimonio, puede, sin embargo, influir sobre la manera de aplicar las leyes*>>[96]. El Tribunal recuerda la afirmación anterior de que <<la vulnerabilidad de los gitanos implica prestar una atención especial a sus necesidades y modo de vida propio, tanto con carácter general como en los casos particulares>>[97].

Por ello el TEDH termina declarando la existencia de una violación del derecho reconocido en el artículo 14 de la Convenio de Roma en relación con el artículo 1 del Protocolo nº 1, ya que entiende que la percepción o no de una pensión sí está dentro de los bienes futuribles que entran dentro del derecho de propiedad según su propia jurisprudencia (par. 44). La discriminación venía provocada por una aplicación selectiva de la igualdad realizada por parte del TC español, al haber reconocido en el pasado pensiones *more uxorio*, a supérstite de relaciones sin vínculos matrimoniales y, sin embargo, ahora cuando se afrontaba "el derecho de las minorías étnicas relativo a determinadas

---

95 LAPORTA, FRANCISCO: *Entre el Derecho y la Moral*, Fontamara, México D.F, primera edición 1993 y segunda edición 1995, pp. 48-51.

96 La cursiva es mía.

97 Esta afirmación es la que cuestiona el único magistrado discrepante, el Juez Myjer, para quien el Estado español no sería de ningún modo responsable de la ignorancia de la señora Muñoz (en todo caso, a mi juicio, más que de "ignorancia" se trataría de un error), y el caso perseguiría más bien reconocer la validez del matrimonio gitano (tal y como, según advierte el juez holandés, habrían reflejado algunos medios de comunicación).

formas de convivencia"[98], resultaba ser excesivamente escrupuloso y rígido hasta el punto de la denegación de derechos.

A mi modo de ver, lo verdaderamente decisivo de la sentencia del TEDH es que se aprecia un trato de modo diferente sin justificación a la Señora Muñoz respecto de otros casos comparables, poniéndose de relieve un claro supuesto de discriminación en términos generales. Aquí no se trataba de aplicar de modo más favorable las leyes a los gitanos sino, más bien, de que no se les tratase peor que a otras personas en situaciones similares. En realidad, el TEDH había confirmado con su sentencia la tesis defendida en el voto particular por el Magistrado Rodríguez-Zapata, quien había insistido en la referencia a la confianza en el Estado y al hecho de que el marido de María Luisa hubiese cotizado diecinueve años a la Seguridad Social. A ello se añadía el argumento siguiente: <<En los supuestos de protección de minorías étnicas, la consecución de la igualdad exige, a mi juicio, medidas de discriminación positiva a favor de la minoría desfavorecida y que se respete, con una sensibilidad adecuada, el valor subjetivo que una persona que integra esa minoría muestra, y exige, por el respeto a sus tradiciones y a su herencia e identidad cultural>>.

Por desgracia, la Sentencia de 8 de diciembre de 2009 no puede interpretarse como ese apoyo a medidas de discriminación positiva para minorías, si seguimos la línea argumental del Tribunal. El Tribunal de Estrasburgo argumenta en su fallo desde la cláusula general de igualdad de trato y no desde la prohibición específica de discriminación racial/étnica, cuestión esencial a la que ya nos referimos anteriormente, no entrando a examinar la cuestión de si la denegación de la pensión había entrañado o no una violación del principio de no discriminación fundada sobre la pertenencia a una minoría étnica o racial[99].

---

98 Las comillas son mías.

99 En este sentido, el Tribunal podría haber seguido dos líneas de interpretación, aislada o conjuntamente.

a) Por un lado, estamos en presencia de un caso claro de *discriminación por indiferenciación*. En estos supuestos se violaría el principio constitucional de igualdad no por tratar, en relación con un criterio determinado, de modo diferente a casos sustancialmente semejantes, sino por tratar de modo idéntico a casos sustancialmente diferentes. Es una discriminación por igualación puesto que no se trata jurídicamente de modo diferente situaciones, en términos fácticos, desiguales. El Tribunal de Estrasburgo ya había tenido en cuenta la posible validez de

Dicho todo esto, interesa detenerse en el voto particular discordante que suscribió uno de los jueces que formaba parte de la Sala que resolvió este caso en el TEDH. Me refiero al juez holandés Myjer, quien sostuvo que, a su juicio, el TEDH se había extralimitado en sus funciones interpretativas del CEDH, advirtiendo el riesgo de que ello podía generar desconfianza en los Estados, *pues entendía que más que reconocer derechos, se había creado un nuevo derecho*[100]. De ser esto verdad ¿se estaba erigiendo, con ello, el Tribunal de Estrasburgo

---

la discriminación por indiferenciación en el asunto *Thlimmenos contra Grecia*, de 6 de abril de 2000 por lo que esta doctrina podría haberse extendido al presente caso. En las Sentencias *Beard, Coster, Chapman, Smith y Lee contra Reino Unido*, de 18 de enero de 2001, también sostuvo que <<la vulnerabilidad de los gitanos implica conceder una atención especial a sus necesidades y a su modo de vida propio>>. De nuevo, habría insistido en esta idea en la citada Sentencia *DD. HH. y otros contra Chequia*, de 13 de noviembre de 2008 (párrafo 181): <<La posición vulnerable de los gitanos exige que se consideren de modo especial sus necesidades y estilos de vida diferentes en los marcos regulatorios generales y en las decisiones sobre casos particulares>> Y añade: <<la diversidad cultural (de los gitanos) tiene valor para toda la sociedad>>. El TEDH no se valió del más complejo concepto de la discriminación por indiferenciación, sino que consideró suficiente el de la pura y simple discriminación en sentido general, esto es, a María Luisa Muñoz le habían tratado de modo distinto y peor, sin justificación, que a la demandante de la pensión en otro asunto similar.

b) Si se analiza el trato dispensado a la recurrente y su esposo respecto de otros matrimonios legalmente constituidos, no se puede ignorar que se produjo en perjuicio de la recurrente dos tipos de discriminaciones, estas sí ya específicamente étnico/raciales:

1º) En primer lugar, una *discriminación racial/étnica indirecta o de impacto*. Se habría otorgado un trato diferente a la recurrente (la denegación de la pensión de viudedad) en atención a un rasgo, factor o criterio no sospechoso o neutro desde el punto de vista racial (la exigencia de forma legal de matrimonio para acceder a la pensión de viudedad), pero que, de hecho, impacta de forma adversa sobre las personas de un grupo en desventaja por razones étnico/raciales (viudas casadas conforme al rito gitano) sin que exista una justificación suficiente. Ello indica que la aproximación indiferente al factor racial (*race/blind*) que lleva a cabo el TC español y el propio TEDH no resulta convincente, al haber sido ignorado el aspecto étnico o racial.

2º) En segundo lugar, una *discriminación múltiple o interseccional (por combinar los criterios étnicos/raciales y los de género)*. Hubiera sido un buen momento para que el concepto de discriminación múltiple fuera reconocido. La demanda de María Luisa Muñoz hubiese permitido al TEDH considerarlo por primera vez.

[100] La cursiva es mía.

en legislador europeo? Mijer mantuvo que, en este caso, con la presencia de la Unión Romaní como tercera parte, en realidad, se estaba cuestionando el reconocimiento legal del matrimonio gitano, asunto que estaba claramente fuera de las competencias del TEDH, ya que el CEDH remite esta cuestión a la legislación interna de los Estados, quienes son los competentes para regular jurídicamente la forma de contraer matrimonio. Lo que planteaba Myjer no era baladí en su voto particular porque, a su juicio, si se optaba por crear una línea jurisprudencial a partir de esta sentencia, podrían cuestionarse sistemas matrimoniales, como el de su propio país, que solamente reconocía efectos civiles a los matrimonios civiles y no a los religiosos (como sí ocurre, por el contrario, en España). Señaló además una cuestión sumamente importante y es que el Tribunal había pasado por alto la eficacia *'ratione temporis'* del CEDH, ya que los hechos eran anteriores a que España se convirtiese en Estado parte.

Desde mi punto de vista, se podía sin miedo alguno responder, con rotundidad, de forma afirmativa a la pregunta de si la denegación de la pensión de viudedad había constituido una violación del principio de no discriminación fundada sobre la pertenencia a una minoría étnica (gitana) y por motivos de género.

Una segunda sentencia en el ámbito español, sobre la que interesa detenerse, ya que puede considerarse también un litigio estratégico, desde el punto de vista pedagógico, es la Sentencia de la Sala de lo Social del Tribunal Supremo 58/2018 de 25 de enero de 2018[101], en la que de nuevo hay atisbos de una actitud *blind race* por parte del Tribunal[102], apoyándose, no por casualidad, en un examen comparado con la sentencia *Muñoz Díaz contra España*.

---

101 Roj: STS 294/2018–ECLI: ES:TS:2018:294. Id Cendoj: 28079149912018100001. Órgano: Tribunal Supremo. Sala de lo Social. Sede: Madrid. Sección: 991. Fecha: 25/01/2018. Nº de Recurso: 2401/2016. Nº de Resolución: 58/2018. Procedimiento: Social. Ponente: LUIS FERNANDO DE CASTRO FERNANDEZ. Tipo de Resolución: Sentencia.

102 Ello precisamente lo hizo notar el alumno del Doble Grado ADE-Derecho de la Universidad Rey Juan Carlos, Michel Ferro Gracia, en su Trabajo Fin de Grado, que dirigí, titulado <<Propuestas para la integración de la mujer gitana en España>>, y que fue defendido en el curso académico 2017-2018, logrando la calificación de Sobresaliente.

Conforme a los antecedentes de hecho del fallo, Luz, vecina de Baeza (Jaén), había solicitado una pensión de viudedad por el fallecimiento de Nicanor ocurrido en abril de 2014. Por resolución de septiembre de 2014 el Instituto Nacional de la Seguridad Social le denegó la pensión de viudedad, por no haberse constituido formalmente como pareja de hecho con el fallecido al menos dos años antes del fallecimiento, de acuerdo con el art.174.3 LGSS. Disconforme con la anterior resolución, Luz interpuso reclamación administrativa previa en octubre de 2014, que fue desestimada por nueva resolución inmediata del Instituto Nacional de la Seguridad Social.

En 1974 Luz y Nicanor habían celebrado matrimonio conforme a los usos y costumbres gitanos. Al menos en los quince años anteriores al fallecimiento de Nicanor, ambos habían convivido en Baeza, aunque no constaba inscripción de Luz y Nicanor como pareja de hecho. De hecho, habían tenido cinco hijos, a pesar de que en las inscripciones de nacimiento y en el libro de familia, ambos aparecían como "solteros". Fue debido a todas estas irregularidades que en dicha sentencia se desestima la demanda interpuesta por Luz y se absuelve al Instituto Nacional de la Seguridad Social y Tesorería General de la Seguridad Social de las pretensiones deducidas en su contra.

La sentencia fue recurrida en suplicación por Luz ante la Sala de lo Social del Tribunal Superior de Justicia de Andalucía (Granada), la cual dictó sentencia en fecha 20 de abril de 2016, en los siguientes términos: <<Que estimando el recurso de suplicación interpuesto por Luz contra sentencia dictada por el Juzgado de lo Social núm. 4 de Jaén en fecha 13 de octubre de 2015 (...), debemos revocar y revocamos dicha sentencia y declaramos el derecho de la actora al percibo de la pensión de viudedad en cuantía legal y desde la fecha reglamentaria, y condenamos al INSS a su abono, con acogimiento de la demanda>>.

Lo interesante de este caso es que la decisión hizo una aplicación extensiva de la STEDH 08/12/09 (asunto *Muñoz Díaz*), para concluir argumentando que <<de denegar la pensión se podría producir una discriminación por razones étnicas y culturales>>, habida cuenta de que <<existía Libro de Familia, lo que evidencia... una intención frente a los organismos públicos de ser entendidos como tal, la pareja ha convivido en el municipio en el mismo domicilio y hasta el momento

de la muerte y siendo considerados como matrimonio gitano al menos durante 15 años... han tenido 5 hijos en común y no puede entenderse que de mala fe se fingieran como matrimonio gitano en su entorno familiar y social durante tanto tiempo para en su momento futuro cobrar una eventual pensión...>>[103].

Por la representación del Instituto Nacional de la Seguridad Social (INSS) y la Tesorería General de la Seguridad Social (TGSS) se formalizó recurso de casación para la unificación de doctrina ante la misma Sala de suplicación. A los efectos de sostener la concurrencia de la contradicción exigida por el art. 219.1 de la ley Reguladora de la Jurisdicción Social (LRJS), el recurrente propuso como sentencia de contraste, la dictada por la Sala de lo Social del Tribunal Superior de Justicia de Galicia de 27 de marzo de 2013, (rec. 4657/2010) que rechazaba pensión reclamada por viuda unida al fallecido también por el rito gitano, con convivencia ininterrumpida de 24 años, dos hijos en común y con Libro de Familia, pese a lo cual había rechazado la pretensión, aplicando la doctrina jurisprudencial -y constitucional- en orden a la esencialidad del requisito de figurar la pareja inscrita en el correspondiente Registro y a la inaplicabilidad del criterio expuesto por la referida STEDH 08/12/09 (*asunto Muñoz Díaz*), en tanto que la constancia de ambos progenitores como <<solteros>> en el Libro de Familia, excluía las bases de la resolución del Tribunal de Estrasburgo, de reconocimiento oficial -siquiera limitado- como matrimonio y de buena fe en la razonable creencia de gozar expectativa de derecho en orden a la pensión de viudedad[104]. Se señalaba además que

---

[103] Y los hechos probados que tal decisión enjuicia son: a) unión por el rito gitano en 1974; b) convivencia en el mismo domicilio hasta la fallecimiento del varón en 27/04/14; c) cinco hijos en común, en cuya inscripción en el Registro Civil figuran los padres como <<solteros>> o que el matrimonio de los padres <<no existe>>, y los hijos–según los casos- como <<naturales>> o <<extramatrimoniales>>; d) en el Libro de Familia constan los progenitores como <<solteros>>; y e) la demandante y el fallecido no figuran inscritos como <<pareja de hecho>> en ningún Registro público.

[104] Ello implicaba que en el presente supuesto se produjera la contradicción que como requisito de admisibilidad de recurso establece el art. 219 LJS, en tanto que la parte dispositiva de las sentencias que contienen pronunciamientos opuestos respecto de hechos, fundamentos y pretensiones sustancialmente iguales (recientes, SSTS 10/10/17 –rcud 1507/15 -; 10/10/17 -rcud 3684/15 -; y 17/10/17 -rcud 2541/15-).

los criterios de la Sala respecto a este requisito habían sido ratificados por el Tribunal Constitucional en recientes decisiones [SSTC 40/2014, de 11/marzo; 45/2014, de 7/Abril; y 60/2014, de 5/Mayo], llegando a reproducir literalmente algunas de las afirmaciones, en orden a la inscripción registral o documentación notarial de la pareja de hechos[105].

La sentencia declara que el Libro de Familia <<es en verdad un documento público que certifica el "matrimonio", y la filiación [tanto matrimonial, como "no matrimonial", como adoptiva], pero que no acredita la existencia de pareja de hecho, función "totalmente ajena" a la "finalidad" del Registro Civil, en cuya norma reglamentaria se contiene, como acabamos de decir, la regulación de dicho documento>>.

Asimismo, se resalta <<... que el carácter constitutivo de la inscripción en el correspondiente Registro también se mantiene con inequívoca claridad en muchas de las legislaciones autonómicas sobre las parejas estables[106] >>.

La STEDH 08/12/09 en el caso *Muñoz Díaz contra España,* en la que se apoyan tanto la Sala de Suplicación de la recurrida como el informe del Ministerio Fiscal, contempla un supuesto previo a la Ley 40/2007 [incluye a la pareja de hecho como generadora de posibles prestaciones de viudedad], y, como explicamos más arriba, se la atribuye a la supérstite de una unión celebrada por el rito gitano. Y de entre sus razonamientos reproducimos alguno de ellos, para evidenciar la disparidad con el caso supuesto y la inaplicabilidad de su doctrina al caso de autos:

A).- <<... aunque la pertenencia a una minoría no exime de respetar las Leyes reguladoras del matrimonio, sí puede influir en la manera de aplicarlas. El TEDH ya ha tenido ocasión de subrayar en la Sentencia *Buckley c. Reino Unido* (25 de septiembre de 1996, Compendio

---

105 SSTS 20/07/10 -rcud 3715/09 -; 03/05/11 -rcud 2897/10 -; ... SG 22/09/14 -rcud 2563/10-; SG 22/09/14 -rcud 1958/12-; SG 22/10/14 –rcud 1025/12-; ... 23/02/16 -rcud 3271/14-; 02/03/16 -rcud 3356/14-; 11/05/16 -rcud 2585/14-; 01/06/16 –rcud 207/15-; 08/11/16 -rcud 3469/14-; y 07/12/16 -rcud 3765/14-.

106 Así, en Islas Baleares, el art. 1.2 de la Ley 18/2001, de 19/Diciembre; en Galicia, la DA Tercera de la Ley 2/2006, de 14/Junio; en País Vasco, el art. 3 de la Ley 2/2003, de 7/Mayo; en Comunidad Valenciana, el art. 3 de la Ley 5/2012, de 15/ Octubre.

1996-IV (cierto es, en un contexto diferente) que la vulnerabilidad de la etnia gitana, por el hecho de constituir una minoría, implica prestar una especial atención a sus necesidades y a su propio modo de vida, tanto en el marco regulador válido en materia de ordenación como en el momento de la adopción de la decisión en casos particulares (ibídem §§ 76,80,84, Chapman, anteriormente citada § 96, y *Connors c. Reino Unido* nº 66746/01 § 84, 27 de mayo de 2004>> (ap. 61).

B).- <<... la convicción de la demandante en cuanto a su condición de mujer casada con todos los efectos inherentes a este estado, fue indiscutiblemente reforzada por la actitud de las autoridades, que le reconocieron la condición de esposa de...>> (ap. 62).

C).- <<En consecuencia, la denegación del reconocimiento de la condición de cónyuge a la demandante al objeto de obtener una pensión de viudedad contradice el reconocimiento previo por las autoridades de esta condición>> (ap. 64).

D).- <<El TEDH considera que el rechazo al reconocimiento del derecho de la demandante a percibir una pensión de viudedad constituye una diferencia de trato respecto al trato dado, por la Ley o la jurisprudencia, a otras situaciones que deben considerarse equivalentes en lo relativo a los efectos de la buena fe, tales como el convencimiento de buena fe de la existencia de un matrimonio nulo (artículo 174 de la ... LGSS), o la situación examinada en la Sentencia del Tribunal Constitucional nº 199/2004, de 15 de noviembre ...-, que concernía a la no formalización, por razones de conciencia, de un matrimonio canónico)>> (ap. 65).

Según esta sentencia, el caso que ahora se planteaba era distinto del de *Muñoz Díaz contra España*, en primer lugar, porque el núcleo central de la decisión del TEDH entonces tuvo como presupuesto la buena fe de la demandante y su comprensible confianza en los plenos efectos del <<matrimonio gitano>>.

2.- Además se resalta: a) que la estimación de la demanda no vino determinada por atribuir eficacia jurídica alguna al <<matrimonio gitano>>, sino porque la validez que le atribuye la comunidad romaní y el reconocimiento de la unión como <<matrimonio>> en determinados documentos oficiales habían generado en la contrayente comprensible buena fe que justificaba el trato favorable dado por el ordenamiento jurídico a supuestos similares; b) que el TEDH no cuestionó la afirmación contenida en la STC 69/2007 [16/Abril] -última instancia de su enjuiciamiento en España- de que el principio de igualdad que proclama el art.14 CE no alcanza a la llamada <<discriminación por indiferenciación>>, al no consagrar un derecho subjetivo al trato normativo desigual (FJ 4°); y c) que la pertenencia a una <<minoría étnica>> no repercutía en la aplicación o en la interpretación de la normativa de que tratamos, sino tan sólo en la configuración de la buena fe.

Por consiguiente, la sentencia considera que <<el presente caso es muy diverso al examinado por el Tribunal Europeo, aunque medien coincidencia de colectivo afectado e identidad en la prestación solicitada, pues lo aducido no es –ni podía serlo- buena fe en la creencia de eficaz vínculo matrimonial a los efectos del derecho español, porque en la documentación oficial -Libro de Familia e inscripciones de nacimiento- se hace constar expresamente su cualidad de «solteros» e hijos «extramatrimoniales». Es más, ni tan siquiera se reclama el derecho por el mismo título que en el supuesto del Tribunal Europeo, siendo así que en aquel caso se invocaba -no podía ser de otra manera, dado que el fallecimiento había sido anterior a la Ley 40/2007- la existencia de «matrimonio», y en el proceso ahora enjuiciado el título que se invoca es el de «pareja de hecho»>>.

Interesa resaltar que además pone de relieve que: <<Claramente, la regulación contenida en el art. 174.3 LGSS/1994 «es neutral desde la perspectiva racial, al carecer por completo de cualquier tipo de connotación étnica» [hacemos nuestras las palabras de la STC 69/2007, aunque entonces fueran referidas al acceso al vínculo matrimonial, en su FJ 5]. (...) el principio de igualdad–art. 14 CE–no consagra un derecho subjetivo al trato normativo desigual>>.

Según el Tribunal: <<Muy contrariamente, admitir la solución pretendida en el presente caso comportaría hacer de peor condición a quienes por razones ideológicas -tan respetables como las culturales- no se han constituido como pareja de hecho en la forma legalmente prescrita, y a los que -no infrecuentemente- les hemos negado la prestación de viudedad. e).- En último término no cabe olvidar las múltiples minorías étnicas y culturales existentes en nuestro país, cuya posible vulnerabilidad -similar a la del colectivo gitano, en mayor o menor grado- ciertamente puede obligar a alguna interpretación nor-

mativa tendente a su protección conforme a los criterios del TEDH, pero no puede llegar al extremo de excepcionar la aplicación de la ley en los múltiples aspectos en que pudiera reflejarse su diversidad étnico-cultural [matrimonio; familia; comportamiento social...], so pena de comprometer gravemente la seguridad jurídica y la uniformidad en la aplicación de aquélla -la ley-; planteamiento este que incluso se evidencia en las sentencias que el propio TEDH refiere el precitado asunto <<Muñoz Díaz>> y en las que -manteniendo una interpretación sensible hacia la protección de la minoría gitana- aunque ciertamente se exige una ponderación de los intereses en juego, de todas formas se atribuye primacía a la aplicación de la norma (así, asuntos <<Coster>>, <<Chapman>> y <<Buckey>>, todos ellos desestimatorios en materias de protección medio- ambiental y urbanismo, enfrentadas a la consuetudinaria costumbre gitana de morar en caravanas)>>.

Las precedentes consideraciones condujeron a afirmar -oído el Ministerio Fiscal- que la doctrina ajustada a Derecho es la mantenida por la sentencia de contraste y que por ello la recurrida había de ser casada y revocada[107]. Por providencia de la Sala del Tribunal Supremo de fecha 30 de enero de 2017 se admitió a trámite el recurso. El día 17 de enero de 2018 se acordó la fecha para la votación en la que, sin embargo, la Magistrada Ponente señaló que, por no compartir la decisión mayoritaria de la Sala, formularía voto particular, encomendándose la redacción de la ponencia al Excmo. Sr. Magistrado D. Luis Fernando de Castro Fernández.

De este modo la sentencia tuvo un voto particular, a mi modo de ver, de gran interés, formulado por la Magistrada Excma. Sra. Dª María Lourdes Arastey Sahún a la sentencia dictada en el recurso de casación para la unificación de doctrina nº 2401/2016, al que se adhirió la Magistrada Excma. Sra. Dª María Luisa Segoviano Astaburuaga, al discrepar de los razonamientos y el fallo de la mayoría de la Sala a dicha solución. A juicio de ambas magistradas, el recurso debía haber

---

107 De hecho, la Sala decidió estimar el recurso de casación para la unificación de doctrina interpuesto por la representación del Instituto Nacional de la Seguridad Social y revocar la sentencia dictada por el TSJ Andalucía/Granada en fecha 20/ Abril/2016 [rec. 2843/15], que a su vez había revocado la decisión que en 13/ Octubre/2015 pronunciara el J/S núm. 4 de los de Jaén [autos 679/14]., y por la que se había rechazado la prestación de viudedad reclamada por Luz.

sido desestimado en atención a diversas consideraciones jurídicas sobre las que me detendré.

Lo primero que se destacó es que, por vez primera, se había planteado ante la Sala del Tribunal Supremo cuál debía ser el alcance que podía llegar a desplegar la doctrina sentada por el STEDH de 8 de diciembre 2009, asunto *Muñoz Díaz v. España*, poniéndose el foco no tanto en la posibilidad de equipar el rito gitano al matrimonio, sino en el acceso a la prestación de viudedad por parte de parejas unidas por "matrimonio" gitano. En segundo lugar, se resaltaba que efectivamente la STEDH *Muñoz Díaz v. España* no admitía la equiparación del matrimonio gitano a otras formas de matrimonio válidamente aceptadas por la legislación española y rechazaba que la inexistencia de reconocimiento jurídico del mismo por parte de nuestro ordenamiento pudiera implicar la consagración de un trato discriminatorio prohibido por el art. 14 del Convenio Europeo de Derechos Humanos (CEDH). Es más, se dio en el caso de María Luisa Muñoz la circunstancia de que aquel supuesto se regía por la legislación anterior a la Ley 40/2007 (el fallecimiento del causante se había producido en el año 2000), en la que, por primera vez en nuestro país, se reconoció el acceso a la pensión de viudedad de las parejas de hecho. Para el caso allí examinado la única vía de obtención de la pensión se encontraba en la equiparación de la situación de la solicitante con la del matrimonio.

Pues bien, lo que resalta el voto particular es que lo que ahora se suscita es la posibilidad de acceso a la pensión de viudedad como "pareja de hecho" por parte de quien había estado unida al causante por virtud del rito gitano. Se insiste en que, como recuerda la sentencia de la mayoría, es doctrina ya reiterada de la Sala IV del Tribunal Supremo la que sostiene que, para el acceso a la pensión de viudedad del miembro supérstite de la pareja de hecho, la norma establece <<la exigencia de dos simultáneos requisitos: a) la convivencia estable e ininterrumpida durante el periodo de cinco años; y b) la publicidad de la situación de convivencia *more uxorio,* imponiendo –con carácter constitutivo y antelación mínima de dos años al fallecimiento- la inscripción en el registro de parejas de hecho (en alguno de los registros específicos existentes en las Comunidades Autónomas o Ayuntamientos del lugar de residencia) o la constancia de su constitución como tal pareja en documento público>> (STS/4ª/Pleno de 22 septiembre

2014, rcud. 1958/2012). Era obvio que mientras no se albergaban dudas sobre la concurrencia del requisito de la convivencia sí que estas existían en lo que se refiere a la falta de la inscripción de la pareja en alguno de los registros establecidos al efecto o la constancia de su constitución en documento público la que, según el voto particular, debía ser contemplarse de forma particular.

Efectivamente, el planteamiento del voto particular es sumamente iluminador ya que lo que se propuso es si la interpretación que se había venido defendiendo hasta la fecha podía comportar un trato peyorativo a la aquí demandante, por ser miembro integrante de un concreto grupo étnico.

Coincidiría plenamente con el voto particular en señalar que en este caso no cabía hablar de la existencia de un supuesto de discriminación directa, puesto que lo que se predicaba respecto de la oficialización de la pareja de hecho no exigía requisitos que explicitasen una traba para las personas de cultura gitana. Ahora bien, lo que sí que cabía preguntarse es si, pese a la neutralidad de la regla, ese colectivo podía verse particularmente afectado debido a las características de sus tradiciones, de suerte que se pudiera estar produciendo una verdadera situación de discriminación indirecta (art. 2.1 b) Directiva 2000/43)[108].

El voto particular además recuerda que, como expresión de uno de los principios generales del Derecho de la Unión Europea, reconocido en el artículo 21 de la Carta de Derechos Fundamentales de la Unión Europea (CDFUE), la Directiva 2000/43/CE del Consejo, de 29 de junio de 2000, relativa a la aplicación del principio de igualdad de trato de las personas independientemente de su origen racial o étnico, incluye la Seguridad Social en su ámbito de aplicación (art. 3.1 e). Por consiguiente, también en este tipo de reclamación resultaba necesario llevar a cabo una interpretación que se acomodase al respeto a los principios de no discriminación que rigen el marco jurídico europeo.

---

108 Como ha señalado el Tribunal Europeo de Derechos Humanos, en determinadas circunstancias, la ausencia de un trato diferencial para corregir una desigualdad, sin justificación objetiva y razonable, puede suponer la violación del principio de no discriminación (STEDH de 13 noviembre 2007, Asunto *D.H. y otros v. República Checa*).

Ello se desprende, tanto de los arts. 9.2, 10.2 -en relación con el art. 14 CEDH– y 14 de la Constitución, como de la citada Directiva.

Literalmente, con agudeza, señala el voto particular de la Sentencia: <<El TEDH ha señalado que, como resultado de su historia turbulenta y su constante desarraigo, los gitanos se han convertido en una minoría especialmente desfavorecida y vulnerable. Por lo tanto, necesitan una protección especial. Esa posición vulnerable significa que debe prestarse especial atención a sus necesidades y a su estilo de vida diferente, tanto en el marco normativo pertinente como al llegar a decisiones en casos concretos (STEDH de 27 mayo 2004, *Connors v. Reino Unido;* y 9 enero 2013, *Horváth y Kiss v. Hungría*).

En el ámbito de la Unión Europea, e interpretando la inclusión del pueblo gitano en el ámbito de protección de la Directiva, la STJUE de 16 julio 2015 (*CHEZ Razpredelenie Bulgaria,* C-83/14) señala que <<el concepto de origen étnico, que proviene de la idea de que los grupos sociales se identifican en especial por una comunidad de nacionalidad, de fe religiosa, de lengua, de origen cultural y tradicional y de entorno de vida, se aplica a la comunidad gitana>> -con cita de las STEDH de 6 julio 2005, *Nachova y otros v. Bulgaria,* 22 diciembre 2009, *Sejdiæ y Finbci v. Bosnia-Herzegovina*->>.

Desde mi punto de vista, es todo un acierto que el voto particular incidiera en que partiendo del fuerte arraigo de las tradiciones y de la sólida estructuración de la comunidad gitana, intensamente ligada a la familia y al parentesco, quepa afirmar que, a partir de la unión de la pareja mediante el rito propio de su cultura -y acreditada la convivencia permanente desde ese momento hasta el fallecimiento del causante-, ninguna duda cabe de que para los convivientes gitanos su relación de pareja se desarrolla como si de un matrimonio se tratara, con independencia de la ineficacia jurídica de aquel rito. Es por ello, que, como resalta el voto particular, <<exigir en estos casos que la existencia de la pareja de hecho se acredite por la inscripción del registro de parejas se torna claramente redundante y, por ende, innecesaria, en la medida en que para la pareja gitana la aceptación de la llamada "ley gitana" les convierte, a su entender y al del resto de la comunidad en la que desarrollan su vida, en una unidad matrimonial no cuestionada como tal y, si cabe, con más fuerza. De ahí que, mientras que la regla del art. 174.3 LGSS tiende a constatar la verdadera

existencia de la pareja de hecho y sea lógico y justificado el establecimiento del requisito, la especial realidad fáctica de este grupo étnico ofrece mayores garantías de que esa situación de pareja existe mientras perdura la convivencia entre sus dos componentes, superando en estos casos el test necesario de satisfacción de la finalidad buscada por dicha norma>>.

En consecuencia, la exigencia del registro o del documento público podría considerarse una exigencia de carácter meramente formal -ya no constitutiva, como señala la sentencia de la mayoría-; que no aporta nada para la constatación de una situación clara que responde a las especificidades de las tradiciones y usos del grupo cultural y étnico gitano. En realidad, lo que se resalta es que, si la finalidad de la norma está cumplida, carece de justificación mantener su exigibilidad respecto de un colectivo en el que concurren las particularidades expuestas, cuando de tal formalismo puede derivarse un perjuicio que ahonde en la vulnerabilidad en la que históricamente se ha situado a este grupo. Es por ello por lo que se sugiere en el voto particular que se podría haber planteado la vía del examen de la acomodación de la interpretación de la norma nacional a la luz de la Directiva y, en último caso, haber formulado una consulta ante el Tribunal de Justicia de la Unión. Como literalmente se precisa en este voto particular: << (...) la Sala pudo haber abierto la reflexión sobre el alcance de la aplicación de la Directiva 2000/43 y acordado la suspensión de las actuaciones para plantear cuestión prejudicial con arreglo al art. 267 del Tratado de Funcionamiento de la Unión Europea en el sentido de determinar si la exigencia del precepto legal ocasiona una desventaja no justificada para los ciudadanos de etnia gitana que cumplen con los ritos matrimoniales propios de su cultura>>.

Me parece más que razonable la posición que se defiende en este voto particular puesto que no se trata tanto de afirmar -ni generalizar- la inaplicabilidad de una norma a los ciudadanos gitanos, sino de resaltar que la interpretación conforme al respeto a las minorías étnicas sí que permite flexibilizar su interpretación siempre que se den las circunstancias que permitan demostrar <<que el mantenimiento de la convivencia ha sido real, efectivo y con indiscutible carácter de pareja unida maritalmente>>.

Si valoramos este fallo nos encontramos con que tiempo después de la sentencia del TEDH en el caso *Muñoz Díaz v. España* estamos ante un nuevo supuesto de presunta discriminación racial a una mujer gitana, encontrándose el fallo no exento de polémica. Sorprendentemente, la sentencia tiene como base jurídica la jurisprudencia constitucional española, en vez de la jurisprudencia del TEDH, precisamente porque, como hemos visto, se considera el caso diferente al de María Luisa Díaz Muñoz. Como ya se ha expuesto, el argumento principal que ofreció el TS para establecer la diferencia radical entre ambos supuestos estaba en que, en varios documentos oficiales, en lo que se diferenciaba del caso de María Luisa, se recogía expresamente su condición de solteros, no apareciendo en ningún documento como casados, a lo que se sumaba que los niños figuraban como "extramatrimoniales". Ello es por lo que se consideró que no existía esa buena fe en la convicción de que existía matrimonio válido lo que, por el contrario, sí que se daba por hecho en el caso de María Luisa.

A mi modo de ver, ha sido una lástima que la sentencia pasase por alto la función social por la que la pensión de viudedad debe su existencia: compensar un posible desequilibrio económico que se origina a personas que han tenido un vínculo matrimonial o han sido pareja de hecho de una persona fallecida. En el caso de las mujeres gitanas, este desequilibrio se acentúa aún más, precisamente porque usualmente es el hombre el que sustenta la familia, mientras la mujer dedica la mayor parte de su vida al cuidado y protección de esta. Tengamos en cuenta que la comunidad gitana tiene sus propios usos, tradiciones, ritos, y, como consecuencia de la exclusión y marginación social que sufre, se mantiene al margen de muchas formalidades por simple desconocimiento e ignorancia, lo que, a fin de cuentas, es resultado de dicha marginación[109].

Al igual que en el caso de María Luisa, se observan divergencias interpretativas entre los diversos órganos judiciales. La disparidad de decisiones judiciales ante situaciones similares, a mi modo de ver, no hace más que restar seguridad jurídica al ciudadano, sobre todo, si

---

109 En la elaboración de esta valoración final, se ha tenido en cuenta el Trabajo Fin de Grado de Michel Ferro Gracia, tutorizado por Cristina Hermida del Llano en la Universidad Rey Juan Carlos de Madrid, titulado <<Propuestas para la integración de la mujer gitana en España>>, op. cit.

tenemos en cuenta que el Tribunal de Estrasburgo ya se había pronunciado con anterioridad a favor de la solicitante en un caso similar por lo que, en definitiva, no se entiende que el Tribunal Supremo decida de espaldas a tan importante precedente judicial en el ámbito europeo. Terminaré con palabras extraídas del voto particular que formuló el Magistrado Rodríguez-Zapata a la Sentencia del TC dictada el 16 de abril de 2007: <<En toda sociedad pluralista y genuinamente democrática no sólo se debe respetar la identidad étnica, cultural, lingüística y religiosa de cada persona perteneciente a una minoría, sino también crear las condiciones apropiadas que permitan expresar, preservar y desarrollar esa identidad, con el único límite –obligado– del "orden público constitucional">>.

CAPÍTULO CUARTO

RECONFIGURACIÓN DE LOS VALORES MORALES ESENCIALES PARA LA PROTECCIÓN DE LAS MINORÍAS

1. PRINCIPIO DE NO DISCRIMINACIÓN E IGUALDAD DE OPORTUNIDADES

El origen de la afirmación de la igual dignidad de todos los seres humanos se encuentra en el estoicismo medio, en particular en la obra del filósofo griego Panecio de Rodas (185 a. C. – 110 a. C.) y, en especial, en el cristianismo[1]. Con palabras de Fernández: "El <<nadie es más que nadie>> de Machado es una elocuente expresión de esa creencia en la igual dignidad de todos los seres humanos (...) aunque seamos, como de hecho somos, diferentes unos de otros, <<nadie es más que nadie>>.

La igualdad así entendida, es un valor y un principio ético. Esto implica que la igualdad hace referencia no a la realidad empírica, sino a lo que debe ser. (...) Lo que significa el principio de igualdad es que todos los seres humanos, sean cuales sean sus rasgos comunes o distintivos, *deben ser* tratados como iguales. No se trata, por tanto, de una descripción de la realidad empírica, sino de una exigencia ética"[2]. Más oportunas no pueden ser las palabras de Méndez para explicar cómo la igualdad no sólo es un valor, sino que además es un valor ético: "La prueba de fuego para decidir si algo es un valor ético es la generalización. (...) La generalización de la Igualdad no sólo es posible, o no contiene en sí misma ninguna contradicción, sino que es algo que todos deseamos. Por tanto, sí es generalizable, la Igualdad es

---

1 FERNÁNDEZ RUIZ-GÁLVEZ, ENCARNACIÓN: *Igualdad y Derechos Humanos*, op. cit., p. 18.

2 Vid. Ibídem, p. 18.

un valor ético, obligatorio, compulsivo. Cualquier discriminación es vista inmediatamente como lo que debe-no-ser”[3].

En esta misma línea, también se ha resaltado que sería contradictorio afirmar que unos derechos llamados humanos no son propios de todos los seres humanos. Literalmente precisa Rodríguez Puerto: “Sergio Cotta denuncia que las visiones parciales de la persona, que adjudican los derechos en función de la efectividad de la voluntad (individualismo) o de la pertenencia a una comunidad de características específicas (comunitarismos) no tienen en cuenta la <<estructura interna>> de la persona, basada en el carácter relacional; este se basa en la igualdad ontológica de las personas, de tal manera que nadie puede negar la dignidad y el valor a otro sujeto sin negársela al mismo tiempo a sí mismo”[4].

Es así como, desde esta perspectiva, puede considerarse criticable la vertiente del comunitarismo, al poner en entredicho que la aproximación de los derechos humanos individuales constituye el elemento determinante de una teoría de la justicia asumible. Con palabras críticas de Megías sobre el comunitarismo más radical: “En definitiva, es el cuestionamiento de la viabilidad de un proyecto ético universal con base en la noción común de humanidad. Por el contrario, frente a la idea cosmopolita y utópica de la humanidad común, emerge con fuerza la realidad de la comunidad, de cualquier comunidad, como espacio moral natural en el que el individuo se desarrolla como ser moral”[5].

---

3 MÉNDEZ, JOSÉ MARÍA: *Curso Completo sobre Valores Humanos*, PPU S.A., Barcelona, 2006, p. 259.

4 RODRÍGUEZ PUERTO, MANUEL J.: <<¿Qué son los derechos derechos?>>, MEGÍAS QUIRÓS, JOSÉ JUSTO: *Manual de Derechos Humanos*, op. cit., p. 27.

5 MEGÍAS QUIRÓS, JOSÉ JUSTO: <<Elementos constitutivos de los Derechos Humanos>>, *Manual de Derechos Humanos*, ibídem, p. 152. No obstante, el autor se refiere también a una postura más moderada del comunitarismo, defendida por autores como Taylor y Kymlicka, quienes entienden que “la identidad personal no está reñida con la identidad cultural, sino que pueden ser complementarias. Así Taylor defiende que es legítimo mantener por parte de una comunidad la necesidad de perseguir unas metas colectivas que condicionarían los derechos de sus miembros, dejando a salvo unos derechos fundamentales que permitan el desarrollo de la identidad personal; el problema es que no aclara cuáles son estos derechos fundamentales ni cuál es el medio para determinarlos. Kymlicka, por su parte, realiza el recorrido a la inversa y defiende que cada ciudadano tiene sus derechos individuales intocables, pero al mismo tiempo tiene

Por ello aun cuando el *ethos* social puede considerarse un buen punto de referencia, a la hora de plantear ciertos problemas ético-jurídicos contemporáneos, ello no nos puede conducir a la defensa un *ethos* que nos remita a las identidades colectivas nacionalistas o tribales. Por eso autores como Pérez Luño, entre otros, han abogado "por una fundamentación de los sistemas constitucionales, y de los derechos humanos basada en un *ethos* universal, síntesis de valores multinacionales y multiculturales que haga posible la comunicación intersubjetiva, la solidaridad y la paz"[6].

El derecho a la igualdad de trato se entiende como la ausencia de toda discriminación basada en el género, el origen racial o étnico, la religión, convicción, la orientación o identidad sexual, la edad, discapacidad, enfermedad, lengua o cualquier otra condición o circunstancia personal o social. Tengamos en cuenta que la discriminación es un fenómeno de relaciones entre diversos grupos sociales, y tiene sus raíces en la opinión que un grupo tiene sobre otro. Es un problema de convivencia. De hecho, una de las causas de la discriminación es el sentimiento de superioridad que siente un grupo respecto a otro.

La prohibición de la discriminación se encuentra reconocida tanto en los principales tratados internacionales de derechos humanos como en la normativa de la Unión Europea[7] y en la legislación es-

---

un deber de lealtad a su comunidad que no puede desconocer el ejercicio de los mismos. El ciudadano no parte desde cero en sus decisiones, sino que convive con otros ciudadanos en el seno de una comunidad: esta está al servicio de los derechos individuales, pero al mismo tiempo estos podrían sufrir algún recorte por el bien de la comunidad", p. 152.

6 Vid. Ibídem, p. 153.

7 Con la entrada en vigor, el 1 de diciembre de 2009, del Tratado de Lisboa, se establece un nuevo marco en lo referente a las políticas de igualdad de trato y no discriminación: la Carta de Derechos Fundamentales (cuya primera versión, aprobada en el año 2000, tenía solo un valor declarativo) adquiere un carácter jurídicamente vinculante para las instituciones de la UE y para los Estados miembros. El Tratado de Lisboa dispone en su artículo 6.1: <<La Unión reconoce los derechos, libertades y principios enunciados en la Carta de los Derechos Fundamentales de la Unión Europea de 7 de diciembre de 2000, tal como fue adaptada el 12 de diciembre de 2007 en Estrasburgo, la cual tendrá el mismo valor jurídico que los Tratados>>. El artículo 21 de la Carta prohíbe la discriminación por diversos motivos, incluyendo los de *raza, color, orígenes étnicos, religión, y pertenencia a una minoría nacional.* La Carta de Derechos Fundamentales

pañola[8]. Entre los tratados internacionales de derechos humanos

---

dispone en su artículo 19.1: <<Se prohíbe toda discriminación, y en particular la ejercida por razón de sexo, raza, color, orígenes étnicos o sociales, características genéticas, lengua, religión o convicciones, opiniones políticas o de cualquier otro tipo, pertenencia a una minoría nacional, patrimonio, nacimiento, discapacidad, edad u orientación sexual>>. Por otra parte, el artículo 6 del Tratado de Lisboa introduce otra novedad importante al consagrar la adhesión de la UE al Convenio Europeo para la Protección de los Derechos Humanos y de las Libertades Fundamentales (CEDH). Literalmente, el artículo 6.3 del Tratado de Lisboa reza así: <<Los derechos fundamentales que garantiza el Convenio Europeo para la Protección de los Derechos Humanos y de las Libertades Fundamentales y los que son fruto de las tradiciones constitucionales comunes a los Estados miembros formarán parte del Derecho de la Unión como principios generales>>. Por último, la defensa de la igualdad y la lucha contra la discriminación se ha traducido en varias directivas europeas relacionadas con la lucha contra distintos motivos de discriminación. Entre ellas destaca, en relación con la discriminación por motivo de origen racial o étnico, la Directiva 2000/43 CE del Consejo, de 29 de junio de 2000, relativa a la aplicación del principio de igualdad de trato entre las personas independientemente de su origen racial o étnico.

8 La legislación española contiene diversas disposiciones en materia de lucha contra la discriminación por motivos de origen racial o étnico. La Constitución Española de 1978 reconoce la igualdad de todos los españoles ante la ley y prohíbe la discriminación por razón de nacimiento, raza, sexo, religión, opinión o cualquier otra condición o circunstancia personal o social (art. 14). Asimismo, el artículo 9.2 del texto constitucional encomienda a los poderes públicos promover las condiciones para que la libertad y la igualdad del individuo y de los grupos en que se integra sean reales y efectivas; remover los obstáculos que impidan o dificulten su plenitud y facilitar la participación de todos los ciudadanos en la vida política, económica, cultural y social.

Como ya se señaló anteriormente en otro capítulo, hay que aplaudir que la Comisión de Igualdad del Congreso en España aprobara el 27 de abril de 2022 la ley de Igualdad de Trato y No Discriminación, la cual promueve una reforma del Código Penal para que se incluyera el antigitanismo como forma específica dentro de los delitos de odio. Vid. https://www.abc.es/sociedad/abci-ley-igualdad-trato-modificara-codigo-penal-para-incluir-antigitanismo-como-delito-odio-especifico-202204290907_noticia.html

Sin lugar a duda, un gran avance se ha producido en España con la Ley 15/2022, de 12 de julio, integral para la igualdad de trato y la no discriminación. <<BOE>> núm. 167, de 13 de julio de 2022, páginas 98071 a 98109. Disponible en: https://www.boe.es/eli/es/l/2022/07/12/15/dof/spa/pdf

En el Código Penal, aprobado mediante Ley Orgánica 10/1995 de 23 de noviembre, que ha sufrido multitud de modificaciones a lo largo de los años, se recogen diversos tipos penales relacionados con la discriminación basada, entre otras circunstancias, en el origen racial o étnico. El artículo 22.4 contempla el agravante genérico de la motivación racista, antisemita o con base en otra clase

relevantes desde la perspectiva de la no discriminación por motivo de origen racial o étnico, de los que España forma parte, podrían citarse numerosos Tratados de la Organización de Naciones Unidas (ONU) y del Consejo de Europa[9]. Entre los primeros, cabría señalar la Declaración Universal de Derechos Humanos (1948)[10], el Convenio número 97 de la Organización Internacional del Trabajo sobre los

---

de discriminación referente a la etnia, raza o nación de origen de la víctima en la comisión de los delitos; el artículo 314 recoge el delito de discriminación en el empleo; el artículo 510 castiga la provocación a la discriminación por motivos racistas; el artículo 511 penaliza la denegación a una persona de una prestación a la que tenga derecho por razón, entre otras, de su pertenencia a una etnia o raza, o su origen nacional, tanto por parte de los encargados de servicios públicos como, por asociaciones fundaciones u otras corporaciones; el artículo 512 contempla el delito de denegación de prestaciones cometidas en el ejercicio de actividades profesionales o empresariales. El artículo 515 declara ilegales las asociaciones que <<fomenten, promuevan o inciten directa o indirectamente el odio, hostilidad, discriminación o violencia contra personas, grupos o asociaciones por razón de su ideología, religión o creencias, la pertenencia de sus miembros o de alguno de ellos a una etnia, raza o nación, su origen nacional, su sexo, edad, orientación, o identidad sexual o de género, razones de género, de aporofobia o de exclusión social, situación familiar, enfermedad o discapacidad>>. Ello es así, tras la actualización publicada el 5 de junio de 2021 que entró en vigor el 25 de junio de 2021, puesto que quedó modificado el punto 4° del artículo 515 por la disposición final sexta número 35 de la Ley Orgánica 8/2021, de 4 de junio.

La Ley Orgánica 4/2000, de 11 de enero, sobre derechos y libertades de los extranjeros en España y su integración social, en su artículo 23, califica como discriminatorio todo acto que <<directa o indirectamente, conlleve una distinción, exclusión, restricción o preferencia contra un extranjero basada en la raza, el color, la ascendencia o el origen nacional o étnico, las convicciones y prácticas religiosas, y que tenga como fin o efecto destruir o limitar el reconocimiento o el ejercicio, en condiciones de igualdad, de los derechos humanos y de las libertades fundamentales en el campo político, económico, social o cultural>>a.

9 SCHUMANN, KLAUS: <<The role of Council of Europe>>, en *Minority Rights in Europe. The Scope for a Trasnational Regime*, Ed. Hugh Miall, The Royal Institute of International Affairs, London, 1994, pp. 87-98.

10 Adoptada y proclamada por la Resolución de la Asamblea General 217 A (iii) del 10 de diciembre de 1948. Art. 2.1: <<Toda persona tiene todos los derechos y libertades proclamados en esta Declaración, sin distinción alguna de raza, color, sexo, idioma, religión, opinión política o de cualquier otra índole, origen nacional o social, posición económica, nacimiento o cualquier otra condición>>. Art. 7: <<Todos son iguales ante la ley y tienen, sin distinción, derecho a igual protección de la ley. Todos tienen derecho a igual protección contra toda discriminación que infrinja esta Declaración y contra toda provocación a tal discriminación>>.

trabajadores migrantes (1949)[11], el Convenio número III de la Organización Internacional del Trabajo sobre la discriminación en materia de empleo y ocupación (1958)[12], la Convención Internacional sobre la Eliminación de todas las Formas de Discriminación Racial (1965)[13], los Pactos de Derechos Civiles y Políticos[14] (1966) y sobre Derechos

---

11 Adoptado el 1 de julio de 1949, ratificado por España el 21 de marzo de 1967.

12 Adoptado el 25 de junio de 1958, ratificado por España el 6 de noviembre de 1967.

13 Adoptada y abierta a la firma y ratificación por la Asamblea General en su resolución 2106 A (XX), de 21 de diciembre de 1965. Entrada en vigor: 4 de enero de 1969, de conformidad con el artículo 19.
Considerando que la Declaración de las Naciones Unidas sobre la eliminación de todas las formas de discriminación racial, de 20 de noviembre de 1963 [resolución 1904 (XVIII) de la Asamblea General] afirma solemnemente la necesidad de eliminar rápidamente en todas las partes del mundo la discriminación racial en todas sus formas y manifestaciones y de asegurar la comprensión y el respeto de la dignidad de la persona humana, en el artículo 1 se define así el concepto de discriminación racial: <<toda distinción, exclusión, restricción o preferencia basada en motivos de raza, color, linaje u origen nacional o étnico que tenga por objeto o por resultado anular o menoscabar el reconocimiento, goce o ejercicio, en condiciones de igualdad, de los derechos humanos y libertades fundamentales en las esferas política, económica, social, cultural o en cualquier otra esfera de la vida pública>>. Vid. MACEWEN, MARTIN: *Tackling Racism in Europe. An Examination of Anti-discrimination Law in Practice*, Berg, Oxford/Washington D.C., 1995, pp. 47-52.

14 Adoptado y abierto a la firma, ratificación y adhesión por la Asamblea General en su resolución 2200 A (XXI), de 16 de diciembre de 1966. Entrada en vigor: 23 de marzo de 1976, de conformidad con el artículo 49. Ratificado por España el 13 de abril de 1977. «BOE» núm. 103, de 30 de abril de 1977. Asimismo, cabe destacar el instrumento de adhesión de 17 de enero de 1985 de España al Protocolo Facultativo del Pacto Internacional de Derechos Civiles y Políticos. «BOE» núm. 76/1985, de 2 de abril de 1985. Artículo 26: <<Todas las personas son iguales ante la ley y tienen derecho sin discriminación a igual protección de la ley. A este respecto, la ley prohibirá toda discriminación y garantizará a todas las personas protección igual y efectiva contra cualquier discriminación por motivos de raza, color, sexo, idioma, religión, opiniones políticas o de cualquier índole, origen nacional o social, posición económica, nacimiento o cualquier otra condición social>>. Artículo 27: <<En los Estados en que existan minorías étnicas, religiosas o lingüísticas, no se negará a las personas que pertenezcan a dichas minorías el derecho que les corresponde, en común con los demás miembros de su grupo, a tener su propia vida cultural, a profesar y practicar su propia religión y a emplear su propio idioma>>.

Económicos, Sociales y Culturales (1966)[15], la Convención sobre la Eliminación de todas las Formas de Discriminación contra la Mujer[16] (1979), la Convención sobre los Derechos del Niño (1989)[17].

Asimismo, en el ámbito del Consejo de Europa, está reconocida la prohibición de discriminación racial en numerosos Tratados[18], entre

---

15 Adoptado y abierto a la firma, ratificación y adhesión por la Asamblea General en su resolución 2200 A (XXI), de 16 de diciembre de 1966. Entrada en vigor: 3 de enero de 1976, de conformidad con el artículo 27. Ratificado por España el 13 de abril de 1977. «BOE» núm. 103, de 30 de abril de 1977. Art. 2.2: <<Los Estados Partes en el presente Pacto se comprometen a garantizar el ejercicio de los derechos que en él se enuncian, sin discriminación alguna por motivos de raza, color, sexo, idioma, religión, opinión política o de otra índole, origen nacional o social, posición económica, nacimiento o cualquier otra condición social>>.

16 Adoptada y abierta a la firma y ratificación, o adhesión, por la Asamblea General en su resolución 34/180, de 18 de diciembre de 1979. Entrada en vigor: 3 de septiembre de 1981, de conformidad con el artículo 27 (1). Instrumento de Ratificación de España de 16 de diciembre de 1983. «BOE» núm. 69, de 21 de marzo de 1984, PP. 7715-7720. Art.1: <<A los efectos de la presente Convención, la expresión "discriminación contra la mujer" denotará toda distinción, exclusión o restricción basada en el sexo que tenga por objeto o resultado menoscabar o anular el reconocimiento, goce o ejercicio por la mujer, independientemente de su estado civil, sobre la base de la igualdad del hombre y la mujer, de los derechos humanos y las libertades fundamentales en las esferas política, económica, social, cultural y civil o en cualquier otra esfera>>.

17 Adoptada el 20 de noviembre de 1989, ratificada por España el 6 de diciembre de 1990.

18 Carta Social Europea, de 18 de octubre de 1961, firmada por España el 27 de abril de 1978, y ratificada el 6 de mayo de 1980; Convenio Marco para la protección de las Minorías Nacionales, del Consejo de Europa, de 1 de febrero de 1995, ratificado por España el 1 de septiembre de 1995; Protocolo nº 7 del Convenio para la protección de los derechos humanos y libertades fundamentales (C. 117), de 22 de noviembre de 1984, firmado por España el 22 de noviembre de 1984, ratificado el 16 de septiembre de 2009 y en vigor en nuestro país desde el 1 de diciembre de 2009; Protocolo número 12 del Convenio para la protección de los derechos humanos y de las libertades fundamentales, del Consejo de Europa, de 4 de noviembre de 1950, ratificado por España el 13 de febrero de 2008; Convenio sobre el delito cibernético (C. 185), de 23 de noviembre de 2001, ratificado por España el 3 de junio de 2010, y en vigor desde el 1 de octubre de 2010; Convenio para la prevención y sanción del delito de genocidio, de 9 de diciembre de 1948, al que España se adhirió el 13 de septiembre de 1968, y en vigor desde el 8 de febrero de 1969; Estatuto de Roma de la Corte Penal Internacional, de 17 de julio de 1998, ratificado por España el 24 de octubre del 2000, y en vigor desde el 1 de julio de 2002; Convención relativa a la lucha contra las discriminaciones

los que destaca el Convenio Europeo para la Protección de los Derechos Humanos y de las Libertades Fundamentales (1950)[19]. Concretamente, este último texto normativo, al que repetidas veces nos hemos referido anteriormente, conocido como Convención de Roma, contempla en su artículo 14 tanto la cláusula de igualdad en general, como la de prohibición de discriminación por algunas causas específicas, si bien únicamente en relación con el ejercicio de otros derechos reconocidos en el tratado. Literalmente precisa: <<El goce de los derechos y libertades reconocidos en el presente Convenio ha de ser asegurado sin distinción alguna, especialmente por razones de sexo, raza, color, lengua, religión, opiniones políticas u otras, origen nacional o social, pertenencia a una minoría nacional, fortuna, nacimiento o cualquier otra situación>>[20].

De ahí que el Consejo de Europa pasara a considerar con el tiempo la necesidad de incorporar un concepto de prohibición de discrimina-

---

en la esfera de la enseñanza, de 14 de diciembre de 1960, firmada por España el 20 de agosto de 1969, y en vigor desde el 20 de agosto de 1970.

19 El Convenio para la protección de los Derechos Humanos y de las Libertades Fundamentales firmado en Roma el 4 de noviembre de 1950, es un tratado por el que los 46 Estados miembros del Consejo de Europa han acordado comprometerse a proteger los derechos humanos y las libertades fundamentales, tipificarlos, establecer el Tribunal Europeo de Derechos Humanos y someterse a su jurisdicción; es decir, acatar y ejecutar sus sentencias. España asumió la competencia del Tribunal como consecuencia de la ratificación del Convenio, en virtud del instrumento de fecha 4 de octubre de 1979. Cabe resaltar que tras la decisión del Comité de Ministros del 16 de marzo de 2022, la Federación de Rusia dejó de ser un Estado miembro del Consejo de Europa, debido a la entrada en guerra contra Ucrania. Disponible en: https://www.coe.int/es/web/about-us/our-member-states

20 La traducción del art. 14 del Convenio Europeo publicada oficialmente en el BOE el 10 de octubre de 1979 toma como referencia el texto en la versión francesa, ya que este expresamente señala que el goce de los derechos y libertades ha de ser asegurado "*sans distinction aucune*". Vid. FREIXES SANJUÁN, TERESA en su artículo <<Las principales construcciones jurisprudenciales del Tribunal Europeo de Derechos Humanos. El standard mínimo exigible a los sistemas internos de derechos en Europa>>, *Cuadernos Constitucionales de la Cátedra Fadrique Furió Ceriol*, Nº 11-12, op. cit. Asimismo vid. CARMONA CUENCA, ENCARNACIÓN: <<La prohibición de discriminación (art. 14 CEDH y Protocolo 12)>>, en *La Europa de los Derechos. El Convenio Europeo de Derechos Humanos*, (coord. por GARCÍA ROCA, F. J. y SANTOLAYA, P.), CEPC, Madrid, 2005, pp. 665-696.

ción más amplio, que abarcara no solamente los derechos y libertades reconocidos en el CEDH. Concretamente, gracias al Protocolo número 12, ratificado por España en 2008, se otorga carácter independiente a la prohibición de la discriminación[21]. Este protocolo número 12[22] reconoce así una prohibición de discriminación amplia y no como la existente hasta entonces, circunscrita a los derechos expresamente reconocidos en el Convenio o sus protocolos. Es interesante observar que en el Informe Aclaratorio oficial de este Protocolo, se resalta la escasa operatividad hasta esa fecha del artículo 14 del Convenio[23], su incapacidad para distinguir los diversos tipos de discriminación y la escasamente significativa interpretación por parte del Tribunal Europeo de dicha disposición, sobre todo en materia de las discriminaciones raciales y sexuales. Tengamos en cuenta que la discriminación por motivo de origen racial o étnico se manifiesta a través de diversas figuras, todas ellas reconocidas jurídicamente[24]: la discriminación di-

[21] El artículo primero del Protocolo número 12 dispone: <<El ejercicio de cualquier derecho reconocido por la ley será asegurado sin ninguna discriminación fundada, en particular, en razón de género, raza, color, lengua, religión, opiniones políticas o de cualquier otro tipo, origen nacional o social, pertenencia a una minoría nacional, riqueza, nacimiento o cualquier otra situación>>. Como se ve, se mantiene la inercia en el sistema de protección del Consejo de Europa de ir en esta materia un par de pasos por detrás de lo que podríamos denominar "estándar actual de protección de los derechos", ya que se opta por incluir la misma lista que hoy rige en el art. 14 del Convenio, sin añadir otros rasgos sospechosos como la orientación sexual, a pesar de que el Tribunal en este punto sí ha realizado una interpretación muy protectora de los derechos de homosexuales y transexuales, la edad o la discapacidad. Aunque la lista es abierta, obviamente, la presencia explícita en ella despliega efectos interpretativos directos de relevante significado.

[22] Abierto a la firma el 4 de noviembre de 2000 (en la significativa fecha del quincuagésimo aniversario del Convenio) y que ha entrado en vigor el 1 de abril de 2005 (en España el 1 de junio de 2008).

[23] Así como la particularidad de que no reconozca un principio general de igualdad (discriminación en sentido amplio), a diferencia del resto de textos internacionales comparables. Bien es verdad que el Tribunal lo reconocería de forma implícita muy pronto, como "igualdad de trato", desde la sentencia histórica del caso lingüístico belga de 23 de julio de 1968.

[24] Como ya se apuntó en otro lugar, anteriormente, la discriminación directa se produce cuando, por motivos de origen racial o étnico, una persona sea tratada de manera menos favorable de lo que sea, haya sido o vaya a ser tratada otra en situación comparable;

recta o discriminación por diferenciación, la discriminación indirecta o discriminación por indiferenciación, el acoso discriminatorio o la recientemente desarrollada y denominada como "discriminación múltiple"[25].

Partiendo de que la igualdad constituye un valor esencial en todos los ordenamientos jurídicos de los Estados miembros de la Unión Europea y además es un derecho transversal donde los haya, conviene reflexionar sobre las consecuencias que provoca un entendimiento equivocado de la igualdad y como contrapartida del propio principio de no discriminación. A mi modo de ver, una de las razones que explica la complicada situación que viven las minorías en Europa (recortes en educación, sanidad, vivienda, precariedad laboral, entre otros) obedece a una equivocada configuración de la igualdad como valor y del principio de no discriminación, y además a una incorrecta traslación de estas categorías a diferentes derechos fundamentales, partiendo de la idea de que la igualdad supone el respeto de las diferencias y la lucha con las desigualdades porque estas implican discriminación[26].

---

la discriminación indirecta existe cuando una disposición, criterio o práctica aparentemente neutros sitúe a personas de un origen racial o étnico concreto en desventaja particular con respecto a otras personas;
el acoso discriminatorio se deriva de toda conducta no deseada, relacionada con el origen racial o étnico de una persona, que tenga como objetivo o consecuencia atentar contra su dignidad y crear un entorno intimidatorio, humillante u ofensivo. Vid. <<Informe anual sobre la situación de la discriminación y la aplicación del principio de igualdad de trato por origen racial o étnico en España 2011>> elaborado por el Consejo para la Promoción de la Igualdad de Trato y No Discriminación de las Personas por el Origen Racial o Étnico, Ministerio de Sanidad, Servicios Sociales e Igualdad. Centro de Publicaciones, Madrid, 2012, p. 15.

25 La discriminación múltiple se produce cuando concurren o interactúan diversos motivos de discriminación, generando una forma específica de discriminación. Vid. Ibídem, p. 15. Dicho de otro modo: la discriminación no surge por un sólo factor (la etnia, o el género, o la orientación sexual), sino que aparece como una combinación simultánea de diferentes factores: etnia y discapacidad; género y etnia; origen social, género y etnia. Es el concepto de discriminación múltiple, que ya fue manejado por el feminismo al menos desde los años 80 del siglo XX, pero que ha irrumpido con fuerza fundamentalmente desde su reconocimiento expreso en la Conferencia de Naciones Unidas contra el Racismo, la Discriminación Racial, la Xenofobia y la Intolerancia, celebrada en Durban (Sudáfrica) en el año 2001.

26 FERNÁNDEZ RUIZ-GÁLVEZ, ENCARNACIÓN: *Igualdad y Derechos Humanos*, op. cit., p. 20. Como allí señala la autora, la igualdad no se opone a las

La evolución histórica de la igualdad se ha venido clasificando en cuatro expresiones: a) igualdad jurídico-política[27], b) igualdad social[28], c) igualdad de oportunidades, d) igualdad económica. Aunque todas ellas son igualmente importantes y merecen ser objeto de protección, nos centraremos en la igualdad de oportunidades debido a que me parece que es la columna vertebral de la igualdad, conectando directamente con el principio de no discriminación, gozando de una doble vertiente.

En una primera aproximación, la igualdad de oportunidades significa *igual acceso*, es decir, igual reconocimiento e igual mérito, lo que se traduce en la mayoría de las ocasiones en la fórmula de la <<carrera abierta al talento>, en función de las capacidades y de los méritos.

---

diferencias que integran la identidad de cada persona (sexo, raza, etnia, religión, opiniones políticas, lengua, cultura, o situaciones vitales como ser niño, un anciano, un moribundo, etc.), sino a las desigualdades de tal manera que "la igualdad supone el respeto de las diferencias y la lucha contra las desigualdades", p. 20.

27 La primera –igualdad jurídico-política- es la igualdad planteada por leyes iguales para todos (la generalidad de la ley), por iguales derechos y, en definitiva, por una libertad igual, que se corresponde con el principio: <<a cada cual los mismos derechos legales y políticos, y por ello el poder legalizado de resistir al poder político>>. Vid. PECES-BARBA, GREGORIO: *Curso de derechos fundamentales. Teoría General.* Colaboradores: Rafael de Asís Roig, Carlos Fernández Liesa, Ángel Lamas Cascón, Boletín Oficial del Estado (BOE), Madrid, 1995 (3ª Reimpresión en 2014).

28 La segunda es la igualdad social, la igualdad de <<estima>> y del status subrayada por Tocqueville y por Bryce, que se corresponde con el principio: <<a cada uno el mismo status, y por ello el poder de resistir a la discriminación racial>>. Desde este segundo aspecto de la igualdad, todos tienen derecho a una igual consideración, a ser tratados como iguales en las relaciones sociales. Sirva de ejemplo, la Sentencia del Tribunal Europeo de Derechos Humanos <<Muñoz Díaz contra España>>, de 9 de diciembre de 2009, por haber declarado la existencia de una violación del derecho reconocido en el artículo 14 en relación con el artículo 1 del Protocolo nº 1 ya que en este litigio estratégico en el que ya nos detuvimos anteriormente, el Tribunal de Estrasburgo consideró que la percepción o no de una pensión sí que estaba dentro de los bienes futuribles que entran dentro del derecho de propiedad según su propia jurisprudencia (pár. 44). El Tribunal enfatizó literalmente que "la vulnerabilidad de los gitanos implica prestar una atención especial a sus necesidades y modo de vida propio, tanto con carácter general como en los casos particulares". Con ello dejaba claro que no se trataba de aplicar de modo más favorable las leyes a los gitanos, lo que, además, resultaría harto discutible, sino, más bien, de que no se les tratase peor que a otras personas en situaciones comparables.

Según esto, a cada uno habría que darle las mismas oportunidades de acceso y, por lo tanto, el poder de hacer que el mérito cuente.

Una segunda acepción de igualdad de oportunidades remite, por el contrario, a la *igualdad de partida*, igualdad de condiciones iniciales (para lograr la igualdad de acceso). En realidad, igualar en las condiciones de partida implicaría alcanzar iguales posiciones de partida, posiciones que también incluirían las educativas, formativas, económicas, etc., esto es, a cada uno habría que darle un poder material inicial adecuado para conseguir los mismos talentos y posiciones que a cualquier otro. Esto quiere decir que la igualdad de oportunidades se corresponde con este principio: a ninguno ha de darse ningún poder, económico o de otro tipo que le sitúe en clara ventaja frente a los demás.

La línea divisoria entre las distintas formas de igualdad vendría definida en función de si se ha conseguido o no una *igualdad de circunstancias*. Por otra parte, esta franja necesariamente queda atravesada por la noción de la igualdad de oportunidad. Ha de tenerse en cuenta que el bienestar de una persona, la denominada <<libertad de bienestar>>[29] se encuentra estrechamente unida a su capacidad de "realizaciones"[30], tomando este término en sentido amplio; lo que se

29 Según explica K. SEN, AMARTYA en su obra *Bienestar, justicia y mercado*, Paidós, I.C.E: de la Universidad Autónoma de Barcelona, Barcelona, 1997: "La libertad de bienestar es una libertad de un tipo particular. Se centra en la capacidad de una persona para disponer de varios vectores de realización y gozar de las correspondientes consecuciones de bienestar. Este concepto de libertad basado en la faceta de bienestar de la persona tiene que ser distinguido con claridad de un concepto más amplio de libertad que tiene que ver con la faceta de agente de la persona. La <<libertad de ser agente>> de una persona se refiere a lo que la persona es libre de hacer y conseguir en la búsqueda de cualesquiera metas o valores que considere importantes. La faceta de agente no se puede comprender sin tener en cuenta sus objetivos, propósitos, fidelidades, obligaciones –y en un sentido amplio- su concepción del bien. Mientras que la libertad de bienestar es la libertad para conseguir algo en particular – a saber, el bienestar-, la idea de libertad de ser agente es más general, puesto que no está vinculada a ningún tipo de objetivo. La libertad de ser agente es la libertad para conseguir cualquier cosa que la persona, como agente responsable, decida que habría que conseguir. Esa condicionalidad abierta hace que la naturaleza de la libertad de ser agente sea bastante diferente de la libertad de bienestar, la cual se centra en un tipo particular de propósito y juzga las oportunidades en consecuencia", pp. 85-86.

30 Vid. Ibídem, p. 77.

pone en entredicho cuando uno se siente discriminado por formar parte de una minoría o cuando la educación, la sanidad, el trabajo o la percepción de alimentos se convierten en un mero privilegio al que no se tiene acceso de forma generalizada.

La inclusión a través de la igualdad de oportunidades y de las políticas contra la discriminación implica luchar por una equiparación real entre los ciudadanos, a sabiendas de que algunos sujetos aun "teniendo los mismos derechos, encuentran dificultades para ponerlos en práctica por razones de sexo, color de la piel, cultura, religión, y en general, por factores que no dependen de la voluntad de la persona sino que son propiedades de nacimiento"[31].

Lo que ocurre es que, en ocasiones, en aras de paliar las desigualdades, el principio de no discriminación se lleva hasta sus últimas consecuencias generando un efecto *boomerang* y creando nuevas e incluso formas más graves de desigualdad. Aquí entraría de lleno, por ejemplo, la interesante discusión sobre si el hecho de pertenecer a una minoría puede influir sobre "el modo de aplicar las leyes", cuestión sobre la que, como ya sabemos, se ocupó el juez holandés Myjer en su voto particular en el sonado caso *Muñoz Díaz contra España* (2009)[32], resaltando que el TEDH se había extralimitado en sus funciones interpretativas del CEDH y que ello podía generar desconfianza en los Estados, *pues entendía que más que reconocer derechos, se había creado* (-con la pretensión de igualar-[33]) *un nuevo derecho*[34].

Es importante no olvidar el riesgo que se corre cuando no se abordan procesos reales de integración de las minorías, pensando que es suficiente con contar con un prolífico marco jurídico, proyectos y políticas sociales en favor de los grupos sociales para lograr los objetivos deseados. Dicho de otra manera: si no se logra garantizar el cumplimiento de lo que se recoge jurídicamente, la regulación de la ciudadanía en abstracto se vuelve en un dispositivo más de poder

---

[31] ZAPATA-BARRERO, RICARD: <<Los tres discursos de la inclusión de la inmigración en la UE: pobreza, discriminación y desigualdad de derechos>>, *Ekonomi Gerizan* XIII, Federación de Cajas de Ahorros Vasco-Navarras, p. 207.

[32] Asunto Muñoz Díaz c. España (Demanda nº 49151/07). Sentencia de TEDH de 8 de diciembre de 2009.

[33] La acotación es mía.

[34] La cursiva es mía.

y dominación, en el cual la persona participa y concibe su existencia bajo la falsa idea de que es un ciudadano con derechos que están garantizados cuando, en la práctica, ello no es así, al desarrollar su vida cotidiana en medio de una ciudadanía fraccionada por las desigualdades sociales en la que no todos tienen el mismo acceso a los bienes y servicios imprescindibles para satisfacer las necesidades básicas[35]. En este sentido, no puede ser más explícito Ferrajoli: "(...) es la igualdad en los derechos, como garantía de la tutela de todas las diferencias de identidad personal y de la reducción de las desigualdades materiales, la que hace madurar la percepción de los otros como iguales y, por ello, el sentido común de pertenencia y la identidad colectiva de una comunidad política"[36].

Si nos centramos en el discurso de la Unión Europea, es verdad que se ha hecho un esfuerzo por evitar que las minorías se sientan discriminadas por su origen racial o étnico pero, como ya he dicho, no basta con esto. A mi modo de ver, es de gran importancia que todos los sujetos, formen o no parte de una minoría, puedan competir con los demás ciudadanos en igualdad de oportunidades. No debería caerse en el reduccionismo que entiende que el sujeto que forma parte de una minoría tan solo tiene un derecho: no sentirse discriminado, de tal manera que todo lo demás no son más que deberes para él. En este sentido, convendría recordar, en lo que al ámbito de la Igualdad y no discriminación se refiere, la Directiva 2000/43/CE del Consejo, de 29 de junio de 2000, relativa a la aplicación del principio de igualdad de trato de las personas independientemente de su origen racial o étnico, examinada con anterioridad.

Aquí trataré de defender que la igualdad de oportunidades constituye una pieza central a la hora de abarcar el problema de la integración de las minorías desde la perspectiva de la legitimidad. Asimismo, invitaré al lector a apostar por una concepción material de la igualdad de oportunidades porque, a mi juicio, supera a la concepción formal en la medida en que esta se centra en el principio de antidiscrimina-

---

35 MEJÍA, M. R.: *La(s) escuela(s) de la(s) gobalizacion(es) II. Entre el uso técnico instrumental y las educomunicaciones*. Desde Abajo, Bogotá, Colombía, 2011, p. 39.

36 FERRAJOLI, LUIGI: *Iura Paria. Los Fundamentos de la democracia constitucional*. Edición de Dario Ippolito y Fabrizio Mastromartino. Traducción de Andrea Greppi, Trotta, Madrid, 2020, pp. 48.

ción mientras que aquélla implica, como dice Roemer, un "antes" y un "después": "antes que las oportunidades sean igualadas y después de esto, cuando "el campo de juego" de los individuos que compiten entre sí está diseñado de un modo tal que la competencia es justa"[37]. A mi modo de ver, salta a la vista que para asegurar la igualdad de oportunidades resulta indispensable un comportamiento intervencionista por parte de las instituciones estatales para que estas corrijan las desventajas surgidas en relación con las coyunturas histórico-culturales o puras arbitrariedades.

Cuando me refiero aquí a arbitrariedades estoy pensando en lo que Rawls denomina "la arbitrariedad de la fortuna"[38] en la medida en que de esta no puede depender la posibilidad de que los individuos tengan o no acceso a los bienes primarios. Más bien al contrario, el acceso a este tipo de bienes debería depender de que se cumplan determinadas características morales consideradas relevantes. Siguiendo a Rawls, cabría decir que la personalidad moral se convierte en una condición suficiente para ser sujeto de justicia, definiéndose aquélla en relación con dos poderes morales: 1) la capacidad de formar una concepción del bien propio, y 2) la capacidad del sentido de la justicia, es decir, el deseo de actuar de acuerdo con principios de justicia[39]. Pero como dice Loewe, "si todos aquellos que tienen estas capacidades son sujetos de justicia, no hay ninguna razón para suponer que debamos

---

37 ROEMER, JOHN E.: <<Equality and Opportunity>>, *Meritocracy and Economic Inequality*, ed. K. Arrow, S. Bowles y S. Durlauf, Oxford Universtiy Press, Oxford, New York, 2000.

38 Vid. RAWLS, JOHN: *A Theory of Justice*, Belknap Press of Harvard University Press, Cambridge, Massachusetts, 1971, p. 102. La presuposición básica de la teoría de la justicia de Rawls es que nuestro punto de partida económico y social, así como nuestra dotación natural, constituyen elementos o características "contingentes" y, por tanto, "moralmente arbitrarios" (*arbitrary from a moral point of view*). Podríamos decir que son el resultado de la lotería natural, lo que se podría extender hasta el hecho de poseer un carácter superior que pudiese favorecer el desarrollo de capacidades productivas. Vid. Ibídem, p. 104. Rawls por ello defiende un planteamiento en el que la razón debe manifestarse mediante una decisión de la comunidad que se ha consensuado de forma libre. Ello implica que la autonomía y, en suma, la razón entendida como justicia, conllevaría la responsabilidad de la sociedad de corregir las desigualdades que han venido dadas por la naturaleza a los individuos.

39 RAWLS, JOHN: *A theory of Justice*, op. cit.

limitar nuestras obligaciones de justicia a los sujetos que casualmente viven en nuestra sociedad. Desde la perspectiva de una interpretación cosmopolita, una interpretación coherente de la teoría de Rawls tendría que tomar también la forma de una teoría de justicia global" [40], y añado yo "universalizable"[41], con palabras de Llano: "(...) mientras que Rawls se da por satisfecho con la constitución y aplicación a las relaciones internacionales entre los Estados de un Derecho de gentes que garantice la justicia y la estabilidad de los pueblos liberales y decentes que viven como miembros de una sociedad de los pueblos bien ordenados, para Kant, en cambio al igual que para otros muchos ilustrados de la época, por encima de ese *ius gentium* se encuentra el *ius cosmopoliticum*, concebido como un fundamento racional y formal de la idea de identidad común de los seres humanos. Por consiguiente, la propuesta kantiana va más allá de las metas establecidas por el liberalismo político rawlsiano, es más, tal y como se desprende del *Tercer artículo definitivo de La paz perpetua* se sitúa propiamente en la intersección de dos coordenadas: el cosmopolitismo y el liberalismo global"[42].

Parece inevitable que la arbitrariedad de la fortuna nos conduzca a adquirir una determinada ciudadanía, al igual que un determinado origen racial o étnico, que escapa a nuestro control y que determina nuestro talante, posición y disposición en el mundo que nos toca vivir. Al mismo tiempo el bienestar de una persona, la denominada <<libertad de bienestar>>[43] se encuentra estrechamente unida a su capacidad de "realizaciones"[44], tomando este término en sentido amplio,

---

40 LOEWE, DANIEL: <<Inmigración y el Derecho de Gentes de John Rawls. Argumentos a favor de un derecho a movimiento sin fronteras>>, *Revista de Ciencia Política*, Vol. 27, Nº 2, Pontificia Universidad Católica de Chile, Santiago, Chile, 2007, pp. 29-30.

41 Sobre la recepción que hace Rawls de la idea kantiana de los derechos humanos, ignorando que el filósofo alemán es adalid del universalismo, recomiendo la lectura del libro de LLANO, FERNANDO H.: *El Humanismo Cosmopolita de Immanuel Kant*, Cuadernos Bartolomé de las Casas, 25, Instituto de Derechos Humanos Bartolomé de las Casas, Universidad Carlos III de Madrid, Dykinson, Madrid, 2002, pp. 168 y ss.

42 Víd. Ibídem, p. 169. También CORTINA, ADELA: *¿Para qué SIRVE realmente...? La Ética*, Paidós, Barcelona, 2022, pp. 80 y ss.

43 Vid. SEN, AMARTYA K.: *Bienestar, justicia y mercado*, op. cit., pp. 85-86.

44 Vid. Ibídem, p. 77.

siguiendo en ello a Amartya K. Sen. Como ha precisado Cortina: "Es sumamente fecundo el "enfoque de las capacidades" de Amartya Sen, que nace para proporcionar una base de información para "medir" el desarrollo de los pueblos, pero permite también interpretar el principio del Fin en sí mismo como fin positivo, y no sólo limitativo, de las actividades humanas. No instrumentalizar y no dañar a las personas son principios básicos, pero también lo es empoderarles para que puedan realizar sus proyectos vitales"[45].

Aunque haya afirmado Rawls[46] que la necesidad de inmigrar desaparecería si todas las sociedades se organizasen de acuerdo a una estructura interna liberal o decente, a mi modo de ver, ello no implica que los "problemas" que plantean la integración de las minorías desaparecerían en una sociedad internacional de sociedades bien-ordenadas al no darse las causas que originan la persecución étnica y religiosa, la opresión política, las hambrunas y la presión del crecimiento de la población. En todo caso, si consideramos que los derechos son indisponibles, como observa Ferrajoli[47], aun no dándose estas causas, el sujeto no debería perder la titularidad del derecho a ser tratado conforme al principio de dignidad humana como sujeto moral, al no depender esto de cuestiones puramente histórico-coyunturales o de pragmatismos políticos como el desenvolvimiento mejor o peor de las políticas públicas. Dicho de otra manera: no debería depender del éxito o fracaso de las políticas públicas que uno pudiera gozar en mayor o menor medida del derecho a disfrutar de un trato igual independientemente del origen racial o étnico porque, precisamente, ello deriva de premisas morales que nos acompañan como seres humanos, y que son –insisto- indisponibles desde el punto de vista tanto activo como pasivo[48]. Como recuerda Sayago: "El respeto y protección de la dignidad como base jurídica fundamental, por tanto, es la premisa inexcusable y omnipresente en todo el Derecho, con un carácter ab-

---

45 CORTINA, ADELA: *Ética de la razón cordial Educar en la ciudadanía en el siglo XXI*, op. cit., p. 226.

46 RAWLS, JOHN: *The Law of Peoples with "The idea of Public Reason Revisited"*, Harvard University Press, Cambridge, Massachusetts, 2001, p. 9.

47 FERRAJOLI, LUIGI: *Derechos y garantías*, Trotta, Madrid, 2004.

48 Vid. Ibídem. En esta misma línea, vid. ATIENZA, MANUEL: *Sobre la dignidad humana*, Trotta, Madrid, 2022, en particular, p. 127.

soluto que no admite "paréntesis" en su manifestación, ni estados de suspensión o de excepción: es irrenunciable e indisponible"[49].

Resulta por ello imprescindible que el principio de igualdad de trato tenga verdadera efectividad frente a todos los sujetos independientemente de cuál sea el color de la piel o de la etnia a la que se pertenezca. Esto quiere decir que el discurso apoyado en el principio de prohibición de discriminación, aun siendo muy importante, es insuficiente, como ya he insistido anteriormente. Es indispensable que los sujetos que formen parte de una minoría superen la situación de desventaja de la que parten y para ello resulta necesario concretar medidas desde la noción de "ciudadanía cívica". Hace falta, pues, un discurso integrador que posibilite el equilibrio de posiciones e iguale, y no un tipo de discurso excluyente en el que se acentúen todavía más las diferencias "anecdóticas" o propiamente derivadas de la biología o de la fortuna, las cuales nos alejan del planteamiento de que todos los seres humanos somos sujetos constitutivamente morales. Como ha afirmado, con rotundidad, Nussbaum: "el accidente de haber nacido en Sri Lanka, o judío, o mujer, o afroamericano, o pobre, no es más que esto, algo accidental con lo que nos encontramos al nacer. No se considera, ni debería ser considerado como un factor determinante de valor moral"[50].

La inclusión a través de la igualdad de oportunidades y de las políticas contra la discriminación implica luchar por una equiparación real de los sujetos que formen parte de una minoría con respecto al resto de ciudadanos, a sabiendas de que teniendo los mismos derechos, encuentran dificultades para ponerlos en práctica injustamente por razones como el color de la piel, la cultura o la etnia, esto es, por factores que no dependen de la voluntad de la persona sino que mu-

---

49 SAYAGO ARMAS, DIANA: *Dignidad y Derecho*. Prólogo de Antonio Torres del Moral, Tirant lo blanch, Valencia, 2021, p. 48. También recomiendo la lectura de VON DER PFORDTEN, DIETMAR: *Dignidad humana*, Atelier, Barcelona, 2020.

50 NUSSBAUM, MARTHA C.: "Réplica a sus críticos" en *Los límites del patriotismo. Identidad, pertenencia y ciudadanía mundial*, compilado por J. Cohen, trad. cast. C. Castells, Paidós, Barcelona, 1999, p. 161, y por la edición de 2013, p. 169.

chas veces son propiedades biológicas o culturales, esto es, inherentes al propio nacimiento[51].

1.1. El principio de las reglas del juego iguales para todos

Una cuestión sobre la que merecería la pena reflexionar es qué debemos entender por *el principio de las reglas del juego iguales para todos*, el cual está estrechamente relacionado con la concepción de la igualdad de oportunidades. En las democracias occidentales observamos que las opiniones sobre lo que es necesario para conseguir la igualdad de oportunidades son muy variadas y abarcan desde la ausencia de discriminación hasta la defensa ilimitada de prestaciones sociales con el fin de paliar cualquier tipo de deficiencia, en el otro extremo. Coincidiría con Roemer en que "hay que igualar las oportunidades antes de que las personas empiecen a competir, en caso necesario mediante la intervención social, pero, una vez comenzada la competición, cada cual ha de valérselas por sí mismo"[52]. ¿Dónde se ha de situar entonces la línea de salida? La igualdad de oportunidades que permita a todos los ciudadanos disfrutar de una posición desahogada exigiría, a mi modo de ver, compensar a los individuos por sus circunstancias – menor nivel económico, por ejemplo – pero no por la diferencia de esfuerzos o aptitudes porque esto está al alcance de cualquiera, aunque bien es verdad que hay quien considera que aquellos son consecuencia de las circunstancias particulares de cada individuo.

En el debate político surgen desacuerdos de dos tipos: 1) ¿Qué aspectos del comportamiento de un sujeto son ajenos a su control y responden a la circunstancia vital que tiene?; 2) ¿si la nivelación de las reglas de juego ha de ser parcial o total? ¿Deberían, por ejemplo, variarse las reglas del juego del baloncesto para que los sujetos que no han crecido en estatura también pudieran tener acceso a este deporte con el mismo éxito que los individuos que son altos? Como

---

51 ZAPATA-BARRERO, RICARD: <<Los tres discursos de la inclusión de la inmigración en la UE: pobreza, discriminación y desigualdad de derechos>>, *Ekonomi Gerizan* XIII, op. cit., p. 207.

52 ROEMER, JOHN E.: <<Igualdad de oportunidades>>, *Dimensiones de la igualdad* (III Simposio sobre Igualdad y Distribución de la Renta y la riqueza. Volumen I), Fundación Argentaria, Madrid, 1999, p. 16.

apunta Roemer, "ser bajo es una circunstancia ajena al control de la persona"[53].

No creo que podamos establecer definitivamente el alcance del adecuado principio de igualdad de oportunidades sin adoptar *una teoría de la justicia distributiva* dentro de cada comunidad. Además de la igualdad de oportunidades, el tamaño y la calidad del conjunto de bienes para el consumo de la sociedad nos pueden inducir a limitar hasta qué punto equiparamos las oportunidades. Este principio se refiere a la solución del compromiso entre igualdad y eficiencia social[54].

Parece razonable pensar que ha de aplicarse el principio de igualdad de oportunidades cuando la ventaja consista en conseguir un atributo necesario para competir y conseguir, por ejemplo, un puesto de trabajo o formarse en una profesión, pero aplicando siempre a los que compiten el principio que prohíbe la discriminación. La sociedad, a mi modo de ver, habría cooperado con su obligación de igualar las oportunidades si proporciona cantidades iguales de recursos económicos, educativos o sanitarios, entre otros, a todos los individuos. A partir de este momento, la competencia para asignar los puestos que proporcionan acceso a la formación superior tendría que pasar a regirse por el principio de no discriminación. Como precisa Kranich, "los agentes tienen <<iguales oportunidades>> si todos los factores que están más allá de su control han sido neutralizados o compensados"[55]. Concretamente, en mi opinión, se trataría de poner el foco en los servicios básicos del Estado de bienestar. No queda más remedio que afrontar, desde la perspectiva de la legitimidad, el problema de las asimetrías que generan los condicionamientos biológicos, étnicos, culturales dentro del reconocimiento genérico de la igualdad.

---

53 Vid. Ibídem, p. 27.

54 Cfr. Ibídem, p. 29.

55 KRANICH, LAURENCE: <<Igualdad y responsabilidad individual>>. A: D. A. *Dimensiones de la desigualdad. III Simposio sobre Igualdad y Distribución de la Renta y la Riqueza*, Vol. I. Fundación Argentaria & Visor, Madrid, 1999, p. 34.

2. LA LEGITIMIDAD A DEBATE EN EL ÁMBITO DE LA PROTECCIÓN DE LAS MINORÍAS

Cuando uno se pregunta por cómo conseguir maximizar la protección de los derechos de las minorías necesariamente conecta con cuestiones de justicia y resulta obligado valorar diferentes concepciones puesto que cada una de ellas nos conduce a la consecución de resultados diferentes. En primer lugar, si nos fijamos en la concepción de la justicia entendida como provecho mutuo[56], a mi modo de ver, esta no resulta convincente porque, como recuerda Barry[57], invita a una lucha por la posición ventajosa que termina desembocando en las palabras del sofista Trasímaco en *La República* de Platón de que <<la justicia no es sino lo que es provechoso al más fuerte>>[58]. Dicho de otro modo: "la justicia como provecho mutuo fracasa estrepitosamente a la hora de hacer algo que normalmente esperamos que una concepción de la justicia haga, y es proporcionar una base moral para las reivindicaciones de los relativamente desprovistos de poder"[59].

Es precisamente esto lo que ha conducido a autores como Nussbaum a distanciarse de las teorías contractualistas sean clásicas o contemporáneas porque defienden a menudo la tesis de que la búsqueda del beneficio es lo que en realidad motiva a los individuos a la cooperación social y no sentimientos de carácter altruista o benevolente. Para la autora norteamericana, conforme al planteamiento de Rawls, si los individuos abandonan el estado de naturaleza es porque al abandonarlo se generan mayores beneficios o ventajas que si se permanece en él. Es por ello por lo que Nussbaum se decanta por una "concepción aristotélica-marxista del ser humano como un ser social y político que se realiza a través de sus relaciones con otros

---

56 Un defensor de la justicia como provecho mutuo es GAUTHIER, DAVID: *Morals by Agreement*, Clarendon Press, Oxford, 1986, p.294. La moralidad para este autor se convierte la moralidad en un conjunto de restricciones provechosas para todos si se observan comúnmente.

57 BARRY, BRIAN: *La justicia como imparcialidad*, Paidós. Estado y Sociedad, Barcelona, 1997, pp. 68-69.

58 PLATÓN: *La República*, 338 c. Vid cita en la página 13 de la edición traducida y editada por Raymond Larson (Arlington Heights, Ill.: AHM Publishing Corp.1979).

59 BARRY, BRIAN: *La justicia como imparcialidad*, op. cit., p. 77.

seres humanos"[60], a partir de sentimientos positivos que nacen claramente de una visión optimista del ser humano en términos antropológicos. Coincidiría así con la pensadora, como ha resaltado di Tullio Arias, en que "la justicia debe ser un bien primordial para todos los seres humanos, y no debe fundarse en ningún otro principio que la justicia misma. La justicia como principio político fundamental no puede estar sujeta a una noción de reciprocidad que sólo surge entre <<iguales>>"[61].

Por desgracia, esta teoría de la justicia como provecho mutuo en los últimos tiempos parece haber encontrado cierto acomodo, en buena parte, como consecuencia del fuerte embiste de la ideología neoliberal, y por ello creo que no pueden ser más oportunas las siguientes palabras de H. L. A. Hart: "Aunque para vivir una vida siquiera mínimamente tolerable, cualquier persona racional debe saber que está obligado a vivir dentro de una sociedad política con un gobierno ordenado, ninguna persona racional que negociara con los demás en pie de igualdad podría aceptar el verse forzado a obedecer las leyes de cualquier gobierno si su libertad e intereses básicos, lo que Mill llamaba <<las bases de la existencia humana>>, no recibieran protección ni se les diera prioridad sobre los meros incrementos del bienestar global, aun cuando dicha protección no pudiera ser absoluta"[62].

Si la teoría de la justicia como reciprocidad es rechazable es porque permite la exclusión de aquellos sujetos que por su condición natural o social no pueden proporcionar beneficios al resto de la sociedad[63]. Tengamos en cuenta que, conforme a ella, el criterio de la justicia es que cualquier pacto mutuamente provechoso que se acuerde ha de ser considerado justo[64]. Al final, esta concepción de la justicia podría terminar defendiendo la estructura del dilema del prisionero, es decir,

---

60 DI TULLIO ARIAS, ANABELLA: <<¿Hacia una justicia sin fronteras? El enfoque de las capacidades de Martha Nussbaum y los límites de la justicia>>, *Daimon. Revista Internacional de Filosofía*, nº 58, 2013, p. 58.

61 Vid. Ibídem, p. 59.

62 HART, H. L. A.: <<Utilitarianism and Natural Rights>>, en Hart, *Essays in Jurisprudence and Philosophy* (Oxford: Clarendon Press, 1983), 181-197, concretamente, p. 195.

63 Pensemos en los discapacitados congénitos. Vid. Allan Gibbard: <<Constructing Justice>>, *Philosophy Public Affairs*, 20, 1991, p. 272.

64 BARRY, BRIAN: *La justicia como imparcialidad*, op. cit., p. 82.

que lo que redunda en interés mío es que todos los demás cooperen y yo quebrante las normas a las que todos previamente se han adherido, cuando al hacerlo así, ello me genere algún tipo de provecho o beneficio personal.

En realidad, si lo pensamos dos veces, una teoría de la justicia debería ser capaz de aclarar cuál es el motivo de que tenga que obrar justamente y cuál es el criterio que guía a un conjunto de reglas justas. Además, debería ser capaz de explicar cómo encajan ambas cuestiones entre sí. De ahí que haya habido autores, entre otros, Brian Barry, que han propuesto como alternativa, a mi modo de ver, una concepción más convincente: la justicia como imparcialidad[65].

Conforme a esta concepción de la justicia, el motivo por el que se han de respetar las exigencias de unas reglas justas descansaría en el deseo de obrar *con equidad*. Las reglas justas serían aquellas aprobadas por los sujetos en pie de igualdad[66], lo que recuerda al planteamiento realizado por Rawls del concepto de equidad haciendo uso de una situación hipotética (la <<posición original>>) en la que los individuos eligen los principios de justicia en un estado primordial de igualdad. Como ha apuntado Amartya K. Sen, "Rawls deriva sus principios de <<justicia>> de su criterio de equidad. Su concepto de <<justicia como equidad>> expresa la idea de que los principios de justicia son aquellos que serían elegidos en una situación inicial que fuese equitativa"[67].

Ahora bien, como con agudeza señala Nussbaum[68], las versiones contemporáneas de la teoría contractual, entre las que se encuentra la de Rawls, se pueden considerar defectuosas, equivocadas e incapaces a la hora de resolver importantes problemas de justicia como es el hecho de que el lugar de nacimiento o la nacionalidad de una persona influyan en un alto grado en las oportunidades vitales que esta tendrá. Ello es así, aunque la concepción política de la justicia como equidad de Rawls, se apoye en la idea de la cooperación social, según Monto-

---

65 Vid. Ibídem.

66 Vid. Ibídem, p. 85.

67 SEN, AMARTYA K.: *Elección colectiva y bienestar social*, Alianza Universidad, Madrid, 1976, p. 167.

68 NUSSBAUM, MARTHA C.: *Las Mujeres y el desarrollo humano: el enfoque de las capacidades*, Herder, Barcelona, 2002.

ya Corrales, eso sí, en tanto "términos justos de cooperación razonables para todas las minorías y no una mera coordinación funcional de actividades, tal como ya lo había sugerido el constructivismo kantiano, que en lo esencial remite a la consideración de que el conjunto de comunidades debe realizar su sentido de justicia y su concepción del bien"[69].

Nussbaum acierta al detectar un problema que reside en el núcleo de la tradición de la justicia contractual, y que deriva de que se confunde a los que diseñan los principios básicos de la sociedad —principios de justicia—, con aquellos sujetos para los que están pensados y, en consecuencia, se aplican o van dirigidos. Con otras palabras "los sujetos primarios de la justicia son los mismos que escogen los principios"[70]. Es por ello por lo que la autora estadounidense propuso su *perspectiva de las capacidades* para paliar los defectos detectados "como base filosófica para una teoría de los derechos básicos de los seres humanos que deben ser respetados y aplicados por los gobiernos de todos los países, como requisito mínimo del respeto por la dignidad humana"[71]. Aquí se ve claramente el sesgo aperturista y cosmopolita del planteamiento de Nussbaum al entender acertadamente que las sociedades políticas no han de concebirse como sistemas cerrados[72].

Si parece convincente el enfoque de las capacidades de Nussbaum es porque sigue la estela de la filosofía humanista kantiana, al considerar que el hombre es un fin en sí mismo[73]. Nussbaum realza la

---

69 MONTOYA CORRALES, CARLOS ALBERTO: <<Crítica al programa de John Rawls: Una defensa al constructivismo de la Teoría de la Justicia>>, *Analecta Política*, Volumen 6, nº 11, julio-diciembre 2016, p. 321.

70 NUSSBAUM, MARTHA C.: *Las fronteras de la justicia: consideraciones sobre la exclusión*, Paidós, Barcelona, 2007, p. 36.

71 Vid. Ibídem, p. 83.

72 Es por ello por lo que nos parece acertada la aseveración de la filósofa norteamericana de que, efectivamente, cualquier teoría de justicia que pretenda ofrecer una base para que todos los seres humanos tengan unas oportunidades de vida decentes debe tener en cuenta tanto las desigualdades internas de cada país como las desigualdades entre países, además de estar preparada para abordar las complejas intersecciones de estas desigualdades en un mundo que se torna cada vez más interdependiente. Vid. Ibídem, p. 228.

73 Sobre ello, vid. LLANO ALONSO, FERNANDO H.: *Homo Excelsior. Los límites ético-jurídicos del transhumanismo*, Tirant lo blanch, Valencia, 2018, p. 116; LLANO ALONSO, FERNANDO H.: *El Humanismo Cosmopolita de Imma-*

importancia y consideración que tiene cada persona individual con el objetivo de que a cada sujeto se le garantice que puede vivir una vida humana digna, esto es, "que *cada una* de las personas se encuentre por encima del nivel mínimo en *cada una* de las áreas que abarcan las capacidades"[74], lo que claramente no se conseguiría cuando los sujetos que forman parte de minorías se pudieran sentir discriminados. El matiz "*cada una*" es importante aquí puesto que lo que está en juego es tratar de conseguir el bien social pensando en el bien que reciben cada una de las personas a título individual dentro de la sociedad. De esta manera la suma de "cada una" de las vidas con dignidad repercute directamente sobre el bien general social precisamente porque los seres humanos formamos parte de una realidad social que no puede dejar de ser interdependiente.

Me parece una propuesta interesante la de Nussbaum desde su perspectiva de las capacidades, cuando confronta la primacía del beneficio mutuo, propia de la teoría de la justicia como provecho mutuo, con la impronta de los sentimientos morales, poniendo especial énfasis en un sentimiento que había sido menospreciado o ignorado en muchos otros planteamientos. Me refiero al sentimiento de la compasión porque, como ha subrayado Adela Cortina, es ella "la que nos lleva a preocuparnos por la justicia"[75].

---

nuel Kant, op. cit. En esta última obra, su autor precisa: "(...) Kant antepuso su modelo de reflexión crítica y objetiva que conceptúa a la razón como la prueba fehaciente de que todos los seres humanos pertenecen, sin discriminación alguna, a una familia: el género humano. Debe tenerse también en cuenta que, para Kant, la humanidad es una *sacra res* que se sitúa por encima de cualquier argumento excluyente; es más, en su opinión, ningún hombre en cuanto sujeto de la ley moral que se funda en la autonomía de la voluntad, no puede ser utilizado como medio por nadie (ni siquiera por Dios), sino que debe ser considerado como un "fin en sí mismo" (*Zweck am sich selbst*)", pp. 87-88. Asimismo, CORTINA, ADELA: *¿Para qué SIRVE realmente...? La Ética*, op. cit., pp. 80 y ss.

74 DI TULLIO ARIAS, ANABELLA: <<¿Hacia una justicia sin fronteras? El enfoque de las capacidades de Martha Nussbaum y los límites de la justicia>>, *Daimon. Revista Internacional de Filosofía*, nº 58, 2013, p. 55.

75 A lo que añade CORTINA, ADELA: *Ética Cosmopolita. Una apuesta por la cordura en tiempos de pandemia*, Paidós. Estado y Sociedad, Barcelona, 2021: "Pero no entendida como condescendencia, sino como la capacidad de com-padecer la alegría y el sufrimiento de los que se reconocen como autónomos y a la vez vulnerables. El descubrimiento de ese vínculo, de esa *ligatio*, lleva a una *ob-ligatio*,

Teniendo en cuenta que las personas son seres sociales y políticos, y que esto conduce necesariamente al reconocimiento de fines compartidos, los individuos deberían comprender que el bien de los demás se encuentra implicado en los propios fines del resto de los sujetos. Como ha explicado Llano, siguiendo la interpretación de Amartya Sen, "el que Nussbaum ponga especial énfasis en la ciudadanía moral no implica que esta se manifieste a favor de un tipo de lealtad incompatible (por muy fundamental que sea) con otras lealtades (nacionales, locales, de parentesco…), al contrario, el problema planteado por dicha autora es de orden moral: que ninguna persona nos sea ajena, que no quede fuera del ámbito de nuestra incumbencia moral, en definitiva, que hagamos honor a la frase de profunda inspiración humanista que Terencio pone en labios de Cremes, uno de los protagonistas de su comedia titulada *El verdugo de sí mismo*: "hombre soy, y nada de lo humano me es extraño""[76].

A sabiendas de que derivar los principios políticos de la mera benevolencia puede tender a la fragilidad del orden político, Nussbaum acierta al sostener la necesidad de desarrollar una forma de compasión fundamentada en y acorde con los principios políticos que el enfoque propone: "En consecuencia, el enfoque de las capacidades no ve problema para partir de una concepción de la cooperación para la cual la justicia y la inclusividad constituyen fines con un valor intrínseco, y para la cual los seres humanos están unidos por lazos altruistas además de los lazos del beneficio mutuo"[77]. A mi modo de ver, el enfoque propuesto por Nussbaum tiene el acierto de permitir un universalismo que lejos de tomar posturas occidentalizadoras o colonizadoras, se muestra cercano al pluralismo y a la diferencia cultural que aquí defendemos sin caer nunca en posturas relativistas. Recordemos su idea del "consenso entrecruzado", que elude cualquier tipo de fundamentación metafísica, y expresa las capacidades en fi-

---

que que es más originaria que el deber, lleva a la com-pasión en la alegría y en el sufrimiento, p. 40.

76 LLANO ALONSO, FERNANDO H.: *El Humanismo Cosmopolita de Immanuel Kant*, op. cit., pp. 173-174.

77 DI TULLIO ARIAS, ANABELLA: <<¿Hacia una justicia sin fronteras? El enfoque de las capacidades de Martha Nussbaum y los límites de la justicia>>, *Daimon. Revista Internacional de Filosofía*, nº 58, 2013, p. 59.

nes específicamente políticos, evitando conflictos y divisiones entre las personas en función de la cultura a la que pertenecen en aras de alcanzar la estabilidad, la unidad y la paz social.

Ello quiere indicar que el desarrollo teórico de Nussbaum nos transporta a un liberalismo político comprehensivo y universalista, puesto que su defensa de las libertades individuales dentro de sociedades plurales y diversas no resulta incompatible con la defensa de normas y valores transculturales y universales. Más bien al contrario, como precisa la autora, se "requiere de normas universales si hemos de proteger la diversidad, el pluralismo y la libertad, tratando a cada ser humano como un agente y como un fin en sí"[78].

No se puede menospreciar que su teoría de las capacidades pivota sobre la idea de individuo, pero al mismo tiempo este resulta inconcebible sin el todo social. Lo que es lo mismo que decir que no se puede entender el sujeto sin el contexto social al que pertenece por tratarse de un sujeto interdependiente que está insertado en la totalidad social. Por otra parte, si partimos de que las capacidades constituyen objetivos políticos y fines con pretensión universal, entonces cualquier tipo de discriminación por raza, sexo, religión, nacionalidad, edad, clase social o formas de ejercer la sexualidad, se puede considerar un trato que conculca la dignidad humana[79]. Precisamente, por entenderse las capacidades como objetivos políticos, como ella misma precisará, habrá que "promover para todos los ciudadanos una mayor medida de igualdad material de la que existe en la mayoría de las sociedades, en cuanto es poco probable que se pueda obtener que todos los ciudadanos estén por encima de un umbral mínimo de capacidades para el verdadero funcionamiento humano sin implementar ciertas políticas redistributivas"[80].

No podemos ignorar que las diferentes condiciones sociales son creadas por la propia sociedad y por ello nada impide que se puedan

---

78 NUSSBAUM, MARTHA C.: *Las Mujeres y el desarrollo humano: el enfoque de las capacidades*, Herder, Barcelona, 2002, p. 154.

79 CASTELLÀ SURRIBAS, SANTIAGO J.: *¿Hacia un nuevo derecho de gentes? El principio de dignidad de la persona como precursor de un nuevo derecho internacional*, Real Academia Europea de Doctores, Barcelona, 2016.

80 NUSSBAUM, MARTHA C.: *Las Mujeres y el desarrollo humano: el enfoque de las capacidades*, op. cit., p. 130.

introducir alteraciones en el sistema de recompensas, conforme estableció, en ello con gran acierto, Rawls, apoyándose en el principio de la diferencia. Si se recuerda, el principio de igual ciudadanía no exige, pues, una igual distribución de ingresos y patrimonio, pero sí la justificación de una distribución desigual[81]. Mientras que los bienes primarios determinan cuáles son las necesidades de los ciudadanos en cuestiones de justicia, por su parte, el principio de la diferencia se encarga de establecer los criterios que hacen que la distribución de determinados bienes materiales sea justa[82]. Es la sociedad, como afirma Rawls, la encargada como cuerpo colectivo y la responsable de garantizar la igualdad de libertades básicas, la igualdad de oportunidades y el reparto equitativo de bienes materiales. Todo ello dentro del principio regulativo de la preservación del autorrespeto[83].

Lo verdaderamente importante y, en mi opinión, razonable es abrir, y en ello sí que, siguiendo a Rawls, "el espacio público a una discusión en la que todos los que quieren afirmar sus diferencias, por ejemplo, de origen racial o étnico, o reclamar sus lesiones del respeto y la consideración debidos, puedan disponer de tal foro. Con ello, se conseguiría un doble objetivo: de un lado, el más general de expresar las inquietudes sociales de aquellos que se sienten afectados en su dignidad de grupo por la organización social general. Aquí el espacio público haría de amplificador general de demandas sociales que pugnan por su <<reconocimiento>>. El otro ya tiene que ver con la adopción de decisiones: permite que los propios destinatarios de las políticas puedan tener la capacidad de opinar sobre ellas y participar directamente en su gestación. La justificación de estas políticas deberá arraigarse siempre en el mismo proceso democrático"[84]. Es en este pasaje de Rawls en el que observamos la importancia de que las políticas públicas tengan legitimación democrática, esto es, el respaldo social

---

81 RAWLS, JOHN *Political Liberalism*, Columbia University Press, Nueva York, 1993. Citado por la traducción al castellano de A. Domènech. Crítica, Barcelona, 1996.

82 VALLESPÍN, FERNANDO: <<Acción Afirmativa y Principio de Ciudadanía>>, *Dimensiones de la desigualdad*, *Dimensiones de la desigualdad (III Simposio sobre Igualdad y Distribución de la renta y la riqueza, vol. I)*, J.M. Maravall (Ed.), Argentaria-Visor, Madrid, 1999, pp. 71-85, en especial, p. 83.

83 RAWLS, JOHN: *Political Liberalism*, op. cit.

84 Vid. Ibídem, pp. 77-78.

en el que, a mi modo de ver, las voces de las minorías no pueden ser menospreciadas, al tener pleno derecho a hacer valer sus diferencias y participar de forma activa en las decisiones que se adopten dentro de la sociedad. Es por ello por lo que, en esta línea, debería ser tenida en consideración la certeza habermasiana[85] de que "ningún proyecto cosmopolita podrá nunca llegar a materializarse, y mucho menos si tiene como fin la instauración de una democracia cosmopolita (tal como pretende Habermas), si previamente no se ha constituido una sociedad civil mundial compuesta por las asociaciones de intereses, las organizaciones no gubernamentales, los movimientos o plataformas cívicas, y, en definitiva, todas aquellas *instituciones* que den cuerpo a una auténtica cultura política común de toda la humanidad"[86].

3. DIFERENTES PERSPECTIVAS DEL CONCEPTO DE IGUALDAD: LAS ACCIONES AFIRMATIVAS

3.1. La necesidad de las acciones afirmativas

Hasta aquí hemos visto cómo el principio de igualdad ha servido para construir diferentes teorías de la justicia conforme a ideologías bien distintas. Ahora interesa profundizar en el principio de la diferencia partiendo de que, como se ha señalado, el principio de igual ciudadanía "cívica" mientras que no exige una igual distribución de ingresos y patrimonio, sí que obligar a justificar la distribución desigual de bienes y recursos entre sujetos morales.

En relación con esto, puede resultar interesante ahondar en la clasificación realizada en el ámbito del empleo dentro del ordenamiento

85 Según precisa Jürgen Habermas en *Faktizität und Geltung. Beiträge zur Diskurstheorie des Rechts und des demokratischen Rechtstaats*, Frankfurt am Main, 1994, segunda edición, p. 643. Traducción al castellano de M. Jiménez, Trotta, Valladolid, 1998, por la que se cita el siguiente pasaje: "La ciudadanía democrática (...) con independencia de, y por encima de, la pluralidad de formas de vida culturales diversas, exige la socialización de todos los ciudadanos en una cultura política común", p. 628.

86 LLANO ALONSO, FERNANDO H.: *El Humanismo Cosmopolita de Immanuel Kant*, op. cit., p. 177.

jurídico laboral, desde la perspectiva no de la igualdad sino de la discriminación, ya que es en este ámbito del Derecho en el que se han diferenciado con claridad perspectivas –históricas, económicas y correctivas o compensatorias-, todas ellas de interés para el tema que nos ocupa[87]. Veamos cuáles son y en qué consisten.

La perspectiva histórica se centra en el pasado inmediato. Desde esta perspectiva, se asume la discriminación como una condición histórica, en virtud de la cual ya se adoptaron soluciones legales adecuadas. Por lo general, la perspectiva histórica se conoce como "igualdad como daltonismo" ("*Equality as colorblindness*"): cualquier uso particular de la raza, el género o el credo que se haga implicaría siempre estigmatización o estereotipo. Esta perspectiva toma en consideración la experiencia pasada hasta el punto de considerar que cualquier uso de la raza, por ejemplo, no sería nunca deseable ni aceptable[88].

Mientras que la perspectiva histórica tiene en cuenta el pasado inmediato, la perspectiva económica se centra en el futuro cercano, valorando las consecuencias que acarrea exigir el cumplimiento de las prohibiciones contra la discriminación. La pregunta crucial desde esta perspectiva radica en averiguar si los beneficios que conlleva erradicar la discriminación superan los costos del cumplimiento o aplicación legal y, en particular, por ejemplo, si una prohibición legal resulta preferible a evitar la discriminación a través de la presión competitiva del mercado. Este enfoque está asociado con una posición neoliberal o libertaria, que exige limitar la intervención legal para fomentar la competencia en el libre mercado. En términos de igualdad, se basa en una visión del mérito como "carreras abiertas a talentos", asegurando a las personas el derecho a competir en función de sus habilidades existentes, según lo determinen sus dotaciones naturales o culturales que se presupone mejoran a través de la educación y la experiencia. Como Sandel ha explicado, a propósito de las sociedades de mercado con gran claridad: "Abren carreras a aquellos con los talentos necesarios y brindan igualdad ante la ley. Se garantizan a los ciudadanos las mismas libertades básicas, y la distribución del ingreso y la rique-

87 Esta clasificación ha sido hecha, entre otros, por RUTHERGLEN, GEORGE: *Employment Discrimination Law. Visions of Equality in Theory and Doctrine*, Foundation Press, New York, tercera edición 2010.

88 Ibídem, pp. 17-18.

za está determinada por el mercado libre. Este sistema, un mercado libre con igualdad formal de oportunidades, corresponde a la teoría libertaria de la justicia. Representa una mejora sobre las sociedades feudales y de castas, ya que rechaza las jerarquías fijas de nacimiento. Legalmente, permite a todos luchar y competir. Sin embargo, en la práctica, las oportunidades pueden estar lejos de ser iguales"[89].

Según la observación de Sandel, queda claro que esta concepción de la igualdad como mérito[90] no garantiza en ningún caso los resultados de la competencia, ni siquiera la oportunidad de obtener los talentos necesarios para sobresalir en la competencia. Las personas deben competir basándose únicamente en las ventajas que aportan al mercado laboral. Sin embargo, se trata de una concepción positiva de la igualdad porque, en contraste con la concepción negativa de la perspectiva histórica, indica a los empleadores qué hay que considerar relevante y no se centra tanto en los aspectos que tienen que evitar. En definitiva, podría decirse de otro modo que la igualdad como mérito en la perspectiva económica les señala a los empleadores que tengan en cuenta el factor de la productividad de los empleados individuales dentro de la empresa. El compromiso institucional característico de la perspectiva económica tiende a conferir mayor discrecionalidad o margen de libertad a los empleadores que las perspectivas alternativas, poniendo el acento en el sistema legal como el medio institucional para lograr la igualdad.

En tercer lugar, la perspectiva correctiva o compensatoria (*the remedial perspective)* pone el acento en que es probable que las consecuencias de la discriminación pasada persistan en ausencia de me-

---

89 SANDEL, MICHAEL J.: *Justice. What is the right thing to do?* Farrar, Strauss and Giroux, New York, 2009, p. 153. La traducción es mía.

90 Por supuesto, es posible tener diferentes puntos de vista sobre el mérito y la relacionada concepción positiva de la igualdad, y respaldar un diferente compromiso institucional para garantizar que los empleados sean seleccionados de acuerdo con el mérito. El mérito podría interpretarse de manera más amplia, como lo ha hecho, por ejemplo, John Rawls, quien exigía "completa igualdad de oportunidades": proporcionando a las personas no solo "carreras abiertas a talentos", sino también la misma oportunidad de desarrollar sus talentos, independientemente de las diferencias en el contexto social y de clase. Vid. RAWLS, JOHN: *A theory of Justice*, Belknap Press of Harvard University Press, Cambridge, Massachussetts, 1971.

didas correctivas amplias y vigorosas. Esta perspectiva parte de la perspectiva histórica, pero la amplía por considerar que se extienden en el tiempo los efectos continuos y persistentes de la discriminación vivida en el pasado. Podría decirse que la perspectiva correctiva o compensatoria mira hacia atrás, al considerar todos los efectos resultantes de la discriminación pasada y espera determinar si es probable que estos efectos persistan a pesar de la abolición de las prácticas discriminatorias pasadas.

Desde esta posición, la pregunta central es si las prácticas actuales, a pesar de que no repitan las formas precisas de discriminación pasada, continúan perpetuando sus efectos injustos[91]: "Esta perspectiva se suma a la perspectiva histórica al ir más allá de un examen estrecho de las disposiciones legales y participar en una investigación más profunda sobre las consecuencias sociales de la discriminación pasada. Añade a la perspectiva económica un mayor peso atribuido al costo de la discriminación en cualquier forma. Se centra en los vestigios continuos de la subordinación pasada y en los pasos que se pueden tomar para eliminarlos"[92]. Me gustaría recordar una famosa decisión sobre desegregación escolar en los Estados Unidos que clamaba así: <<la discriminación pasada y sus efectos deben ser "eliminados de raíz" (*"eliminated root and branch"*)>>[93].

Esta perspectiva "correctiva" se invoca con mayor frecuencia para justificar programas de acción afirmativa que buscan, en una variedad de formas diferentes, compensar las desventajas actuales atribuibles a la discriminación pasada. Como ha destacado la Declaración resultante de la Conferencia Mundial de Naciones Unidas contra el Racismo, la Discriminación Racial, la Xenofobia y las formas conexas

---

91 He tratado esta cuestión en varios artículos anteriormente publicados. Vid. HERMIDA DEL LLANO, CRISTINA: <<Desafíos jurídico-políticos en aras de una mayor integración del inmigrante latinoamericano en la Unión Europea: una apuesta por la igualdad y el concepto de ciudadanía cívica>>, en *Revista de Derechos Humanos de la Universidad de Piura*, 2/2011, Perú, enero-diciembre 2011, pp. 151-172; <<Equal opportunity as the basis for social-economic integration of immigrants in the European Union>>, en *Annales Universitatis Apulensis*, Series Jurisprudentia 15/2012, Romania, 2012, pp. 105-116.

92 RUTHERGLEN, GEORGE: *Employment Discrimination Law. Visions of Equality in Theory and Doctrine*, op. cit., p. 16.

93 Green v. County Sch. Bd, 391 U.S. 430, 438 (1968).

e Intolerancia (2001) es importante <<(...) recordar los crímenes e injusticias del pasado, cuando quiera y dondequiera que ocurrieron, condenar inequívocamente las tragedias racistas y decir la verdad sobre la historia son elementos esenciales para la reconciliación internacional y la creación de sociedades basadas en la justicia, la igualdad y la solidaridad>>[94]. En esta misma línea, también podría ser útil volver sobre las palabras del filósofo del derecho, Ronald Dworkin, quien argumentó no pocas veces que el uso de la raza en las políticas de acción afirmativa no violaba los derechos de nadie[95]. La exclusión racial de la era de la segregación derivaba de “la despreciable idea de que uno puede ser inherentemente más digno que otro”, mientras que la acción afirmativa no implica tal prejuicio. Simplemente afirma que, dada la importancia de promover la diversidad en ciertas profesiones que son importantes, ser negro o hispano “puede ser un rasgo socialmente útil”[96].

Entre los argumentos de legitimidad que se presentan con mayor frecuencia a favor de las medidas de acción afirmativa, entre otros, se incluyen los siguientes: intentar corregir o compensar injusticias históricas; estar destinados a corregir la discriminación social/estructural; ser de gran uso social; tender a crear diversidad o una representación proporcional de grupos raciales; ayudar a prevenir disturbios sociales; ser una forma de construir la nación y una forma efectiva de garantizar la igualdad, en sus numerosas formas: igualdad ante la ley, igualdad de trato e igualdad de oportunidades. Con palabras de Fernández: “las acciones positivas tratan de superar los obstáculos de carácter no jurídico. Esto es, los impedimentos sociales, estructurales,

---

94 ONU. Conferencia Mundial contra el Racismo, la Discriminación Racial, la Xenofobia y las Formas Conexas de Intolerancia. Declaración y Programa de acción, a raíz de la reunión celebrada en Durban (Sudáfrica), del 31 de agosto al 8 de septiembre de 2001. Declaración disponible en: https://www.un.org/es/events/pastevents/cmcr/durban_sp.pdf
Sobre ello vid. también FERREIRA DE CARVALHO, EDSON Y FERNÁNDEZ RUIZ-GÁLVEZ, ENCARNACIÓN: *El discurso de la modernidad y los derechos indígenas en Brasil*, Cuadernos de Deusto de Derechos Humanos, nº 79, Universidad de Deusto, Bilbao, 2015, pp. 15-16.

95 SANDEL, MICHAEL J.: *Justice. What is the right thing to do?*, op. cit., p. 173.

96 DWORKIN, RONALD: <<Why Bakke Has No Case>>, en: *New York Review of Books*, vol. 24, November 10, 1977.

institucionales. Persiguen la integración social de los colectivos discriminados, el establecimiento de condiciones que aseguren a todas las personas oportunidades semejantes para ejercer los propios derechos y las propias aptitudes y condiciones potenciales, así como posibilidades semejantes de promoción económica y social"[97].

Esta perspectiva correctiva o compensatoria también ocupa un lugar destacado en la justificación de exigir responsabilidades a los empleadores que llevan a cabo prácticas neutrales con efectos discriminatorios. Tanto la acción afirmativa como la responsabilidad por los efectos discriminatorios de prácticas aparentemente neutrales son posiciones característicamente dworkinianas como también lo es la perspectiva correctiva. Desde esta perspectiva se apuesta, por ejemplo, por ampliar las leyes contra la discriminación laboral para intervenir en los mercados laborales en aras de fomentar una concepción amplia de la igualdad, esto es, aquella que garantizara la oportunidad de los grupos previamente excluidos no solo a la hora de competir por empleos, sino de competir sin los efectos debilitantes creados por la discriminación pasada. A diferencia de la perspectiva económica, la corrección o compensación va más allá de una preocupación únicamente por la igualdad de competencia de acuerdo con las capacidades o aptitudes actuales. En suma, apoya una concepción de la igualdad que asegura un mayor grado de equidad en la adquisición de las capacidades o aptitudes relevantes.

Podría decirse que las acciones afirmativas constituyen una de las formas en las que se manifiesta el puente entre la igualdad formal y la igualdad material, habiendo sido no pocos los intentos de definición de estas. Así, por ejemplo, entre otros, cabría referirse a los siguientes: "cualquier medida, más allá de la simple terminación de una práctica discriminatoria, adoptada para corregir o compensar discriminaciones presentes o pasadas o para impedir que la discriminación se reproduzca en el futuro"[98]; "la acción afirmativa es un conjunto coherente de medidas de carácter temporal dirigidas específicamente

---

97 FERNÁNDEZ RUIZ-GÁLVEZ, ENCARNACIÓN: *Igualdad y Derechos Humanos*, op. cit., p. 95.

98 SANTIAGO, MARIO: *Igualdad y acciones afirmativas*, Instituto de investigaciones Jurídicas de la Universidad Autónoma de México, México D.F., 2007, p. 197.

a remediar la situación de los miembros del grupo a que están destinadas en un aspecto o varios aspectos de su vida social para alcanzar la igualdad efectiva"[99]. Conforme a estas consideraciones, estaría de acuerdo con Nagel en que la acción afirmativa resulta ser una vía que permite combatir la discriminación. Con palabras suyas: "La acción afirmativa puede servir para combatir la discriminación en contra de las minorías, velada o inconsciente. Pero su función más importante en la educación superior es la de aumentar la representación de minorías tradicionalmente oprimidas en instituciones donde estarían presentes en números más pequeños si la raza no hubiera sido utilizada como factor en la admisión"[100].

Como se deriva de todas estas definiciones o aproximaciones, las acciones afirmativas son medidas compensatorias, esto es, medidas que pretenden remediar o corregir "algo", que puede ser la discriminación en aras de alcanzar la igualdad deseada. Con otras palabras, gracias a estas medidas correctivas se puede ir más allá de la mera igualdad formal y generalizada. Tengamos en cuenta que dicha concepción de la igualdad formal, aunque más amplia que el mérito en el sentido económico, no garantiza "el derecho de los grupos" o "la igualdad de resultados". Lo que se garantiza es un derecho a competir y no un derecho a tener éxito. Como dijo el presidente Lyndon Johnson en un famoso discurso argumentando a favor de la aprobación de la legislación de derechos civiles: "No se toma a una persona que, durante años, ha sido coja por haber estado encadenada, se la libera, y se la coloca en la línea de salida de una carrera para, a continuación, decirle <<[Usted] es libre de competir con todos los demás>>, creyendo que con ello se ha sido completamente justo"[101].

---

[99] BOSSURY, M.: *Prevención de la Discriminación,* Naciones Unidas, 2002, p. 4.

[100] NAGEL, THOMAS: <<John Rawls and Affirmative Action>>, *Journal of Blacks in Higher Education*, 2003, pp. 82-84.

[101] La traducción es mía. Vid. II Public Papers of the Presidents of the United States: Lyndon B. Johnson, 1965 at 636 (1966). La version original en inglés reza así: "You don't take a person who, for years, has been hobbled by chains and liberate him, bring him up to the starting line of a race and then say '[Y]ou are free to compete with all the others,' and still justly believe you have been completely fair". Sobre ello recomiendo la lectura del libro de CASHIN, SHERYLL: *Place not Race. A New visión of Opportunity in America*, Beacon Press, Boston, Massachusetts, 2014.

Es por ello por lo que, desde mi punto de vista, las medidas de acción afirmativa nos acercan al imprescindible concepto de la equidad, contribuyendo sustancialmente al beneficio de los grupos sociales menos favorecidos. Rawls nos recuerda, con acierto, a través de López Vela, lo siguiente: "El principio de diferencia da algún valor a las consideraciones particularizadas por el principio de compensación. Este principio afirma que las desigualdades inmerecidas requieren una compensación; y dado que las desigualdades de nacimiento y de dotes naturales son inmerecidas, habrán de ser compensadas de algún modo. Así, el principio sostiene que con objeto de tratar igualmente a todas las personas y de proporcionar una auténtica igualdad de oportunidades, la sociedad tendrá que dar mayor atención a quienes tienen menos dones naturales y a quienes han nacido en las posiciones sociales menos favorables"[102]. Conforme a esta idea, los teóricos de la justicia igualitaria han planteado que las medidas compensatorias resultan imprescindibles si se quiere conquistar la justicia social, lo cual implica apostar por políticas de acciones afirmativas que equilibren las desventajas que generan la discapacidad, la pobreza, la enfermedad, las consideraciones étnicas, de raza de género, e inclusive las económicas[103].

Las formas tan variadas en que se presentan las acciones afirmativas van dirigidas a un fin común que es el de minimizar o eliminar las desigualdades sociales e impedir las segregaciones que conllevan dichas diferencias. De ahí que por su propia naturaleza estas medidas especiales traten de acabar con toda forma de discriminación, ofreciendo un trato especialmente favorable que equilibre las oportunidades en aras de que todos, y no solo los más privilegiados, podamos desarrollar una vida digna que merece la pena ser vivida.

En realidad, han sido las políticas diferenciadoras con su pretensión de ayudar a los grupos sociales en situación de desventaja o con mayor grado de vulnerabilidad, las que han abierto la puerta a las acciones afirmativas. Se entiende así que la justicia debería procurar alcanzar las garantías de igualdad para que todos los seres humanos

---

102 LÓPEZ VELA, VALERIA: <<Acción afirmativa y equidad: un análisis desde la propuesta de Thomas Nagel>>, *Open Insight*, 2016, pp. 49-75, en concreto, p. 56.

103 Vid. Ibídem, pp. 49-75.

tengan la posibilidad de gozar de una vida digna, brindar las posibilidades de realización personal sin distinción de raza, credo, posición económica; sobre todo si tenemos en cuenta, como ya señalamos anteriormente, que hay factores o condiciones que no dependen de las decisiones puramente voluntarias de las personas, por ejemplo, la etnia, el género, la "raza", la orientación sexual, entre otras. Desde la perspectiva mantenida por Rawls, las acciones afirmativas, permitirían alcanzar una verdadera justicia social al permitir enmendar desventajas de partida a través del principio de diferencia. Con palabras de López Vela: "En la *Teoría de la Justicia*, Rawls propone los principios para contrarrestar dichas desigualdades de la estructura básica de las sociedades, pues, aunque las situaciones asimétricas frecuentes dependan más de la lotería natural y la suerte que del mérito o del esfuerzo, se interponen en el acceso a la igualdad de oportunidades, de tal manera que generan sociedades desiguales y, por ende, injustas. Para ello, utilizará el principio de diferencia"[104].

A continuación, interesará preguntarse por los requisitos que han de tener las acciones afirmativas en aras de que sean adecuadamente implementadas. A mi modo de ver, podríamos considerar que son estos tres, siguiendo a Bolaños: la idoneidad de la medida, la necesidad de la medida y la proporcionalidad en sentido estricto de la medida[105]. Veamos en qué consiste cada uno de ellos.

En primer lugar, en relación con la idoneidad de la medida, Bolaños precisa: "... que la medida sea idónea significa en primer lugar, que esta debe tener un fin legítimo y, en segundo lugar, que la misma debe ser objetivamente adecuada para su realización... En esa perspectiva, se puede argumentar que la implementación de una medida o programa de acción afirmativa tiene, *prima facie*, un fin legitimo como es la consecución de la igualdad fáctica o material de las personas pertenecientes a ciertos grupos en situación de vulnerabilidad"[106]. En segundo lugar, respecto a la "necesidad de la medida", el autor sostiene que hay que realizar un examen de la acción afirmativa propuesta:

104 Vid. Ibídem, p. 57.

105 BOLAÑOS SALAZAR, ELARD RICARDO: <<Las acciones afirmativas como expresiones de la igualdad material: propuesta de una teoría general>>, *Pensamiento Jurídico*, 2016, pp. 313-342.

106 Vid. Ibídem, p. 318.

"Bajo esta fase del test ha de analizarse si existen medios alternativos respecto del escogido que no sean gravosos o, al menos, que lo sean en menor intensidad (...) En buena cuenta lo que se busca en esta parte del análisis es la determinación de si una acción afirmativa es la única manera posible de alcanzar la igualdad material. En este punto se busca descartar cualquier otra medida que pudiera alcanzar la misma finalidad pero a un costo relativamente menor..."[107]. En tercer lugar, Bolaños define la proporcionalidad en sentido estricto de la acción afirmativa. Con esta medida se trata de realizar el examen para determinar, por un lado, el grado de afectación del derecho y, por el otro lado, la satisfacción. En palabras suyas, la restricción resultará estrictamente proporcional, cuando el sacrificio inherente a aquélla "no resulte exagerado o desmedido frente a las ventajas que se obtienen con la restricción u obstaculización"[108].

Es más, conforme dictamina Bolaños, a partir del análisis jurisprudencial que ha realizado, centrado en el contexto geográfico latinoamericano que cabría trasladar a otras partes del mundo, se podría hablar de cuatro exigencias básicas para que las acciones afirmativas se puedan poner en marcha: 1) la existencia de una desigualdad manifiesta, lo que implica que la desigualdad pueda ser comprobada, es decir, que sea demostrable; 2) que el objetivo sea eliminar las desigualdades, lo que hace alusión al fin claro y expreso al que debe ir dirigido la acción afirmativa, determinándose con claridad lo que se busca eliminar o corregir; 3) la temporalidad de la medida, esto es, la necesidad de expresar durante cuánto tiempo debe estar vigente la acción afirmativa, si es posible, hasta que se logre el fin determinado; 4) que no se restrinjan indebidamente los derechos de los grupos no beneficiados con la medida. Este cuarto elemento tiene "que ver con que la medida de acción afirmativa no interfiera de manera abusiva o indebida en el goce o disfrute de los derechos y libertades de terceros; específicamente de aquellos sujetos no pertenecientes a los grupos beneficiados por la misma"[109].

---

107 Vid. Ibídem, p. 319.

108 Vid. Ibídem, p. 319.

109 BOLAÑOS SALAZAR, ELARD RICARDO: <<Las acciones afirmativas como expresiones de la igualdad material: propuesta de una teoría general>>, en *Pensamiento Jurídico*, 2016, p. 330. Me gustaría destacar que la Corte Constitucio-

A pesar de que la implementación de las medidas de acción afirmativa a nivel internacional ha sido abundante y exitosa, hay que reconocer que también este tipo de acciones han tenido grandes detractores. De hecho, se constata que aquellos que todavía son reacios a aceptar la validez y efectividad real de los principios básicos de los derechos humanos, en particular los principios de igualdad y no discriminación, son los que ponen mayores impedimentos a las medidas de acción afirmativa. En el ámbito educativo, por ejemplo, se ha resaltado que "la objeción principal va dirigida a que por valioso que sea el objetivo de un aula más diversa o una sociedad más igualitaria, y por exitosas que puedan llegar a ser las políticas de acción afirmativa, el uso de la raza o el origen étnico como factor de admisión es injusto..."[110]. Además, hay quien ha afirmado que los grupos favorecidos de dichas políticas se ven doblemente afectados por no ser considerados por su esfuerzo, sino solo por su favorecimiento ante un reglamento y, por otro lado, alegan también que, en realidad, los que se benefician de dichas acciones afirmativas no suelen ser los originalmente afectados[111].

---

nal colombiana ha destacado las siguientes tipologías de acciones afirmativas: "acciones de concientización (es decir, concienciación), "acciones de promoción" y "acciones de discriminación inversa". Vid. PINILLA PINILLA, NILSON: Sentencia de 21 de abril de 2010 C-293/10. Corte Constitucional de Colombia, Bogotá, 2010, p. 48. Las "acciones de concientización o concienciación" son medidas de sensibilización que tendrían como fin principal la formación y cambio de mentalidad cultural: las "acciones de promoción" tendrían como fin incitar, promulgar y promover la igualdad, a través de incentivos, becas u otros mecanismos que permitan "gratificar" la adopción de políticas y ejercicios concretos de acciones afirmativas. Por último, se encuentran las "acciones de discriminación inversa" que son aquellas que establecen privilegios a ciertos grupos sociales que históricamente han sido discriminados y, por ende, requieren un trato diferencial como, por ejemplo, la religión, la raza, el sexo. Vid. HENAO PÉREZ, J. C.: *Sentencia de 19 de diciembre de 2011. T-275/11.* Corte Constitucional de Colombia, Bogotá, 2011. De gran interés sobre el tema también, GRANJA ESCOBAR, LUIS CARLOS: Tesis doctoral dirigida por Cristina Hermida del Llano en la Universidad Rey Juan Carlos, titulada <<Análisis comparado del marco jurídico de la población afrodescendiente e indígena en Colombia. Problemas y retos pendientes>>, defendida en el curso académico 2022-2023.

110 SANDEL, MICHAEL J.: *Justice. What is the right thing to do?*, op. cit., p. 173.

111 COWAN, J.: *<<Inverse discrimination>>, The affirmative Action Debate.* New York: Routledge, 1995.

A esto se puede añadir la confusión conceptual que ha surgido en torno al uso del término discriminación positiva. La doctrina del Comité para la Eliminación de la Discriminación Racial (CERD) ha establecido que es una contradicción usar este término y que, por lo tanto, debería evitarse. En opinión de Marc Bossuyt, "si es discriminación, no puede ser positivo, y si es positivo, no puede ser visto como discriminación"[112].

Como vemos, han surgido así numerosas voces que expresan las dudas sobre la acción afirmativa como compensación frente a la discriminación pasada: "Como los opositores de la acción afirmativa señalan, quienes se benefician no son necesariamente los que han sufrido, y quienes pagan la indemnización rara vez son los responsables de los errores que han sido corregidos (...) Incluso se puede argumentar que la compensación no debe entenderse como un remedio específico para actos particulares de discriminación, la racionalidad de la compensación es demasiado limitada para justificar la gama de programas avanzados en nombre de la acción afirmativa"[113].

Sin embargo, a pesar de sus detractores, la perspectiva correctiva o compensatoria se ha ido ampliando paulatinamente de manera sorprendente y, en particular, justifica hoy en día la compensación de las desventajas naturales o, más exactamente, las desventajas que no resultan de la discriminación pasada[114]. Pensemos en las numerosas medidas implementadas para los sujetos con diversidad funcional.

---

112 BOSSUYT, MARC: <<El concepto y la práctica de la Acción Afirmativa>>. Final report presented by the Special Reporter, under the terms of United Nations Sub-Commission on the Promotion and Protection of Human Rights Resolution 1998/5. 53rd period of sessions. Subject 5 on the provisional programme, Preventing Discrimination.

113 SANDEL, MICHAEL J.: *Public Philosophy. Essays on Morality in Politics*, Cambridge, Massachusetts, London, 2006, p. 102.

114 Tanto respecto a la discriminación de género como respecto a la discriminación por discapacidad, la ley exige que los empleadores tengan en cuenta ciertas condiciones como el embarazo y las discapacidades físicas o mentales, que de ninguna manera resultan de prácticas discriminatorias pasadas. Sin duda, estas leyes todavía hablan en términos de prohibir la discriminación, aparentemente en el sentido negativo de no tener en cuenta el sexo, género o la discapacidad de un individuo, pero las obligaciones impuestas a los empleadores son todo lo contrario: considerar estas características y, en cierta medida, para compensar.

A mi modo de ver, una concepción correctiva de la igualdad debería ofrecer una línea de base independiente para determinar qué constituye discriminación pasada y cuáles han sido sus efectos continuos que ahora deberían remediarse. Filósofos del Derecho de una variedad de movimientos han ofrecido diferentes elaboraciones de la línea de base a partir de la cual se puede evaluar la adecuación de diferentes medidas correctivas. Estos movimientos tienden, al menos, en los últimos años, a centrarse en grupos específicos para que, por ejemplo, los teóricos críticos de la raza, las feministas y los defensores de los derechos de los discapacitados puedan argumentar en favor de las desventajas que sufren algunos sujetos dentro de la sociedad, lo que la ley debería remediar. Así, por ejemplo, los teóricos críticos de la raza, por un lado, enfatizan los efectos continuos de siglos de esclavitud y segregación y los patrones persistentes de racismo establecidos en épocas anteriores, especialmente en países como Estados Unidos. Por su parte, los grupos feministas resaltan la variedad de tradiciones sociales que han limitado a las mujeres a la esfera doméstica del hogar y a los niños bajo el control y la autoridad general de los hombres. Estas diferencias, a su vez, se multiplican cuando miramos las diferencias dentro de estos grupos mismos. No todos los grupos étnicos identifican los mismos errores y consecuencias que necesitan ser remediados, al igual que no todas las mujeres identifican las mismas tradiciones como sexistas; incluso se observa que algunos miembros dentro de estos grupos no respaldan la perspectiva correctiva de ningún modo. Como ha precisado, con rotundidad, Rutherglen: "El valor de la perspectiva correctiva es que pone de manifiesto estos problemas y, al hacerlo, revela la brecha entre lo que la ley busca lograr y lo que, de hecho, ha logrado"[115].

Como insistí anteriormente, esta perspectiva correctiva se invoca con mayor frecuencia para justificar programas de acción afirmativa y, a mi modo de ver, la cuestión central para evaluar adecuadamente este tipo de medidas es comprender bien en qué consisten. En el ámbito de la Unión Europea, el término que se suele utilizar es el de "acción positiva" o "discriminación positiva". Aunque la Unión Europea no tiene una definición oficial de acción afirmativa, la Directiva

---

[115] RUTHERGLEN, GEORGE: *Employment Discrimination Law. Visions of Equality in Theory and Doctrine*, op. cit., p. 28.

76/207[116] del Consejo, modificada por la Directiva 2002/73[117] CE, ofrece una definición general, indicando que el concepto de acción positiva abarcaría todas las medidas que tienen como objetivo contrarrestar los efectos de la discriminación pasada, para eliminar la discriminación existente y para promover la igualdad de oportunidades. Esto se debe a que la Unión Europea ha venido poniendo especial énfasis en la igualdad de oportunidades. Los argumentos a favor de las medidas compensatorias en la Unión Europea se basan en la premisa de que *los cambios lentos perpetúan las barreras*. Dicho de otra manera, por ejemplo, el sistema de cuotas busca restablecer el equilibrio perdido por razones de género, raza, edad, etc. más que garantizar empleos.

Durante muchos años, los Estados miembros de la Unión Europea han trabajado para lograr un alto nivel de empleo y protección social, mejores niveles de vida y calidad de vida, cohesión económica y social, y además aumentar el grado de solidaridad. También se ha llevado a cabo un esfuerzo por crear un espacio de libertad, seguridad y justicia. En los países de la Unión Europea donde los programas sociales tienen una sólida historia y cuentan con un amplio apoyo, el concepto de acción afirmativa está fundamentalmente acorde con los principios de la sociedad. Aunque los problemas económico-sociales y culturales de cada Estado miembro constituyen un factor importante para determinar si la acción afirmativa será efectiva o no, también es

---

116 Directiva 76/207/CEE del Consejo, de 9 de febrero de 1976, relativa a la aplicación del principio de igualdad de trato entre hombres y mujeres en lo que se refiere al acceso al empleo, a la formación y a la promoción profesionales, y a las condiciones de trabajo. Art. 1: << 1. La presente Directiva contempla la aplicación, en los Estados miembros, del principio de igualdad de trato entre hombres y mujeres en lo que se refiere al acceso al empleo, incluida la promoción, y a la formación profesional, así como a las condiciones de trabajo y, en las condiciones previstas en el apartado 2, a la seguridad social. Este principio se llamará en lo sucesivo <<principio de igualdad de trato>>. 2. Con el objeto de garantizar la aplicación progresiva del principio de igualdad de trato en materia de seguridad social, el Consejo adoptará, a propuesta de la Comisión, disposiciones que precisarán especialmente el contenido, el alcance y las modalidades de aplicación>>. Vid. Diario Oficial L 039, 14/02/1976, pp. 0040-0042.

117 Directiva 2002/73/CE del Parlamento Europeo y del Consejo, de 23 de septiembre de 2002, que modifica la Directiva 76/207/CEE del Consejo relativa a la aplicación del principio de igualdad de trato entre hombres y mujeres en lo que se refiere al acceso al empleo, a la formación y a la promoción profesionales, y a las condiciones de trabajo. Vid. Diario Oficial L 269, 05/10/2002, pp. 0015 – 0020.

importante examinar cómo incide la acción afirmativa en el sistema político. Lo que podemos con rotundidad afirmar es que la Unión Europea se ha esforzado por incorporar la acción afirmativa como medida jurídica y política útil de cara a restablecer "el equilibrio perdido socialmente" a través de la historia, garantizando el principio de igualdad de oportunidades real o material y no meramente formal. Buena prueba de ello es el artículo 23.2 de la Carta de Derechos Fundamentales de la Unión Europea[118].

3.2. Medidas de acción afirmativa en el contexto internacional

Aunque las acciones afirmativas han tenido diversos desarrollos en diferentes países, como en la India e Inglaterra, su progreso histórico ha estado fuertemente marcado por los desarrollos alcanzados en los Estados Unidos, en gran parte, por la lucha y conquista de los derechos civiles que fueron impulsados y dinamizados por los movimientos étnico-raciales en contra del racismo[119]. El término acción afirmativa aparece por primera vez en Estados Unidos en 1935 en el *New Deal Wagner Act* y surge de la traducción del concepto estadounidense *Affirmative action*[120], entendida como: "la obligación positiva del Departamento Nacional de Relaciones Laborales de remediar las prácticas desleales de los empleadores, ordenando a los ofensores cesar y desistir de esa práctica"[121]. Es por ello por lo que el término

118 El artículo 23 se refiere a la igualdad entre mujeres y hombres. El apartado 1 señala lo siguiente: <<La igualdad entre mujeres y hombres deberá garantizarse en todos los ámbitos, inclusive en materia de empleo, trabajo y retribución", mientras que el aparado 2 precisa lo siguiente, resaltando el alcance de las acciones afirmativas: "El principio de igualdad no impide el mantenimiento o la adopción de medidas que supongan ventajas concretas en favor del sexo menos representado>>.

119 SÁNCHEZ, SANTIAGO: <<La lucha contra la desigualdad: acciones positivas y derechos socioeconómicos en Estados Unidos y en la India>>, *Derecho Público Iberoamericano*, nº 4, Santiago de Chile, 2014, pp. 72-89.

120 SOWELL, T.: *Affirmative action around the world*, Yale University Press, New Haven, 2014, p. 47.

121 KEMELMAJER DE CARLUCCI, A.: <<Las acciones positivas>>, *El principio constitucional de igualdad: lecturas de introducción*, Miguel Carbonell (Comp.), Comisión Nacional de los Derechos Humanos, México D.F., 2003, p. 53.

estuvo, en un principio, circunscrito al ámbito laboral, como ya se ha apuntado más arriba, aunque también al educativo.

De igual modo, se puede decir que de los movimientos por la igualdad y no discriminación en Estados Unidos derivaría la propuesta de Acta de los Derechos Civiles que el presidente Kennedy promocionó en 1963, al reconocer que era necesario que las acciones afirmativas se convirtieran en una política de Estado, para impulsar la integridad democrática, económica y cultural de todas las personas. "El contenido del acta era facilitar los puestos de trabajo a todas las personas con independencia de su color, y suprimir cualquier división o distinción entre personas negras y blancas"[122].

Las medidas de acción afirmativa han contado con el apoyo mundial en instrumentos internacionales relevantes. Sirva de ejemplo la Convención Internacional sobre la Eliminación de todas las formas de Discriminación Racial (ICERD), adoptada y abierta a la firma y ratificación por la Asamblea General de Naciones Unidas en su resolución 2106 A (XX), de 21 de diciembre de 1965, que entró en vigor el 4 de enero de 1969, de conformidad con el artículo 19. El Artículo 1.4 establece lo siguiente: <<Las medidas especiales adoptadas con el fin exclusivo de asegurar el adecuado progreso de ciertos grupos raciales o étnicos o de ciertas personas que requieran la protección que pueda ser necesaria con objeto de garantizarles, en condiciones de igualdad, el disfrute o ejercicio de los derechos humanos y de las libertades fundamentales no se considerarán como medidas de discriminación racial, siempre que no conduzcan, como consecuencia, al mantenimiento de derechos distintos para los diferentes grupos raciales y que no se mantengan en vigor después de alcanzados los objetivos para los cuales se tomaron>>. Además, la Convención no solo permite la acción afirmativa, sino que, en el Artículo 2.2[123], impone una carga

---

122 BEGNE, P.: <<Acción Afirmativa: una vía para reducir la desigualdad>>, en *Ciencia Jurídica*, 2011, pp. 11-16, en concreto, p. 13.

123 Artículo 2.2: <<Los Estados partes tomarán, cuando las circunstancias lo aconsejen, medidas especiales y concretas, en las esferas social, económica, cultural y en otras esferas, para asegurar el adecuado desenvolvimiento y protección de ciertos grupos raciales o de personas pertenecientes a estos grupos, con el fin de garantizar en condiciones de igualdad el pleno disfrute por dichas personas de los derechos humanos y de las libertades fundamentales. Esas medidas en ningún caso podrán tener como consecuencia el mantenimiento de derechos desiguales

a los Estados para adoptar medidas de acción positiva si hay evidencia de que son necesarias para garantizar la igualdad de resultados. Se refiere a *medidas especiales y concretas*. Para el Comité para la Eliminación de la Discriminación Racial (CERD), esta expresión es el equivalente "funcional" de medidas especiales. De acuerdo con la doctrina del CERD, el concepto de medidas especiales o medidas de acción afirmativa se basa en el principio de que las leyes, políticas y prácticas que se adoptan y aplican para cumplir con las obligaciones establecidas en la Convención deben complementarse, cuando las circunstancias así lo exijan, mediante la adopción de medidas especiales temporales destinadas a garantizar que los grupos desfavorecidos puedan disfrutar plena e igualmente de sus derechos humanos y libertades fundamentales. Las medidas especiales forman parte del conjunto de disposiciones establecidas en la Convención que buscan eliminar la discriminación racial.

Interesa recordar que en la Recomendación general No. XXXII, el CERD expresó su preocupación por el hecho de que las medidas de acción afirmativa a menudo tendiesen a confundirse con los derechos constitucionales de los grupos que tradicionalmente han sido discriminados, y por ello señaló que la obligación de adoptar medidas especiales difiere de la general obligación positiva que los Estados parte de la Convención tienen de garantizar los derechos humanos y las libertades fundamentales de las personas y grupos bajo su jurisdicción de manera no discriminatoria. Ello pretendía indicar que ello es una obligación general que deriva de las disposiciones establecidas en la Convención en su conjunto y, por tanto, compete a todos.

En línea con la jurisprudencia y la doctrina internacional, el CERD ha enfatizado, en virtud de la naturaleza temporal de las medidas especiales, la necesidad de un sistema de seguimiento continuo tanto de la acción como de los resultados, a través de métodos de evaluación cuantitativos o cualitativos, según sea el caso. Por lo tanto, el Comité informa a los Estados parte de la Convención que deben proporcionar información en sus informes periódicos sobre los siguientes asuntos: la terminología aplicada a las medidas especiales, tal como se

---

o separados para los diversos grupos raciales después de alcanzados los objetivos para los cuales se tomaron>>.

entiende en la Convención; la justificación de las medidas especiales que se están adoptando, incluidos datos y estadísticas relevantes e información sobre la situación general en que se encuentran los beneficiarios; una breve descripción de cómo surgieron las disparidades o desequilibrios que necesitan solución y los resultados esperados de la aplicación de las medidas; quienes serán los beneficiarios de la acción afirmativa; el procedimiento de consultas que condujeron a la adopción de medidas, incluidas aquellas con los beneficiarios y la sociedad civil en general; la naturaleza de las medidas y cómo promueven el progreso, el desarrollo y la protección de los grupos e individuos a los que se postulan; áreas de acción o sectores donde se han adoptado las medidas especiales, y las instituciones responsables de aplicar las medidas; los mecanismos que existen para llevar a cabo el seguimiento y la evaluación de las medidas y las razones por las cuales estos mecanismos se consideran adecuados, junto con la participación de los beneficiarios en las instituciones que aplican las medidas; resultados provisionales de aplicación, planes para adoptar nuevas medidas y la justificación de los mismos, e incluso información sobre las razones por las cuales no se han adoptado medidas previamente a la vista de las situaciones que parecen justificar su adopción inmediata.

En lo que se refiere al ámbito de la igualdad de género, el Artículo 4 de la Convención sobre la eliminación de todas las formas de discriminación contra la mujer, hecha en Nueva York el 18 de diciembre de 1979[124], ya señalaba lo siguiente: <<1. La adopción por los Estados Partes de medidas especiales de carácter temporal encaminadas a acelerar la igualdad «de facto» entre el hombre y la mujer no se considerará discriminación en la forma definida en la presente Convención, pero de ningún modo entrañará, como consecuencia, el mantenimiento de normas desiguales o separadas; estas medidas cesarán cuando se hayan alcanzado los objetivos de igualdad de oportunidad y trato.

124 La Convención sobre la eliminación de todas las formas de discriminación contra la mujer fue adoptada y abierta a la firma y ratificación, o adhesión, por la Asamblea General de Naciones Unidas en su resolución 34/180, de 18 de diciembre de 1979, habiendo entrado en vigor el 3 de septiembre de 1981, de conformidad con el artículo 27. Al conmemorarse el décimo aniversario de la Convención en 1989, casi un centenar de países se habían adherido a su articulado.

2. La adopción por los Estados Partes de medidas especiales, incluso las contenidas en la presente Convención, encaminadas a proteger la maternidad no se considerará discriminatoria>>. El sentido y el alcance de esta disposición han sido determinados por la CEDAW en la Recomendación general XXV. También es digna de mención la Recomendación general Nº XVIII del Comité del Pacto Internacional de Derechos Civiles y Políticos.

Por su parte, la Convención Marco para la Protección de las Minorías Nacionales del Consejo de Europa (número 157 del Consejo de Europa), hecho en Estrasburgo el 1 de febrero de 1995[125] también recogería la posibilidad de poner en marcha la acción afirmativa, al afirmar en el artículo 4: <<1. Las Partes se comprometen a garantizar a las personas pertenecientes a minorías nacionales el derecho a la igualdad ante la ley y a una protección igual por parte de la ley. A este respecto, se prohibirá toda discriminación fundada sobre la pertenencia a una minoría nacional.

2. Las partes se comprometen a adoptar, cuando sea necesario, medidas adecuadas con el fin de promover, en todos los campos de la vida económica, social, política y cultural, una plena y efectiva igualdad entre las personas pertenecientes a una minoría nacional y las pertenecientes a la mayoría. A este respecto, tendrán debidamente en cuenta las condiciones específicas de las personas pertenecientes a las minorías nacionales.

3. Las medidas adoptadas de conformidad con el apartado 2 no se considerarán un acto de discriminación>>.

Estos convenios se fortalecen aún más con la Directiva de igualdad racial y la Directiva marco de empleo, al contener definiciones de discriminación directa e indirecta, acoso y victimización, y también permiten adoptar medidas de acción afirmativa. Todas estas disposiciones nos hacen pensar, como ha puesto de relieve la Corte Interamericana de Derechos Humanos, que "no toda distinción de trato

---

125 Vid. Disponible en: https://www.coe.int/es/web/compass/framework-convention-for-the-protection-of-national-minorities
Publicada en el BOE núm. 20, de 23 de enero de 1998, y entró en vigor en España el 1 de febrero de 1998.

puede considerarse ofensiva, por sí misma, de la dignidad humana"[126] si es que esta va dirigida al fin último de la igualdad material, real o efectiva. Ello es así porque, como ha defendido Fernández, "la afirmación de la igualdad esencial de todos los seres humanos no significa ignorar la realidad de las diferencias, ni el valor de las mismas. A este respecto, es importante, en primer lugar, no confundir igualdad e identidad y, en segundo lugar, no confundir las nociones de diferencia y desigualdad"[127]

Como prueba la pura experiencia, la aprobación de la acción afirmativa en las convenciones internacionales de más alto nivel junto al reconocimiento de los derechos de las minorías en numerosos textos internacionales no parece que haya sido suficiente. Lo que, a mi modo de ver, en todo caso, no se puede ignorar es que la acción afirmativa constituye una vía para contrarrestar los desequilibrios de una forma más cercana y podría decirse familiar. De hecho, hay que reconocer que los Estados miembros de la Unión Europea han hecho grandes avances para llevar adelante esta idea. A diferencia de lo que ha ocurrido en Estados Unidos, los fallos judiciales europeos han ido ampliando progresivamente la capacidad de los programas de acción afirmativa. Vale la pena recordar el conocido caso de *Helmutt Marschall v. Land Nordrhein-Westfalen* (1997), en el que al plantearse el supuesto de una ley alemana que daba prioridad a las mujeres para ascensos, salvo circunstancias especiales, se confirmó la acción afirmativa[128], o, entre otros muchos, el caso *Connors v. Reino Unido*

---

[126] Corte IDH. *Condición Jurídica y Derechos de los Migrantes Indocumentados*. Opinión Consultiva OC-18/03. 17 de setiembre de 2003. Serie A No. 18, párr. 89.

[127] FERNÁNDEZ RUIZ-GÁLVEZ, ENCARNACIÓN: *Igualdad y Derechos Humanos*, op. cit., p. 19. Como precisa la autora: "Igualdad no significa identidad. La identidad propiamente solo se da en las relaciones de identidad de un objeto consigo mismo. Por eso en el caso de los seres humanos la identidad propiamente dicha es algo absolutamente personal. Consiste en ser único. La igualdad en cambio es un concepto relativo que implica un juicio de equiparación de una pluralidad de objetos, situaciones o personas en un determinado aspecto, aun admitiendo su disparidad en otros. A diferencia de la identidad, la igualdad o desigualdad se predica siempre a partir de un determinado punto de vista o criterio de referencia", pp. 19-20.

[128] Sentencia del Tribunal de Justicia de 11 de noviembre de 1997. *Hellmut Marschall contra Land Nordhein-Westfalen*. Petición de decisión prejudicial: Verwaltungsgericht Gelsenkirchen. Alemania. Igualdad de trato entre hombres

(2004) en el que se dictaminó que "existe una obligación positiva impuesta a los Estados contratantes en virtud del artículo 8 para facilitar el estilo de vida gitano"[129].

3.3. *El caso de España*

En el contexto de la igualdad en España, aunque sea someramente, me gustaría mencionar la Ley española 3/2007, de 22 de marzo de 2007, para la igualdad efectiva de mujeres y hombres (LOIE)[130], que incorpora a la legislación española la Directiva del Consejo 2002/73[131], la Directiva del Consejo 2004/113/CE[132] y la Directiva 97/80/CE[133] del Consejo. Implícitamente, esta ley también aborda los aspectos principales de la Directiva del Consejo 75/117/ECC, que representa un paso importante para la igualdad de género en España. El objetivo del artículo 1 de la Ley es aplicar el principio de igualdad de oportunidades entre mujeres y hombres en materia de empleo y

---

y mujeres. Igual capacitación de candidatos de distinto sexo. Preferencia por las candidatas femeninas. Cláusula de apertura. Asunto C-409/95.
Sentencia disponible en: https://eur-lex.europa.eu/legal-content/ES/TXT/HTML/?uri=CELEX:61995CJ0409&from=ES

129 Sentencia *Connors v. Reino Unido. (Application no. 66746/01)*. Sentencia del TEDH de 27.05.2004. El demandante reclama que él y su familia habían sido desalojados por una autoridad local de una caravana gitana, invocando los artículos 6, 8, 13 y 14 de la Convención, así como el artículo 1 del Protocolo nº 1.

130 SEVILLA MERINO, J. / VENTURA FRANCH, A.: <<Fundamento Constitucional de la Ley Orgánica 3/2007, de 22 de marzo, para la igualdad efectiva de mujeres y hombres. Especial referencia a la participación política>>, en *Revista del Ministerio de Trabajo e Inmigración* nº VII, Extra 2. Igualdad, septiembre 2007, pp. 15-50.

131 Para modificar la Directiva 76/207/CEE del Consejo, de 9 de febrero de 1976, relativa a la aplicación del principio de igualdad de trato entre hombres y mujeres en lo que se refiere al acceso al empleo, a la formación y a la promoción profesionales, y a las condiciones de trabajo.

132 Vid. Directiva del Consejo 2004/113/CE, de 13 de diciembre de 2004, por la que se aplica el principio de igualdad de trato entre hombres y mujeres al acceso a bienes y servicios y su suministro.

133 La Ley también sigue las recomendaciones del Comité para la Eliminación de la Discriminación contra la Mujer. Cfr. Observaciones finales del Comité para la Eliminación de la Discriminación contra la Mujer: España. A/54/38; 30º. y 31º Periodo de sesiones, 12 a 30 de enero y 6 a 23 de julio, 2004: parágrafo "Principales esferas de preocupación y recomendaciones".

ocupación. El artículo 5 indica que este principio de igualdad de oportunidades estará garantizado en el acceso al empleo en el sector privado, al empleo en el sector público y también en el trabajo por cuenta propia, en la formación profesional, en la promoción profesional y en las condiciones de trabajo.

En lo que aquí nos interesa, me gustaría resaltar que la Ley 3/2007 establece un marco general para la adopción de medidas de acción positiva, incluida cualquier acción que tenga como objetivo corregir situaciones de desigualdad de las mujeres con respecto a los hombres. Las autoridades públicas, pero también las personas individuales, pueden adoptar medidas de acción positivas, y además está específicamente permitido introducir medidas de acción positiva mediante convenios colectivos de trabajo para facilitar la aplicación efectiva del principio de igualdad de trato y no discriminación en condiciones de trabajo entre mujeres y hombres. En España, los planes de pensiones profesionales se establecen generalmente a través de un convenio colectivo de trabajo y, desde este punto de vista, también podría ser posible adoptar medidas de acción positivas en este campo.

Parece, a todas luces, loable que la ley prevea y justifique un marco general para la adopción de acciones afirmativas en aras de lograr la igualdad real efectiva entre hombres y mujeres, medidas que, por otra parte, el Tribunal Constitucional español ha apoyado en su jurisprudencia[134]. La ley española transmite a todas las instituciones públicas un mandato para corregir las situaciones de desigualdad fáctica relevante que no están debidamente modificadas por el principio de igualdad jurídica o formal.

Además, la ley otorga una consideración especial al caso de la doble discriminación y se refiere a las dificultades particulares que sufren las mujeres en una situación de vulnerabilidad especial porque pertenecen a minorías, como la gitana, son mujeres inmigrantes

---

134 De hecho, en la Sentencia 128/1987, el Tribunal Constitucional español utilizó criterios sexistas para reconocer que existía una realidad social que es el resultado de una larga tradición cultural en la que las mujeres cumplen la mayoría de las obligaciones familiares, en particular el cuidado de los niños. No obstante, el Tribunal consideró que las medidas especiales que intentan incorporar a la fuerza laboral a grupos socialmente desfavorecidos no son discriminatorias. Vid. F. J. 10º.

o mujeres con discapacidad, una situación que ha empeorado con la situación económica de crisis en España. Asimismo, la ley presta especial atención a que se corrija la desigualdad en el área de las relaciones laborales. Según varias medidas, se reconoce el derecho a conciliar la vida personal, familiar y laboral. Para este propósito, la ley promueve una mayor responsabilidad compartida entre mujeres y hombres con respecto a las obligaciones familiares, contradiciendo la opinión de los que piensan que ver a las mujeres como un grupo discriminado puede resultar, al final, una posición sexista que no ayuda a lograr la igualdad efectiva real entre hombres y mujeres[135].

No obstante, el Real Decreto-ley 6/2019, de 1 de marzo, de medidas urgentes para garantía de la igualdad de trato y de oportunidades entre mujeres y hombres en el empleo y la ocupación[136], vendría a subsanar deficiencias de la Ley 3/2007, debido a que aunque fue una ley pionera en el desarrollo legislativo de los derechos de igualdad de género en España, las medidas de naturaleza fundamentalmente promocional o de fomento obtuvieron resultados discretos, cuando no insignificantes, lo que contraviene la propia finalidad de la citada ley orgánica. Teniendo en cuenta que persisten unas desigualdades intolerables en las condiciones laborales de mujeres y hombres, ha resultado necesaria la elaboración de un nuevo texto articulado integral y transversal en materia de empleo y ocupación, que contuviera las garantías necesarias para hacer efectivo tal principio, con base en los artículos 9.2 y 14 de la Constitución Española. Como señala el Real Decreto-ley 6/2019, esta situación de desigualdad, visible en la brecha salarial que no ha sido reducida en los últimos años, exige una actuación urgente y necesaria por parte del Estado, puesto que la mitad de la población está sufriendo una fuerte discriminación y está viendo afectados sus derechos fundamentales.

A continuación, me referiré a una decisión relevante europea, referida a cuestiones de género que cae en el ámbito de la acción afir-

---

135 En sentido, por ejemplo, Ollero ha entendido que el tutelaje a las mujeres puede terminar volviéndose contra ellas, perpetuando en vez de erradicar un círculo vicioso de dependencia. Vid. OLLERO, ANDRÉS: *Discriminación por razón de sexo. Valores, principios y normas en la jurisprudencia constitucional española*, Centro de Estudios Políticos y Constitucionales, Madrid, 1999, p. 56.

136 BOE núm. 57, de 7 de marzo de 2019. Referencia: BOE-A-2019-3244.

mativa y que puede aclarar el sentido de este tipo de medidas. Me refiero a la decisión del Tribunal de Justicia de la Unión Europea en Luxemburgo de 22 de noviembre de 2012 sobre el caso C 385/11, Isabel Elbal Moreno v. Instituto Nacional de la Seguridad Social (INSS), Tesorería General de la Seguridad Social (TGSS) [137]. Los hechos del caso fueron los siguientes: A la demandante, la Sra. Elbal Moreno, se le había denegado una pensión en España a pesar de haber trabajado como limpiadora a tiempo parcial durante 18 años porque no había completado el período mínimo de contribución de 15 años requerido para tener derecho a una pensión de jubilación en España. La Sra. Elbal Moreno argumentó que la norma implicaba una discriminación indirecta, ya que resultaba un hecho estadístico indiscutible que las trabajadoras son las principales usuarias de este tipo de contrato (aproximadamente el 80% en España). El Tribunal dictaminó: <<El artículo 4 de la Directiva 79/7 / CEE del Consejo, de 19 de diciembre de 1978, sobre la aplicación progresiva del principio de igualdad de trato entre hombres y mujeres en materia de seguridad social debe interpretarse en el sentido de que excluye, en circunstancias como las del caso ante el tribunal remitente, la legislación de un Estado miembro que exige un período de cotización proporcionalmente mayor de los trabajadores a tiempo parcial, la gran mayoría de los cuales son mujeres, que de los trabajadores a tiempo completo para que los primeros califiquen, si corresponde, para un pensión de jubilación contributiva en una cantidad reducida en proporción a la naturaleza a tiempo parcial de su trabajo>>. Con esta decisión, el Tribunal de Justicia de la Unión Europea asestaba un duro golpe a la política de pensiones en España. El Tribunal de Justicia de la UE utilizó un argumento de género para encontrar un trato discriminatorio. Como las mujeres ocupan la mayoría de los trabajos a tiempo parcial, los

---

137 Sentencia del Tribunal de Justicia de la Unión Europea (Sala Octava) de 22 de noviembre de 2012. «Artículo 157 TFUE — Directiva 79/7/CEE — Directiva 97/81/CE — Acuerdo marco sobre el trabajo a tiempo parcial — Directiva 2006/54/CE — Pensión de jubilación contributiva — Igualdad de trato entre trabajadores y trabajadoras — Discriminación indirecta por razón de sexo». Caso C-385/11, Isabel Elbal Moreno v Instituto Nacional de la Seguridad Social (INSS), Tesorería General de la Seguridad Social (TGSS). Disponible en: https://eur-lex.europa.eu/legal-content/ES/TXT/HTML/?uri=CELEX:62011CJ0385&from=Es

obstáculos que la ley crea para obtener una pensión implican discriminación de género, aunque indirecta. De hecho, si lo computamos en tiempo, la demandante habría tenido que trabajar cien años para obtener el derecho a una pensión por lo que parece acertada la decisión del Tribunal de Luxemburgo.

Por todo lo anterior creo que, aunque la distinción no siempre sea completamente clara entre las acciones afirmativas que no protegen genuinamente a las mujeres y las acciones afirmativas que están legitimadas y exigen ser apoyadas, lo que es cierto es que "el principio que regula las relaciones sociales existentes entre los dos sexos: la subordinación legal de un sexo respecto al otro: está mal en sí mismo, y ahora es uno de los principales obstáculos para la mejora humana; y que debería ser reemplazado por un principio de igualdad perfecta, sin admitir ningún poder o privilegio por un lado, ni discapacidad por el otro". Estas palabras escritas por John Stuart Mill[138] hace más de un siglo, resuenan actuales y parece claro que es una tarea pendiente erradicar las barreras discriminatorias en España, puesto que a la vista de la ley 3/2007 y del Real Decreto-ley 6/2019, de 1 de marzo, de medidas urgentes para garantía de la igualdad de trato y de oportunidades entre mujeres y hombres en el empleo y la ocupación, se siguen necesitando nuevos y más eficientes instrumentos legales[139].

---

138 MILL, JOHN STUART: *The Subjection of Women*, 1869. Chapter 1. Vid. También MILL, JOHN STUART; MILL, HARRIET TAYLOR: *Ensayos sobre la igualdad sexual*, A. Machado Libro S.A., Madrid, 2001.

139 Algunas de las más importantes y específicas normas legales en el ámbito de la igualdad de oportunidades entre hombres y mujeres en España son las siguientes: L.O. 1/2004, de Medidas de Protección Integral contra la Violencia de Género; L.O. 3/2007, para la Igualdad Efectiva de Mujeres y Hombres. También de interés son el Real Decreto 902/2020, de 13 de octubre, de igualdad retributiva entre mujeres y hombres y el Real Decreto 901/2020, de 13 de octubre, por el que se regulan los planes de igualdad y su registro y se modifica el Real Decreto 713/2010, de 28 de mayo, sobre registro y depósito de convenios y acuerdos colectivos de trabajo. Toda la normativa vigente se encuentra disponible en: https://www.igualdad.gob.es/normativa/normativa-en-vigor/Paginas/index.aspx

4. LA TOLERANCIA POSITIVA Y LA SOLIDARIDAD COMO VIRTUDES DEMOCRÁTICAS

La sociedad en el siglo XXI nos exige reflexionar no sólo frente a las asimetrías que crea el fenómeno de la globalización sino también sobre las cualidades morales o inmorales que son inherentes al fenómeno como tal. De hecho, hay quienes han sostenido con razón que asistimos a lo que algunos han denominado como <<globalización de la indiferencia>>[140].

Aquí trataré de demostrar cómo este fenómeno deriva de un mal entendimiento de los conceptos de tolerancia y solidaridad. A mi modo de ver, en los últimos tiempos no han faltado los intentos de traer algo de luz sobre esta problemática que afecta de una forma especial al trato que se da en muchos países a los sujetos que forman parte de una minoría, sin embargo, me voy a referir solamente a dos por su relevancia en el plano filosófico-jurídico: por un lado, están los que apuestan por un marco de generosidad cosmopolita, que anima a que empaticemos con los otros, desarrollando la misión de <<imaginar>>, espontánea y generosamente, a otras personas distintas a nosotros, y de hacerlo usualmente; por otro lado, se encuentran los que "intentan resolver el problema de la <<alteridad>> humana mediante el diseño constitucional: pretenden eliminar de manera radical la intrínsecamente desfavorable posición estructural de <<extranjeridad>>"[141]. A mi modo de ver, se pueden considerar vías muy distintas para poner freno al fenómeno de la discriminación de las minorías y previsiblemente los resultados a los que se llegue también serán distintos en el ámbito social.

Me gustaría subrayar que "los derechos humanos son universales en contenido, pero la base en la que se sustenta la autoridad que hace que esos derechos sean respetados es particular"[142]. Es por ello por lo

---

[140] ANÓNIMO: <<El Papa Francisco condena la "globalización de la indiferencia">>, 9 de julio de 2013. Disponible en: https://www.ciudadredonda.org/articulo/el-papa-francisco-condena-la-globalizacion-de-la-indiferencia

[141] SCARRY, ELAINE: <<La dificultad de imaginar a otras gentes>>, en NUSSBAUM, MARTHA C.: *Los límites del patriotismo. Identidad, pertenencia y ciudadanía mundial*, Paidós, Barcelona, 1ª ed. 1999, cit. por ed. 2013, p. 129.

[142] Vid. Ibídem, p. 131.

que deberíamos apostar por lo que he llamado "tolerancia positiva", lo que es más ambicioso que la mera "tolerancia negativa" dentro del entramado democrático. La tolerancia positiva parte de la idea de que la tolerancia nos permite contrastar nuestras ideas con otros pensamientos, otras formas de ser y actuar y otras culturas distintas de la nuestra. Esta postura sostiene que este contraste puede enriquecer nuestras propias concepciones del mundo. De esta manera, el pensamiento, la conducta o la cultura que se tolera, aunque sea diferente, nos ayuda a descubrir y eliminar los "prejuicios culturales" y las ideas equivocadas, y servir como complemento y mejora de nuestras posiciones o puntos de vista. En efecto, refleja una actitud más abierta, crítica y escéptica que la de la tolerancia negativa, aunque es más compleja y difícil. Creo que podemos aceptar que las ventajas de la tolerancia positiva superan a las de la tolerancia negativa para el desarrollo del conocimiento, así como de una vida y cultura más libre e igualitaria. Vale la pena recordar que esta posición fue defendida, entre otros grandes pensadores, por el fraile dominico Francisco de Vitoria[143], en el siglo XVI como representante principal de la Escuela de Salamanca[144] y en él encontramos una importante fuente de inspiración para nuestros días.

---

143 Sobre ello, vid. HERMIDA DEL LLANO, CRISTINA: <<La aportación del pensamiento de Vitoria ante el fenómeno de la globalización y la realidad migratoria actual>>, *New Perspectives on Francisco de Vitoria. Does International Law lie at the heart of the origin of the modern World?* José María Beneyto y Carmen Román Vaca (eds.), ebook, CEU, Madrid, 2014, pp. 210-238; <<La aportación del pensamiento de Vitoria ante el fenómeno migratorio>>, *Current Constitutional Issues. A Jubilee Book on the 40th Anniversary of Scientific Work of Prof. Boguslaw Banaszak*, C.H. Beck, Varsovia (Polonia), 2017, pp. 291-312.

144 Junto al dominico Francisco de Vitoria (1492-1546), cabe citar como más representativos autores de la Escuela de Salamanca a los siguientes: los dominicos Domingo de Soto (1494-1560), Domingo Báñez (1528-1604), Bartolomé Medina (1527-1580), Bartolomé de Las Casas (1474-1566); los jesuitas Luis de Molina (1535-1600), Gabriel Vázquez (1549-1604), Francisco Suárez (1548-1617), Juan de Mariana (1536-1624), José de Acosta (1539-1600); el franciscano Alfonso de Castro (1495-1558) y los juristas Fernando Vázquez de Menchaca (1512-1569) y Diego de Covarrubias (1512-1577); Juan Ginés de Sepúlveda (1490-1573), etc. Vid. MARTÍNEZ MORÁN, NARCISO: <<Aportaciones de la Escuela de Salamanca al reconocimiento de los Derechos Humanos>>, *Cuadernos Salmantinos de Filosofía*, Volumen 30, op. cit., p. 491.

No es el momento de repasar todos los logros alcanzados por esta ilustre Escuela de Salamanca, a la que debemos tanto en el camino de generalización de los derechos fundamentales y de la defensa de la filosofía de la tolerancia, pero sí, al menos, de recordar que durante el Renacimiento se generaron numerosas luchas religiosas, que desembocaron, a veces, en violentas guerras por impedirse la libertad en el ejercicio de la religión que se profesaba. Pensemos en el tratado de la Paz de Augsburgo (1555), en el que se establece el principio *cuius regio eius religio*, según el cual los súbditos habían de profesar la religión <<oficial>>, esto es, la religión del príncipe o monarca que gobernaba en el territorio donde cada cual residiera. Pues bien, como consecuencia de estos acontecimientos se creó una filosofía de la tolerancia encaminada a la consecución de la libertad religiosa[145]. Con acierto, precisa Martínez Morán: "Adviértase que tanto los textos legales como el movimiento filosófico que los apoya aparecen en el siglo XVII, mientras que, con anterioridad, en España —ya durante el siglo XVI— se gesta una conciencia filosófica, teológica y jurídica de la libertad, especialmente entre los pensadores de Salamanca y entre los misioneros que desarrollan su labor en el Nuevo Mundo, cuya doctrina pronto se reflejó en varios textos jurídicos que establecían iguales derechos para los indios que para los españoles"[146]. No perdamos de vista que para Francisco de Vitoria todos los hombres son iguales, pues ninguno es superior por derecho natural a cualquier otro[147]. En suma, Vitoria rechazó la tesis de que unos seres humanos fueran inferiores a otros por naturaleza, tesis que sí había sido defendida por el dominico Juan Mair en 1510 y por Ginés de Sepúlveda, ambos apoyándose en la autoridad de Aristóteles y en su visión de que había hombres que son esclavos por naturaleza[148]. Pero además habría que

---

[145] Dicha filosofía se reflejó también en algunos textos legales que reconocieron determinados derechos, tales como el Edicto de Nantes (1598), el Acta de Tolerancia de Maryland (1649). El mismo espíritu de tolerancia se expresa en la Carta de Rhode Island (1663), por la que se autoriza el ejercicio de cualquier religión en aquel territorio. Vid. Ibídem, p. 496.

[146] Vid. Ibídem, p. 496.

[147] Vid. Ibídem, p. 509.

[148] FERNÁNDEZ RUIZ-GÁLVEZ, ENCARNACIÓN: *De Vitoria a Libia: Reflexiones en torno a la responsabilidad de proteger*, Comares, Granada, 2013, pp. 56-57.

añadir que lo novedoso del planteamiento de Vitoria es que su enfoque se encontraba basado en los derechos, anticipándose al principio recogido en el Derecho Internacional posterior a la Segunda Guerra Mundial a partir de la Carta de Naciones Unidas, conforme al cual los derechos más que una mera cuestión doméstica estatal, constituyen una responsabilidad de la comunidad internacional[149].

La tolerancia positiva tiene así una larga historia y, a mi modo de ver, debería ser entendida no sólo como actitud o virtud cívica privada, sino también como virtud cívica de carácter público, es decir, como virtud estimulada y apoyada por las instituciones jurídico-políticas. Es obvio que la tolerancia se encuentra vinculada a la existencia del fenómeno del pluralismo y es la actitud más acorde con la aceptación de ese fenómeno social, a sabiendas de que constata la coexistencia de variedad de opciones religiosas, valorativas, políticas y de intereses, de concepciones filosóficas y científicas y de planes de vida dentro de una misma sociedad. En cierto modo, podemos decir que el pluralismo expresa la complejidad y riqueza de la condición humana y el desarrollo de la autonomía y la libertad de los seres humanos. Es más, si valoramos positivamente el pluralismo, creo que entonces debería diferenciarse claramente de otras posturas nada deseables, entre otras, la del relativismo moral[150]. Como ha precisado Orellana, con agudeza: "A su vez, la tolerancia, mal entendida, puede dar lugar a que emerja una sociedad cerrada y permisiva donde se dé cabida a determinadas acciones en una espiral sin límite, obviando el hecho cierto, de que la madurez de una sociedad democrática se mide por su capacidad de juzgar el grado de respeto y generosidad con la que acoge a todos sus semejantes"[151].

---

149 Vid. Ibídem, pp. 59-60.

150 Así, por ejemplo, entre otros, Michael Walzer en la obra *Guerra, política y moral*, traducción al castellano de T. Fernández y B. Eguibar, Paidós, Barcelona, 2001, ha asumido una posición relativista al defender: "La historia, la cultura, la religión de una comunidad pueden tener unas características favorables para que los regímenes autoritarios surjan, por así decirlo, espontáneamente y supongan el reflejo de una visión del mundo o un modo de vida ampliamente compartido" p. 80.

151 ORELLANA VILCHES, ISABEL: *Qué es... LA TOLERANCIA*, Paulinas, Madrid, 1999, p. 38.

Resulta obligado justificar el fenómeno de la tolerancia como actitud ya que mientras que el pluralismo subraya la variedad de grupos libres con igualdad de derechos, la tolerancia enfatiza la vigencia y la garantía de la libertad de los demás; mejor aún, el respeto de las concepciones y formas de comportamiento de los demás en su libre diferenciación. Ser tolerante implica respetar las creencias y opiniones de los otros y el reconocimiento de la diferencia y la diversidad de formas de vida. Ahora bien, no cabe confundir la tolerancia con la indiferencia, ya que, como ha escrito V. Camps en su libro *Virtudes públicas* (1990), "sobre todo somos tolerantes cuando esas diferencias nos importan"[152]. Tengamos presente que "la indiferencia es uno de los aspectos más oscuros de la intolerancia y quizá uno de los signos más palpables del subjetivismo de quien la ejerce. Porque la indiferencia se ejerce a través de la altivez y la prepotencia; tanto personales como colectivos"[153]. Además, la tolerancia implica que no nos sentimos portadores de la verdad absoluta, que dudamos y revisamos críticamente nuestras convicciones, que tenemos necesidad de contrastar nuestras concepciones con las de los otros y de dialogar con ellos.

La tolerancia como virtud privada y pública y como principio político y jurídico, que no distingue entre mayorías y minorías porque todas las opiniones y conductas son igualmente dignas de respeto, debería establecer, en consecuencia, sus propios límites. Creo que es importante subrayar que no puede haber tolerancia para los que atentan con la dignidad humana, esto es, no se puede ser tolerante con los intolerantes. Como ha señalado Otfried Höffe: "La tolerancia surge del reconocimiento del otro como una persona libre e igual que, en virtud de su inviolable dignidad humana, tiene derecho a formarse sus propias convicciones y a vivir con ellas solo o con quienes las comparten, siempre que no se menoscabe este mismo derecho en todos los demás.

-Y continúa- Como la tolerancia no es un fin en sí mismo, sino condición y expresión de la libertad y dignidad del hombre, termina allí donde se lesiona la libertad y la dignidad"[154].

---

152 CAMPS, VICTORIA: *Virtudes públicas*, Espasa-Calpe, Madrid, 1990.

153 ORELLANA VILCHES, ISABEL: *Qué es... LA TOLERANCIA*, op. cit., p. 49.

154 HÖFFE, OTFRIED: *Derecho intercultural*, Colección de Estudios Alemanes. Traducción de Rafael Sevilla, Gedisa, Barcelona, 2000.

Aunque los fines que se pueden querer obtener con la tolerancia son diversos, al igual que las razones de la tolerancia, creo que se pueden reducir a dos, según se piense que la tolerancia nos aporta algo nuevo y que puede llegar a ser fundamental para nuestra vida (para nuestras opiniones, convicciones, concepciones del mundo, conducta, cultura, etc.) o si la tolerancia deja las cosas como están (es decir, no nos aporta nada de interés e, incluso, puede resultarnos molesta). Al primer caso es a lo que denomino <<tolerancia positiva>>; al segundo, <<tolerancia negativa>>. A ambas ya me referí anteriormente.

Ahora bien, en el caso de la tolerancia negativa, el fin que se persigue puede ser de dos clases. Somos tolerantes para lograr así: a) la necesaria convivencia entre posturas diversas, ya que resulta más útil y cómodo para nosotros y para los otros y es la mejor manera de asegurarnos el orden y la paz necesarios para el desarrollo de nuestra vida; b) porque así posibilitamos que también los otros, como nosotros, tengan derecho, en situación igual a la nuestra, a ejercer la libertad de opiniones, conducta y cultura, por muy absurdas y sin sentido que nos parezcan. Desde esta perspectiva, podría afirmarse que “lo diferente solo se acepta si pierde su particularidad, el Otro solo se asume si desaparece como tal, y, sin embargo, la mismidad generalizada se alimenta cada vez más de diferencias que gestiona a su antojo”[155].

Por el contrario, la tolerancia positiva va detrás de otros logros. Como ya se ha indicado, parte de la idea de que la tolerancia permite el contraste con otros pensamientos, otras maneras de ser y actuar y otras culturas distintas a las nuestras, consciente, de que a través de ese contraste se pueden enriquecer nuestras propias concepciones del mundo, eliminando prejuicios e ideas irracionales adquiridas de forma irreflexiva con el paso del tiempo. Como con agudeza ha precisado Sancho Gargallo: “Por otra parte, nuestra mente tiende a <<percibir>> lo esperado. Nuestro cerebro es una máquina de <<reconocer>> patrones. Llenamos los huecos e ignoramos lo que no encaja en nuestro patrón. A veces <<vemos>> patrones ilusorios, nuestra percepción es <<creativa>>. Además, no percibimos los acontecimientos

---

155 Vid. MANZANAS CALVO, ANA MARÍA Y HERNÁNDEZ SÁNCHEZ, DOMINGO (Eds.): <<Presentación>> de la obra *Cine y Hospitalidad. Narrativas visuales del otro. Materiales de arte y estética*, Ediciones Universidad de Salamanca, Salamanca, 2021, p. 12.

de forma aislada. Estamos continuamente construyendo narraciones o <<historias>> utilizando el <<acervo de conocimientos sociales>> y los <<arquetipos culturales>> con los que estamos familiarizados, y son más convincentes si encajan con ideas preexistentes"[156].

La tolerancia positiva conlleva, por tanto, una actitud más abierta, crítica y escéptica que la de la tolerancia negativa, aunque también resulta más compleja y difícil. Esta actitud la ha descrito a la perfección Federico Mayor Zaragoza, en calidad de Director General de la UNESCO, en la Declaración con motivo del Año de la Tolerancia:

> *"Desde hoy en la conciencia*
> *y en el comportamiento de cada uno de nosotros*
> *la tolerancia debe tomar su sentido más fuerte:*
> *no simplemente la aceptación del otro*
> *en su diferencia*
> *sino el impulso hacia el otro*
> *para conocerle mejor*
> *para conocerse uno mismo mejor a través de él,*
> *para compartir con él,*
> *para tenderle la mano*
> *de la fraternidad y de la compasión,*
> *para que los valores universales,*
> *comunes a todos,*
> *se enriquezcan con la preciosa especificidad*
> *de cada uno y de cada lengua,*
> *con la irremplazable creatividad de cada persona"*[157].

Creo que se puede aceptar, sin duda alguna, que las ventajas de la tolerancia positiva, por la que sin duda abogó, entre otros, como ya se ha subrayado, Francisco de Vitoria, son mucho mayores que las de la tolerancia negativa[158]. Como ha precisado Martínez Morán, a

---

156 SANCHO GARGALLO, IGNACIO: *El paradigma del buen juez*, Tirant lo blanch, Valencia, 2022, p. 155.

157 ORELLANA VILCHES, ISABEL: *Qué es... LA TOLERANCIA*, op. cit., p. 61,

158 Me serviré para ejemplificarlo de la filosofía de uno de los pensadores españoles más notables y atractivos del siglo XX: José Ortega y Gasset. De toda su extensa obra, únicamente me voy a referir a dos trabajos suyos sobre el perspectivismo,

propósito de la Escuela de Salamanca: "Sería absurdo pensar que los españoles crearon una teoría sistemática de los Derechos Humanos en el sentido científico moderno y tal como hoy la entendemos, pero ellos sí habían elaborado y llevado a sus últimas consecuencias una teoría del Derecho natural en la que se apoyaron para fundamentar y defender los derechos naturales de igualdad y dignidad de todos los seres humanos, para defender la libertad personal y el derecho de libertad, para defender los derechos políticos de participación en la comunidad y en la elección de los gobernantes, e incluso, en muchos casos, para construir la teoría de tiranicidio, e influidos por la filosofía estoica, la teoría de una gran comunidad política que se extendiese a todo el género humano"[159].

---

conectado con su idea de la razón vital como razón circunstancial e histórica, de gran interés para el tema que nos ocupa.

En el primero de ellos, <<Verdad y perspectiva>> (1916), en *El Espectador I*, *O. C.* II, Alianza, Madrid, 1983, ORTEGA Y GASSET, JOSÉ escribe: "La realidad, precisamente por serlo y hallarse fuera de nuestras mentes individuales, sólo puede llegar a éstas multiplicándose en mil caras o haces ... la realidad no puede ser mirada sino desde el punto de vista que cada cual ocupa, fatalmente en el universo ... La realidad, pues, se ofrece en perspectivas individuales ... En vez de disputar, integremos nuestras visiones en generosa colaboración espiritual, y como las riberas independientes se aúnan en la gruesa vera del río, compongamos el torrente de lo real", p. 19.

Y, pocos años después, en *El tema de nuestro tiempo* (1923) publica <<La doctrina del punto de vista>>, *O. C.*, III, Alianza, Madrid, 1983, donde señala: "Desde distintos puntos de vista, dos hombres miran el mismo paisaje. Sin embargo, no ven lo mismo. La distinta situación hace que el paisaje se organice ante ambos de distinta manera... La perspectiva es uno de los componentes de la realidad. Ahora vemos que la divergencia entre dos mundos de dos sujetos no implica la falsedad de uno de ellos. Al contrario, precisamente porque lo que cada cual ve es una realidad y no una ficción, tiene que ser su aspecto distinto del que otro percibe. Esa divergencia no es una contradicción, sino complemento.... Cada vida es un punto de vista sobre el universo... La verdad integral sólo se obtiene articulando lo que el prójimo ve con lo que yo veo, y así sucesivamente".

Creo que de la lectura de ambos pasajes se puede concluir la oportunidad de conectar el hecho de la diferencia de los puntos de vista o perspectivas vitales con la necesidad de la integración, para posibilitar así una concepción más verdadera. Porque la integración incluye las formas de pensamiento y cultura mayoritarias y minoritarias, convirtiéndose así en un acto paradigmático de lo que aquí he denominado como <<tolerancia positiva>>.

159 MARTÍNEZ MORÁN, NARCISO: <<Aportaciones de la Escuela de Salamanca al reconocimiento de los Derechos Humanos>>, *Cuadernos Salmantinos de Filo-*

Pero, de nuevo, surge otra cuestión: ¿Cómo podemos contribuir mejor a formar la autonomía y la libertad de pensamiento dentro del respeto a los derechos, siguiendo la estela del pensamiento de Vitoria y, en general, de la Escuela de Salamanca? Si queremos construir una sociedad cimentada sobre el principio de tolerancia fuerte, en mi opinión, necesitamos precisamente que el ciudadano reconozca que no es malo que se produzcan conflictos o dilemas morales internos (lo perjudicial sería que ni se los planteara por la dictadura de un relativismo heterónomo y autoritario), pues gracias a ese cuestionamiento uno puede desarrollar un sentido crítico sano[160], puede decidir por sí mismo, haciendo uso de la libertad individual, si es preferible decantarse por una versión fuerte o positiva en vez de por una versión débil o negativa de la tolerancia.

Quizás valga la pena recordar aquí que la Reforma Protestante introdujo el factor de la división religiosa en un mundo en el que la unidad de credo continuaba siendo fundamento incuestionable del Estado, y fue ese pluralismo lo que ayudó a colocar en un primer plano la cuestión de la tolerancia[161]. Si no aprendemos a tolerar positivamente difícilmente podremos "estar unidos en la diversidad", conforme reza el bello lema de la Convención Europea. Tolerar positivamente implicar no dejar reducida la tolerancia a mera "estrategia política"[162], como un simple instrumento para la consecución de fines, tal y como ocurrió en la época en la que se apoyaba la versión débil o negativa de la tolerancia por las consecuencias desastrosas que acarreaban las persecuciones religiosas para el desenvolvimiento del comercio, conforme indicó, entre otros, el gran jurista, escritor y poeta neerlandés Hugo Grocio.

La cuestión central no es tanto el fin a conseguir, que es positivo si es loable, como los medios de los que nos sirvamos en el ámbito participativo, para no caer en un puro maquiavelismo antiético. En mi opinión, un buen instrumento de apoyo podría ser la construcción entre todos los ciudadanos de una comunidad de diálogo fundamen-

---

sofía, Volumen 30, op. cit., p. 518.

160 ORELLANA VILCHES, ISABEL: *Qué es... LA TOLERANCIA*, op. cit., p. 49.

161 Vid. SOLAR CAYÓN, JOSÉ IGNACIO: *La teoría de la tolerancia en John Locke*, Universidad Carlos III de Madrid, Dykinson, Madrid, 1996, p. 39.

162 Vid. Ibídem, p. 39.

tada en este concepto de tolerancia en sentido fuerte, ya que desde ella sí que resulta posible la construcción de un espacio democrático coherente y verdadero.

Ello obliga a que los sujetos que intervengan en esa comunidad dialógica demuestren un compromiso explícito de participación en la esfera pública, de inspiración lockiana, como actores políticos y ciudadanos con una actitud positiva y receptiva, vinculada con la posibilidad de escuchar al otro, de entender sus necesidades y de ser capaces de ponerse en el lugar del otro[163], para desde ahí construir un consenso valorativo, imprescindible en términos sociales para la convivencia armónica y pacífica.

Creo que el fenómeno de la globalización, íntimamente vinculado al de los derechos de las minorías, exige pues una reflexión profunda sobre la verdadera integración de aquellos sujetos que pertenecen a una minoría y que desean integrarse en una sociedad que sea respetuosa con los derechos humanos, los cuales le son inherentes en su condición "indisponible" de sujetos morales[164]. Para entenderlo mejor, me gustaría recordar un pasaje del II Plan Estratégico de Ciudadanía e Integración 2011-2014 de la Secretaria de Estado de Inmigración y Emigración en España: "La diversidad es algo consustancial a la realidad y a la vida. (...). Hoy día y en el mundo globalizado, junto a los procesos de uniformación se dan otros de diversificación cultural, étnica, lingüística y religiosa"[165]. Asimismo, también de enorme interés es el Informe Mundial de la UNESCO 2009, *Invertir en la*

---

163 Quizás ayude a entender mejor esta aproximación el concepto de <<imaginación narrativa>>. Vid NUSSBAUM, MARTHA C.: *La fragilidad del bien. Fortuna y ética en la tragedia y en la filosofía griega*, Madrid, 1995. También de la misma autora *Cultivating Humanity: A Classical Defense of Reform in Liberal Education*, Cambridge (Massachusetts) London, 1997.

164 Remito sobre esta cuestión a mi artículo <<Desafíos jurídico-políticos en aras de una mayor integración del inmigrante latinoamericano en la Unión Europea: una apuesta por la igualdad y el concepto de ciudadanía cívica>>, *Revista de Derechos Humanos*, Vol. 2/ 2011, op. cit., pp. 151-172. Asimismo, MEDINA MORALES, DIEGO: <<Ciudadanía y persona en la era de la globalización>>, *Cultura y ciudanía europea*, coord. Ángela Aparisi Miralles, Comares, Granada, 2007, pp. 139-162.

165 II Plan Estratégico de Ciudadanía e Integración 2011-2014 de la Secretaría de Estado de Inmigración y Emigración en España. Dirección General de Integración de los Inmigrantes, España, p. 87.

diversidad cultural y el diálogo intercultural, puesto que defendió, con acierto, unos años antes, la necesidad de afrontar la diversidad cultural mediante procesos de interacción mutua, apoyo y fortalecimiento de la autonomía y de integrarla en una amplia gama de políticas públicas. Sostuvo además algo sobre lo que vale la pena reflexionar años después: <<la diversidad cultural es un elemento medular de los derechos humanos. Estos derechos hay que "apropiárselos" a nivel local, no como elementos forzosamente impuestos a las prácticas culturales, sino como principios universales emanados de estas prácticas>>. Por consiguiente, en mi opinión, los conflictos que inevitablemente surjan de las diferencias culturales habrá que resolverlos desde el diálogo constructivo a partir del marco legal y constitucional instituido. Con palabras de Ferrajoli: "Se puede, incluso, afirmar que la igualdad y la garantía de los derechos son condiciones no solo necesarias, sino también suficientes para la formación de la única <<identidad colectiva> que vale la pena perseguir: la que se funda en el respeto recíproco, antes que en las recíprocas exclusiones e intolerancias generadas por las identidades étnicas, nacionales, religiosas o lingüísticas"[166].

Ahora bien, junto a la tolerancia se encuentra esa otra gran virtud, que tampoco podemos olvidar, que es la solidaridad y que, a mi juicio, también debería ser globalizada. Tengamos en cuenta que, a diferencia de otros valores, que fundamentan directamente derechos, la solidaridad fundamenta indirectamente derechos, es decir, lo hace a través de los deberes, actuando desde dos vertientes complementarias: por un lado, como principio social construido desde el Estado y, por otro lado, como virtud moral, la cual nace y se origina directamente en el propio individuo. Se puede entender así que la solidaridad sea una virtud en la medida en que es una fuerza que puede crecer y perfeccionarse para hacer el bien a nuestros semejantes, colaborando con ellos en el apoyo a un propósito o a una causa común, que sobre todo emerge en circunstancias difíciles.

Si la solidaridad es importante trasladarla al ámbito público es porque creo que se puede llegar más lejos en la consecución de

---

[166] FERRAJOLI, LUIGI: *Iura Paria. Los Fundamentos de la democracia constitucional.* Edición de Dario Ippolito y Fabrizio Mastromartino. Traducción de Andrea Greppi, op. cit., pp. 48-49.

objetivos loables comunes, a los que nunca se llegaría individualmente. A través de ella, no solo se consigue que los sujetos destinatarios de la solidaridad mejoren su situación o circunstancias particulares, sino que por ser una virtud también se logra cambiar la vida de las personas que practican el comportamiento solidario. Desde esta posición, se explica que la solidaridad constituya un proceso bidireccional, al representar la coincidencia permanente entre los fines individuales y los fines sociales. Como Fücks, Steenblock y Pütz han señalado con acierto, aunque refiriéndose sólo al ámbito europeo: "Entendemos la solidaridad europea no solo en términos de operaciones internas sino también como un aspecto de la política internacional orientada a la justicia global"[167]. No podemos ignorar que la "solidaridad europea es un requisito previo para la cohesión interna de la UE, y se requiere fuerza para preservar el "estilo de vida europeo" en un mundo globalizado con un equilibrio de poder que cambia rápidamente. La cohesión dentro de la Unión y la capacidad de interactuar con el mundo exterior están íntimamente conectadas"[168]. A mi modo de ver, es nuestra responsabilidad luchar a nivel mundial para que se toleren, respeten y se reconozcan plenamente todas las particularidades sociales, sexuales, culturales, nacionales, religiosas, políticas, etc., que expresan la diversidad de los seres humanos libres y que no atentan profundamente contra los valores y normas que constituyen la base de su identidad y de una concepción de la justicia común, en aras de proteger, por supuesto, los derechos de todos, incluidos, por supuesto, si cabe con más ahínco, los de las minorías.

---

167 FÜCKS, R. – STEENBLOCK, R. – PÜTZ, C.: <<Solidarity and Strength: The Future of the EU>>, *Solidarity and Strength. The Future of the European Union*, Heinrich Böll Stiftung, Publication Series on Europe, Vol. 6, Berlin, 2011, p. 8.

168 FÜCKS. R. – PÜTZ, C.: <<Preface>>, *Solidarity and Strength. The Future of the European Union*, ibídem, p. 6.

5. LA APUESTA POR LA GENEROSIDAD COSMOPOLITA. UN CAMBIO DE PARADIGMA FRENTE A LA <<GLOBALIZACIÓN DE LA INDIFERENCIA>>

Resulta sumamente peligroso hacer un mal uso de la tolerancia, como ya hemos tenido oportunidad de indicar anteriormente, y quedarnos con la defensa de un concepto de tolerancia débil o negativa que, por ejemplo, apoyarían posiciones "multiculturalistas", al considerar estas corrientes como algo imprescindible el reconocimiento de las diferencias para la construcción de una "política de la identidad"[169]. En relación con ello, explica Fernández: "El origen de la identidad y el sustento de la misma a lo largo de toda nuestra vida no es monológico, no es algo que cada cual logre por sí mismo, sino dialógico. De ahí la importancia del reconocimiento"[170]. Ahora bien, como matiza la autora a continuación: "De lo dicho se desprende que la comunidad interviene en la constitución de la identidad personal. Pero, al mismo tiempo, esta no se reduce a esa dimensión comunitaria y de pertenencia cultural. El ser humano no se identifica sólo como miembro de una comunidad de pertenencia, sino que presenta también una dimensión universal"[171].

La visión de la tolerancia apoyada en la idea negativa de no interferencia y preservación de las minorías es a lo que he denominado más arriba "tolerancia en sentido débil", una tolerancia que en realidad no requiere ningún tipo de esfuerzo por incluir a los grupos minoritarios, sino que, por el contrario, considera que cualquier intento de inclusión o de mero diálogo aperturista puede representar una amenaza asimilacionista e intolerante. Las derivaciones lógicas

---

169 En esta línea, entre otros, Taylor ha sostenido que los grupos minoritarios deben ser protegidos del peligro asimilacionista por parte de la cultura o grupo mayoritario o dominante. Dicho de otro modo: los grupos tienen un derecho a preservar sus culturas y creencias, así como las tradiciones y prácticas derivadas de ellas.

170 FERNÁNDEZ RUIZ-GÁLVEZ, ENCARNACIÓN: *Igualdad y Derechos Humanos*, op. cit., p. 148. Con palabras de la autora: "En cuanto al nexo entre reconocimiento e identidad, Taylor destaca que el reconocimiento o la falta de este o, en su caso, el desprecio de los otros forja, al menos en parte, nuestra identidad. El reconocimiento de los otros (y no solo de los iguales, sino también de los diferentes) es parte constitutiva del proceso de identificación", p. 149.

171 Vid. Ibídem, p. 148.

de esta versión débil de tolerancia son las de una raquítica interferencia estatal en materia religiosa, cultural, étnica, etc., lo que no comparto puesto que, a mi juicio, no basta con no discriminar sino que "hay que integrar".

Apostar por la "generosidad cosmopolita" implica apartarnos de la comprensión del principio de no discriminación como "indiferencia a las diferencias", que degenera -se quiera o no- en la exaltación de la uniformidad[172]. Por otra parte, a esto tampoco ayuda la confusión reinante que asimila autonomía individual con neutralidad y esta a su vez con el principio de no discriminación. Como ha precisado Weiler: "En nombre de la lucha contra la discriminación, se pueden acabar cometiendo graves discriminaciones"[173].

---

172 CARTABIA, MARTA: <<The Challenges of "New Rights" and Militant Secularism>>, The Pontifical Academy of Social Science. Plenary Session, pp. 7-9. Universal Rights in a World of Diversity. The Case of Religious Freedom Pontifical Academy of Social Sciences, Acta 17, 2012. Disponible en: www.pass.va/content/dam/scienzesociali/pdf/acta17/acta17-cartabia.pdf

173 Vid. BENJUMEA, RICARDO: <<Salid a la calle>>, *Alfa y Omega*, nº 708, *ABC*, Madrid, 21-X-2010, p. 7. Una buena muestra de cómo la neutralidad puede ponerse al servicio de las ideologías en el contexto europeo general es el hecho de que unos atribuyan al crucifijo un significado neutro y laico en referencia a la historia y la tradición europea, íntimamente vinculadas al cristianismo, a la par que, por el contrario, otros entiendan que su significado pretende un intento de adoctrinamiento religioso. A mi modo de ver, la diferente comprensión del concepto de secularidad es lo que ha contribuido en este tema concreto a complicar el panorama todavía más. Desde esta última perspectiva, la noción de secularidad implicaría que el Estado debe ser neutro y mostrarse equidistante respecto a las religiones, puesto que no debería percibirse que aquel está más cerca de unos ciudadanos que de otros. De hecho, como sabemos, este fue el argumento utilizado por la demandante en el famoso caso LAUTSI CONTRA ITALIA. STEDH de 3 de noviembre de 2009, Lautsi/Italia, demanda nº 30814/06. Vid. QUERALT JIMÉNEZ, ARGELIA, *La interpretación de los derechos: del Tribunal de Estrasburgo al Tribunal Constitucional*, Centro de Estudios Políticos y Constitucionales, Madrid, 2008, p. 8.
El caso fue presentado por Soile Lautsi, una mujer italiana residente en Abano Terme, madre de dos hijos de 11 y 13 años, respectivamente, que en el curso 2001-2002 asistieron a clase en el instituto público "Vittorino da Feltre", de esa localidad (noreste de Italia). Lautsi se percató que las aulas tenían un crucifijo y estimó que eso era algo contrario al principio de secularidad en el que pretendía que se educara a sus hijos; por tanto, presentó la reclamación antes referida a las autoridades de la escuela pero la dirección decidió dejar los símbolos religiosos en su lugar. Posteriormente, reclamó ante las autoridades regionales, que lleva-

Debemos tener en cuenta que de la misma manera que el relativismo moral o el nihilismo de los valores[174] es pernicioso, la exaltación de un individualismo radical termina salpicando a la propia comprensión de los derechos fundamentales puesto que se pierde de vista que los derechos no pueden ser entendidos en abstracto individualmente. Los derechos fundamentales interactúan unos con otros hasta el punto de que no se puede hablar de ningún derecho ilimitado, aislándolo como si de una pretensión jurídica independiente se tratara.

Cuando el principio de la autonomía de la voluntad se lleva al extremo y, por decirlo de una manera clara, se sobredimensiona, los sujetos quedan remitidos a la soledad y al egoísmo individualista en

---

ron el asunto al Tribunal Constitucional italiano, ante el cual el Gobierno defendió que la exhibición del crucifijo era "natural" porque no sólo era un símbolo religioso sino la "enseña" de la única iglesia citada en la Constitución italiana (la Iglesia Católica). La Corte Constitucional italiana se pronunció posteriormente, el 15 de diciembre de 2004, y consideró que no tenía jurisdicción sobre el asunto al estar relacionado con normas reglamentarias y no legislativas, por lo que no podía entrar al análisis del caso, es decir, un reglamento como tal no podía ser objeto de control constitucional por su carácter infralegal. Un tribunal administrativo se pronunció en marzo de 2005 y falló en contra de la demandante al considerar que el crucifijo era tanto un símbolo de la "historia y la cultura" italianas, "y, consecuentemente, de la identidad italiana", como de los principios de "igualdad, libertad y tolerancia". Posteriormente, el 13 de febrero de 2006, el Consejo de Estado rechazó la demanda porque consideró que el crucifijo se había convertido "en uno de los valores seculares de la Constitución italiana y representaba los valores de la vida civil". Habiendo agotado todas las instancias en su país, Soile Lautsi actuando en su propio nombre y en el de sus dos hijos, Dataico y Sami Albertin, acudió al TEDH y manifestó en síntesis en su demanda que la exposición de la cruz en las aulas del instituto público al que asistían sus hijos constituía una injerencia incompatible con la libertad de convicción y de religión, así como con el derecho a una educación y enseñanza conformes a sus convicciones religiosas y filosóficas.

174 Como ha precisado GABRIEL, MARKUS: *Ética para tiempos oscuros. Valores universales para el siglo XXI*. Traducción de Gonzalo García, Pasado & Presente, Barcelona, tercera edición 2022: "El nihilismo de los valores, al igual que el nihilismo en general, fracasa porque no describe bien la realidad. Es un error fatal creer que solo existe o solo es real lo que la ciencia puede medir, y que el resto es la pura invención de la mente humana, sin correspondencia con la realidad. Resulta absurdo, como puede comprobarse con tan solo razonar que la tesis de que los valores son una invención mental no se deriva de mediciones científicas y por lo tanto, a la luz de sus propias premisas, no es sino una pura invención de la mente humana y no se corresponde con ninguna realidad", p. 98.

sus decisiones (pensemos, por ejemplo, en el derecho a negarse a contratar a una persona de origen gitano por prejuicios irreflexivos), olvidándose que estas se toman dentro de un contexto personal, social, cultural, etc. La apuesta que hacemos aquí por una generosidad cosmopolita nos impide apoyarnos en una concepción voluntarista de la persona humana que consigue a cualquier precio la emancipación del individuo de cualquier forma de paternalismo o alienación[175].

No podemos ignorar que existe una ineludible interconexión entre libertad e igualdad, y entre libertad e igualdad real. Los obstáculos a la igualdad son también obstáculos a la libertad y viceversa. Sin libertad no es posible alcanzar la igualdad, la cual, a su vez, llevada hasta sus últimas consecuencias, termina desembocando en el igualitarismo, negador de las diferencias, sean del tipo que sean, lo que conduce a consecuencia no deseadas puesto que de lo que se trata es de no terminar siendo indiferentes a las mismas.

La cuestión que a lo largo de esta obra se ha planteado es cómo lograr formar ciudadanos capaces de crear un diálogo constructivo desde el entramado del Estado de Derecho, propio de sociedades estatalmente avanzadas, cuya legitimación, como precisa Galindo, "en última instancia, residirá en permitir la articulación práctica del principio de la autonomía de la voluntad a través del ejercicio de actividades jurídicas como la interpretación o la aplicación del Derecho, moderado por el mecanismo de la ponderación o, con otras palabras, el principio del consenso o la aceptación del mecanismo de la atención a las mayorías garantizando el respeto a las minorías"[176]. A mi modo de ver, una de las tareas primordiales en la formación ciudadana radica en invertir en programas educativos de integración social para luchar contra la discriminación, la falta de solidaridad y la intolerancia. Necesitamos un cambio de paradigma que sirva de contrapeso

---

175 De ahí que Cartabia, a propósito del surgimiento de nuevos derechos, haya señalado que esta tendencia viene apoyada en una concepción voluntarista de la persona humana: "*I will, therefore I am, could be the motto of the new rights*". Vid. CARTABIA, MARTA: <<The Challenges of "New Rights" and Militant Secularism>>, op. cit., p. 7.

176 GALINDO AYUDA, FERNANDO: <<Materiales para un manual de Teoría del Derecho>>, *Revista Persona y Derecho. Revista de fundamentación de las Instituciones Jurídicas y de Derechos Humanos*, nº 31, 1994, pp. 59-108, concretamente, p. 67.

a la "globalización de la indiferencia"[177] tan extendida por todo el mundo. Como señaló el filósofo alemán Karl R. Popper: "Si yo puedo aprender de ti y quiero aprender en beneficio de la búsqueda de la verdad, entonces no solo te debo tolerar, sino reconocerte como mi igual en potencia"[178].

Anteriormente, ya expuse que para abarcar esta problemática cabía distinguir dos perspectivas: por una parte, la de aquellos que sostienen un marco de generosidad cosmopolita que confía en la capacidad de la población para "imaginar", tanto espontánea como generosamente, a otras personas, haciendo de ello un asunto que importa en términos de empatía; por otro lado, la de los que intentan resolver el problema de las presuntas "diferencias" humanas a través del diseño constitucional e intentan la negación completa de la condición desfavorable de la que gozan ciertos sujetos por su origen racial o étnico dentro de la sociedad[179]. Desde mi punto de vista, en realidad, necesitamos las dos perspectivas para resolver el asunto de la protección de las minorías que, como sabemos, afecta a millones de personas en el mundo y, por ello, no se deberían considerar ambas perspectivas incompatibles o excluyentes sino, más bien al contrario, perspectivas complementarias. De tal manera que tanto el proceso de positivación de los derechos como de concienciación cívico-moral de los individuos son igualmente importantes. Puede considerarse que las sociedades estatalmente avanzadas actúan de forma exitosa no solo si demuestran que son capaces de resolver los problemas demográficos, sanitarios o la cuestión del desarrollo económico sostenible, sino también si son capaces de resolver los importantes problemas que atañen a la cohesión social. Una pieza clave es que no pierdan de vista que la "integración cultural" es imprescindible para la verdadera inclusión social del sujeto que forma parte de una minoría[180].

---

[177] ANÓNIMO: <<El Papa Francisco condena la "globalización de la indiferencia">>, 9 de julio de 2013. Disponible en: https://www.ciudadredonda.org/articulo/el-papa-francisco-condena-la-globalizacion-de-la-indiferencia

[178] ORELLANA VILCHES, ISABEL: *Qué es... LA TOLERANCIA*, op. cit., p. 33.

[179] SCARRY, E.: <<La dificultad de imaginar a otras gentes>>, en NUSSBAUM, MARTHA C.: *Los límites del patriotismo. Identidad, pertenencia y ciudadanía mundial*, op. cit., p. 129.

[180] Quizás pueda resultar útil volver la mirada al Manual sobre integración para responsables políticos y profesionales, que resumía los principios básicos comu-

Coincidiría así con Granja[181] en que lo mejor que puede hacerse es defender el pluralismo cultural y la ciudadanía diferenciada puesto que manejar exclusivamente una "noción universal de la ciudadanía", que busque trascender las diferencias grupales, puede terminar siendo

---

nes para la política de integración de inmigrantes en la Unión Europea en estos puntos:

<<Integración es un proceso dinámico, bidireccional de acomodación recíproca para todos los inmigrantes y residentes de los Estados miembros.

Integración implica respeto a los valores básicos de la Unión Europea.

El empleo es la clave del proceso de integración y es central para la participación de los inmigrantes, para contribuir en la sociedad de acogida y hacer así su contribución visible.

El conocimiento básico de la lengua, historia e instituciones de la sociedad de acogida es indispensable para la integración; capacitar a los inmigrantes para adquirir este conocimiento básico es esencial para una integración exitosa.

Los esfuerzos en la educación son fundamentales para preparar a los inmigrantes y particularmente a sus descendientes, para lograr más éxito y ser más activos participantes en la sociedad.

El acceso de los inmigrantes a instituciones, a bienes públicos y privados, así como a servicios, sobre una igual base que la de los ciudadanos nacionales y de una forma no discriminatoria es de radical importancia para una mejor integración.

La interacción frecuente entre inmigrantes y ciudadanos de Estados miembros es un mecanismo fundamental para la integración. Los foros compartidos, el diálogo intercultural, la educación sobre inmigrantes y la cultura de los inmigrantes, y las condiciones de vida estimulantes en entornos urbanos mejoran las interacciones entre los inmigrantes y los ciudadanos de los Estados miembros.

La práctica de diversas culturas y religiones está garantizada por la Carta de los Derechos Fundamentales y debe protegerse, a menos que las prácticas entren en conflicto con otros derechos europeos inviolables o con la legislación nacional.

La participación de los inmigrantes en el proceso democrático y en la formulación de políticas y medidas de integración, especialmente a nivel local, apoya su integración.

La incorporación de políticas y medidas de integración en todas las carteras de políticas relevantes y niveles de gobierno y servicios públicos es una consideración importante en la formación e implementación de políticas públicas.

Desarrollar objetivos claros, indicadores y mecanismos de evaluación son necesarios para ajustar la política, evaluar el progreso en la integración y hacer que el intercambio de información sea más efectivo>>. Vid. *Handbook of Integration for policy-makers and practitioners* (2004, November). Disponible en: http://acidi.gov.pt.s3.amazonaws.com/docs/Publicacoes/Handbook_integration.pdf, p. 160.

181 GRANJA ESCOBAR, LUIS CARLOS: Tesis doctoral dirigida por Cristina Hermida del Llano en la Universidad Rey Juan Carlos, titulada <<Análisis comparado del marco jurídico de la población afrodescendiente e indígena en Colombia. Problemas y retos pendientes>>, defendida en el curso académico 2022-2023.

también algo muy injusto; porque, históricamente conduce a la opresión de los grupos excluidos; tal como lo afirma, Iris Marion Young, que cita Kymlicka y Norman: "(...) en una sociedad donde algunos grupos son privilegiados mientras otros están oprimidos, insistir en que, como ciudadanos, las personas deben dejar atrás sus filiaciones y experiencias particulares para adoptar un punto de vista general, sólo sirve para reforzar los privilegios. Esto se debe a que la perspectiva y los intereses de los privilegiados, tenderán a dominar este público unificado, marginando y silenciando a los demás grupos"[182]. Tengamos en cuenta que los grupos excluidos conservan necesidades y pretensiones particulares y específicas, que se pueden compensar por medio de políticas públicas diferenciadoras que visibilicen tales contrastes. Así las cosas, las ideas de la diferencia, el reconocimiento de las particularidades culturales y étnicas, deben conducir a la construcción o, por lo menos, tener un impacto importante en la normatividad legal y jurídica de cualquier nación[183].

Necesitamos también tener en consideración que los Estados no responden a la diversidad étnica de la misma manera: "Para el modelo <<étnico>>, pertenecer a la nación significa compartir ascendencia, idioma y cultura comunes. Para el modelo "republicano" o "cívico", significa la voluntad de aceptar las reglas políticas y adoptar la cultura nacional. Para el modelo "multicultural" significa adherirse a las reglas políticas, pero con la capacidad de mantener las diferencias culturales y formar comunidades y asociaciones étnicas"[184]. Efectivamente, estos tres modelos deben considerarse como "tipos ideales" porque, en la práctica, elementos de todos ellos se detectan en la mayoría de los Estados. Tampoco, "multiétnico" y "multicultural" pueden ser considerados como conceptos equivalentes. Como apuntó Bodonyi, "ambos pueden superponerse entre sí y pueden diferir, pero, en cualquier caso, ambos están relacionados con la regulación de los derechos individuales y colectivos dentro de un país determinado. Las características y relevancia de los problemas que afectan, por un lado,

---

182 KYMLICKA, W., & NORMAN, W.: <<El retorno del ciudadano. Una revisión de la producción reciente en teoría de la ciudadanía>>, en *La Política: Revista de estudios sobre el Estado y la sociedad*, 1997, p. 28.

183 THIEBAUT, C.: *Vindicación del Ciudadano*, Paidós, Barcelona, 1998.

184 TURTON, DAVID. – GONZÁLEZ, JULIA: *Ethnic Diversity in Europe: Challenges of the Nation Sate*, Universidad de Deusto, Bilbao, 2000, p. 18.

a las minorías históricas, y por otro lado, a las comunidades de inmigrantes, son muy diferentes en los diferentes países, bien sea por razones históricas, por razones políticas o por razones económicas"[185]. Es por ello por lo que las medidas que se adopten en cada caso habrán de ser también diferentes en función del tipo de problemas que afectan directamente a cada grupo social.

En nuestro tiempo, verdaderamente, urge que hagamos un esfuerzo por formular y aplicar nuevas técnicas para vivir juntos en armonía y en pie de igualdad. Urge también que desarrollemos una actitud personal, que promovamos un comportamiento público de tolerancia hacia los demás, que adoptemos un comportamiento empático y solidario hacia los sujetos que forman parte de las minorías dentro del contexto social en el que vivimos, que fomentemos una actitud liberal y democrática, basada en el aprendizaje de los errores cometidos en el pasado y en las fatales consecuencias que ha originado el nacionalismo, el chauvinismo, la asimilación forzada y la persecución étnica[186].

Tengamos pues una actitud positiva y receptiva hacia los derechos de las minorías, fomentando sus libertades, el principio de igualdad y la prohibición de la discriminación racial, conscientes de que el ejercicio de sus derechos permite una real inclusión de las minorías dentro de la sociedad. Me gustaría insistir así que tanto el reconocimiento como la visibilidad de la diferencia inherente a las minorías son necesarios para un verdadero proceso de equidad, sin perder de vista que el fin último ha de ser la verdadera integración de las minorías desde el respeto a las diferencias[187]. Como Bobbio ha resaltado, la forma democrática de gobierno se expresa en diversos "universales procedimentales", entre los cuales se encuentra aquel que reza así: "ninguna decisión adoptada por mayoría debe limitar los derechos de la minoría, en particular el derecho de convertirse a su vez en mayoría

---

185 BODONYI, ILONA: <<Immigrants and Minorities. The Contradictions and Barriers of the Cultural Integration>>, en *How Borderless is Europe. Multi-disciplinary approach to European Studies*, coord. István Tarrósy, University of Pécs Department of Political Studies, Pécs, 2015, p. 79.

186 Ibídem, p. 82.

187 KYMLICKA, W., & NORMAN, W.: <<El retorno del ciudadano. Una revisión de la producción reciente en teoría de la ciudadanía>>, en *La Política: Revista de estudios sobre el Estado y la sociedad*, 1997, pp. 5-40, en especial, p. 32.

en igualdad de condiciones"[188], o, con palabras de Capella, "una de las condiciones de la decisión democrática es su reversibilidad, esto es, que nuevas mayorías puedan deshacer la decisión de mayorías anteriores"[189].

Para ello, como ya hemos tenido oportunidad de señalar, es necesario conquistar las aspiraciones de una igualdad material, conforme a los deseos enmarcados en la igualdad formal. Es por ello indispensable que se impulsen por parte de los poderes públicos medidas que conlleven tratamientos diferentes dirigidos a determinadas personas, pueblos o comunidades que se encuentran en situaciones de desventaja y desigualdad manifiesta dentro del cuerpo social.

Se trata, en definitiva, de comprender que no todos ni todas somos identicos y, por lo tanto, todos y todas merecemos igual trato equitativo desde el respeto a la diversidad y a los derechos humanos[190]. Como ha observado con optimismo Capella, "(...) por fortuna no han desaparecido las minorías ciudadanas que prosiguen la lucha por el derecho, que no dan por supuesto las relaciones sociales. Esto es: la lucha por la transformación de las instituciones y de señalamiento de nuevos límites al poder –a los poderes- (...)"[191]. Como apuntó, con agudeza María Zambrano, si la masa es en realidad un deterioro del

---

188 Los otros "universales procedimentales" de la democracia se expresan en las reglas siguientes: a) todos los ciudadanos mayores de edad sin distinciones deben gozar de derechos políticos; b) el voto de los ciudadanos debe tener un peso igual; c) todos los titulares de derechos políticos deben ser libres de votar siguiendo a sus propias opiniones; d) los ciudadanos también deben ser libres en el sentido de que deben estar en condiciones de escoger entre soluciones diferentes, es decir entre partidos que tengan programas distintos y alternativos; e) tanto para la elección, como para las decisiones colectivas, debe valer la regla de mayoría numérica. Vid. BOBBIO, NORBERTO: *Il futuro della democrazia*, Einaudi, Torino, 1984, p. X.

189 CAPELLA, JUAN RAMÓN: <<Las transformaciones de la función del jurista en nuestro tiempo>>, *Revista de Crítica Jurídica*, nº 17, op. cit., p. 66.

190 BOLAÑOS SALAZAR, ELARD RICARDO: <<Las acciones afirmativas como expresiones de la igualdad material: propuesta de una teoría general>>, *Pensamiento Jurídico*, 2016, pp. 313-342.

191 CAPELLA, JUAN RAMÓN: <<Las transformaciones de la función del jurista en nuestro tiempo>>, *Revista de Crítica Jurídica*, nº 17, op. cit., p. 68.

pueblo, entonces es prerrogativa de las minorías la de no dejar solo al pueblo y de ayudarlo y salvarlo de dicha degradación[192].

Mi deseo es que esta obra sirva para tomar conciencia de que necesitamos en nuestro tiempo un discurso más amplio sobre la identificación de los factores estructurales que subyacen a la discriminación de las minorías y un profundo debate en torno la creación de políticas que faciliten la igualdad de oportunidades y resultados para que nadie se quede atrás. En suma, se trata de no olvidar el significado de la dimensión espiritual de la justicia social, que dejó plasmada Martin Luther King, Jr. en esta bella formulación: "La justicia es amor corrigiendo lo que se rebela contra el amor"[193].

---

192 VID. ZAMBRANO, MARÍA: *Persona y Democracia. La historia sacrificial*, Anthropos, Barcelona, 1992: "Las minorías son necesarias y ejercen su influjo precisamente cuando el pueblo, por su evolución o por la decadencia de las clases dominantes, se encuentra solo", p. 153; por otra parte, como la filósofa española también resaltaría, las minorías no son solo progresistas (en las que ocupa una posición preponderante el intelectual) sino que pueden volverse reaccionarias como, de hecho, ha ocurrido con el régimen totalitario. Vid. TRAPANESE, ELENA: *Sueños, tiempos y destiempos. El exilio romano de María Zambrano*, Universidad Autónoma de Madrid Ediciones, Madrid, 2018, p. 145.

193 GABEL, PETER: <<The spiritual dimension of Social Justice>>, *Journal of Legal Education*, Vol. 63, N° 4, Los Ángeles, mayo 2014, p. 673.

BIBLIOGRAFÍA

ABRIL STOFFELS, RUTH Y MARTÍN JIMÉNEZ, GUILLERMO: <<Organizaciones internacionales y minorías>> en ALGORA WEBER, MARÍA DOLORES: *Minorías y fronteras en el Mediterráneo ampliado. Un desafío a la seguridad internacional del siglo XXI*, Dirección y Coordinación Grupo MESIMA, Dykinson, Madrid, 2015.

ABTAN, BENJAMÍN: <<Hungría, la amenaza europea>>, *El País*, 12 de abril de 2013. Disponible en: https://elpais.com/elpais/2013/04/12/opinion/1365765384_976404.html?event_log=oklogin

AGUILERA RULL, ARIADNA / GILI SALDAÑA, MARIAN: <<La esterilización forzosa de mujeres romaníes en la República eslovaca: ¿no hay discriminación? Comentario a la sentencia del Tribunal Europeo de Derechos Humanos de 8 de noviembre de 2011 (TEDH 2011/95), Caso V. C. contra Eslovaquia>>, *InDret. Revista para el Análisis del Derecho* 4/2012, Barcelona, 2012.

ANDERSON, TERRY: *The Pursuit of fairness: A History of Affirmative Action.* Oxford University Press, Oxford, 2004.

ANDRÉS, MARÍA TERESA: <<La comunidad gitana y la educación>>. Fundación Secretariado Gitano. Disponible en: https://docplayer.es/97815889-La-comunidad-gitana-y-la-educacion-ma-teresa-andres.html

ANÓNIMO: <<El proyecto de construcción europea celebra su cincuenta aniversario>>, *Expansión*, 9 de mayo de 2000, p. 60.

ANÓNIMO: <<Cincuenta años después: ¿Europa sin Europa?>>, *El País*, 9 de mayo de 2000, p. 11. Disponible en: https://elpais.com/diario/2000/05/09/internacional/957823224_850215.html

ANÓNIMO: <<El Papa Francisco condena la "globalización de la indiferencia">>, 9 de julio de 2013. Disponible en: https://www.ciudadredonda.org/articulo/el-papa-francisco-condena-la-globalizacion-de-la-indiferencia

ANÓNIMO: *El País*, 6 de agosto de 2013.

ANZALONE, ANGELO: *Lo humano de los derechos humanos*, Dykinson, Madrid, 2021.

APARICIO PÉREZ, MIGUEL ÁNGEL Y GONZÁLEZ RUIZ, FRANCISCO: *Acta Única y Derechos Fundamentales*, Signo, Madrid, 1992.

APARICIO WILHELMI, MARCO: *Los Pueblos Indígenas y el Estado. El Reconocimiento Constitucional de los Derechos Indígenas en América Latina*, Cedecs, Barcelona, 2002.

ARAMBURU ZABALA, LUIS A.: <<La Directiva Antidiscriminatoria (2000/78/EC): implicaciones en selección de personal>>, *Revista de Psicología del Trabajo y de las Organizaciones*, vol. 20, nº 2, 2004.

ARENDT, HANNAH: *Los orígenes del totalitarismo*, Taurus, Madrid, 1998.

ARLETTAZ, FERNANDO: <<Derechos de las Minorías en el Pacto Internacional de Derechos Civiles y Políticos: Consideraciones Conceptuales>>. Disponible en: https://www.mruni.eu/upload/iblock/e0b/JUR-13-20-3-04.pdf

ARP, BJÖRN: *Las minorías nacionales y su protección en Europa*, con prólogo de Carlos Jiménez Piernas, Colección Cuadernos y Debates, Centro de Estudios Políticos y Constitucionales, Madrid, 2008.

ARP, BJÖRN: <<La aplicación del Convenio-Marco para la protección de las minorías nacionales en España: el segundo ciclo>>, *Revista Española de Derecho Internacional*, Vol. 2-LX, 2008.

ATIENZA, MANUEL: *Sobre la dignidad humana*, Trotta, Madrid, 2022.

BARDAJÍ, RAFAEL L.: <<Por un concepto estratégico de la OTAN realmente nuevo>>, *Revista Española de Defensa*, nº 124, Ministerio de Defensa, Madrid, junio de 1998, pp. 52-54.

BARRY, BRIAN: *La justicia como imparcialidad*, Paidós. Estado y Sociedad, Barcelona, 1997.

BAUTISTA JIMENEZ, J. M.: <<El Convenio marco para la protección de las minorías nacionales: construyendo un sistema europeo de protección de las minorías>>, *Revista de Instituciones Europeas*, vol. 22, nº 3, 1995.

BEGNE, P.: <<Acción Afirmativa: una vía para reducir la desigualdad>>, en *Ciencia Jurídica*, 2011, pp. 11-16.

BENEDIKTER, THOMAS: *Legal Instruments of Minority Protection in Europe. An Overview.* Society for Threatened Peoples, Bolzano/Bozen, 30. November 2006. Disponible en: http://www.gfbv.it/3dossier/eu-min/autonomy-eu.html

BENJUMEA, RICARDO: <<Salid a la calle>>, *Alfa y Omega*, nº 708, *ABC*, Madrid, 21-X-2010, p. 7.

BOBBIO, NORBERTO: *Il futuro della democrazia*, Einaudi, Torino, 1984,

BODONYI, ILONA: <<Immigrants and Minorities. The Contradictions and Barriers of the Cultural Integration>>, *How Borderless is Europe. Multi-disciplinary approach to European Studies*, coord. István Tarrósy, University of Pécs Department of Political Studies, Pécs, 2015, pp. 73-85.

BOLAÑOS SALAZAR, ELARD RICARDO: <<Las acciones afirmativas como expresiones de la igualdad material: propuesta de una teoría general>>, *Pensamiento Jurídico*, 2016, pp. 313-342.

BOSSUYT, MARC: *El concepto y la práctica de la Acción Afirmativa.* Final report presented by the Special Reporter, under the terms of United Nations Sub-Commission on the Promotion and Protection of Human Rights Resolution 1998/5. 53rd period of sessions. Subject 5 on the provisional programme, Preventing Discrimination.

BOSSURY, M.: *Prevención de la Discriminación*, Naciones Unidas, 2002.

BULYGIN, EUGENIO: <<Sobre el status ontológico de los derechos humanos>>, *Doxa. Cuadernos de Filosofía del Derecho*, nº 4, Centro de Estudios Constitucionales y Seminario de Filosofía del Derecho de la Universidad de Alicante, Alicante, 1987, pp. 79-84.

BURGESS, ADAM: <<Critical reflections on the return of national minority rights to East/West European affairs>>, en Karl Cordell. ed. *Ethnicity and Democratisation in the New Europe*, Routledge, Londres, 1999, pp. 49-60.

BRUNNER, GUIDO: <<¿Europa, sin embargo, se mueve?>>, en *El reto europeo: Identidades culturales en el cambio de siglo*, Coordinador José Luis Abellán, Trotta-Asociación de Hispanismo Filosófico, Madrid, 1994.

CAHN, CLAUDE: <<La indolencia de un tribunal: de cómo no afrontar la discriminación sistémica por origen racial en el Tribunal Europeo de Derechos Humano>>, *Revista de Derecho Europeo Antidiscriminación*, nº 4, 2006.

CAHN, CLAUDE: <<Human Rights and Roma: What's the Connection?>>, en *Roma Rights. Race, Justice and Strategies for Equality*, International Debate Education Association, New York, 2002.

CALDUCH CERVERA, RAFAEL: *Dinámica de la Sociedad Internacional*, Centro de Estudios Ramón Areces, Madrid, 1993.

CALDUCH CERVERA, RAFAEL: <<Nacionalismos y minorías en Europa>>, Conferencia pronunciada en el Curso de Verano titulado: *La Nueva Europa en los albores del siglo XXI. Conflictos, cooperación, retos y desafíos*, celebrado en Palencia, julio de 1998.

CALDUCH CERVERA, RAFAEL: <<Soluciones Regionales para la Protección Internacional de las Minorías en Europa>>, en GARCÍA RODRÍGUEZ, ISABEL, *Las minorías en una sociedad democrática y pluricultural*, Universidad de Alcalá. Servicio de Publicaciones, Madrid, 2001.

CALDUCH CERVERA, RAFAEL: <<Movimientos migratorios y protección de minorías en Europa>>, Instituto Complutense de Estudios Internacionales (UCM). Disponible en: https://www.ucm.es/data/cont/docs/835-2018-03-01-Migraciones%20y%20minorias%20Mediterraneo.pdf

CALDUCH CERVERA, RAFAEL: <<La perestroika soviética y los procesos de cambio en los países balcánicos>>, Cursos de Derecho Internacional de Vitoria-Gasteiz, 1991, Servicio Editorial de la Universidad del País Vasco, Bilbao, 1992.

CALDUCH CERVERA, RAFAEL: <<Los Balcanes: entre la democracia y la guerra civil>>, *Tiempo de Paz*, nº 22 (invierno) 1992, pp. 32-49.

CALDUCH CERVERA, RAFAEL: <<La Unión Europea Occidental y la Seguridad Común Europea. La vinculación entre la Unión Europea y la Unión Europea Occidental: Alternativas y consecuencias>>, *La Conferencia Intergubernamental y de la Seguridad Común Europea*. Monografías del CESEDEN (Centro Superior de Estudios de la Defensa

Nacional), nº 21, VII Jornadas Universidad Complutense–CESEDEN, 1997, pp. 201-212.

CAMPS, VICTORIA: *Virtudes públicas*, Espasa-Calpe, Madrid, 1990.

CAPELLA, JUAN RAMÓN: <<Las transformaciones de la función del jurista en nuestro tiempo>>, *Revista de Crítica Jurídica*, nº 17, agosto 2000, pp. 51-69.

CAPOTORTI, FRANCESCO: <<Study on the rights of persons belonging to ethnic, religious, and linguistic minorities>>, ONU. Centre for Human Rights, New York, 1979.

CAPOTORTI, FRANCESCO: *Estudio sobre los Derechos de las Personas Pertenecientes a Minorías Étnicas, Religiosas o Lingüísticas*, Serie de Estudios nº 5 de las Naciones Unidas, Centro de Derechos Humanos, Ginebra, 1991.

CARMONA CUENCA, ENCARNACIÓN: <<La prohibición de discriminación (art. 14 CEDH y Protocolo 12)>>, en *La Europa de los Derechos. El Convenio Europeo de Derechos Humanos*, (coord. por GARCÍA ROCA, F. J. y SANTOLAYA, P.), CEPC, Madrid, 2005, pp. 665-696.

CARTABIA, MARTA: <<The Challenges of "New Rights" and Militant Secularism>>, The Pontifical Academy of Social Science. Plenary Session. Universal Rights in a World of Diversity. The Case of Religious Freedom Pontifical Academy of Social Sciences, Acta 17, 2012. Disponible en: www.pass.va/content/dam/scienzesociali/pdf/acta17/acta17-cartabia.pdf

CASADO CASADO, LUCÍA: <<Discriminación racial y ejercicio del derecho a la instrucción en la jurisprudencia del Tribunal Europeo de Derechos Humanos. El caso de la minoría gitana>>, en *Revista Vasca de la Administración Pública,* nº 92, enero-abril 2012, pp. 247-291.

CASANOVAS, ORIOL Y RODRIGO, ÁNGEL: *Casos y Textos de Derecho Internacional Público*, Tecnos, Madrid, 2010.

CASHIN, SHERYLL: *Place not Race. A New visión of Opportunity in America*, Beacon Press, Boston, Massachusetts, 2014.

CASHIN, SHERYLL: *White Space, Black Hood: Opportunity Hoarding and Segregation in the Age of Inequality*, Beacon Press, 2021.

CASHIN, SHERYLL: <<Where MLK's Vision Is Starting to Be Realized>>, *Político*, 17 de enero de 2022. Disponible en: https://www.politico.com/news/magazine/2022/01/17/martin-luther-king-day-city-governments-527214

CASSESE, ANTONIO: *Los derechos humanos en el mundo contemporáneo*, Ariel, Barcelona, 1993.

CASTELLÀ SURRIBAS, SANTIAGO J.: *¿Hacia un nuevo derecho de gentes? El principio de dignidad de la persona como precursor de un nuevo derecho internacional*. Real Academia Europea de Doctores, Barcelona, 2016.

CASTLES, STEPHEN: *Ethnicity and Globalization. From Migrant Worker to Trasnational Citizen*, Sage, London- Thousand Oaks- New Delhi, 2000.

CHUECA SANCHO, ÁNGEL G.: *Los derechos fundamentales en la Unión Europea*, Bosch, Barcelona, 2ª ed. 1999.

CLEMENTS, LUKE: *Litigating Cases on Behalf of Roma before the Court and Commission in Strasbourg*. Roma Rights, invierno de 1998. Disponible en: http://www.errc.org/cikk.php?cikk=487

CLOGG, RICHARD: *Historia de Grecia*, Cambridge University Press, 1992.

CLOTET I MIRÓ, MARÍA ANGELS: <<La Carta Europea de las Lenguas Regionales o Minoritarias>>, *Revista de Instituciones Europeas*, Vol. 21, Nº 2, 1994.

COBREROS MENDAZONA, EDORTA: <<Discriminación por indiferenciación, estudio y propuesta>>, *Revista Española de Derecho Constitucional,* Año 27, nº 81, 2007, pp. 71-114.

COLUZZI, PAOLO: <<Problemas y dificultades en el proceso de planificación lingüística para las lenguas minoritarias italianas>>. Disponible en: https://www.linguapax.org/wp-content/uploads/2015/03/4_coluzzi.pdf

CONTRERAS MAZARÍO, JOSÉ MARÍA: <<Minorías y Naciones Unidas, Especial Referencia al Concepto de Minoría Religiosa>>, en *Derecho Constitucional para el siglo XXI*, actas del VIII Congreso Iberoamericano de Derecho Constitucional, coord. Por Manuel Carrasco Durán, Francisco Javier Pérez Royo, Joaquín Urías Martínez, Manuel José Terol Becerra, Vol. 2, Thomson Reuters Aranzadi, 2006, pp. 5007-5043.

CORONA FERREYRA, ROMÁN RUBÉN: <<Minorías y grupos diferenciados: Claves para una aproximación conceptual desde la perspectiva internacional>>, *IUS. Revista Jurídica Universidad Latina de América*. Disponible en: http://www.unla.mx/iusunla22/reflexion/minorias%20y%20grupos%20difernciados.htm

CORTINA, ADELA: *Ética de la razón cordial Educar en la ciudadanía en el siglo XXI*, Ediciones Nobel, Oviedo, 2ª edición, 1ª reimpresión junio de 2009.

CORTINA, ADELA: *Ética Cosmopolita. Una apuesta por la cordura en tiempos de pandemia*, Paidós. Estado y Sociedad, Barcelona, 2021.

CORTINA, ADELA: *¿Para qué SIRVE realmente...? La Ética*, Paidós, Barcelona, 2022.

COX, PAT: <<Intervención ante la Cumbre extraordinaria de Jefes de Estado o de Gobierno de la UE para la apertura de la Conferencia Intergubernamental>>, Roma, 4 de octubre de 2003.

COWAN, J.: *<<Inverse discrimination>>, The affirmative Action Debate.* New York: Routledge, 1995.

CUESTA, JAVIER G.: <<Lukashenko planea blindarse con la nueva Constitución de Bielorrusia>>, *El País*, 28 de diciembre de 2021. Disponible en: https://elpais.com/internacional/2021-12-28/lukashenko-planea-blindarse-con-la-nueva-constitucion-de-bielorrusia.html

DE BLAS GUERRERO, ANDRÉS: *Nacionalismos y naciones en Europa*, Alianza, Madrid, 1994.

DE LUCAS, J.: <<Algunos problemas del estatuto jurídico de las minorías. Especial atención a la situación en Europa>>, *Revista del Centro de Estudios Constitucionales*, nº 15, Madrid, 1993.

DE MONTALVO JÄÄSKELÄINEN, FEDERICO: <<Constitución de la República Checa>>, *Revista de las Cortes Generales*, doi 10.33426/rcg/2006/67/546, 1 de abril de 2006. Disponible en: https://research.amanote.com/publication/gaJo4nMBKQvf0BhiplAM/constitucin-de-la-repblica-checa

DE WITTE, BRUNO: <<Los Derechos Europeos de las minorías>>, *Revista Española de Derecho Europeo*, nº 28, 2008.

DI TULLIO ARIAS, ANABELLA: <<¿Hacia una justicia sin fronteras? El enfoque de las capacidades de Martha Nussbaum y los límites de la justicia>>, *Daimon. Revista Internacional de Filosofía*, nº 58, 2013, pp. 51-68.

DÍAZ BARRADO, CÁSTOR MIGUEL: *La Protección de las minorías Nacionales por el Consejo de Europa,* Editorial Edisofer, Madrid, 1999.

DINSTEIN, YORAM: <<Freedom of Religion and the Promotion of Religious Minorities>>, 20 IYHR, (1990).

DWORKIN, RONALD: <<Why Bakke Has No Case>>, *New York Review of Books*, vol. 24, November 10, 1977.

DWORKIN, RONALD: *Sovereign Virtue. The Theory and Practice of Equality*, Harvard Univ. Press, 2000.

EIDE, ASBJORN: <<Help eliminate Racism>>, en *New Expressions of Racism. Growing Areas of Conflict in Europe*, Utrecht: Netherlands Institute of Human Rights –SIM, pp. 63-75.

ECHEVERRI ARDILA, NATHALIA MELISSA: Trabajo Fin de Grado en Derecho <<Minorías étnicas en la Unión Europea>>, tutorizado por Cristina Hermida del Llano, durante el curso académico 2019-2020 en la Universidad Rey Juan Carlos de Madrid, habiendo sido defendido en la Convocatoria de septiembre de 2020.

ELÓSEGUI ITXASO, MARÍA: <<El concepto jurisprudencial de acomodamiento razonable. El Tribunal Supremo de Canadá y el Tribunal Europeo de Derechos Humanos ante la gestión de la diversidad cultural y religiosa en el espacio público>>, *Anuario de Filosofía del Derecho*, 2014 (XXX), pp. 69-96.

ELÓSEGUI, MARÍA – HERMIDA CRISTINA (COEDITORES): *Racial Justice, Policies and Courts' Legal Reasoning in Europe*, Springer, Alemania, 2017.

ELY, JOHN H.: <<Equal Citizenship under the XIV Amendment>>, *Harvard Law Review*, vol. 91, Nov. 1977.

ERMACORA, F.: <<The Protección of Minorities before the United Nations>>, 182 *Recueil des Cours* (1983, IV).

ESTEVE GARCÍA, FRANCINA: <<Las directivas europeas contra la discriminación racial y la creación de organismos especializados para promover la igualdad. Análisis comparativo de su transposición en España y en Francia>>. Disponible en: https://www.ugr.es/~redce/REDCE10/articulos/05FrancinaEsteveGarcia.htm

FERNÁNDEZ PUYANA, DAVID: <<El régimen jurídico para la protección de las minorías nacionales en los países de la Europa oriental conforme al Derecho previsto en Naciones unidas>>, *Cuadernos constitucionales de la Cátedra Fadrique Furió Ceriol*, núms. 43, 44, Valencia, 2003.

FERNÁNDEZ RUIZ-GÁLVEZ, ENCARNACIÓN: *Igualdad y Derechos Humanos*, Tecnos, Madrid, 2003.

FERNÁNDEZ RUIZ-GÁLVEZ, ENCARNACIÓN: *De Vitoria a Libia: Reflexiones en torno a la responsabilidad de proteger*, Comares, Granada, 2013.

FERRAJOLI, LUIGI: *Derechos y garantías*, Trotta, Madrid, 2004.

FERRAJOLI, LUIGI: *Iura Paria. Los Fundamentos de la democracia constitucional.* Edición de Dario Ippolito y Fabrizio Mastromartino. Traducción de Andrea Greppi, Trotta, Madrid, 2020.

FERREIRA DE CARVALHO, EDSON Y FERNÁNDEZ RUIZ-GÁLVEZ, ENCARNACIÓN: *El discurso de la modernidad y los derechos indígenas en Brasil*, Cuadernos Deusto de Derechos Humanos, nº 79, Publicaciones de la Universidad de Deusto, Bilbao, 2015.

FERRO GRACIA, MICHEL: Trabajo Fin de Grado titulado <<Propuestas para la integración de la mujer gitana en España>>, realizado en el Doble Grado en Administración y Dirección de Empresas y Derecho, tutorizado por Cristina Hermida del Llano en la Universidad Rey Juan Carlos de Madrid, habiendo sido defendido en el curso académico 2017-2018.

FREIXES SANJUÁN, TERESA: <<Las principales construcciones jurisprudenciales del Tribunal Europeo de Derechos Humanos. El standard mínimo exigible a los sistemas internos de derechos en Europa>>, *Cuadernos Constitucionales de la Cátedra Fadrique Furió Ceriol,* nº 11-12, 1995.

FROMAGE, DIANA: <<La evolución de la protección de los derechos en la Unión Europea. El ejemplo de la protección de las minorías>>, *Revista de la Facultad de Derecho de México*, Volumen 62, nº 275, UNAM, Ciudad de México, 2012

FÜCKS, R. – STEENBLOCK, R. – PÜTZ, C.: <<Solidarity and Strength: The Future of the EU>>, *Solidarity and Strength. The Future of the European Union*, Heinrich Böll Stiftung, Publication Series on Europe, Vol. 6, Berlin, 2011.

GABEL, PETER: <<The spiritual dimension of Social Justice>>, *Journal of Legal Education*, Vol. 63, Nº 4, Los Ángeles, mayo 2014.

GABRIEL, MARKUS: *Ética para tiempos oscuros. Valores universales para el siglo XXI*. Traducción de Gonzalo García, Pasado & Presente, Barcelona, tercera edición 2022.

GALINDO AYUDA, FERNANDO: <<Materiales para un manual de Teoría del Derecho>>, *Revista Persona y Derecho. Revista de fundamentación de las Instituciones Jurídicas y de Derechos Humanos*, nº 31, 1994, pp. 59-108.

GARCÍA RODRÍGUEZ, ISABEL: *Las Minorías en una Sociedad Democrática y Pluricultural*, Universidad de Alcalá, Servicio de Publicaciones, Madrid, 2001.

GARRIDO GÓMEZ, MARÍA ISABEL: <<Expresiones del Derecho antidiscriminatorio>>, en D. Pabón Piscitello, *Derecho* (coord.), *Derecho internacional de los derechos humanos: manifestaciones, violaciones y respuestas actuales,* T. I ("Especial referencia al ámbito universal"), Universidad Católica de Córdoba (Argentina), Córdoba (Argentina), 2014, pp. 139-166.

GAUTHIER, DAVID: *Morals by Agreement*, Clarendon Press, Oxford, 1986.

GIBBARD, ALLAN: <<Constructing Justice>>, *Philosophy Public Affairs*, 20, 1991.

GILBERT, GEOFF: <<Article 5. Non-assimilation - Development of identity>>, <<Article 6. Tolerance>>, en la obra colectiva *The Rights of Minorities in Europe. A Commentary on the European Framework Convention for the Protection of National Minorities*, edit. Marc Weller, Oxford University Press, Oxford-New York, 2005.

GONZÁLEZ HIDALGO, ELOÍSA y RUIZ VIEYTEZ, EDUARDO J.: <<La definición implícita del concepto de minoría nacional en el Derecho internacional>>, *Derechos y Libertades: Revista del Instituto Bartolomé de las Casas*, 2012, núm. 27, pp. 17-56.

GRANADO HIJELMO, IGNACIO: *Reflexiones jurídicas para un tiempo de crisis. Nuevo orden internacional, constitución europea y proceso autonómico español*, Ediciones Internacionales Universitarias, Barcelona, 1997.

GRANJA ESCOBAR, LUIS CARLOS: Tesis doctoral dirigida por Cristina Hermida del Llano en la Universidad Rey Juan Carlos, titulada <<Análisis comparado del marco jurídico de la población afrodescendiente e indígena en Colombia. Problemas y retos pendientes>>, defendida en el curso académico 2022-2023.

HABERMAS, JÜRGEN: *Faktizität und Geltung. Beiträge zur Diskurstheorie des Rechts und des demokratischen Rechtstaats*, Frankfurt am Main, 1994, segunda edición. Traducción al castellano de M. Jiménez, Trotta, Valladolid, 1998.

HART, H.L.A.: <<Utilitarianism and Natural Rights>>, en Hart, *Essays in Jurisprudence and Philosophy*, Oxford: Clarendon Press, 1983.

HENAO PÉREZ, J. C.: *Sentencia de 19 de diciembre de 2011. T-275/11*. Corte Constitucional de Colombia, Bogotá, 2011.

HERMIDA DEL LLANO, CRISTINA: *Los derechos fundamentales en la Unión Europea*, Anthropos, Barcelona, 2005.

HERMIDA DEL LLANO, CRISTINA: <<Desafíos jurídico-políticos en aras de una mayor integración del inmigrante latinoamericano en la Unión Europea: una apuesta por la igualdad y el concepto de ciudadanía cívica>>, *Revista de Derechos Humanos de la Universidad de Piura*, 2/2011, Perú, enero-diciembre 2011, pp. 151-172.

HERMIDA DEL LLANO, CRISTINA: <<Equal opportunity as the basis for social-economic integration of immigrants in the European Union>>, *Annales Universitatis Apulensis*, Series Jurisprudentia 15/2012, Romania, 2012, pp. 105-116.

HERMIDA DEL LLANO, CRISTINA: <<Argumentation of the Court of Strasbourg's Jurisprudence regarding the discrimination against Roma>>, en *Racial Justice, Policies and Courts' Legal Reasoning in Europe*, coeditores: María Elósegui/Cristina Hermida, Springer, Alemania, 2017, pp. 93-113.

HERMIDA DEL LLANO, CRISTINA: <<La universalidad racional de los derechos>>, *Revista de Filosofía. Bajo Palabra*, Vol. Filosofía, Derechos Humanos y Democracia. Época II. N° 8, Universidad Autónoma de Madrid, Madrid, 2013, pp. 33-45.

HERMIDA DEL LLANO, CRISTINA: <<La aportación del pensamiento de Vitoria ante el fenómeno de la globalización y la realidad migratoria actual>>, *New Perspectives on Francisco de Vitoria. Does International Law lie at the heart of the origin of the modern World?* José María Beneyto y Carmen Román Vaca (eds.), ebook, CEU, Madrid, 2014, pp. 210-223.

HERMIDA DEL LLANO, CRISTINA: <<La aportación del pensamiento de Vitoria ante el fenómeno migratorio>>, *Current Constitutional Issues. A Jubilee Book on the 40th Anniversary of Scientific Work of Prof. Boguslaw Banaszak*, C.H. Beck, Varsovia (Polonia), 2017, pp. 291-312.

HERMIDA DEL LLANO, CRISTINA: *La Mutilación Genital Femenina. El declive de los mitos de legitimación*, Tirant lo blanch, Valencia, 2017.

HERMIDA DEL LLANO, CRISTINA: <<The importance of non-governmental organizations of achieving the sustainable development goals: The fight against racial discrimination of Roma in Europe>>, en *Public-Private Partnerships and sustainable development goals: proposals for the implementation of the 2030 Agenda*, Volumen coordinado por Paloma Durán y Lalaguna, Sagrario Morán Blanco,

Castor M. Díaz Barrado y Carlos Fernández Liesa. Verdiales López, D. M. (coord.), Instituto de Estudios Internacionales y Europeos "Francisco de Vitoria", Universidad Carlos III de Madrid, Madrid, 2018, pp. 17-32.

HERMIDA DEL LLANO, CRISTINA: <<El antigitanismo en el ámbito de la Unión Europea, con especial referencia a España>>, en la obra colectiva de HERMIDA DEL LLANO, CRISTINA (Coord.): *Discriminación racial, intolerancia y fanatismo en la Unión Europea*, Dykinson, Madrid, 2020, pp. 203-226.

HERMIDA DEL LLANO, CRISTINA: <<Si hubiera nacido mujer y además gitana>>, *El Imparcial*, 11 de abril de 2020. Disponible en: https://www.elimparcial.es/noticia/211987/opinion/si-hubiera-nacido-mujer-y-ademas-gitana.html

HERMIDA DEL LLANO, CRISTINA: <<Cánticos por la igualdad racial>>, *El Imparcial*, 1 de junio de 2020. Disponible en: https://www.elimparcial.es/noticia/213650/opinion/canticos-por-la-igualdad-racial.html

HERMIDA DEL LLANO CRISTINA: <<Polonia en la encrucijada>>, *El Imparcial*, 13 de julio de 2020. Disponible en: https://www.elimparcial.es/noticia/215004/opinion/polonia-en-la-encrucijada.html

HERNÁNDEZ-VELA SALGADO, EDMUNDO: *Diccionario de Política Internacional*, Quinta Edición, Editorial Porrúa, México, 1999.

HÖFFE, OTFRIED: *Derecho intercultural*, Colección de Estudios Alemanes. Traducción de Rafael Sevilla, Gedisa, Barcelona, 2000.

JIMENA QUESADA, LUIS: <<Las grandes líneas jurisprudenciales del Comité Europeo de derechos sociales: Tributo a Jean-Michel Belorgey>>, *Lex Social. Revista Jurídica de los Derechos Sociales*, volumen 7, nº 1, 2017.

JIMENA QUESADA, LUIS, <<La protección de los grupos vulnerables por el Consejo de Europa>>, en el libro *Colectivos vulnerables y derechos humanos. Perspectiva internacional,* Ed. S. Sanz Caballero, Valencia, Tirant lo Blanch, 2010.

JIMENA QUESADA, LUIS: <<Protection of Refugees and other Vulnerable Persons under the European Social Charter>>, *Revista de Derecho Político*, nº 92, enero-abril 2015.

JIMENA QUESADA, LUIS: <<Crónica de la jurisprudencia del Comité Europeo de Derechos Sociales-2012>>, *Revista Europea de Derechos Fundamentales*, nº 20, Segundo semestre 2012.

JIMENA QUESADA, LUIS: <<El Comité Europeo de Derechos Sociales: sinergias e impacto en el Sistema Internacional De Derechos Humanos y en los Ordenamientos Nacionales>>, *Revista Europea de Derechos Fundamentales*, nº 25, Primer semestre 2015.

JIMÉNEZ GARCÍA, F.: <<La Carta Social Europea (revisada): entre el desconocimiento y su revitalización como instrumento de coordinación

de las políticas sociales europeas>>, *Revista electrónica de estudios internacionales*, n° 17, 2009.

JIMÉNEZ PIERNAS, C.: Prólogo a la obra de ARP, BJÖRN *Las Minorías nacionales y su protección en Europa,* Centro de Estudios Políticos y Constitucionales, Madrid, 2008.

KARST, KENNETH L.: <<Equal Citizenship under the Fourtheenth Amendment>>, *Harvard Law Review*, vol. 91, nov. 1977, pp. 1-68.

KEMELMAJER DE CARLUCCI, A.: <<Las acciones positivas>>, *El principio constitucional de igualdad: lecturas de introducción*, Miguel Carbonell (Comp.), Comisión Nacional de los Derechos Humanos, México D.F., 2003.

KYMLICKA, W., & NORMAN, W.: <<El retorno del ciudadano. Una revisión de la producción reciente en teoría de la ciudadanía>>, en *La Política: Revista de estudios sobre el Estado y la sociedad*, 1997, pp. 5-40.

KRANICH, LAURENCE: <<Igualdad y responsabilidad individual>>. A: D. A. *Dimensiones de la desigualdad. III Simposio sobre Igualdad y Distribución de la Renta y la Riqueza*, Vol. I. Fundación Argentaria & Visor, Madrid, 1999.

KYMLICKA, WILL: <<La evolución de las normas europeas sobre los derechos de las minorías: los derechos a la cultura, la participación y la autonomía>>, Revista Española de Ciencia Política n° 17, octubre 2007, pp. 11-50, Disponible en: https://www.researchgate.net/publication/237359441_La_evolucion_de_las_normas_europeas_sobre_los_derechos_de_las_minorias_los_derechos_a_la_cultura_la_participacion_y_la_autonomia [accessed Mar 22 2020].

KUCUKALIC IBRAHIMOVIC, ESMA: <<El lugar de «los Otros» en la Constitución de Bosnia y Herzegovina. La representación constitucional de las minorías y sus consecuencias sobre los derechos individuales>>, *Cuadernos Constitucionales de la Cátedra Fadrique Furió Ceriol*, n° 67/68, pp. 135-152.

LAPORTA, FRANCISCO: <<Sobre el concepto de derechos humanos>>, *Revista Doxa. Cuadernos de Filosofía del Derecho*, n° 4, Centro de Estudios Constitucionales y Seminario de Filosofía del Derecho de la Universidad de Alicante, Alicante, 1987, pp. 23-46.

LAPORTA, FRANCISCO: *Entre el Derecho y la Moral*, Fontamara, México D.F, primera edición 1993 y segunda edición 1995.

LIÉGEOIS, JEAN-PIERRE: *The Council of Europe and Roma: 40 years of Action*, Council of Europe, Estrasburgo, 2012.

LOEWE, DANIEL: <<Inmigración y el Derecho de Gentes de John Rawls. Argumentos a favor de un derecho a movimiento sin fronteras>>, *Revista de Ciencia Política*, Vol. 27, Nº 2, Pontificia Universidad Católica de Chile, Santiago, Chile, 2007, pp. 23-48.

LÓPEZ ULLA, JUAN MANUEL: <<Alcance del artículo 3 del Convenio Europeo del Derechos Humanos en relación con la detención de un menor extranjero no acompañado. La obligación positiva de no dejarle en desamparo>>, en *Teoría y Realidad Constitucional*, núm. 32, UNED, 2013, pp. 481-497.

LÓPEZ VELA, VALERIA: <<Acción afirmativa y equidad: un análisis desde la propuesta de Thomas Nagel>>, *Open Insight*, 2016, pp. 49-75.

LLANO ALONSO, FERNANDO H.: *El Humanismo Cosmopolita de Immanuel Kant*, Cuadernos Bartolomé de las Casas, 25, Instituto de Derechos Humanos Bartolomé de las Casas, Universidad Carlos III de Madrid, Dykinson, Madrid, 2002.

LLANO ALONSO, FERNANDO H.: *Homo Excelsior. Los límites ético-jurídicos del transhumanismo*, Tirant lo blanch, Valencia, 2018.

LLOPIS CARRASCO, RICARDO: *Constitución Europea: Un concepto prematuro. Análisis de la jurisprudencia del Tribunal de Justicia de las Comunidades Europeas sobre el concepto de carta constitucional básica*, Tirant lo blanch, Valencia, 2000.

MACEWEN, MARTIN: *Tackling Racism in Europe. An Examination of Anti-discrimination Law in Practice*, Berg, Oxford/Washington D.C., 1995.

MADINABEITIA, XABIER DEOP: *La Protección de las Minorías Nacionales en el Consejo de Europa,* Instituto Vasco de Administración Pública, Bilbao, 2000.

MANGAS MARTÍN, ARACELI Y LIÑÁN NOGUERAS, DIEGO J.: *Instituciones y Derecho de la Unión Europea*, Mc Graw Hill, Madrid, 1999.

MANZANAS CALVO, ANA MARÍA Y HERNÁNDEZ SÁNCHEZ, DOMINGO (Eds.): *Cine y Hospitalidad. Narrativas visuales del otro. Materiales de arte y estética*, Ediciones Universidad de Salamanca, Salamanca, 2021.

MARÍAS, JULIÁN: <<Mayorías y minorías>>, *ABC*, 28 de febrero de 2002.

MARIÑO MENÉNDEZ, FERNANDO M. – FERNÁNDEZ LIESA, CARLOS R. – DÍAZ BARRADO, CÁSTOR M.: *La Protección Internacional de las Minorías*, Ministerio de Trabajo y Asuntos Sociales. Subdirección General de Publicaciones, Madrid, 2001.

MARIÑO MENÉNDEZ, FERNANDO: <<Protección de las minorías y Derecho internacional>>, VV.AA.: *Derechos de las minorías y de los grupos diferenciados*, Escuela libre editorial, Fundación ONCE, Colección Solidaridad, Madrid, 1994.

MARIÑO MENÉNDEZ, F.: <<Desarrollos recientes en la protección internacional de los derechos de las minorías y de sus miembros>>, en PRIETO SANCHÍS, L. (Coord.), *Tolerancia y minorías. Problemas jurídicos de las minorías en Europa,* Universidad de Castilla- La Mancha, Cuenca, 1996.

MARTÍN Y PÉREZ DE NANCLARES, JOSÉ: <<El proyecto de Constitución Europea: reflexiones sobre los trabajos de la Convención>>, *Revista de Derecho Comunitario Europeo*, n°15, año 7, mayo-agosto 2003.

MARTÍNEZ LILLO, PEDRO y PEREIRA CASTAÑARES, JUAN CARLOS: *Documentos básicos sobre historia de las relaciones internacionales*, Universidad Complutense, Madrid, 1995.

MARTÍNEZ MORAN, NARCISO: <<Aportaciones de la Escuela de Salamanca al reconocimiento de los Derechos Humanos>>, *Cuadernos Salmantinos de Filosofía*, Volumen 30, 2003, pp. 491-520.

MARUGÁN ZALBA, NICOLÁS: <<La discriminación racial, la intolerancia y el discurso de odio racista>>, en la obra colectiva de HERMIDA DEL LLANO, CRISTINA (Coord.): *Discriminación racial, intolerancia y fanatismo en la Unión Europea*, Dykinson, Madrid, 2020, pp. 19-34.

MATÍA SACRISTÁN, ÁNGELA: Edición del *Tratado de Lisboa*, Boletín de Información, Gobierno de España. Ministerio de Justicia, Año LXII, Suplemento al N° 2058, 1 de abril de 2008.

MEDINA MORALES, DIEGO: <<Ciudadanía y persona en la era de la globalización>>, *Cultura y ciudanía europea*, APARISI MIRALLES, ÁNGELA (Coord.), Comares, Granada, 2007, pp. 139-162.

MEGÍAS QUIRÓS, JOSÉ JUSTO (Coord.): *Manual de Derechos Humanos*, Aranzadi –Thomson Reuters, The Global Law Collection, Pamplona, 2006.

MEGÍAS QUIRÓS, JOSÉ JUSTO: <<Elementos constitutivos de los Derechos Humanos>>, *Manual de Derechos Humanos*, Aranzadi –Thomson Reuters, The Global Law Collection, Pamplona, 2006, pp. 137-162.

MEJÍA, M. R.: *La(s) escuela(s) de la(s) gobalizacion(es) II. Entre el uso técnico instrumental y las educomunicaciones.* Desde Abajo, Bogotá, Colombía, 2011.

MÉNDEZ, JOSÉ MARÍA: *Curso Completo sobre Valores Humanos*, PPU S.A., Barcelona, 2006.

MERINO EUGERCIOS, MARIO: Trabajo Fin de Grado titulado <<Gestión de la diversidad cultural en Europa: Políticas de protección e inserción de las minorías nacionales>>, realizado en el Doble Grado en Administración y Dirección de Empresas y Derecho, tutorizado por Cristina Hermida del Llano en la Universidad Rey Juan Carlos de Madrid, habiendo sido defendido en la Convocatoria de junio de 2020.

MILL, JOHN STUART: *The Subjection of Women*, 1869. Capítulo 1.

MILL, JOHN STUART; MILL, HARRIET TAYLOR: *Ensayos sobre la igualdad sexual*, A. Machado Libros S.A., Madrid, 2001.

MINISTERIO DE ASUNTOS EXTERIORES: *Conferencia de Seguridad y Cooperación en Europa. Textos fundamentales*, Madrid, 1992.

MONTOYA CORRALES, CARLOS ALBERTO: <<Crítica al programa de John Rawls: Una defensa al constructivismo de la Teoría de la Justicia>>, *Analecta Política*, Volumen 6, nº 11, julio-diciembre 2016, pp. 305-330.

MORAWA, ALEXANDER: <<The United Nations treaty monitoring bodies and minority Rights with particular emphasis on the Human Rights Committee>>, *Mechanisms for the Implementation of Minority Rights*, ed. Marc Weller and H.E. Morawa Alexander, Council of Europe Publishing, Strasbourg, 2004.

MORENILLA RODRÍGUEZ, JOSÉ MARÍA: *El Convenio Europeo de Derechos Humanos: Textos Internacionales de Aplicación*, Ministerio de Justicia. Secretaría General Técnica. Centro de Publicaciones, Madrid, 1985.

MOUA, MICHAELA–KABUTA, VANESSA–BANU, LAVINIA: <<Un año del Plan de Acción de la UE contra el racismo: la crisis de la COVID-19 y la importancia de la interseccionalidad en las políticas contra el racismo>>, traducción a cargo de Javier Sáez del Álamo, publicado en el Informe anual FSG 2021: <<Discriminación y Comunidad Gitana>>, Fundación Secretariado Gitano, Madrid, 2021. Serie Cuadernos Técnicos nº 134.

NAGEL, THOMAS: <<John Rawls and Affirmative Action>>, *Journal of Blacks in Higher Education*, 2003.

NUSSBAUM, MARTHA C.: *La fragilidad del bien. Fortuna y ética en la tragedia y en la filosofía griega*, Madrid, 1995.

NUSSBAUM, MARTHA C.: *Cultivating Humanity: A Classical Defense of Reform in Liberal Education*, Cambridge (Massachusetts) London, 1997.

NUSSBAUM, MARTHA C.: *Las Mujeres y el desarrollo humano: el enfoque de las capacidades*, Herder, Barcelona, 2002.

NUSSBAUM, MARTHA C.: *Los límites del patriotismo. Identidad, pertenencia y ciudadanía mundial*, Paidós, Barcelona, 1ª ed. 1999, citas por la edición de 2013.

NUSSBAUM, MARTHA C.: *Las fronteras de la justicia: consideraciones sobre la exclusión*, Paidós, Barcelona, 2007.

OCHOA JIMÉNEZ, MARÍA JULIA: <<Protección jurídica de las minorías en Europa>>, *Papel Político*, Vol. 19, Nº 1, Bogotá (Colombia), enero-junio 2014, pp. 211-236. Disponible en: https://revistas.javeriana.edu.co/index.php/papelpol/issue/view/780

OLLERO, ANDRÉS: *¿Tiene razón el derecho?*, Publicaciones del Congreso de los Diputados, Madrid, 1996.

OLLERO, ANDRÉS: *Discriminación por razón de sexo. Valores, principios y normas en la jurisprudencia constitucional española*, Centro de Estudios Políticos y Constitucionales, Madrid, 1999.

OREJA AGUIRRE, MARCELINO: <<Un gobierno para la Unión Europea>>, prólogo al libro colectivo *El Gobierno de Europa. Diseño institucional de la Unión Europea*, Dykinson, Madrid, 2003.

ORELLANA VILCHES, ISABEL: *Qué es... LA TOLERANCIA*, Paulinas, Madrid, 1999.

ORTEGA Y GASSET, JOSÉ: <<Verdad y perspectiva>> (1916), en *El Espectador I*, *O. C.* II, Alianza, Madrid, 1983.

ORTEGA Y GASSET, JOSÉ: <<La doctrina del punto de vista>> en *El tema de nuestro tiempo* (1923), *O. C.*, III, Alianza, Madrid, 1983.

PALACIO ZULOAGA, PATRICIA: <<Hito y Retroceso en la Violencia Racial bajo el Sistema Europeo de Derechos Humanos: El Caso Nachova y Otros v. Bulgaria>>. *Anuario de Derechos Humanos*, 2006, pp. 133-137. Disponible en: https://anuariocdh.uchile.cl/index.php/ADH/article/view/13381

PECES-BARBA, GREGORIO: *Curso de derechos fundamentales. Teoría General.* Colaboradores: Rafael de Asís Roig, Carlos Fernández Liesa, Ángel Lamas Cascón, Boletín Oficial del Estado (BOE), Madrid, 1995 (3ª Reimpresión en 2014).

PETSCHEN VERDAGUER, SANTIAGO: <<La cuestión de las minorías nacionales en la Organización para la Seguridad y Cooperación en Europa>>, *Cursos de derecho internacional de Vitoria-Gasteiz = Vitoria-Gasteizko nazioarteko zuzenbide ikastaroak*, Nº 1, 1996.

PICHARDO GALÁN, JOSÉ IGNACIO: *Reflexiones en torno a la cultura: una apuesta por el interculturalismo*, Dykinson, Madrid, 2003.

PINILLA PINILLA, NILSON: Sentencia de 21 de abril de 2010 C-293/10. Corte Constitucional de Colombia, Bogotá, 2010.

PLATÓN: *La República*, 338 c. Edición traducida y editada por Raymond Larson (Arlington Heights, Ill.: AHM Publishing Corp.1979).

POYAL COSTA, ANA: *Los Derechos Fundamentales en la Unión Europea*, Universidad Nacional de Educación a Distancia, Madrid, 1997.

PRODI, ROMANO: <<Ampliación y Constitución>>, *Anuario de El Mundo. Constitución y Convención*, Madrid, 2003.

QUERALT JIMÉNEZ, ARGELIA, *La interpretación de los derechos: del Tribunal de Estrasburgo al Tribunal Constitucional*, Centro de Estudios Políticos y Constitucionales, Madrid, 2008.

RAMÓN CHORNET, CONSUELO: *¿Violencia necesaria? La intervención humanitaria en Derecho Internacional*, Trotta, Madrid, 1995.

RAWLS, JOHN: *Political Liberalism*, Columbia University Press, Nueva York, 1993. Citado por la traducción al castellano de A. Domènech. Crítica, Barcelona, 1996.

RAWLS, JOHN: *A theory of Justice*, Belknap Press of Harvard University Press, Cambridge, Massachussetts, 1971.

RAWLS, JOHN: *The Law of Peoples with "The idea of Public Reason Revisited"*, Harvard University Press, Cambridge, Massachusetts, 2001.

REY MARTÍNEZ, FERNANDO: <<La discriminación racial en la jurisprudencia del Tribunal Europeo de Derechos Humanos>>, *Pensamiento Constitucional*, N° 17, 2012.

REY MARTÍNEZ, FERNANDO: *Por la diversidad, contra la discriminación. La igualdad de trato en España: hechos, garantías, perspectivas*, Fundación Ideas para el Progreso, Madrid, 2010.

REY MARTÍNEZ, FERNANDO: <<La Sentencia del Tribunal Europeo de Derechos Humanos, de la Gran Sala, "D. H. y otros contra la República de Chequia">>, de 13 de noviembre de 2007". Disponible en: https://www.gitanos.org/upload/74/54/Sentencia_Caso_Ostrava_Fernando-Rey-Martinez.pdf

ROBLES, GREGORIO: *Los Derechos Fundamentales en la Comunidad Europea*, Ceura, Madrid, 1988.

RODELL OLGAÇ, CHRISTINA: <<Minorías nacionales, conciencia nacional y proceso de aprendizaje intercultural entre docentes en formación en Suecia>>, traducido por Silvia Branda y Claudia Cosentino, *Revista de Educación*, Año 6, n° 8, 2015, pp. 101-116.

RODRÍGUEZ PUERTO, MANUEL J.: <<¿Qué son los derechos derechos?>>, en MEGÍAS QUIRÓS, JOSÉ JUSTO (Coord.): *Manual de Derechos Humanos*, Aranzadi –Thomson Reuters, The Global Law Collection, Pamplona, 2006, pp. 13-28.

ROEMER, JOHN E.: <<Igualdad de oportunidades>>, *Dimensiones de la igualdad* (III Simposio sobre Igualdad y Distribución de la Renta y la riqueza. Volumen I), Fundación Argentaria, Madrid, 1999.

ROEMER, JOHN E.: <<Equality and Opportunity>>, *Meritocracy and Economic Inequality*, ed. K. Arrow, S. Bowles y S. Durlauf, Oxford Universtiy Press, Oxford, New York, 2000.

ROJO SANZ, JOSÉ MARÍA: <<Los derechos humanos de las futuras generaciones>>, en BALLESTEROS, JESÚS (ed.), *Derechos Humanos: Concepto, fundamento, sujetos*, Tecnos, Madrid, 1992.

RUIPÉREZ, JAVIER: <<Seguridad y equilibrio en Europa>>, publicado en la Revista *Cuenta y Razón del pensamiento actual*, n°102, Fundes, Madrid, primavera de 1997.

RUIZ VIEYTEZ, EDUARDO J., GONZÁLEZ HIDALGO, ELOÍSA: <<La definición implícita del concepto de minoría nacional en el Derecho Internacional>>, *Revista Derechos y Libertades*, Número 27, Época II, junio 2012.

RUIZ VIEYTEZ, EDUARDO J.: *La protección jurídica de las minorías en la Historia Europea*, *Cuadernos Deusto de Derechos Humanos*, núm. 3, Universidad de Deusto. Instituto de Derechos Humanos, Bilbao, 1998.

RUIZ VIEYTEZ, EDUARDO J.: <<Minorías Europeas y Estado de Derecho>>, en GARCÍA RODRÍGUEZ, Isabel, *Las Minorías en una Sociedad Democrática y Pluricultural*, Universidad de Alcalá, Servicio de Publicaciones, Madrid, 2001.

RUIZ VIEYTEZ, EDUARDO J., <<España y el Convenio Marco para la protección de las minorías nacionales: una reflexión crítica>>, *Revista Española de Derecho Internacional*, Vol. LXVI/1 Madrid, enero/junio 2014.

RUIZ VIEYTEZ, EDUARDO J.: <<La Carta Europea de las Lenguas Regionales o Minoritarias en su veinte aniversario: balance y retos de futuro>>, *Revista de Llengua i Dret, Journal of Language and Law*, nº 69, 2018, pp. 18-27.

RUPÉREZ, JAVIER: <<Seguridad y equilibrio en Europa>>, publicado en la Revista *Cuenta y Razón del pensamiento actual*, nº 102, Fundes, Madrid, primavera de 1997.

RUSHIN, DONNA KATE: <<El poema de la puente>>, en Cherríe Moraga y Ana Castillo (eds.), *Esta puente, mi espalda: voces de mujeres tercermundistas en los Estados Unidos*, San Francisco, Ism Press, 1988.

RUTHERGLEN, GEORGE: *Employment Discrimination Law. Visions of Equality in Theory and Doctrine*, Foundation Press, New York, tercera edición 2010.

SALINAS DE FRÍAS, ANA: La protección de los Derechos Fundamentales en la Unión Europea, Comares, Granada, 2000.

SÁNCHEZ, SANTIAGO: <<La lucha contra la desigualdad: acciones positivas y derechos socioeconómicos en Estados Unidos y en la India>>, *Derecho Público Iberoamericano*, nº 4, Santiago de Chile, 2014, pp. 72-89.

SANCHO GARGALLO, IGNACIO: *El paradigma del buen juez*, Tirant lo blanch, Valencia, 2022.

SANDEL, MICHAEL J.: *Justice. What is the right thing to do?*, Farrar, Strauss and Giroux, New York, 2009.

SANDEL, MICHAEL J.: *Public Philosophy. Essays on Morality in Politics*, Cambridge, Massachussetts, London, 2006.

SAN JUAN VELASCO, CRISTINA – DELGADO BURGOS, MARÍA ÁNGELES – APARICIO CERVÁS, JESÚS MARÍA: <<El concepto de "minoría" como controversia político-jurídica en su aplicación a la comunidad gitana española>>, *TRIM: Revista de investigación multidisciplinar*, nº 11, 2016.

SANTIAGO, MARIO: *Igualdad y acciones afirmativas*, Instituto de investigaciones Jurídicas de la Universidad Autónoma de México, México D.F., 2007.

SAVATER, FERNANDO: <<La agresión independentista>>, *El País*, 14 de noviembre de 2017.

SAYAGO ARMAS, DIANA: <<La protección de las minorías: un desafío clave de constitucionalismo multinivel>>, UNED. *Revista de Derecho Político,* N ° 106, septiembre-diciembre 2019.

SAYAGO ARMAS, DIANA: *Dignidad y Derecho*. Prólogo de Antonio Torres del Moral, Tirant lo blanch, Valencia, 2021.

SCARRY, ELAINE: <<La dificultad de imaginar a otras gentes>>, en NUSSBAUM, MARTHA C.: *Los límites del patriotismo. Identidad, pertenencia y ciudadanía mundial*, Paidós, Barcelona, 1ª ed. 1999, cit. por ed. 2013.

SCHUMANN, KLAUS: <<The role of Council of Europe>>, *en Minority Rights in Europe. The Scope for a Trasnational Regime*, Ed. Hugh Miall, The Royal Institute of International Affairs, London, 1994, pp. 87-98.

SEN, AMARTYA K.: *Elección colectiva y bienestar social*, Alianza Universidad, Madrid, 1976.

SEN, AMARTYA K.: *Bienestar, justicia y mercado*, Paidós, I.C.E: de la Universidad Autónoma de Barcelona, Barcelona, 1997.

SERRANO MAÍLLO, ALFONSO: <<Prefacio>> a la obra de VÁZQUEZ GONZÁLEZ, CARLOS *Inmigración, diversidad y conflicto cultural. Los delitos culturalmente motivados cometidos por inmigrantes (especial referencia a la mutilación genital femenina)*, Dykinson, Madrid, 2010.

SESSAREGO, SANDRO: <<La discriminación racial en Europa y en España: una perspectiva multidimensional>>, *Revista Internacional de Derechos Humanos*, Vol. 10, No. 2, 2020, pp. 145-180. Disponible en: https://international.vlex.com/vid/discriminacion-racial-europa-espana-847027383

SEVILLA MERINO, JULIA / VENTURA FRANCH ASUNCIÓN: <<Fundamento Constitucional de la Ley Orgánica 3/2007, de 22 de marzo, para la igualdad efectiva de mujeres y hombres. Especial referencia a la participación política>>, en *Revista del Ministerio de Trabajo e Inmigración* nº VII, Extra 2. Igualdad, septiembre 2007, pp. 15-51.

SOARES, MARIO: <<Europa federal o unión de Estados>>, *Anuario El Mundo 2003. Constitución y Convención*, Madrid, 2003.

SOLAR CAYÓN, JOSÉ IGNACIO: *La teoría de la tolerancia en John Locke*, Universidad Carlos III de Madrid, Dykinson, Madrid, 1996.

SORIANO DÍAZ, RAMÓN LUIS: *Los Derechos de las Minorías*, Editorial MAD, S.L., Colección Universitaria. Textos Jurídicos, Madrid, 2000.

SOWELL, T.: *Affirmative action around the world.* Yale University Press, New Haven, 2014.

THIEBAUT, C.: *Vindicación del Ciudadano*, Paidós, Barcelona, 1998.

TOMÁS LÓPEZ, ANA: *La Protección de las Minorías Étnicas y Nacionales en el Marco del Derecho Constitucional Público y Comparado*, Tirant lo blanch, Valencia, 2018.

TRAPANESE, ELENA: *Sueños, tiempos y destiempos. El exilio romano de María Zambrano*, Universidad Autónoma de Madrid Ediciones, Madrid, 2018.

TURTON, DAVID – GONZÁLEZ, JULIA: *Ethnic Diversity in Europe: Challenges of the Nation Sate*, University of Deusto, Bilbao, 2000.

VALLESPÍN, FERNANDO: <<Acción Afirmativa y Principio de Ciudadanía>>, *Dimensiones de la desigualdad, Dimensiones de la desigualdad (III Simposio sobre Igualdad y Distribución de la renta y la riqueza, vol. I)*, J.M. Maravall (Ed.), Argentaria-Visor, Madrid, 1999, pp. 71-85.

VAN DER STOEL, MAX: "Minorities, Human Rights and the International Community", 1995. Disponible en: https://www.osce.org/hcnm/36591

VAN DER STOEL, MAX: *Peace and Stability through Human and Minority Rights: Speeches by the OSCE High Commissioner on National Minorities*, 2ª edición enriquecida, que contiene una colección de discursos mantenidos entre 1992-2000 como el primer Alto Comisionado para Minorías Nacionales de la OSCE, ed. Wolfgang Zellner-Falk Lange, Nomos, 2001.

VAN DER STOEL, MAX: <<Minorities, Human Rights and the International Community>>, 7 de julio de 1995. Disponible en: https://www.osce.org/hcnm/36591

VON DER PFORDTEN, DIETMAR: *Dignidad humana*, Atelier, Barcelona, 2020.

WALZER, MICHAEL: *Guerra, política y moral.* Traducción al castellano a cargo de

T. Fernández y B. Eguibar, Paidós, Barcelona, 2001.

WEBER, MAX: *Economía y Sociedad. Esbozo de sociedad comprensiva* (trad. J.M. Echavarría y otros), Fondo de Cultura Económica, México, 1922, cit. ed. 1993.

WOLFRAM, KARL: <<Besonderheiten der internationalen Kontrollverfahren zum Schutz der Menschenrechte>>, en Kälin/Riedel/Karl/Bryde/ von Bar/ Geimer: *Aktuelle Probleme des Menschenrechtssschtutzes*, C.F. Müller, Heidelberg, 1994.

ZAPATA-BARRERO, RICARD: <<La ciudadanía en contextos de multiculturalidad: procesos de cambios de paradigmas>>, *Anales de la Cátedra Francisco Suárez*, nº 37, Universitat Pompeu Fabra, Barcelona, 2003.

ZAPATA-BARRERO, RICARD: <<Los tres discursos de la inclusión de la inmigración en la UE: pobreza, discriminación y desigualdad de derechos>>, *Ekonomi Gerizan* XIII, Federación de Cajas de Ahorros Vasco-Navarras.